LA FORTUNE DES ARMES

I

Les Balkans

La Fortune dissipée

La Fortune des armes II
Les Balkans
Les Montagnes de Thessalie

À PARAÎTRE

La Fortune des armes III
Le Levant
Les Vents du désert

OLIVIA MANNING

LA FORTUNE DES ARMES
I
Les Balkans

La Fortune dissipée

roman

Traduit de l'anglais et adapté par
Michèle Lévy-Bram

NiL
éditions

Titres originaux : THE BALKAN TRILOGY
Volume one : THE GREAT FORTUNE
© Olivia Manning, 1960

Volume two : THE SPOILT CITY
© Olivia Manning, 1962

© Traduction française : Nil éditions, Paris, 1998, 2000
ISBN : 2-84111-221-7

LIVRE I

LA TERRE PRODIGUE

« Un gouvernement qui dépouille
Pierre pour payer Paul peut toujours
compter sur le soutien de Paul. »

GEORGE BERNARD SHAW,
La Politique à la portée de tous, 1944.

PREMIÈRE PARTIE

Roumanie, septembre-décembre 1939

L'assassinat

1

Quelque part près de Venise, Guy se mit à parler avec un homme âgé et corpulent, un réfugié allemand en route pour Trieste. L'homme répondait avec empressement à ses questions. Aucun des deux ne sembla remarquer que le train s'était arrêté. Dans la confusion créée par la guerre qui venait d'éclater, il s'arrêtait environ toutes les vingt minutes. Harriet regarda par la vitre et vit des poutrelles métalliques, plus sombres que la pénombre extérieure, qui soutenaient un garde-fou. Entre ces poutrelles un couple se démenait, engagé dans un corps à corps maladroit; on voyait pointer un coude ou un pied, fugitivement éclairés par la lumière du wagon. Au-delà des poutrelles, l'eau miroitante reflétait les globes phosphorescents qui éclairaient la voie.

Quand le train repartit dans la nuit en laissant derrière lui les amoureux et les reflets dans l'eau, elle pensa : « Maintenant, tout peut arriver. »

Guy et le réfugié continuaient à parler, les yeux dans les yeux. La sympathie du premier avait quasiment propulsé le second hors de son siège. Il tendait des mains jointes en coupe, les agitant parfois pour donner plus de poids à ses propos. Guy lui prodiguait une attention anxieuse qui ne se relâchait que pour céder la place à une vive émotion; il hochait alors la tête pour signifier que ce qu'il entendait là était exactement ce qu'il redoutait d'entendre.

« Que dit-il? » demanda Harriet qui ne parlait pas allemand. Guy posa sa main sur la sienne pour la faire taire.

Comme canalisée par un courant d'affection, l'attention que Guy accordait au refugié ne dérivait pas. Son interlocuteur, en revanche, fixait parfois les autres passagers avec une sorte de défi, comme pour leur dire : « Je parle, oui. Et alors ? Je suis un homme libre, non ? »

Le train s'arrêta de nouveau. Un contrôleur passa. Le réfugié se leva et plongea la main dans la poche intérieure de son pardessus accroché au-dessus de sa tête. Il retint son souffle et sa main s'attarda ; il la retira pour chercher dans une poche extérieure. Cette fois-ci, il l'ôta très vite pour la plonger dans une autre poche, puis une autre, et une autre encore. Il commença à sortir tout ce qu'il avait dans celles de son veston, puis celles de son pantalon. Il respirait violemment. Il explora de nouveau les poches de son pardessus.

Guy et Harriet le regardaient faire, consternés. Son visage était devenu terreux et ses joues tombaient comme celles d'un vieillard. Cette fouille lui avait donné chaud : son front était moite et ses mains tremblaient. Quand il recommença à chercher dans sa veste, sa tête aussi tremblait, et il jetait autour de lui des regards rapides.

« Que se passe-t-il, qu'avez-vous perdu ? demanda Guy.

— Tout. Tout.

— Votre billet ?

— Oui. (L'homme haletait.) Mon portefeuille, mon passeport, mon argent, ma carte d'identité... Mon visa, mon visa ! »

Sa voix se cassa sur ce dernier mot. Il s'arrêta de chercher et, serrant les poings, tenta de se reprendre, puis il agita une main en signe d'incrédulité devant l'énormité de sa perte.

« Et la doublure ? demanda Harriet. Ils sont peut-être tombés dans la doublure. »

Guy fit de son mieux pour traduire. L'homme, sur le point d'éclater en sanglots, se retourna vers lui, comme agressé par cette suggestion. Finissant par comprendre, il tâta éperdument la doublure de son pardessus. Rien.

Les autres passagers avaient observé le manège avec un intérêt détaché tout en tendant leurs billets au contrôleur. Celui-ci, son travail fini, se retourna vers l'Allemand. Guy lui expliqua que l'homme avait perdu le sien, ce que plusieurs passagers confirmèrent dans un murmure. Le contrôleur se retourna et regarda en silence les responsables restés dans le couloir. Ils prirent le relais. L'un bloqua la porte tandis que l'autre venait en renfort.

« Il ne lui reste plus un sou. Combien pouvons-nous lui donner ? » demanda Guy à sa femme.

Ils allaient à Bucarest. Ne pouvant introduire des espèces en Roumanie, ils avaient très peu d'argent sur eux. Harriet sortit un billet de mille francs. Guy avait trois livres sterling. Ils tendirent l'argent mais le réfugié l'ignora : il était trop absorbé par une nouvelle fouille de ses poches, comme si le portefeuille avait pu reparaître dans l'intervalle. Il ne semblait pas non plus conscient de la présence des responsables qui, maintenant, se pressaient à la porte. L'un d'eux lui toucha le bras, il se détourna avec impatience : l'homme lui ordonna de les suivre.

L'Allemand descendit son manteau et sa valise. Il avait repris des couleurs normales, mais son visage était sans expression. Guy lui tendit de nouveau les billets, et il les prit sans un mot, l'air absent.

Comme on l'emmenait, Guy demanda, en fronçant les sourcils : « Que va-t-il lui arriver ? » Il semblait soucieux et désarmé, comme un enfant à qui on a volé un jouet.

Harriet secoua la tête. Personne ne pouvait lui répondre. Personne n'essaya.

La veille, ils avaient eu l'impression d'être en terrain familier bien que l'Orient-Express eût pris un retard considérable. Harriet avait regardé les vignobles défiler sous le soleil de cette fin d'été. Des boules de papier à sandwiches graisseux s'étaient défaites sous l'effet de la chaleur et des bouteilles de Vichy vides roulaient sous les sièges. Quand le train s'arrêtait, nul chef de gare n'apparaissait, nul porteur ne se précipitait vers les vitres. Sur le quai déserté, des haut-parleurs débitaient les numéros des réservistes appelés à rejoindre leurs régiments. La monotonie de la voix de l'annonceur troublait à peine le silence. En arrière-fond, on pouvait entendre le bourdonnement des abeilles et le gazouillis des oiseaux. La trille aiguë du sifflet du chef de train semblait venir de très loin, comme le bruit d'un monde qui s'éveille s'insinue dans le sommeil. Le train s'ébranla, parcourut quelques kilomètres puis s'arrêta de nouveau quand la voix du même annonceur récita les numéros sans faire aucun commentaire.

En France, ils s'étaient sentis en pays ami. L'Italie, qu'ils avaient traversée le jour suivant, marquait pour eux les limites d'un monde familier. Quand ils s'éveillèrent le lendemain matin, ils étaient dans les plaines de Slovénie. Toute la journée ses cultures monotones, ses terres à blé fauves et ses champs parsemés de meules de foin défilèrent sous un ciel lourd. Environ tous les huit cents mètres, on voyait une masure de paysan, pas plus grande qu'une cabane à outils, avec son potager et ses parterres de tournesols aux tiges étirées et aux têtes aplaties. À chaque gare, les paysans se tenaient plantés sur le quai comme des aveugles. Harriet tenta de sourire à l'un d'eux, ne suscitant de sa part aucune réaction. Son visage maigre resta tel qu'il était : fané, figé dans une désolation immuable.

Guy, qui faisait ce voyage pour la seconde fois, se concentrait sur ses livres. Il était trop myope pour tirer grand profit du paysage, et il devait préparer ses cours. Il était employé par le département d'anglais de l'université de Bucarest, où il avait déjà passé un an. Il avait rencontré et épousé Harriet au cours des vacances d'été.

Il ne leur restait de quoi payer qu'un seul repas : ce serait le dîner, décida Harriet. La journée s'écoula sans petit déjeuner, sans déjeuner, sans même une collation à l'heure du thé, et une morne sensation de faim restait attachée à la plaine slovène. Vint le crépuscule, puis la nuit. L'employé passa une fois de plus en agitant sa sonnette. Les Pringle furent les premiers installés au wagon-restaurant. Le service était satisfaisant et la nourriture excellente ; mais, vers la fin du repas, le comportement du serveur changea : il semblait soudain pris de panique. Des corbeilles de fruits étaient disposées sur les tables ; il les repoussa pour calculer les additions, dont il exigea le paiement immédiat. Le prix, élevé, comprenait le café, que quelqu'un réclama. « Plus tard », dit-il. Jetant la monnaie sur la table, il continua à s'agiter fébrilement. Un des clients décréta qu'il ne paierait pas tant qu'on ne lui aurait pas servi son café. Le maître d'hôtel répondit qu'on ne servirait aucun café tant que tous n'auraient pas payé. Il gardait l'œil sur ceux qui étaient dans ce cas, comme s'il craignait qu'ils filent avant qu'il ait eu le temps d'arriver jusqu'à eux.

Tout le monde finit par s'exécuter. Le train s'arrêta. On était à la frontière. On servit un café trop chaud pour être bu, et au même instant parut un employé qui ordonna aux clients de quitter le wagon-restaurant, qu'on allait détacher du train. Un homme avala le breuvage d'un coup, hurla et jeta sa tasse. Plusieurs voulaient savoir pourquoi on détachait le wagon. Un serveur expliqua qu'il appartenait aux chemins de fer yougoslaves et qu'aucun pays sain d'esprit ne permettrait à son personnel roulant de franchir les frontières en ces temps incertains. On poussa dehors des passagers furieux mais solidaires qui protestaient en une demi-douzaines de langues. La guerre était oubliée.

Les autorités du poste frontière parcouraient placidement les couloirs. Quand ce fut fini, le train resta dans la petite gare. Par les vitres baissées entrait un air automnal et froid qui sentait la paille.

Dans le compartiment, dont les couchettes étaient préparées, Guy écrivait toujours dans son carnet. Harriet, accoudée à la fenêtre du couloir, essayait de distinguer le village frontalier. Elle n'était même pas sûre qu'il y en eût un. L'obscurité semblait aussi vide que le cosmos et pourtant, tel un soleil, elle vit briller un champ de foire. Pas un son n'en sortait. Une grandroue se mouvait lentement, portant jusqu'au ciel des nacelles vides en forme de bateaux.

Sous ses yeux, de l'autre côté de la vitre, s'étendait un quai éclairé par trois faibles ampoules jaunes pendues à un fil. À quelque distance de la troisième, on apercevait un groupe : un homme très grand, d'une maigreur rare, avec, jeté sur l'épaule et comme accroché à un bouton de porte, un long pardessus qui traînait à terre, entouré par cinq hommes de petite taille, en uniforme, qui tentaient de le persuader de les suivre. L'air ahuri, le grand évoquait un animal craintif cerné par une meute de terriers. Tous les cent mètres, il s'arrêtait pour protester, mais les autres, qui l'encerclaient en gesticulant, le forçaient mine de rien à avancer. Ils finirent par s'arrêter devant le wagon d'où Harriet les observait. Le voyageur tenait d'une main un nécessaire de toilette en crocodile et de l'autre un passeport britannique. L'un des cinq hommes était un porteur chargé de deux grandes valises.

« Yakimov, répétait le grand maigre, prince Yakimov. *Gospodin*, gémit-il soudain, *gospodin*. »

À ces mots, les autres se groupèrent de nouveau autour de lui pour le rassurer : « *Da, da* », et « *Dobri, gospodin.* » Son curieux visage allongé était triste et résigné à l'idée d'être poussé contre son gré en tête de train. Là, on le pressa de monter dans une voiture, comme si l'express pouvait s'ébranler à tout moment.

Les hommes en uniforme se dispersèrent. Le quai se vida. Le train resta sur place encore une demi-heure puis, crachant des bouffées de fumée, il franchit lentement la frontière.

Quand les employés roumains montèrent à bord, l'atmosphère changea dans les couloirs. Les passagers roumains étaient désormais en majorité. De petites femmes boulottes que personne n'avait remarquées jusque-là se frayaient un passage vers les wagons-lits, papotant entre elles en français. Elles semblaient se féliciter mutuellement de se retrouver en sécurité dans leur propre pays. Elles émettaient de petits glapissements d'excitation tandis qu'elles bavardaient avec les employés qui leur souriaient avec indulgence. Quand Guy sortit avec les passeports, une des femmes reconnut en lui le *profesor* qui enseignait l'anglais à son fils. Il lui répondit en roumain et les femmes se pressèrent autour de lui, admirant son aisance à s'exprimer dans leur langue et l'excellence de son accent.

« Il est vrai que vous êtes parfait », lui dit l'une d'elles.

Guy, rougissant de tous ces compliments, répondit quelque chose qui leur fit pousser de nouveaux cris.

Harriet, qui n'avait pas compris ce qu'il avait dit, sourit en prétendant partager l'hilarité générale. Elle observait Guy en situation : il semblait un peu soûl et tendait les bras vers ces inconnues comme s'il voulait les enlacer toutes.

Les Pringle étaient mariés depuis moins d'une semaine. Alors qu'elle eût clamé hier qu'elle savait de lui tout ce qu'il y avait à savoir, elle pensait aujourd'hui qu'elle avait épousé un parfait inconnu.

Quand le train prit de la vitesse, les femmes se dispersèrent. Guy regagna sa couchette. Harriet resta un moment à la vitre, regardant les montagnes se dresser et grandir, leur noirceur d'ébène se profilant sur l'obscurité moins dense d'un ciel sans étoiles. Une forêt de pins bordait la voie ferrée ; les lumières des wagons faisaient onduler les arbres en lisière. Elle fixa son regard au-delà, sur le cœur sombre du bois, et elle vit se mouvoir de petites lueurs. Un instant, une forme grise semblable à celle d'un chien longea les rails avant de se fondre dans l'obscurité. Ces lueurs, comprit-elle, étaient des yeux de bêtes. Elle rejeta la tête en arrière et remonta la vitre.

Quand elle le rejoignit, Guy leva les yeux et lui demanda : « Que se passe-t-il ? » Lui prenant les mains, il constata qu'elles étaient glacées. « Petites pattes de singe », murmura-t-il en les frottant dans les siennes. Sa chaleur passa en elle. « Je t'aime », lui dit-elle ce qu'elle n'avait jamais admis jusqu'alors.

Ce moment sembla aux yeux de Harriet un de ceux, privilégiés, qui annoncent des transports subséquents. Mais Guy ne l'entendait pas ainsi : « Je sais », répondit-il. Il lui serra les doigts en une caresse finale, les relâcha, et reporta son attention sur son livre.

2

Arrivé en gare de Bucarest, Yakimov porta lui-même ses bagages à la consigne. Une valise dans chaque main, il tenait son nécessaire de toilette en crocodile serré sous le coude droit. Le pardessus doublé de zibeline pendait de son bras gauche. Les porteurs — il y en avait une douzaine par passager — le suivaient, atterrés. Ils l'auraient lynché si le regard doux et vague qui errait là-haut, très au-dessus de leurs têtes, ne leur avait donné l'impression que son propriétaire était hors d'atteinte.

Quand le nécessaire de toilette glissa, un des porteurs tenta de le saisir. Yakimov le rattrapa adroitement en faisant un pas de côté et continua à avancer en zigzag, les épaules tombantes, sa pelisse balayant le quai sale. Son costume à carreaux et son cardigan jaune flottaient au vent, comme accrochés à quelque cintre ambulant. Sa chemise, changée dans le train, était propre. Pas ses autres vêtements. Sa cravate, achetée des années auparavant par Dollie, que son « bleu céleste » avait séduite, était constellée de taches de nourriture, au point qu'on avait du mal à définir sa couleur présente — une sorte de jaune ? Sa tête, avec ces cheveux pâles et fins, ce long nez délicat abruptement épaissi aux narines, cette mince bouche de clown, était aussi loin du sol et aussi inoffensive que celle d'une girafe. Il portait une casquette à carreaux râpée. Il offrait une triste image, aggravée par le fait qu'il n'avait pas mangé depuis quarante-huit heures.

Yakimov mit ses deux valises en dépôt. Il garda avec lui le nécessaire en crocodile, qui, outre son pyjama sale, contenait son passeport britannique et le reçu pour son Hispano-Suiza. Quand la voiture avait été saisie pour dettes par les autorités frontalières yougoslaves, il n'avait sur lui que de quoi acheter un billet de troisième pour Bucarest. Il ne lui restait à présent qu'une pincée de petite monnaie.

Il sortit de la gare pour se retrouver dans le tohu-bohu d'un marché en plein air dont on commençait à allumer les torches, car la nuit tombait. Il avait réussi à se débarrasser des porteurs, maintenant c'étaient les mendiants qui se pressaient autour de lui. Sentant dans l'air les premières fraîcheurs de l'automne, il décida d'endosser la pelisse plutôt que de la tenir. Mettant son nécessaire de toilette hors de portée des gamins en loques qui s'accrochaient à ses genoux, il parvint à passer un bras dans une manche, puis l'autre. Chassé d'une capitale à l'autre, il se retrouvait aujourd'hui aux confins de l'Europe, dans un pays qui sentait déjà l'Orient. Chaque fois qu'il arrivait dans une nouvelle capitale, Yakimov se rendait à la légation britannique où il retrouvait généralement quelque figure de son passé. Il savait par ouï-dire que l'attaché culturel à Bucarest était une de ses anciennes relations ; bien plus, qu'il était même son obligé pour avoir été reçu à une de ces fêtes somptueuses que Dollie et lui donnaient jadis. Il lui vint à l'esprit que s'il se rendait à la légation en taxi, Dobson paierait celui-ci. Mais si Dobson avait été affecté ailleurs et que personne d'autre ne voulût payer, il se retrouverait à la merci du chauffeur. Pour la première fois de sa vie, il hésitait à courir ce risque. Debout, encerclé de mendiants, enfoui sous une pelisse qui, des hauteurs de son cou, tombait sur lui comme un tipi, il soupira et se dit : « Ce pauvre cher Yaki n'est plus ce qu'il était. »

En le voyant planté là, un chauffeur lui ouvrit la portière de son taxi. Yakimov secoua la tête. En italien — une langue qu'on lui avait dit être proche du roumain —, il lui demanda de lui indiquer le chemin de la légation britannique. Le chauffeur lui fit signe de monter. Quand Yakimov secoua de nouveau la tête, le chauffeur eut une moue de dégoût et commença à se curer les dents.

Yakimov insista : « *La legazione britannica, per piacere ?* » Pour s'en débarrasser, le chauffeur esquissa un rapide geste de la main par-dessus son épaule.

« *Grazie tante*, cher garçon. » Rassemblant les plis de son manteau, Yakimov fit un quart de tour à gauche et prit une rue qui lui parut un tunnel de désolation.

La nuit tombait. Il commençait à se demander s'il n'était pas perdu quand, à un carrefour, il vit une statue en robe de boyard, coiffée d'un turban de la taille d'une citrouille, qui, dramatiquement, pointait le doigt vers la droite. Il était dans la bonne direction.

Ici, la ville semblait être revenue à la vie. Les trottoirs étaient encombrés de petits hommes, tous assez semblables avec leurs costumes de ville râpés et leurs serviettes. Yakimov les identifia à coup sûr : de petits fonctionnaires et de modestes employés de bureau — une génération qui avait lutté pour s'extraire de la paysannerie et qui, travaillant de huit heures du matin à huit heures du soir, se hâtait maintenant de rentrer chez elle pour dîner. Il avait tellement faim qu'il les enviait. Un tramway s'arrêta. La foule se pressa autour de Yakimov, qui fut ballotté sans pitié d'un côté à l'autre du trottoir. La tête et les épaules nettement au-dessus de la mêlée, il réussit cependant à maintenir sa trajectoire et à conserver un sang-froid apparent.

Il s'arrêta devant une vitrine où étaient exposés des bocaux de pêches et d'abricots opalescents en suspension dans un sirop aussi épais que de la confiture. La vue de ces fruits dorés, sucrés, qui luisaient dans la lumière bleue et froide du crépuscule, fit monter une larme à ses paupières. Une femme, usant comme d'une arme de son panier à provisions, le força sans ménagement à poursuivre son chemin.

Il traversa au carrefour. Les tramways, sur lesquels les passagers s'agglutinaient comme des essaims d'abeilles en poussant des cris perçants, le frôlaient dans un fracas métallique. Il croisa des paysans vêtus de leur costume de ratine d'un blanc sale — des hommes maigres, léthargiques, le regard baissé sous leur bonnet pointu d'astrakan —, et des juifs orthodoxes avec des papillotes et le teint verdâtre de ceux qui restent la plupart du temps enfermés.

Un vent qui soufflait de face portait aux narines de Yakimov une odeur rance qui s'installa dans sa gorge comme un début de mal de mer. Il commençait à s'inquiéter : ces boutiques modestes ne semblaient pas indiquer la proximité de la légation britannique.

Les rues se subdivisaient en des rues de plus en plus petites. Yakimov, essayant de rester dans les artères les plus larges, voyait, exposées dans chaque boutique, des fournitures pour tailleur : crin de cheval, toile gommée, galons, poches précoupées, clips, boucles pour gilets, cartes de boutons, bobines de fil, rouleaux de doublure. Qui d'autre pouvait acheter ces trucs ? En quête de comestibles — rien que pour leur vue —, il emprunta un passage où la puanteur du quartier était momentanément masquée par une odeur de tissu chauffé à la vapeur. Là, dans des pièces pas plus grandes qu'un placard, s'agitaient derrière des vitres embuées, telles d'étranges créatures dans un aquarium, des hommes en bras de chemise qui, en posant lourdement leurs fers, emplissaient l'air d'un brouillard sifflant. Le passage se terminait par un square miniature tellement encombré de vannerie que les plantes grimpant le long des balcons semblaient pousser de la jungle d'osier qui régnait au sol. Un homme, adossé contre l'unique réverbère, se redressa, jeta son mégot, et commença à parler à Yakimov, lui désignant les berceaux, les corbeilles à linge et les cages à oiseau qu'il avait tressés.

Yakimov lui demanda où se trouvait la légation britannique. Pour toute réponse, l'homme souleva une douzaine de paniers à provisions attachés par une ficelle qu'il entreprit de détacher. Yakimov s'éclipsa par un autre passage qui débouchait soudain sur le quai d'un fleuve. Voilà qui était plus prometteur, un fleuve coulant généralement au milieu d'une ville. Pourtant, quand il s'approcha du garde-fou constitué d'une simple barre rouillée et se pencha pour regarder, il ne distingua qu'un filet d'eau savonneuse coulant faiblement entre deux abruptes parois de terre glaise. Sur chaque rive, des maisons délabrées offraient les vestiges d'une élégance passée. Ici et là, il voyait des fenêtres ornées de grilles de harem datant de l'ancien Empire ottoman. Un peu de peinture adhérait encore au plâtre et, là où les réverbères éclairaient les façades, on découvrait un gris pâle, ou un rouge de la nuance du sang séché.

Sur la rive où se trouvait Yakimov, les rez-de-chaussée avaient été transformés en boutiques et en cafés. *Restaurantul* et *Cafea*, pouvait-on lire sur les vitres. L'un d'eux avait roulé le rideau de perles de la porte pour inviter le client à entrer, infligeant à Yakimov le spectacle d'un homme engloutissant un bol de soupe — de la soupe à l'oignon. Des fils de fromage fondu pendaient de la cuillère et une tranche de pain grillée flottait encore à la surface.

Il continua. Tous ces lieux étaient sommairement meublés de miroirs piqués, de chaises bancales, de tables aux nappes crasseuses, et tous sentaient le graillon. Il fut de nouveau conscient d'avoir changé : jadis — et Dieu sait qu'il l'avait souvent fait —, il eût mangé tout son content et expliqué ensuite qu'il ne pouvait pas payer. Dans une autre partie de la ville, il eût peut-être encore tenté le coup, mais ici, il avait peur.

Il passait furtivement d'une porte à l'autre quand lui parvint soudain une odeur de viande grillée. Sa bouche s'emplit de salive. Attiré par cette odeur comme par un aimant, il constata qu'elle provenait d'un brasero sur lequel un paysan faisait cuire de petits morceaux de viande. Les clients du paysan, éclairés par une seule torche, se tenaient à une distance respectueuse du brasero, ne quittant que rarement la viande des yeux ; il leur arrivait de se retourner et, sans un sourire, d'échanger nerveusement avec les autres un regard de fervente anticipation. Le cuisinier semblait conscient de la supériorité de sa position. Il leur tendait leur morceau comme on octroie une faveur. Celui dont c'était le tour jetait à la ronde des coups d'œil incertains, tendait une petite pièce, prenait la viande et se glissait dans l'ombre pour aller la manger à l'écart.

Cette scène se répéta plusieurs fois avant que Yakimov ne se décidât. Il prit les pièces qui étaient dans sa poche et les étala sur sa paume — un mélange de lires, de *fillér* et de *paras*. Il les présenta au cuisinier qui, les examinant attentivement, prit la plus grande des pièces hongroises. Puis il tendit un morceau de viande à Yakimov qui, comme les autres, partit le manger dans l'ombre. La saveur de cette nourriture lui fit perdre la tête. Il l'avala trop vite. Pendant un moment bref et extatique la viande était là, puis elle n'y était plus. Seul un vague goût de cette expérience exquise s'attardait dans sa bouche, du fait de ses dents négligées. Un peu revigoré, il retrouva le courage de demander son chemin.

Il retourna près du brasero et s'adressa à un paysan qui lui parut un peu plus éveillé que les autres. L'homme ne répondit pas ; il ne le regardait même pas : tête baissée, il coulait des regards furtifs à droite et à gauche comme s'il se demandait d'où provenait le bruit qu'il entendait. Un petit type brun, un Tzigane, bondit alors vers lui et, écartant avec mépris le paysan, demanda à Yakimov en anglais :

« Vous chercher quoi ?

— Je cherche la légation britannique.

— Pas ici. Nulle part ici.

— Mais où est-ce ?

— Loin. Vous devoir trouver véhicule.

– Indiquez-moi le chemin. Je peux y aller à pied.

— Non, non. Trop loin. Trop compliqué. »

Plantant là Yakimov, il alla se placer de l'autre côté du brasero, d'où il lui jetait des regards pleins de rancune.

Yakimov commençait à être fatigué. Sa pelisse pesait sur ses épaules et il avait chaud. Il se demanda s'il ne pourrait pas trouver un endroit où dormir en échange de la promesse habituelle de payer le lendemain.

Comme il poursuivait son chemin, le quai s'élargit, formant un espace pavé ouvert balayé par un vent qui charriait du gravier et des plumes. À l'autre bout, à l'intersection d'une grand-rue, il distinguait des cageots bourrés d'oiseaux vivants. Le marché aux volailles. Il comprit soudain d'où venait la puanteur.

Il marcha jusqu'aux cageots, en descendit un de la pile pour se faire un siège et s'assit, protégé par ceux empilés dans son dos. Les poules, de l'espèce balkanique la plus filiforme, s'agitèrent en caquetant puis se rendormirent. Une horloge, située quelque part dans le marché, sonna neuf heures. Yakimov avait donc erré pendant plus de deux heures. Il soupira. Son corps fragile était devenu trop lourd pour bouger. Coinçant son nécessaire de toilette entre les cageots pour le dissimuler aux regards, il cala ses pieds, inclina la tête sur la poitrine et s'endormit.

Il fut réveillé par le crissement brutal d'un coup de frein. « Boucan à une heure indue, cher garçon », murmura-t-il. Il tenta de se retourner. Ses genoux heurtèrent le fil de fer de la cage à poules la plus proche. Les crampes qu'il sentait dans ses membres le ramenèrent à la réalité. Il se leva péniblement pour voir quel genre de véhicule on osait malmener de la sorte, et pourquoi il en passait un si grand nombre alors qu'il faisait à peine jour. Il découvrit un cortège de camions couverts de boue séchée qui faisaient des embardées et oscillaient au milieu de la route. L'un d'eux semblait foncer droit sur le trottoir, obligeant Yakimov, alarmé, à faire un bond en arrière. Le chauffeur redressa la direction et le camion continua sa route, mais Yakimov le suivit des yeux, d'autant plus scandalisé que lui-même était un conducteur habile, inspiré même.

Derrière les camions venait une file de voitures — une file apparemment sans fin. Elles étaient toutes du même gris boueux et toutes bizarrement ventrues. Il se rendit compte qu'elles étaient capitonnées de matelas fixés sur leurs flancs et leur toit

Leurs pare-brise étaient cassés, leurs capots et leurs ailes criblés de balles. À l'intérieur, les passagers — hommes, femmes et enfants — dormaient. Même les conducteurs semblaient piquer du nez au volant.

Qui étaient ces gens ? D'où venaient-ils ? Autant de questions auxquelles Yakimov, perclus, affamé, les yeux blessés par une lumière qu'il n'était pas habitué à contempler à pareille heure, ne tenta pas de répondre. Savoir où ils allaient, en revanche, lui serait d'une utilité immédiate. Fixant son regard dans la direction qu'ils suivaient il vit émerger, sur un arrière-fond rose et bleu, de hauts bâtiments de béton nacrés par l'aube. Les phares de la civilisation. Il prit la route qui y menait.

Il fit deux bons kilomètres avant d'arriver sur une grand-place aux pavés ronds mouchetés par le soleil qui se levait au-dessus des toits. Une statue, lourdement plantée sur un cheval trop grand pour elle, saluait la longue façade grise de ce qui était probablement le palais royal. Le reste de la place était visiblement en cours de démolition. Il la traversa pour atteindre le côté ensoleillé, où se dressait un grand bâtiment moderne. Sur sa façade blanche, une enseigne proclamait : HÔTEL ATHÉ-NÉE-PALACE. Les voitures de tête étaient stationnées devant l'hôtel. Seuls quelques rares occupants avaient bougé. Les autres dormaient toujours, le visage terreux, comme décoloré. Certains, blessés, étaient sommairement bandés. Dans une des voitures, Yakimov aperçut du sang sur le tissu gris du siège.

Il poussa la porte à tambour de l'hôtel. Au moment où il entrait dans le hall de marbre brillamment éclairé par des lustres de cristal, il entendit quelqu'un crier : « Yakimov ! »

Il amorça un demi-tour. Cela faisait longtemps qu'il n'avait pas reçu ce genre d'accueil. Sa méfiance grandit quand il vit à qui il le devait : il s'agissait d'un journaliste nommé McCann, qui lui tournait généralement le dos quand ils se rencontraient jadis dans les bars de Budapest. McCann était étendu sur un long canapé placé à l'entrée du vestibule, tandis qu'un homme en costume noir coupait la manche de la chemise trempée de sang qui collait à son bras droit. Yakimov, alarmé, s'approcha du canapé et demanda :

« Que s'est-il passé, cher garçon ? Puis-je faire quelque chose pour vous ?

— Et comment ! J'ai perdu une demi-heure à essayer de persuader ces deux crétins de me trouver quelqu'un qui parle anglais. »

Yakimov se serait bien assis près de McCann car il se sentait aussi faible que n'importe quel blessé. Mais l'autre partie du canapé était occupée par une beauté brune, hagarde et très sale, qui y dormait, largement étalée.

Penché sur McCann avec une sollicitude interrogative, il espérait que l'homme n'avait rien d'important à lui demander.

« Ça ! C'est de ça qu'il s'agit ! (De la main gauche, McCann fouillait maladroitement la poche de la veste posée derrière lui sur l'accoudoir.) Voilà ! »

Produisant quelques feuilles arrachées à un carnet, il ajouta :

« Envoyez ça pour moi. Toute l'histoire y est.

— Quel genre d'histoire, cher garçon ?

— Comment ! Mais la rupture du front polonais ; la capitulation de Gdynia ; la fuite du gouvernement ; l'avancée allemande sur Varsovie ; l'exode des civils — moi y compris. Les voitures mitraillées par les avions ; les hommes, les femmes et les enfants blessés ou tués ; les morts enterrés au bord de la route. Une came de premier ordre ! De première main. Doit sortir quand elle est encore chaude. Tenez, prenez.

— Mais comment m'y prendre pour "envoyer", comme vous dites ? s'exclama Yakimov, déjà prêt à détaler : la tâche qu'on lui proposait était trop ardue.

— Appelez notre agence à Genève et dictez le texte au téléphone. Un enfant pourrait le faire.

— Impossible, cher garçon. Pas un radis sur moi.

— Alors appelez en PCV.

— Oh, on ne me le permettra jamais. (Yakimov battait en retraite.) Personne ne me connaît ici. Je ne parle pas la langue. Moi aussi, je suis un réfugié, tout comme vous.

— D'où venez-vous ? »

Avant que Yakimov pût répondre, un homme jaillit de la porte à tambour. Il marchait en balançant les bras, de cette façon saccadée, peu naturelle que donne l'épuisement. Il se précipita vers McCann :

« S'il vous plaît, où est passé l'homme roux qui était dans votre voiture ?

— Il est mort, dit McCann.

— Et où est l'écharpe que je lui ai prêtée ? La grosse écharpe bleue ?

— Dieu seul le sait. Sous terre, probablement. Au cas où

vous voudriez aller la chercher, nous l'avons enterré après Lublin.

— Vous avez enterré l'écharpe ? Mais vous êtes fou !

— Oh, foutez-moi le camp ! » cria McCann.

L'homme, traversant le hall en courant, se mit à marteler le mur de ses poings.

Tentant de profiter de cette diversion, Yakimov s'esquivait déjà. McCann, laissant échapper un hurlement de rage, le rattrapa par un pan de sa pelisse :

« Bon Dieu de Bon Dieu ! Restez là, espèce de salaud. Je suis cloué ici, le bras à moitié arraché, une balle dans les côtes, on m'interdit de bouger... et toute l'histoire est écrite, elle est là ! Vous *devez* l'envoyer, vous m'entendez ? C'est un ordre.

— Rien avalé depuis trois jours. Votre pauvre vieux Yaki se sent tout faible. Ses pieds le font souffrir, gémit Yakimov.

— Attendez ! (Fouillant de nouveau impatiemment dans sa veste, McCann en sortit sa carte de presse.) Prenez ça. Vous pourrez manger ici. Vous pourrez boire. Dormir. Faire tout ce qu'il vous plaira, mais d'abord, filez dicter ce truc au téléphone. »

Prenant la carte et voyant, sur la photo, le visage défait, fripé de McCann, Yakimov se sentit lentement ranimé par les possibilités qu'offrait la situation.

« Vous voulez dire qu'on me fera crédit ?

— Un crédit illimité. C'est écrit ici noir sur blanc. Travaillez pour moi, pauvre cloche, et vous pourrez vous empiffrer et picoler tout votre soûl.

— Cher garçon ! souffla un Yakimov désormais soumis qui demanda avec un sourire suave : Vous allez expliquer de nouveau, *très* lentement, à votre Yaki ce que vous voulez qu'il fasse. »

3

Les Pringle s'installèrent dans un petit hôtel de la grand-place situé en face de l'Athénée-Palace. Leur fenêtre donnait sur les ruines. Le lendemain de leur arrivée, ils furent réveillés à l'aube par un fracas de maçonnerie qui s'effondre. Le soir, tandis que Harriet guettait le retour de Guy, elle vit de petites silhouettes noires munies de torches s'agiter tels des lutins dans la pénombre : des ouvriers qui venaient éclairer les décombres.

Les immeubles qu'on avait fait sauter étaient l'un des derniers exemples de la joliesse Bidermeier, un style légué par l'Autriche à Bucarest. Le roi, pour remplacer le square, avait fait dresser les plans d'un énorme terre-plein où, dans l'hypothèse improbable d'une apparition publique, il passerait en revue quelque régiment, et il avait ordonné qu'on achevât les démolitions avant l'hiver.

Harriet avait passé presque toute la journée à la fenêtre. Le trimestre universitaire n'était pas encore commencé, mais Guy avait tenu ce matin-là à se rendre sur place pour voir s'il ne trouverait pas des étudiants dans la salle des professeurs. Il avait promis à Harriet de sortir avec elle l'après-midi, mais il était rentré tard, le visage radieux, disant qu'il devait déjeuner en vitesse et retourner là-bas. Les étudiants s'étaient bousculés toute la matinée pour avoir des nouvelles de leur professeur d'anglais et connaître le programme du trimestre.

« Mais, chéri (le ton de Harriet, encore plein de la patience des jeunes mariées, n'exprimait qu'un regret confiant), tu ne pourrais pas attendre le retour du professeur Inchcape ?

— Il ne faut jamais décourager les étudiants », dit Guy.

Et il partit en hâte, lui promettant qu'ils iraient ce soir-là dîner sur la Chaussée.

L'après-midi, le réceptionniste avait appelé trois fois leur chambre pour dire qu'une dame souhaitait parler à *domnul* Pringle. « La même dame ? » s'enquit Harriet la troisième fois. Oui, c'était la même dame.

Au coucher du soleil, quand Harriet reconnut la silhouette de Guy qui traversait la place, sa patience s'était quelque peu usée. Elle le vit émerger d'un nuage de poussière, un costaud un peu négligé, encombré d'une brassée de papiers et de livres qu'il serrait contre lui avec une gaucherie d'ours. Un morceau de corniche s'écrasa devant lui. Il s'arrêta, aveuglé ; son regard de myope erra autour de lui, et il repartit dans la mauvaise direction. Elle ressentit pour lui une compassion navrée. Un mur s'effondra à l'endroit même qu'il venait de quitter. Sa chute exposa l'intérieur d'une maison, une vaste pièce blanche ornée de boiseries chantournées, de pâtisseries aux volutes baroques, avec, enchâssé dans un des murs, un miroir qui brillait comme un lac. Non loin, on pouvait voir aussi la tapisserie rouge d'un café — le fameux café *Napoléon*, le lieu de rencontre des artistes, des musiciens, des poètes et autres non-conformistes. Guy lui avait expliqué que toutes ces démolitions avaient pour simple but d'éradiquer ce foyer de sédition.

Guy entra dans la chambre et laissa tomber son fardeau de papier. Il entreprit de changer de chemise et, avec une désinvolture qui laissait présager un drame, annonça :

« Les Russes occupent Vilnius.

— Tu veux dire qu'ils sont entrés en Pologne ?

— Une bonne décision. (Le ton de Harriet l'avait mis sur la défensive.) Prise pour protéger la Pologne.

— Une bonne excuse, plutôt ! »

Le téléphone sonna et Guy décrocha précipitamment, soulagé d'en rester là. « Inchcape ! » s'exclama-t-il avec ravissement. Puis, sans consulter Harriet, il ajouta : « Nous dînons sur la Chaussée. Au restaurant *Chez Pavel*. Venez nous y rejoindre. » Il posa le récepteur puis, enfilant sa chemise sans en défaire les boutons, il dit : « Inchcape te plaira. Tout ce que tu as à faire, c'est l'encourager à parler. »

Harriet, doutant qu'un parfait inconnu pût lui plaire, lui lança :

« On t'a téléphoné trois fois cet après-midi. Une femme.

— Ah bon ? »

Cette information ne sembla pas l'émouvoir. Il se contenta d'ajouter :

« Ici, les gens sont des fous du téléphone. Il n'y a pas long-temps qu'il est installé. Des femmes qui n'ont rien de mieux à faire appellent de parfaits inconnus et leur disent : "Allô ? Qui êtes-vous ? Et si on flirtait un peu ?" Ça m'arrive tout le temps.

— Je ne pense pas qu'une parfaite inconnue téléphonerait à trois reprises.

— Peut-être pas. Qui que ce soit, elle rappellera. »

Ils allaient partir quand le téléphone sonna de nouveau. Guy se hâta de décrocher. Harriet, déjà dans l'escalier, l'enten-dit s'écrier : « Sophie ! » Elle commença à descendre et, d'un palier, vit que le hall de l'hôtel était bondé. Tout le monde — clients, personnel — s'y était rassemblé, s'agitant et parlant avec animation. Derrière le bureau de la réception, l'appareil de radio, tel un oiseau mécanique, crachouillait la *hora*, cette musique roumaine terriblement éprouvante pour les nerfs. Har-riet se figea. Quand Guy la rattrapa, elle lui murmura : « Je crois qu'il se passe quelque chose. »

Guy s'approcha du directeur, qui lui prêta une attention respectueuse. Les Anglais étaient des gens importants à Buca-rest. L'Angleterre s'était portée garante de la sécurité de la Rou-manie. Guy apprit que des troupes étrangères se massaient à la frontière.

« Quelle partie de la frontière ? » demanda-t-il.

On l'ignorait ; on ignorait également si les troupes étaient allemandes ou russes. Le roi, de ses appartements, allait parler à la radio, et on pensait qu'il allait ordonner une mobilisation générale.

Gagnés par la fièvre ambiante, les Pringle décidèrent de rester pour écouter le discours du souverain. L'oiseau méca-nique s'arrêta brusquement. Ceux qui, précédemment, brail-laient pour se faire entendre se turent, soudain gênés. Les voix moururent lentement, remplacées par un grand silence. Le spea-ker annonça que le roi allait s'adresser à ses sujets en roumain.

Un homme enveloppé d'une cape, trop gros pour pouvoir tourner seulement la tête, parvint à tourner tout son corps vers l'assemblée, un air d'innocence feinte sur le visage :

« *Sans doute Sa Majesté s'instruit-elle dans sa langue, ce qui explique le retard de l'émission* », dit-il en français.

Il y eut un rire — un rire bref, fugitivement arraché à la peur —, puis les visages reprirent leur expression tendue. Tous, hommes et femmes, attendaient, leurs yeux sombres fixés sur le poste d'où la voix du roi finit par sortir. L'audience, buste penché en avant pour mieux entendre, ne tarda pas à s'agiter, se plaignant de ce que le roumain du souverain fût exécrable. Guy tenta néanmoins de traduire son discours à Harriet : « Si on nous attaque, nous défendrons notre pays jusqu'au dernier homme. Nous le défendrons jusqu'au dernier arpent de terre. Nous avons tiré un enseignement des erreurs de la Pologne. La Roumanie ne souffrira pas la défaite. Sa force sera formidable. »

Certains hochèrent la tête ; quelqu'un répéta : « *Formidabil, eh ! Formidabil !* » Mais la plupart jetaient des regards furtifs à la ronde, craignant qu'un ennemi prît ces mots pour une provocation. L'homme à la cape se retourna de nouveau pour faire une autre plaisanterie qui, cette fois, ne fit rire personne. Les temps n'étaient plus à l'humour. L'homme quitta l'hôtel, adressant au passage un sourire complice à Guy. Ce dernier, rougissant comme un écolier, confia à Harriet qu'il s'agissait d'un ancien acteur du Théâtre national.

Les Pringle sortirent par une porte latérale donnant dans la Calea Victoriei, la grande artère commerçante dont les hauts immeubles retenaient les dernières lueurs rose-mauve du couchant.

C'était l'heure de la promenade du soir. Guy suggéra qu'ils marchent un peu. Mais d'abord, il leur faudrait traverser le purgatoire : la horde des mendiants patentés de leur hôtel. Il s'agissait de mendiants professionnels. Leurs yeux crevés et leurs mutilations diverses leur avaient été infligés dès la petite enfance par des parents également mendiants. L'année que Guy avait déjà passée à Bucarest l'avait, sinon blindé, du moins habitué à ce spectacle d'yeux blancs et de plaies purulentes. Il ne s'alarmait plus quand on lui agitait sous le nez des moignons, des bras atrophiés et des seins de mère en train d'allaiter. Les Roumains, quant à eux, acceptaient ces horreurs comme faisant partie de la vie, et ils donnaient des pièces si petites qu'un mendiant devait mendier à plein temps pour rassembler de quoi se payer un repas par jour.

Toutefois, quand Guy essaya de faire de même, son don fut accueilli par des clameurs. Les étrangers ne s'en tiraient pas à si bon compte. Toute la corporation sans exception se jeta sur les Pringle. L'un de ses membres, un demi-pain caché derrière le dos, se joignit aux autres pour lancer le cri ancestral : « *Mi-e foame, foame, foame.* » L'air puait l'ail et la sueur. Les mendiants prenaient ce que Guy leur distribuait, puis pleurnichaient pour en avoir davantage. Harriet, observant un enfant qui tremblait violemment à son coude, crut voir dans ses yeux une sorte de jubilation dans l'obstination. Au sol, un homme, tentant de leur barrer le passage, étendit une jambe nue, ou plutôt un os sur lequel le peu de chair restante était marbré de rouge et parsemé de croûtes jaunes. Elle l'enjamba pour lui échapper, et la jambe frappa le sol de rage.

« On dirait qu'ils cherchent à vous rendre fou », remarqua-t-elle. Puis elle comprit que le fait de provoquer quelque étranger — elle, par exemple —, de déclencher une réaction de pure haine, devait être pour eux une façon de se venger de leur déchéance.

Le couple put enfin se joindre aux promeneurs. La foule était loin d'être joyeuse, et les hommes y étaient plus nombreux que les femmes. Ces dernières ne sortaient pas seules. Les rares jeunes filles présentes étaient en groupe, et elles n'avaient d'yeux que pour leurs compagnes, apparemment aveugles aux regards appuyés des hommes seuls. Il y avait surtout des couples, convenables, vêtus de stricts costumes-tailleurs aux épaules rembourrées et aux vestes soigneusement boutonnées. Guy expliqua à Harriet que ce qu'elle observait là était la nouvelle bourgeoisie des parvenus issus de la paysannerie et plutôt contents d'euxmêmes.

Comme les paysans étaient enclins à porter des couleurs vives, leurs descendants mâles s'habillaient en gris, et les femmes en noir « chic parisien », avec autant de perles, de diamants et de renards argentés qu'elles pouvaient se le permettre.

Harriet croisait des regards critiques, légèrement moqueurs, même, car les Pringle étaient nu-tête et plutôt bizarrement vêtus. Une attitude qui la rendait sévère à leur égard :

« L'uniformité de ces gens traduit leur manque de confiance en eux, déclara-t-elle.

— Tous ne sont pas Roumains, dit Guy. Il y a parmi eux un grand nombre de juifs apatrides ; et, bien sûr, des Hongrois, des Allemands et des Slaves. Les pourcentages sont... »

Heureux d'échapper à un bavardage futile, il se lança dans

un énoncé statistique que Harriet n'écoutait pas. Elle avait une guerre à mener. Une guerre contre la foule.

Cette promenade était pour elle une épreuve de force. Bien que placides, les Roumains étaient inflexibles dans leur détermination à garder le trottoir. À leurs yeux, la chaussée était réservée aux paysans et aux domestiques. Les hommes, à la rigueur, si on les y forçait, pouvaient céder un pouce ou deux, mais les femmes étaient implacables — des rouleaux compresseurs. Petites et robustes, elles gardaient une expression d'affabilité narquoise tout en tricotant sérieusement du derrière et des seins, qu'elles avaient aussi gras que des quartiers de lard.

La position la plus farouchement défendue était la partie du trottoir qui longeait les vitrines. Guy, trop modéré pour se battre, et Harriet, desservie par son gabarit poids plume, étaient aisément repoussés vers le bord. Guy saisissait alors le coude de sa femme pour l'empêcher de glisser dans le caniveau. Elle se libéra en décrétant : « Je vais marcher sur la chaussée. N'étant pas Roumaine, je peux faire ce qu'il me plaît. »

Guy la suivit. Il lui prit la main et la pressa dans la sienne, tentant de lui communiquer son imperturbable bonne humeur. Harriet, se retournant pour regarder la foule, d'un œil plus tolérant maintenant qu'elle n'y était plus mêlée, comprit que cette autosatisfaction apparente cachait une certaine nervosité, un malaise vigilant. Si quelqu'un avait crié : « L'invasion a commencé », toute la façade se serait écroulée.

Ce malaise se démasqua au bout de la Calea Victoriei, là où la rue s'élargissait en un *no man's land* de bâtiments publics. Une douzaine de voitures appartenant aux réfugiés polonais qui, du Nord, continuaient d'affluer, y étaient garées. Certaines étaient abandonnées. Dans d'autres, que les hommes avaient quittées pour aller chercher un toit, des femmes et des enfants fixaient la foule d'un regard vide. Les Roumains bien vêtus, sortis pour voir et être vus, semblaient insultés par ces visages défaits que la fatigue rendait indifférents.

Harriet se demanda ce que les Roumains allaient faire de ces réfugiés. Guy lui dit qu'une fois émus, ils avaient plutôt bon cœur. Certains de ceux qui possédaient des résidences secondaires les avaient déjà offertes à des familles. Pourtant, circulaient de vieilles histoires antipolonaises datant de la guerre précédente.

Vers la fin de la rue, juste avant le carrefour où Cantacuzène, le boyard enturbanné, pointait l'index en direction du marché aux volailles, une file de *tràsuri* décapotées attendait le client. Guy suggéra qu'ils prennent une de ces calèches pour se rendre sur la Chaussée. Harriet examina les chevaux, dont la lumière déclinante cachait l'état véritable.

« Ils m'ont l'air pitoyablement efflanqués, dit-elle.

— Ils sont très vieux.

— On ne devrait pas les faire travailler.

— Si personne ne les fait travailler, ils crèveront de faim. »

Choisissant le cheval le moins malingre, les Pringle grimpèrent dans la voiture. Elle allait partir quand se fit entendre un ordre qui la cloua sur place. Un homme âgé de haute taille brandissait sa canne d'un air impérieux.

Guy le reconnut et dit, d'un ton surpris : « C'est Woolley. D'habitude il nous ignore, nous autres, les "types de la Culture". Mais peut-être tient-il à faire ta connaissance », ajouta-t-il avec un sourire ravi.

Avant que l'homme pût ouvrir la bouche, Guy, avec sa générosité d'esprit coutumière, le présenta à Harriet comme « l'homme d'affaires le plus important de la communauté anglaise et le président du Golf-Club ». Puis, se tournant avec une tendre fierté vers Harriet : « Ma femme. »

Woolley inclina la tête avec une froideur très « service-service » signifiant qu'il ne les avait pas accostés pour entendre ces balivernes :

« L'ordre est très clair : les dames doivent rentrer en Angleterre, annonça-t-il d'un ton nasillard.

— Mais j'ai appelé la légation ce matin, et personne ne m'en a rien dit, répondit Guy.

— Eh bien c'est comme ça », insista-t-il sur un ton impliquant qu'il était là pour les informer, et non pour discuter.

Harriet, exaspérée par la faiblesse de la protestation de Guy, demanda : « Qui a donné cet ordre ? Le ministre ? »

Woolley sursauta, surpris, semblait-il, non tant qu'elle lui eût parlé d'une voix sèche, mais qu'elle eût une voix. Sa tête chauve tavelée comme une peau de grenouille se mouvait par saccades et s'inclinait vers elle telle une lanterne japonaise au bout d'une tige de bambou.

« Non, consigne générale, plutôt. J'ai renvoyé ma femme à la maison à titre d'exemple. Ça devrait suffire aux autres.

— Pas à moi, j'en ai peur. J'ai pour règle de ne jamais suivre les exemples. »

Woolley déglutit plusieurs fois avant de lancer :

« Ah non ? Eh bien, jeune dame, laissez-moi vous dire ceci : si ça se gâte, il va y avoir ici une pagaille monstre. Les voitures et l'essence seront réquisitionnées par l'armée et les trains seront bourrés de troupes. Je doute que quiconque puisse alors partir, mais si vous y parvenez, vous partirez les mains vides, et ce ne sera pas un voyage touristique — oubliez l'agence Cook. Ne venez pas me dire que je ne vous ai pas prévenue. Je vous dis, moi, que le devoir des dames, c'est de rentrer à la maison pour ne pas être un poids mort pour les messieurs.

— Vous croyez qu'elles seront plus en sécurité en Angleterre ? Permettez-moi de vous faire remarquer que vous ne connaissez rien à la guerre moderne. Vous pourriez donner un meilleur exemple en ne cédant pas à la panique, Mr Woolley. »

Harriet frappa l'épaule du cocher et la *tràsurà*, comme un bateau qui rompt ses amarres, s'ébranla péniblement. Harriet, se retournant pour saluer Woolley d'un signe de tête hautain, vit, à la lueur d'un réverbère, que le visage de l'homme avait perdu le peu de couleurs et de sang-froid qui lui restaient. Il se mit à vociférer :

« Vous les jeunes, vous n'avez plus aucun respect pour l'autorité. Vous apprendrez que le ministre me considère comme le chef de la colonie anglaise ! »

L'équipage avait trouvé sa vitesse de croisière. Guy, les sourcils levés, regardait Harriet : la femme qu'il avait réussi à conquérir venait de franchir un cran supplémentaire dans son estime.

« Tu as été magnifique, lui dit-il. Tu m'as stupéfié ! »

Assez contente d'elle, elle lui répondit :

« Comment peux-tu te laisser tyranniser par ce vieux croûton ? Il est insupportable.

— Chérie, il est pathétique.

— Pathétique ? Avec sa suffisance ?

— Justement. La suffisance *est* pathétique. Tu ne le comprends pas ? »

Elle le comprit — provisoirement du moins — et son triomphe en pâlit. Guy glissa sa main dans les siennes et elle la porta à ses lèvres : « Tu as raison, naturellement. Pourtant... (Elle lui mordit le petit doigt et il poussa un cri.) Ça, c'est pour m'assurer que tu n'es pas trop beau pour être vrai. »

Après avoir emprunté de nouveau la Calea Victoriei et

retraversé la grand-place, ils suivaient maintenant une large avenue bordée de demeures habitées seulement par les très riches, dont l'une était l'ambassade d'Allemagne. Ils débouchèrent enfin sur la Chaussée qui, large et plantée d'arbres, finissait en pleine campagne. Ces arbres, une rangée de part et d'autre des trottoirs, étaient presque nus ; les feuilles qui leur restaient, brûlées par la chaleur de l'été, en pendaient comme les fragments calcinés dispersés par le souffle d'un feu de joie.

Il faisait presque nuit et le ciel commençait à se consteller d'étoiles. Assis main dans la main dans la vieille voiture à quatre roues, les Pringle se sentaient très loin de chez eux, isolés, perdus ensemble dans un monde en guerre.

Comme pour dissiper un accès de sentimentalité, Guy désigna du doigt une arche qui se dressait au loin dans le paysage :

« L'arc de triomphe, dit-il.

— Ah oui ! Le Paris de l'Est ! » s'exclama Harriet pour se moquer, car ils n'étaient pas d'accord sur les charmes de Bucarest.

Guy, qui y avait passé sa première année d'adulte — celle où il avait pour la première fois gagné son pain —, avait pour cette ville une faiblesse que Harriet la Londonienne, jalouse d'une expérience qui l'excluait, n'était pas encline à partager.

« En quoi est-il, cet arc ? En marbre ? reprit-elle.

— En béton. »

Il avait été préalablement construit par un entrepreneur indélicat qui avait mégoté sur le ciment. Il s'écroula : on mit l'entrepreneur en prison et on le reconstruisit à la gloire de la Grande Roumanie, celle qui vit le jour en 1919, quand l'ancien Royaume, en récompense pour avoir fait la guerre du bon côté — celui des vainqueurs —, reçut une partie de la Russie, de l'Autriche et de la Hongrie. « Et maintenant, comme la plupart de ceux à qui la guerre a profité, elle a une belle forme bien ronde et bien confortable. »

Des jeunes hommes en voitures de course dépassèrent la *tràsurà* en braillant, une main coincée sur le klaxon. Le cheval qui, comme Harriet le soupçonnait, était un fantôme de cheval, un squelette sous un cuir meurtri, ne parut pas s'émouvoir ; pas plus que le cocher, un énorme pain de campagne en robe de velours.

« C'est un *Skopit*, chuchota Guy. Une des curiosités de cette ville. Les *Skopits* font partie d'une secte russe. Ils croient que pour trouver la grâce, tout le monde, hommes et femmes, doit être plat devant. Aussi, après s'être reproduits au cours d'énormes orgies organisées, les jeunes sont saisis d'une frénésie telle qu'ils se mutilent.

— Oh ! » dit Harriet.

Elle contempla rêveusement le dos du pain de campagne, puis la sombre plaine de Valachie sur laquelle se dressait la ville, telle une pièce montée sur un plat à gâteau. « Un pays barbare », déclara-t-elle.

Les dernières maisons passées, en bordure de la route éclairée *a giorno* sous un ciel mauve, apparurent les nombreux restaurants qui, ne possédant pas de jardin en ville, s'étaient transportés là. Chaque printemps, ils fermaient leurs locaux hivernaux pour émigrer sur la Chaussée, où ils installaient tables et chaises en plein air, sous un dais formé par l'épais feuillage de tilleuls et de châtaigniers longuement arrosés au jet chaque matin.

Quand la *tràsurà* s'arrêta devant *Chez Pavel*, l'un des plus grands de ces restaurants à ciel ouvert, ils entendirent, assez stridentes pour couvrir le bruit de la circulation, les plaintes d'un violon tzigane. Passé la haie d'arbustes du jardin, tout n'était plus que tumulte.

Le lieu était bondé. La lumière crue des globes cerclés d'argent disséminés dans les arbres éclairait les troncs rugueux et les graviers du sol. Elle blêmissait les visages des dîneurs que l'attente de la nourriture rendait moites de nervosité. Ils regardaient fixement autour d'eux, l'œil hagard, exigeant d'être servis. Ils frappaient leur verre avec leur couteau, tapaient dans leurs mains, faisaient aux serveurs des bruits de baisers tandis que d'autres saisissaient les queues-de-pie passant à proximité en criant *Domnule, domnule !* Car, dans ce pays, on ne s'adressait, même au plus humble, qu'en l'appelant « seigneur ».

Les garçons, transpirants et défaits, aboyaient leurs formules de politesse et filaient avant d'avoir fini de prendre la commande. Dans ce vacarme, les rires étaient loin de dominer.

« Ils ont tous l'air furieux, constata Harriet, mécontente elle aussi par contagion.

— Ce n'est que l'animation roumaine habituelle », dit Guy en la conduisant vers une tonnelle de vigne grimpante où les mets étaient étalés sur une table.

Au centre trônait un bouquet rose composé de viandes

diverses et festonné d'une écume de chou-fleur. Non loin, un empilement extravagant d'aubergines aussi grosses que des melons voisinait avec des paniers d'artichauts, de petites carottes corail, de champignons, de framboises des montagnes, d'abricots, de pêches, de pommes et de raisin. À une extrémité de la table étaient disposés des fromages français ; à l'autre, des boîtes de caviar, des poissons de rivière posés sur un lit de glace pilée, des langoustes et des écrevisses nageant à tâtons dans une eau trouble. Les volailles et le gibier s'amoncelaient au sol, non triés.

« Choisis, lui proposa Guy.

— Que pouvons-nous nous permettre ?

— Tout ce que tu voudras. Le poulet est bon, ici. »

Il lui désigna le grill sur lequel crépitaient des volatiles qui, selon leur degré de cuisson, déclinaient toute la gamme des ors.

Une femme, près d'eux, fixa sur Guy un regard accusateur et lui demanda en anglais :

« Vous êtes Anglais, oui ? Vous êtes le *profesor* ? »

Guy admit qu'il l'était.

« Cette guerre est une chose terrible pour la Roumanie », poursuivit-elle.

Son mari, qui se tenait à l'écart, détourna les yeux, prétendant ne pas être concerné.

« L'Angleterre s'est portée garante de notre sécurité. Elle doit nous protéger.

— Naturellement », répondit Guy, comme s'il lui offrait sa garantie personnelle.

Il jeta un coup d'œil au mari, à qui il se présenta en souriant. L'homme, s'animant, s'inclina, le visage éclairé par un sourire hypocrite.

« Même si nous ne sommes pas attaqués, reprit la femme, impatientée par cette interruption, nous connaîtrons la pénurie. (Elle regarda ses chaussures à hauts talons qui semblaient trop fragiles pour les jambons qui les surmontaient.) Pendant la dernière guerre, il y a eu une grande pénurie. De chaussures, entre autres. Et la nourriture ! Ce serait terrible si la Roumanie venait à manquer de nourriture ! »

Guy se retourna en riant vers la table.

« La Roumanie pourrait-elle jamais manquer de nourriture ?

— Non ? Vous ne le croyez pas ? C'est vrai, nous en avons en abondance. »

Là-dessus, elle le libéra. Harriet, qui surveillait l'activité du restaurant, fit remarquer à Guy :

« Il n'y a pas de table.

— Oh que si ! »

Et, le regard myope mais la main ferme, il la guida vers une table portant la mention *Rezervat*.

« *Nu nu, domnule !* » Le maître d'hôtel leur désigna une table libre près de l'orchestre.

Harriet secoua la tête : « Le bruit sera infernal. » L'homme grommela quelque chose.

« Il dit que, bonne ou mauvaise, nous avons de la chance d'avoir une table en temps de guerre.

— Dis-lui que c'est notre guerre, pas la sienne. Il faut qu'il nous place mieux. »

Le maître d'hôtel, au bord de la crise de nerfs, leva les mains au ciel et, appelant un assistant, lui confia le couple. L'assistant, esquivant les obstacles avec un savoir-faire de rugbyman, les conduisit à une plate-forme où se dressaient une demi-douzaine de tables pour prilivégiés. Il balaya le signe « Réservé » d'un coup de torchon. Guy lui tendit une liasse de petites coupures.

De leur promontoire, les Pringle avaient une vue plus ou moins directe sur une cage de fonte, éclairée par des lampions et décorée de branchages verts et d'oranges en plastique doré, où l'orchestre se donnait un mal fou pour se faire entendre malgré le chahut. L'effet produit par les instruments, qui faisaient alterner grincements et tirs de DCA, le tout dans des aigus terrifiants, évoquait plus la rage que la bonne humeur.

Guy tendit la main à Harriet à travers la table. Elle avança la sienne et vit que l'homme assis à côté d'eux les observait. Quand elle rencontra son regard, il sourit et détourna les yeux.

« Qui est-ce ? demanda-t-elle. Il nous connaît ?

— Tout le monde nous connaît. Nous sommes Anglais. Nous faisons la guerre.

— Mais qui est-ce ?

— C'est Ionescu, le ministre de l'Information. Il est tout le temps là.

— Le monde est petit, dans cette capitale !

— Ça a des avantages. Quoi qu'il arrive, on est au cœur des événements. »

Ionescu n'était pas seul à sa table. Il était accompagné de

cinq femmes d'âges variés, toutes laides, guindées et d'apparence soumise, dont il se tenait un peu à l'écart. Il regardait fixement l'orchestre en se curant les dents.

« Qui sont ces femmes ?

— Son épouse — celle qui est la plus proche de lui —, et des parentes à elle.

— On dirait une esclave.

— Ce qu'elle est probablement. Tout le monde sait que son mari ne vient ici que pour voir la chanteuse Florica. C'est sa dernière conquête. »

Harriet commençait à avoir faim.

« Vont-ils ou non nous apporter la carte ? s'impatienta-t-elle.

— Tôt ou tard, on se souviendra de nous. Tiens, voici Inchcape. »

Il désigna un homme entre deux âges, puissamment bâti, qui se tenait très droit ; il s'était arrêté avec une courtoisie ironique quand un groupe, en quête d'une table, s'était précipité pour le dépasser. Malgré sa petite taille, il donnait l'impression de dominer tout le monde d'une tête. Harriet se souvint qu'il avait jadis été le principal d'une *public school* mineure. Un homme le suivait — grand, maigre, la trentaine à peine —, qui se faufilait entre les tables en s'effaçant derrière son compagnon.

« Tiens, Clarence ! » s'écria Guy avec un ravissement surpris. Le second homme eut un petit sourire narquois et baissa les yeux. « Voici mon collègue Clarence Lawson », dit Guy à Harriet. Il tendit les bras vers ses amis, qui semblèrent à la fois heureux et embarrassés par l'enthousiasme de cet accueil.

Levant la main gauche de Guy, Inchcape lui donna une petite tape réprobatrice : « Alors, on s'est marié ? » Puis il se tourna vers Harriet avec un demi-sourire moqueur. Elle nota qu'en dépit du sourire le regard était critique et vulnérable. L'un de ses hommes avait ramené une inconnue qui pouvait fort bien se révéler une menace pour son autorité. Quand Guy fit les présentations, elle salua Inchcape avec gravité, sans le moindre effort pour le séduire.

Ses façons, quand il lui répondit, signifiaient qu'il l'admettait dans le monde des adultes — façons qui changèrent lorsqu'il se retourna vers Guy. Ce dernier, manifestement, n'était pas un adulte à ses yeux.

« Où étais-tu, cet été ? demanda Guy à Clarence. As-tu fait ce fameux voyage en autocar de Beyrouth au Cachemire ?

— Eh non! (Son petit sourire réticent contrastait avec sa voix ferme et bien modulée. Surprenant le regard de Harriet posé sur lui, il détourna les yeux.) En fait, je suis resté à Beyrouth. J'ai passé l'été à me baigner et à me prélasser sur la plage. Ce qui ne doit pas te surprendre. J'ai bien pensé à prendre un avion pour aller voir Brenda en Angleterre, mais je n'ai pas réussi à me décider.

— Et vous, Inchcape?

— J'étais à Rome. J'ai passé beaucoup de temps à la bibliothèque du Vatican. (Il regarda Harriet.) Comment était l'ambiance en Angleterre quand vous l'avez quittée?

— Plutôt calme. Les étrangers partaient, bien sûr. Les autorités de Douvres, en examinant nos passeports, nous ont dit que nous étions les premiers Britanniques qu'ils voyaient de la journée. »

Inchcape prit un siège. « Eh bien, qu'attendez-vous? Asseyez-vous », dit-il à Clarence d'un ton impatient. Mais il n'y avait pas de siège pour celui-ci. De la table voisine, on lui en apporta un qu'il ne prit pas : « En fait, j'étais seulement venu vous dire bonsoir », expliqua-t-il.

« *Asseyez-vous!* » lui ordonna Inchcape. Quand les membres du groupe furent tous installés, il déclara avec quelque dérision : « Je viens tout juste d'être nommé responsable de la propagande britannique dans les Balkans. Une décision officielle.

— Non! Magnifique! s'écria Guy.

— Mmm... Cela implique naturellement une redistribution des tâches. Vous (il désigna Guy), vous prendrez ma relève au département d'anglais. Un département très réduit, cela va sans dire, dont je reste le responsable. Vous pourrez engager des professeurs si vous avez besoin d'aide. Tout ce que vous aurez à faire, mon vieux, c'est travailler (il l'écarta d'une bourrade amicale sur l'épaule). Et vous (il désigna Clarence), vous serez chargé de la feuille d'informations du bureau de propagande que nous allons ouvrir Calea Victoriei, en face de l'établissement rival. (Il lui sourit, mais sans le toucher. Clarence, penché en arrière, les mains dans les poches et le menton incliné sur la poitrine, restait sur sa réserve. Avec une aisance feinte, il semblait rejeter le paternalisme d'Inchcape.) Bien évidemment, vous aurez nombre d'autres tâches à remplir.

— Je ne suis pas sûr de pouvoir accepter ce type de travail.

Mon affectation émane du British Council, un organisme strictement culturel, et Lord Lloyd...

— Je me charge de lui. (Inchcape, se levant brusquement,
regarda alentour.) Où est le garçon ? On commande à boire ? »

Il présenta son profil sec, napoléonien, à un serveur qui,
conscient d'avoir négligé la table, bondit sur l'estrade avec un
zèle excessif.

Quand ils eurent commandé, Harriet interrogea Inchcape :
« Alors, vous croyez qu'on va pouvoir rester ici ?

— Pourquoi pas ?

— Woolley nous a tenu la jambe, et il a tenté d'ordonner à
Harriet de rentrer en Angleterre, expliqua Guy.

— Vous voulez dire qu'il a pris sur lui de vous donner des
ordres ? » s'indigna Inchcape.

Amusée de son courroux, Harriet mit de l'huile sur le feu :
« Il nous a dit qu'il était le chef de la colonie anglaise.

— Il a osé ? Ce vieux crétin est retombé en enfance. Il passe
ses journées au bar du Golf-Club à téter... à tâter de la bouteille.
Un vrai gaga... je veux dire un vrai gag ambulant. Ah ! »

Inchcape, réconforté par ses mots d'esprit, émit un rire
rauque, puis reprit sa rumination : « Chef de la colonie anglaise,
non mais ! Je vais lui montrer qui est le chef, s'il s'avise encore
de commander mes hommes. »

Guy et Clarence échangèrent un sourire.

« S'il y avait une invasion et que nous devions quitter le
pays en hâte, où irions-nous ? demanda Harriet.

— En Turquie, je présume.

— Et de là ?

— Nous gagnerions le Moyen-Orient par la Syrie. Ou bien
nous pourrions faire une petite randonnée touristique à travers
la Perse, puis l'Afghanistan, jusqu'aux Indes. Mais il n'y aura
pas d'invasion. Les Allemands ont mieux à faire avec leurs
troupes que de les disperser dans toute l'Europe de l'Est. Ils ont
besoin de toutes les forces dont ils disposent pour le front ouest.

— Quoi qu'il en soit, la situation est grave. Aujourd'hui, je
suis tombé sur Foxy Leverett : il m'a conseillé de tenir mes sacs
prêts, dit Clarence d'un ton désinvolte.

— Dans ce cas, vous vivrez longtemps au milieu des
bagages », rétorqua Inchcape en haussant les épaules. Le sujet
commençait à l'ennuyer.

Le groom arriva avec un plateau chargé de verres, de bouteilles et d'assiettes.

Harriet leva les yeux et se rendit compte que Clarence la fixait. Une fois encore, il détourna le regard, mais il avait attiré son attention. Elle examina ce long visage maigre au long nez, le trouvant à la fois insatisfaisant et insatisfait. L'évaluation de la jeune femme se prolongeant, les yeux de Clarence revinrent se poser furtivement sur elle. La voyant le dévisager, il rougit légèrement et tourna brusquement la tête.

Elle se sourit à elle-même.

« Et si nous demandions à Sophie de venir nous rejoindre ? suggéra Guy.

— Oh non, pitié ! murmura Inchcape.

— La guerre la déprime terriblement.

— Elle s'imagine sans doute qu'on l'a déclarée dans l'unique but de la déprimer. »

Tout à coup des applaudissements éclatèrent. Le nom de Florica passa de table en table.

La chanteuse, dans ses longs jupons noirs et blancs, était posée comme une pie dans la cage de l'orchestre. Quand les applaudissements cessèrent, d'un mouvement sec, elle se plia en deux pour saluer ; puis, ouvrant la bouche, elle poussa un hurlement tzigane violent et aigu. L'audience s'agita. Harriet sentit le son descendre comme une onde électrique le long de sa colonne vertébrale.

Le premier cri fut suivi d'un deuxième, d'une puissance à détruire ses cordes vocales (ce qui ne manquerait pas de se produire dans quelques années, leur affirma plus tard Inchcape). Les gens assis à la table voisine de celle de Ionescu et de ses femmes regardèrent le ministre. Vautré sur son siège, il contemplait la chanteuse en continuant à se curer les dents. Les femmes étaient d'une impassibilité quasi ataraxique.

Florica, transformée en furie dans sa cage, paraissait faite de fil de cuivre. Elle avait la maigreur habituelle des Tziganes et le teint sombre d'une Indienne. Quand elle lançait la tête en arrière, on voyait vibrer les tendons de son cou et saillir les muscles des bras maigres dont elle balayait l'air. La lumière des projecteurs lustrait les cheveux strictement tirés qui dégageaient un front bombé. Comparée à son public de femmes empâtées, on eût dit un chaton sauvage famélique qui crachait à la tête de chattes nourries de crème. La musique baissa de plusieurs tons, ainsi que la voix, devenue rauque, grondante. Puis le grondement enfla, crescendo ; tandis que son corps se tordait, comme

possédé de rage, et que ses poings serrés et vengeurs malme-
naient ses jupons, Florica lança son cri final — un cri strident,
primal, qu'elle soutint sous les applaudissements frénétiques
qui reprirent alors.

Quand ce fut fini, les gens clignaient des yeux, comme les
rescapés d'un typhon. Seuls Ionescu et ses femmes semblaient
avoir été épargnés.

Inchcape, qui lui-même n'applaudissait pas, désigna Guy
qui, penché en avant, applaudissait à tout rompre en criant :
« Bravo ! bravo ! » « Quelle énergie ! fit-il remarquer, amusé.
C'est beau d'être jeune. » Le silence revenu, il dit à Harriet :
« Quand Florica est partie en tournée, elle n'a eu aucun succès.
Mais ici, elle fait un triomphe. Elle exprime toute l'exaspération
qui dévore ces gens. » Se retournant, il vit Ionescu :

« Oh, oh ! Ionescu et son harem. Je me demande si sa
femme a aimé la prestation.

— Vous croyez qu'elle sait, pour Florica et son mari ?
demanda Harriet.

— Mon Dieu, oui. Elle a probablement des rapports sur
tout ce qu'ils ont dit ou fait au cours de chaque moment qu'ils
ont passé ensemble. Mais en Roumanie, les conventions exigent
qu'elle prétende ne pas être au courant. Tant qu'elle ne sait rien
officiellement, il n'a rien fait : telle est la morale, ici. »

On leur avait servi un pâté de foie d'oie, noir de truffes et
enrichi de beurre clarifié. Inchcape, tout en parlant, l'avalait par
grosses bouchées comme si cette nourriture n'était qu'un obstacle à la libre expression.

« Par exemple, poursuivit-il, prenons l'attitude de ces
femmes quand elles sont en société. Si quelqu'un risque une
plaisanterie salée, elles font semblant de ne pas comprendre.
Tandis que les hommes hurlent de rire, elles gardent un visage
impassible. C'est ridicule à observer. Ce comportement, qui ne
leurre personne, évite aux hommes d'avoir à surveiller leurs
propos en leur présence.

— Mais les jeunes, les étudiantes, ne se rebellent-elles pas
contre une telle hypocrisie ?

— Seigneur, non ! Ce sont les *jeunes filles* * les plus conven-
tionnelles du monde. Et les moins naïves. "Sournoises", aurait
dit d'elles Miss Austen. Si, dans un cours, nous tombons sur

---

* Toutes les expressions suivies d'un astérisque étaient en français dans l'édition originale. *(N.d.T.)*

l'indécence la plus minime, les garçons rient d'un rire gras et les filles ne bronchent pas. Si elles étaient choquées, cela se verrait ; si elles étaient naïves, elles auraient l'air perplexe. De fait, leur absence d'expression trahit le fait qu'elles ont compris. »

Inchcape laissa échapper un grognement de dégoût, non tant pour les conventions que pour le sexe qui en était victime.

« Mais comment font-elles pour être aussi bien informées si jeunes ? » s'étonna Harriet, qui écoutait d'une oreille une conversation entre Guy et Clarence où revenait le nom de Sophie.

Clarence, qui était là sans y être, picorait quelques bouchées de pâté.

« Oh, répondit Inchcape, chaque intérieur roumain est un nid de ragots et de scandales. Tout cela est très oriental. Leur fausse innocence leur sert à mieux se monnayer. Elles sont développées très tôt et on les marie jeunes, en général à un riche et vieux débauché qui ne s'intéresse qu'à la virginité de la fille. Quand cette virginité n'est plus que de l'histoire ancienne, ils divorcent. La fille s'établit à son compte et, jouissant du statut de divorcée, elle est libre de faire ce qu'elle veut. »

Harriet rit :

« Mais comment font-ils pour perpétuer l'espèce dans ces conditions ?

— Il y a un contingent de mariages normaux, bien entendu. Mais vous connaissez sûrement l'histoire du Roumain qui se promène avec son ami allemand dans la Calea Victoriei : le Roumain énonce le prix de chaque femme qu'ils croisent. "Bon sang, dit l'Allemand, il n'y a donc pas une seule femme honnête dans le nombre ? — Certainement, dit le Roumain, mais elle est hors de prix." »

Harriet rit encore et Inchcape, avec un sourire satisfait, laissa son regard errer sur les dîneurs.

« Je n'ai jamais vu ce lieu dans une telle effervescence, déplora-t-il.

— C'est la guerre, dit Clarence. Mangeons, buvons et réjouissons-nous car demain nous allons peut-être crever de faim.

— Quelle blague ! »

On servit le second plat : un canard à l'orange. Tandis qu'on le découpait, Inchcape annonça tout bas à Harriet : « Je vois là-bas votre amie Sophie Oresanu. »

Inchcape prêchait le faux pour savoir le vrai. Harriet ne se déroba pas :

« Ce n'est pas mon amie. Je ne l'ai jamais rencontrée. Que pensez-vous d'elle ?

— C'est une jeune personne plutôt évoluée pour ces contrées. Sa situation est particulière. Ses parents ont divorcé et elle a vécu avec sa mère. Quand celle-ci est morte, on a laissé Sophie vivre seule. C'est rare, ici. Elle jouit donc d'une liberté considérable. Elle a travaillé un temps pour un magazine d'étudiants, une de ces publications à la noix vaguement antifascistes qui paraissent une fois sur trois. Elle n'a fait cela que six mois mais s'imagine être fichée par les Allemands. Elle prépare une licence en droit.

— Vraiment ? »

Le droit avait toujours impressionné Harriet.

« Ici, cela n'a pas grande signification. Tout le monde prépare une licence en droit. C'est le sésame pour une carrière de lécheur de timbres en second dans l'administration.

— Guy dit que les étudiantes roumaines sont intelligentes.

— Elles sont vives. Mais les Roumains sont tous pareils. Ils sont capables d'absorber les faits mais non de les utiliser avec profit. Des oies gavées, voilà ce que je pense. Un peuple peu créatif. »

Tout en parlant, il tenait les yeux rivés sur une jeune femme qui gravissait maintenant les marches de l'estrade et qui, ignorant les autres personnes présentes, dévorait Guy d'un regard lugubre. Absorbé par sa conversation, celui-ci ne la vit pas.

« Allô ! le salua-t-elle d'une petite voix plaintive, omettant d'aspirer le *h*.

— Oh, hello ! »

Guy sauta sur ses pieds et l'embrassa sur les deux joues. Sophie subit cette étreinte rustre avec un sourire forcé, les yeux fixés sur le reste du groupe.

Se retournant avec entrain vers Harriet, Guy dit : « Chérie, je te présente Sophie. Sophie, voici ma femme. »

Sophie regardait Harriet avec perplexité : « Pourquoi s'est-il marié ? » semblait-elle penser ; mais surtout : « Où a-t-il déniché une femme pareille ? » Elle finit par adresser un signe de tête à Harriet, et se hâta de détourner le regard. Elle était assez jolie, brune, comme la plupart des Roumains, avec des joues trop rondes. Sa silhouette était ce qu'elle avait de mieux.

Devant sa poitrine bien développée, Harriet se sentit désavanta-
gée. Les formes de la jeune femme ne resteraient peut-être pas
attirantes très longtemps, mais tant qu'elles dureraient elles
seraient enviables.

Guy cherchait une chaise.

« Tenez, intervint Clarence, prenez la mienne. Je dois
partir.

— Non reste ! »

Guy tenta de le retenir. Sans succès.

« Mais enfin, où va-t-il ? » demanda Inchcape en le suivant
des yeux, reportant ensuite sur Sophie un regard qui signifiait
que le groupe n'avait pas gagné au change. L'ignorant, Sophie
fixait Guy avec reproche. Il mit un certain temps à s'en rendre
compte puis lui demanda enfin :

« Que se passe-t-il ?

— Rien, fit-elle. Rien dont on puisse parler en public. »

Elle marqua une pause et ajouta : « Ah, cette guerre !
Quelle chose terrible ! Elle me rend si triste. Le soir, quand je
vais me coucher, j'y pense. Le matin, quand je me lève, j'y pense.
J'y pense tout le temps. »

Inchcape remplit un verre et le posa devant elle : « Tenez,
buvez, dit-il. Courage ! »

Sophie l'ignora. Il lui tourna alors le dos et désigna
quelqu'un parmi les clients assis sous l'estrade : « Sauf erreur de
ma part, il y a là un type qui était au Crillon quand j'y résidais il
y a quelques années. C'était une figure du Tout-Paris. Un certain prince Yakimov. »

Tandis qu'Inchcape parlait, Harriet entendait Sophie se
plaindre à Guy : « Comment ose-t-il me dire "Courage !" La
situation n'a rien d'encourageant. Passe encore pour les durs à
cuire... mais pour moi qui suis tellement sensible... » Guy lui
tendit le menu pour la distraire. Que voulait-elle manger ? Oh,
elle ne savait pas. Elle n'avait pas faim, mais peut-être se laisse-
rait-elle tenter par un peu de saumon fumé.

« Yakimov ? (Ce nom disait quelque chose à Harriet.)
Lequel est-ce ?

— Là-bas, celui qui dîne avec Dobson. Vous ne connaissez
pas Dobson ? Yakimov est le type grand et maigre à la face de
chameau. Que je sache, un type qui ne va jamais très loin sans
son scotch.

— Je l'ai déjà vu. Il est arrivé par le même train que nous. »

Guy, supportant mal de voir l'intérêt se centrer ailleurs que sur lui, coupa court aux lamentations de Sophie :

« De qui parlez-vous ? demanda-t-il.

— D'un certain Yakimov, répondit Inchcape. Une sorte de *conteur* doublé d'un plaisantin. Il peint les vitres en noir, d'après ce que j'ai entendu dire.

— Quelles vitres ? Pourquoi ? s'étonna Harriet.

— Aucune idée. Étant à moitié Irlandais et à moitié Russe blanc, il passe pour avoir un sens de l'humour particulièrement britannique. »

Tous trois observaient Yakimov, bien trop absorbé par sa nourriture pour s'en rendre compte.

« Qu'est-ce qu'un sens de l'humour particulièrement britannique ? geignit Sophie.

— Un humour bon enfant, je suppose, dit Guy. Un humour empreint de bonne humeur. Ici, un méchant coup de pied au cul est qualifié de "botte roumaine" tandis qu'un anodin petit coup de genou appliqué au même endroit est nommé "botte anglaise". Voilà l'idée, *grosso modo.* »

Au mot « cul », le visage de Sophie se ferma, mais seule Harriet le remarqua.

« J'aimerais rencontrer Yakimov, reprit Guy. Invitons-le à notre table.

— Oh, dit Inchcape, mais il va nous amener Dobson.

— Je n'ai rien contre Dobson, affirma Guy. Il est entré si tard dans la carrière diplomatique qu'il est resté à peu près humain.

— Plus dilettante que diplomate, à mon sens ; il est nonchalamment entré dans le service après une jeunesse riche et oisive. Je ne le déteste pas moi-même. Si cela ne lui coûte rien, il choisit toujours d'être aimable plutôt que déplaisant. »

Tandis qu'Inchcape regardait ailleurs pour bien montrer qu'il se désolidarisait de l'invitation, Guy déchira une feuille de son carnet, y gribouilla deux lignes et la tendit au serveur. Dobson y écrivit à son tour quelque chose qu'il renvoya par le même canal.

« Ils viennent prendre le café, annonça Guy.

— Ah ! » dit Inchcape en laissant échapper un soupir. Et il se resservit un peu de vin.

Avant de gagner son lit, Yakimov, l'après-midi même, avait fait retirer ses bagages de la consigne et confié la plupart de ses vêtements au garçon d'étage de l'hôtel.

D'un pas nonchalant, il traversait le restaurant derrière Dobson. Avec son gilet jaune nettoyé de frais et son pli de pantalon impeccable, il était maintenant d'une élégance bizarre mais certaine. Arrivé à la table où on l'avait conduit, il sourit avec bienveillance. On le présenta. Il baisa la main de Harriet et lui dit :

« Quelle joie, quand on a vécu si longtemps à l'étranger, de rencontrer une vraie beauté anglaise.

— Je vois que vous avez un sens de l'humour particulièrement britannique : j'avais d'ailleurs été prévenue, répliqua celle-ci.

— Ciel ! La réputation du pauvre Yaki l'aurait-elle précédé ? »

Yakimov exprimait sa satisfaction avec une simplicité qui dissipa sur-le-champ les doutes que Harriet avait pu nourrir à son sujet — une réticence qu'elle n'aurait pu justifier. « Un sens de l'humour particulièrement britannique, répéta-t-il. Je suis flatté. »

Il regarda Dobson, espérant que le compliment n'était pas tombé dans l'oreille d'un sourd. Mais Dobson était occupé à parler à Guy : « J'ai été ravi de vous savoir de retour, vous les gars de la Culture, bien que surpris qu'ils vous aient laissés revenir. » Il éclata d'un rire nerveux qui atténuait ce que son commentaire pouvait avoir d'abrupt, mais Inchcape laissa tomber les coins de sa bouche.

Dobson avait rejoint leur table d'une démarche sautillante. C'était un homme d'une quarantaine replète, doté d'une taille cambrée, d'un estomac et d'un derrière rebondis, et d'un visage rose et blanc de chérubin à fossettes. Il était chauve, mais son crâne était orné d'un duvet mousseux.

« J'ai reçu l'ordre de revenir. Le bureau londonien affirme que notre fonction nous exempte du service militaire.

— Exact, admit Dobson. Mais ils n'imaginent pas le souci que représente, pour les gars de notre service, la présence de ressortissants britanniques dépourvus d'immunité diplomatique. »

Son rire résonna de nouveau, blagueur et tolérant. Inchcape n'était pas amusé : « J'imagine que ce souci fait précisément partie de votre boulot », dit-il.

Dobson redressa brusquement la tête et, gêné d'être pris au sérieux, rit encore. Harriet comprit pourquoi Guy le qualifiait d'« à peu près humain ». Ce rire nerveux qui cascadait constamment était un contrepoint à la maîtrise de soi requise par sa fonction. C'était cela qui le faisait passer pour plus abordable que ceux de sa sorte. Elle comprit aussi qu'il était passablement ivre ; à coup sûr un homme affable, mais secret.

Les chaises libres étant rares à cette heure, Guy dut donner un pourboire au garçon pour en obtenir deux. Quand on les apporta, Dobson s'affala sur la sienne, dont il semblait susceptible de glisser à tout moment, en examinant un papier qu'il tenait à la main. Sa perplexité était telle que Harriet jeta un coup d'œil sur le papier : c'était son addition qu'il vérifiait.

Yakimov plaça sa chaise près de celle de Harriet. Sophie, à l'autre bout de la table, avait l'air exaspérée.

« Je vous ai vu monter dans le train, à la frontière, dit Harriet à Yakimov.

— Ah bon ? (Il lui jeta un regard circonspect.) À vrai dire, chère fille, j'avais quelques ennuis. À propos de mon Hispano-Suiza. Papiers pas en règle. Une histoire de laissez-passer. Malheureusement, ils ont saisi la chère vieille. J'étais justement en train d'expliquer à Dobbie, ici présent, que ce petit incident à la frontière m'avait ratiboisé. La dèche.

— D'où veniez-vous ?

— Oh, de partout. Me suis pas mal baladé. Trop loin de ma base quand les troubles ont éclaté. Mis le cap vers le port le plus proche. Après tout, par les temps qui courent, un type peut être utile n'importe où. À cet égard, eu ma chance ce matin même. Une histoire *assez* drôle, dirais-je. »

Il regarda autour de lui, soucieux d'élargir son auditoire. Entendant Guy commander les cafés, il proposa : « Que diriez-vous d'une goutte de cognac, cher garçon ? »

Le serveur disposa devant eux des verres déjà remplis. « Dites-lui de laisser la bouteille », dit Yakimov. Puis, se tortillant sur sa chaise pour tenter d'y accommoder plus confortablement sa carcasse, il leva son verre à Harriet, le but cul sec et fit claquer sa langue en mimant un contentement exagéré : « Substantiel », déclara-t-il.

Un instant, Harriet crut lire sur son visage une sorte d'avidité : en eût-il l'occasion, cet homme était capable de croquer tout ce qui pouvait l'être dans ce bas monde. Puis il la regarda, et elle fut frappée par l'innocence qu'elle lut dans ses yeux. Grands, vert clair, un peu tombants, ils étaient plats, sans plus de profondeur que des lentilles. Ils semblaient non pas enfoncés dans des cavités, mais posés sur une surface plane comprise entre les sourcils et les joues.

Il se resservit immédiatement un cognac, visiblement prêt à distraire la compagnie. Guy, les yeux fixés sur lui, attendait. Sophie, les yeux fixés sur Guy, tira celui-ci par la manche en lui chuchotant d'un ton intime : « J'ai tellement de choses à vous dire. Si vous saviez tous les soucis que j'ai... »

Guy, d'un geste, coupa court aux confidences pour laisser la parole à Yakimov. Ce dernier, ignorant l'interruption, commença : « Ce matin, tôt levé, qui vois-je dans le hall de l'Athénée-Palace ?... » Et il raconta toute l'histoire. Sa voix, habituellement fluette et monocorde, se fit rocailleuse pour personnifier McCann ; sur son visage aux traits fins se dessinait en surimpression la gueule cabossée, simiesque du journaliste.

Guy apprécia la prestation : « Merveilleux ! » murmura-t-il. Yakimov sourit de plaisir.

Les autres, bien qu'amusés, étaient un peu choqués qu'une histoire aussi dramatique fût traitée aussi légèrement. Mais quand Yakimov, ouvrant tout grands les bras, dit : « Pensez un peu... votre pauvre Yaki bombardé correspondant de guerre accrédité ! » son visage exprimait une modestie si comique qu'il gagna la sympathie de tous. Il était leur Yaki, leur pauvre vieux Yaki. Sa haute taille, sa maigreur, son visage étrange, son regard innocent, sa voix cultivée, son humilité — surtout son humilité —, leur allaient droit au cœur.

Dobson, à l'évidence, avait déjà entendu l'histoire. En souriant, il leva les yeux de son addition pour juger de l'effet produit. Quand les rires se turent, Sophie — la seule à ne pas avoir ri — entreprit, avec un sérieux confondant, d'occuper le devant de la scène : « Ce n'est pas si difficile d'être journaliste. Je l'ai été. Mon journal était antifasciste, ce qui va maintenant me créer des ennuis. Les nazis vont peut-être arriver, vous comprenez ? » Comme Yakimov clignait des yeux d'un air plutôt ahuri, elle eut un petit rire exaspéré :

« Vous avez entendu parler des nazis, j'imagine ?

— Les *pazzi*, les fous, chère fille. C'est comme ça que je les appelle. (Il gloussa.) Me demande ce qui leur a pris. Ils n'avaient pas mal commencé, puis ils se sont mis à dépasser les bornes. Plus personne ne les aime, maintenant. »

Commentaire qui fit s'esclaffer Inchcape : « Voilà ce que j'appellerai une analyse originale de la situation », dit-il.

Sophie, se penchant vers Yakimov, lui déclara gravement, en le regardant dans les yeux :

« Les nazis sont très mauvais, vous comprenez ? Une fois, je vais à Berlin en vacances et un officier nazi s'avance vers moi à grands pas. Je me dis : Comme je suis une dame, il va s'écarter pour me laisser passer. Eh bien non. Il me pousse comme si je n'existais pas et je me retrouve sur la chaussée, en plein dans la circulation.

— Sans blague ! » s'exclama Yakimov.

Sophie ouvrait la bouche pour continuer quand Harriet, agacée, lui coupa la parole. Dans sa naïveté, elle n'avait jamais envisagé l'existence d'une Sophie. Or, des Sophie, il y en avait toujours et partout. Elle avait épousé Guy très vite, sans le connaître, et elle découvrait maintenant que sa nature chaleureuse le poussait à prodiguer son affection de façon très peu discriminatoire. Un homme qui aimait tout le monde, ce n'était pas vraiment ce qu'elle attendait du mariage.

Yakimov, quand Inchcape lui demanda s'il avait fait Eton, répondit par la négative : « Mon pauvre papa ne voulait pas les cracher. » Puis il raconta une blague salace qui laissa Sophie de marbre mais ne l'empêcha pas, après coup, de mettre son grain de sel :

« Alors, c'est ça l'humour anglais ? Nous aussi, les Roumains, nous connaissons des blagues. Par exemple, savez-vous la différence qu'il y a entre un chaton et une savonnette ?

— Non. Dites-le-nous, répondit Guy.

— Eh bien, si vous placez un chaton au pied d'un arbre, il grimpe », dit-elle d'un ton boudeur.

Son succès la surprit. Guy la pressa d'en raconter d'autres, ce qu'elle refusa obstinément : « Oh, elles sont si bêtes ! »

Yakimov aussi s'en tint là. Toute vie semblait maintenant s'être retirée de lui. Il se contentait de tendre le bras vers la bouteille de cognac et de remplir son verre avec une régularité de métronome.

Il était tard, mais personne ne semblait vouloir partir. Le restaurant était encore bondé, l'orchestre jouait toujours et Florica allait rechanter. Harriet, soudain épuisée, ne pensait plus qu'à son lit. Guy lui avait dit que, par les nuits chaudes de l'été, ces dîners sous les arbres pouvaient se prolonger jusqu'à l'aube. Mais cette nuit-là n'était pas une chaude nuit d'été, et des bouffées de vent automnal refroidissaient singulièrement l'atmosphère. Plus tôt, quelqu'un avait annoncé que les premières neiges étaient tombées sur les sommets qu'on distinguait au nord de la ville. Elle espérait qu'au moins l'inconfort obligerait les gens à bouger.

Elle regarda Yakimov vider le reste de la bouteille dans son verre. Il jeta alors un coup d'œil circulaire et son visage s'anima un peu. Quand un garçon s'approcha, il lui fit un imperceptible signe de la main et ferma les paupières en désignant la bouteille. Celle-ci fut enlevée et remplacée comme par magie. Harriet se dit que Yakimov devait disposer sur les serveurs du pouvoir magnétique que certains ont sur les animaux. Son verre à nouveau plein, il se cala au fond de sa chaise, prêt, le craignait-elle, à y passer la nuit.

Quant à Guy, l'alcool n'avait pas entamé son énergie. Il l'avait seulement mis dans cet état d'euphorie volubile propice aux envolées métaphysiques et à l'invention de nouveaux postulats socio-économiques. Sophie, maintenant pleine d'une vivacité joyeuse, l'interrompait toutes les deux minutes pour expliquer ce qu'il disait. Harriet bâilla. Elle se demandait si ces manières possessives et ce babillage paraissaient aussi sots aux autres qu'à elle-même ; et si ces minauderies, cette caricature de féminité, « prenaient » sur Guy. Elle murmura presque malgré elle : « Je pense que nous devrions rentrer. »

Choqué par cette suggestion, Guy répliqua :

« Je suis sûr que personne ici ne le souhaite.

— Non, non ! Cela ne se fait pas de rentrer si tôt, renchérit Sophie.

— Je suis fatiguée, dit Harriet.

— Demain, vous aurez toute la journée pour récupérer », rétorqua Sophie.

Inchcape écrasa sa cigarette :

« Je voudrais me coucher tôt. Je n'ai pas beaucoup dormi dans le train.

— Bon, mais alors laissez-moi au moins le temps de finir ceci », capitula Guy, en désignant son verre sur le ton boudeur d'un enfant qui implore quelques minutes de grâce avant d'être expédié dans sa chambre.

Yakimov, remplissant son propre verre, ajouta : « Il est encore très tôt, chère fille ! »

Ils s'attardèrent encore une bonne demi-heure. Guy faisait durer son verre en essayant de retrouver le rythme de la conversation, mais quelque chose s'était perdu. Une atmosphère contrainte de fin de partie pesait sur le groupe. Quand, finalement, tous furent d'accord pour lever le camp, il fallut trouver le garçon et régler l'addition.

Inchcape jeta sur la table un billet de mille *lei* : « Ma part, dit-il. Ça devrait suffire. » Guy paya le reste.

Ayant trouvé un taxi sur la Chaussée pour rentrer, ils déposèrent d'abord Sophie, qui habitait le centre-ville. Guy descendit avec elle pour la conduire à sa porte. Accrochée à son bras, elle lui parlait d'un ton urgent. Il la quitta en lui disant : « À demain. »

Puis ils déposèrent Yakimov à l'Athénée-Palace. Arrivé devant l'hôtel, il dit :

« Mon Dieu, j'allais oublier... Je suis invité à une réception dans la suite de la princesse Teodorescu.

— Une heure un peu tardive pour s'y rendre, murmura Inchcape.

— Oh, ce genre de raout dure toute la nuit, répondit Yakimov.

— Quand nous aurons trouvé un appartement, j'espère que vous viendrez dîner chez nous, lui dit Guy.

— Avec plaisir, cher garçon. »

Il eut le plus grand mal à s'extraire du taxi et resta un instant affalé sur le marchepied. Une fois sur le trottoir, il se dirigea vers l'entrée d'un pas incertain. S'appuyant contre le battant de la porte à tambour, il leur fit un au revoir de bébé, deux phalanges repliées.

« Cela m'intéresserait de savoir ce que vous récolterez en échange de votre hospitalité, dit Inchcape.

— Yaki était célèbre pour ses fêtes, répondit Dobson d'un ton réprobateur, du coin de la voiture où il était blotti.

— Bon. Nous verrons. En attendant, si ça ne vous fait rien, j'aimerais être le prochain à descendre », reprit Inchcape.

Les Pringle regagnèrent leur chambre en silence. Harriet craignait que Guy, à juste titre, lui en voulût d'avoir écourté la soirée. Il était vrai qu'elle pouvait dormir toute la journée ; et que représentait une heure ou deux de plus au regard de l'éternité ?

Tandis qu'elle se mettait au lit, Guy étudiait son visage dans le miroir. Il rompit le silence pour lui demander :

« Tu trouves que je ressemble à Oscar Wilde ?

— Oui, un peu. »

Il resta planté devant la glace à se faire des grimaces, tentant de ressembler à tel ou tel acteur célèbre. Harriet se demandait si le moment était bien choisi pour lui parler de Sophie. Elle décida que non : « Tu es un incurable adolescent. Viens te coucher. »

4

Yakimov trouva sa tenue de soirée, nettoyée et repassée, préparée sur son lit. Il se changea, en enfilant une chaussure noire et une chaussure marron. Quelqu'un, à la réception, ne manquerait pas de lui faire remarquer que ses chaussures étaient dépareillées ; quant à lui, il ne manquerait pas de regarder ses pieds et de dire, d'un ton surpris : « Vous savez, mon cher, j'en ai chez moi une seconde paire exactement semblable. »

Une farce qu'il jugeait subtile. Il ne l'avait pas resservie depuis la mort de cette bonne vieille Dollie, la réservant pour des temps plus fastes. Mais maintenant que sa chance avait tourné, il était prêt à tout.

Une fois habillé, il s'assit pour relire une lettre qu'il tentait d'écrire à sa mère. Il lui avait déjà communiqué sa nouvelle adresse et la suppliait de lui verser sans tarder son allocation trimestrielle. Il participait, lui disait-il, à l'effort de guerre, et s'était porté volontaire pour une activité importantissime — sans pour autant lui donner de détails, redoutant qu'elle ne se méprît sur l'urgence de ses besoins d'argent.

Après une longue pause méditative, il reprit son bout de crayon et, d'une large écriture enfantine, ajouta pour lui faire plaisir : « Ce soir, thé — ou plutôt "tuerie" – chez la princesse Teodorescu. Ton Yaki a reconquis sa notoriété. »

Avec la satisfaction du devoir accompli, anticipant la plaisante fin de soirée qui s'offrait à lui, il descendit retrouver le prince Hadjimoscos.

La journée avait été bonne pour Yakimov. Il se sentait rempli d'une satisfaction qu'il n'avait plus éprouvée depuis que, à la mort de Dollie, il s'était retrouvé à la rue, sans le sou, lâché dans le vaste monde. L'après-midi, sa sieste achevée, il était descendu au bar de l'hôtel, le fameux *English Bar*, où il avait rencontré une de ses connaissances, un journaliste anglais nommé Galpin. Celui-ci, apercevant Yakimov, s'était empressé de détourner les yeux. Imperturbable, Yakimov lui avait alors lancé : « Que buvez-vous ? » Galpin, probablement prêt à faire une remarque désagréable, n'avait pu que grommeler : « Scotch. »

Galpin n'était pas seul. Quand Yakimov, tout sourire, demanda à la ronde ce que les autres voulaient boire, le groupe se referma autour de lui comme l'huître sur la perle. Il raconta l'histoire de sa rencontre avec McCann, qui fut accueillie avec une attention polie :

« Pensez un peu, chers garçons, votre pauvre vieux Yaki accrédité correspondant de guerre !

— Vous avez envoyé le truc de McCann ? demanda Galpin.

— Naturellement. Jusqu'au dernier mot.

— Il l'a échappé belle. »

Galpin fixait son verre vide d'un regard morne. Yakimov insista pour commander une seconde tournée. Les journalistes prirent leurs verres et s'égaillèrent pour discuter entre eux, notamment de l'arrivée à Bucarest de Mortimer Tufton, un homme qui, par sa seule présence, avait l'art de susciter l'événement. Yakimov était oublié. Il ne s'en chagrina pas outre mesure, heureux d'avoir enfin pu offrir quelque chose à quelqu'un. S'étant présenté sous ces auspices généreux, il espérait, à l'avenir, qu'on ne le traiterait plus avec la même grossièreté.

Il s'était ensuite trouvé confronté aux parasites locaux qui, attirés vers le bar par le fumet grisant de ses largesses, le regardaient avec admiration. Il les laissa se présenter : Cici Palu, comte Ignotus Horvath et prince Hadjimoscos. Il les salua avec une amabilité mêlée d'un soupçon de condescendance, une condescendance qu'on eût pu qualifier de modeste. Ces hommes étaient ses pairs, des complices-nés. Yakimov savait qu'ils n'avaient aucune illusion sur lui, mais cela le flattait d'être momentanément leur protecteur. Il commanda à boire pour eux. Ils voulaient tous du whisky, la boisson en vogue car la plus chère. « Après ce verre-ci, je dois filer, prévint Yakimov. Je dîne avec mon cher vieil ami Dobbie Dobson, de la légation. »

À ces mots, le chef du trio, le prince Hadjimoscos, dit :

« Je me demande, mon cher prince, s'il vous plairait d'assister à une petite fête que donne dans sa suite la princesse Teodorescu. Vous pourrez y rencontrer l'authentique aristocratie roumaine, et non ces politiciens et ces parvenus qui prétendent aujourd'hui faire partie du *beau monde* *. Nous aimons tellement les Anglais...

— Cher garçon, rien ne me ferait plus plaisir », répondit Yakimov, le visage épanoui en un large sourire.

Le bar fermait à minuit. Yakimov devait retrouver Hadjimoscos dans le grand salon, où l'on continuait de servir à boire sans limite d'heure si un seul client le désirait.

Au milieu de la pièce, il y avait une grande table sur laquelle étaient disposés tous les journaux anglais de renom. Hadjimoscos s'y tenait, dodelinant de la tête sur un exemplaire du *Times* vieux de plusieurs jours. Dernier descendant d'une de ces nobles familles grecques phanariotes qui avaient dirigé et exploité la Roumanie sous l'Empire ottoman, il était petit et menu, avec un corps mou, sans substance, comme si ses vêtements étaient remplis non de chair mais de coton. Ses pieds, chaussés de mules de chevreau noir d'une finesse extrême, glissaient silencieusement sur le sol tandis que, les mains tendues, il se levait pour accueillir Yakimov. Il plaça ses mains sur celles de son nouvel ami. Elles y restèrent blotties, inertes, tandis qu'il zozotait de sa petite voix aiguë : « Comme c'est charmant de vous revoir, *cher prince* *. » Son visage, aussi ridé que celui d'une vieille femme, était pourtant curieusement juvénile ; ses petits yeux sombres et mongols étaient injectés de sang ; son crâne apparaissait, cireux, sous les mèches plaquées de sa maigre chevelure noire.

Les deux hommes se regardaient avec l'air d'attendre quelque chose. Puis Hadjimoscos détourna les yeux et soupira :

« J'aurais tellement aimé vous offrir à boire... Malheureusement, j'ai oublié mon portefeuille.

— Cher garçon, protesta Yakimov en se rappelant soudain sa position inusitée de bienfaiteur, c'est moi qui vous invite. Que buvez-vous ?

— Oh, du whisky, bien entendu. Je ne touche à rien d'autre. »

Ils s'assirent sur un canapé recouvert de tapisserie et Yakimov commanda les boissons. Hadjimoscos inclina la tête comme pour confier quelque secret honteux : « Je suis très contrarié d'avoir oublié mon argent. La princesse va certainement organiser une table de *chemin de fer* *, et je suis un adepte du jeu. Pourriez-vous, *mon cher prince* *, me prêter quelques milliers de *lei*? » demanda-t-il.

Yakimov posa sur lui un regard désolé :

« Ferais tout mon possible en d'autres circonstances, cher garçon. Mais votre pauvre vieux Yaki vit à crédit, présentement. Contrôle des changes, voyez-vous. Pas pu introduire un seul *leu* dans le pays. Attends le versement de ma pauvre vieille maman.

— Oh là là ! Dans ce cas, nous ferions mieux de monter chez la princesse », dit Hadjimoscos en sifflant son verre.

Ils montèrent au dernier étage. Un employé de l'hôtel, posté sur le palier, était chargé de conduire les invités au salon de la princesse. Durant le trajet en ascenseur, Hadjimoscos n'avait pas desserré les lèvres ; quand Yakimov, suffoqué par la chaleur qui régnait dans la pièce et l'odeur entêtante des tubéreuses, tenta de lui prendre le bras, il se déroba. Yakimov s'arrêta sur le seuil, la vision brouillée par tout l'alcool qu'il avait absorbé au cours de la soirée. Le lieu, éclairé par des bougies noir et or, lui sembla s'étirer en une infinité funèbre. Le sol lui parut un vide ouvert sous lui : il le tâta prudemment du pied et constata qu'il ne se dérobait pas. Comprenant qu'il foulait une moquette noire, et que les murs et les plafonds étaient invisibles parce que eux aussi peints en noir, il reprit assez d'assurance pour se risquer à avancer. Il vit Hadjimoscos au centre de la pièce et, prenant ce qu'il considéra comme un raccourci, il trébucha sur un fauteuil recouvert de velours noir. Plusieurs femmes, avec une sollicitude feinte, attirèrent l'attention sur sa chute en poussant de petits cris. Il entendit une voix s'exclamer, extatique : « Hadji, *chéri* */* ! » et il vit une tête et un cou flotter dans l'air. Le cou était projeté en avant, de sorte que les tendons en étaient visibles. Le visage avait l'air ravagé.

Hadjimoscos chuchota sauvagement : « La princesse. » Yakimov se releva. On le présenta.

« *Enchantée, enchantée* */* ! » s'écria la princesse. Quelque chose s'agita sous le nez de Yakimov. Comprenant qu'on lui offrait une main gantée de noir, il tenta de la saisir pour la baiser, mais on la lui retira brusquement. Un autre invité venait d'arriver.

Yakimov se retourna pour parler, mais Hadjimoscos n'était plus là. Planté au milieu de la pièce, dépourvu de tout point d'ancrage, Yakimov regardait autour de lui, en quête d'une boisson quelconque. Ses yeux s'habituant à la pénombre, il commençait à distinguer des coins de meubles dorés ; mais, des invités, il ne pouvait voir que les visages et les mains. Cela lui rappelait les séances de spiritisme avec Dollie, et particulièrement le jour où l'ectoplasme avait suinté par les rideaux noirs du cabinet du médium.

Il avait l'esprit brouillé et il commençait à être fatigué. Il risqua un déplacement prudent en tâtonnant d'un meuble à l'autre. Un serveur se dressa devant lui, un plateau à la main. Il renifla les verres. Il allait prendre un whisky quand il vit les coupes. « Ah, champagne, cher garçon. Champagne, pour moi. »

De nouveau souriant, il se mouvait précautionneusement à travers la pièce. Hadjimoscos parlait avec deux jolies filles. Comme il s'approchait d'eux, Yakimov l'entendit dire : « Pensez un peu : une chaussure noire et une chaussure marron ! Je m'en suis aperçu dans l'ascenseur. »

La plus jeune émit une sorte de jappement. L'autre dit, en français : « *Ces Anglais, ils sont toujours soûls !* »

Hadjimoscos, ses petits yeux brillants de malveillance, recomposa son visage quand il vit Yakimov. Il l'accueillit avec un sourire enchanté et, lui prenant le bras, lui lança : « Ah, vous voilà, *mon cher* *. Permettez-moi de vous présenter à mes charmantes amies, la princesse Mimi et la princesse Lulie. Laissons tomber les patronymes. »

Mimi, la plus jeune, était jolie, dans le genre bébé Cadum. Lulie avait le visage fatigué et le teint cireux ; son sourire réticent était mince et fugace. Se laissant baiser la main, elles l'examinèrent en silence.

Hadjimoscos, toujours accroché au bras de Yakimov, devint extrêmement volubile :

« J'étais justement en train de dire que, plus tard, bien sûr, quand nous serons d'humeur, nous devrions jouer à un jeu délicieux nommé Blanche-Neige et les Sept Nains. *Mon cher* *, j'insiste pour que vous fassiez un des nains.

— Les jeux ne sont pas mon fort, cher garçon.

— Oh, mais celui-ci n'est pas un jeu ordinaire. Nous l'avons inventé nous-mêmes. On choisit une jeune fille séduisante — par exemple Mimi, ou Lulie — pour figurer Blanche-Neige. Puis on choisit sept hommes pour faire les nains. Ils quittent la pièce et enlèvent tous leurs vêtements. Dans la pièce même, Blanche-Neige enlève les siens. Puis, un à un, les nains entrent et sont confrontés à la belle. Nous les nommons alors en fonction de leur réaction : Heureux, Grincheux, Atchoum etc.

— Simplet ! s'écria Mimi en mettant immédiatement une main sur sa bouche.

— Allez, promettez-moi que vous ferez un des nains ! »

Yakimov recula nerveusement :

« Pas moi, cher garçon. Yaki ne sait pas faire ça.

— C'est bien triste pour vous », regretta gravement Hadjimoscos.

S'excusant, il lâcha le bras de Yakimov et partit rejoindre la princesse Teodorescu qui, assise sur un canapé, serrait de près un jeune homme à la grosse moustache rousse.

La princesse Mimi, telle une petite poupée mécanique qu'on vient de remonter, se mit à babiller en français. Yakimov, qui parlait cette langue aussi bien que l'anglais, fut déconcerté par ce français balkanisé. Il comprit néanmoins qu'elle parlait d'un certain baron Steinfeld qui, semblait-il, payait la suite d'hôtel de la princesse qui, elle-même, était folle d'un Anglais, d'un certain Foxy Leverett, le baron n'étant à ses yeux qu'un *parfait outsider*. Les deux filles se penchèrent l'une vers l'autre pour se chuchoter des confidences et Yakimov se réjouit que, pour une fois, ce ne fût pas de lui qu'on se moquait.

Il se dirigea vers le baron Steinfeld. Celui-ci, un sourire découvrant ses dents jaunes, l'accueillit avec affabilité :

« Ah, mon cher prince, un grand nom que le vôtre. Votre père n'était-il pas l'écuyer du tzar ?

— Je mentirais si je disais le contraire, cher garçon. »

Steinfeld évoqua alors avec respect le haut lignage de la princesse :

« Elle descend des rois daces, dont Décébale, le vainqueur des Romains.

— Fascinant ! dit Yakimov qui guettait le serveur du coin de l'œil pour avoir encore du champagne.

— Les domaines moldaves des Teodorescu étaient superbes. Mais qu'en reste-t-il ? Ils sont hypothéqués, dilapidés. Oui, dilapidés ! Ces princes ! Ils croient, tout en vivant entre Rome et Paris, que leurs terres prospéreront en leur absence. Des évaporés, et pourtant si charmants ! »

Le baron s'approcha, ajoutant d'un ton confidentiel :
« Mais mon petit domaine à moi, celui que je possède en Bessarabie, est parfaitement géré. Nous autres, Allemands, ne
sommes peut-être pas aussi charmants, mais nous savons ce
qu'est le travail. Sur mes terres, je fais mon propre vin — du
rouge, du blanc, de la *tuicà*, l'eau-de-vie de prune locale, et du
vermouth — le vermouth Steinfeld que vous pouvez voir dans
tous les magasins. Celui que le roi préfère. »

Murmurant un vague compliment, Yakimov coupa court
et se mit hardiment en quête du buffet.

« Seigneur ! » murmura-t-il en découvrant, dressée dans
une alcôve, la table dont personne encore n'avait été invité à
s'approcher, et qui croulait sous les victuailles : rangées de
dindes rôties aux blancs découpés en tranches fines, deux jambons aux croûtes caramélisées agrémentés d'ananas, buissons
d'écrevisses, saumon froid-mayonnaise, plusieurs sortes de
pâté, trois sortes de caviar, aspics divers, fruits confits, gâteaux
variés, framboises d'automne, raisin de serre — le tout disposé
sur des plats en argent décorés de cattleyas.

Tout tremblant, Yakimov fonça sur la nourriture comme
un affamé. Il plongea dans le caviar une louche qu'il nettoya
d'un coup de langue. Décidant qu'il préférait la variété la plus
salée, celle qu'il connaissait, il effectua dans celle-ci trois son-
dages tout aussi fructueux. Puis, en serrant dans une main des
blancs de dinde qu'il mordillait comme du pain, il empila de
l'autre tout ce qui lui faisait envie. Quand l'assiette fut pleine à
déborder, il mangea voracement. Il allait attaquer le dessert
lorsqu'il entendit un pas furtif. Un peu confus, il leva la tête et
vit Hadjimoscos qui l'observait.

« J'avais une petite faim, lui confia-t-il.

— Je vous en prie », sourit Hadjimoscos en lui désignant le
buffet.

Yakimov crut néanmoins plus séant de déclarer : « Merci,
cher garçon. J'ai eu assez. » Et il posa son assiette avec regret.

« Alors, joignez-vous à nous : nous allons jouer au baccara. Pour rien au monde nous ne commencerions sans vous. »

Le mot « baccara » évoquait pour Yakimov l'ennui res-
senti dans les casinos où Dollie le traînait. « Ne vous inquiétez
pas pour moi, cher garçon. Je suis tout à fait content d'être ici »,
dit-il. Apercevant des tourtes miniatures posées sur un chauffe-
plat, il ne put se contrôler : il en saisit une et l'avala. Un rêve

brûlant de champignons nageant dans une crème au fromage glissa dans sa gorge. Ses yeux se mouillèrent.

Il entendit siffler le rire de Hadjimoscos dont les lèvres, retroussées sur des petites dents blanches trop régulières pour être vraies, suscitèrent en Yakimov l'image fugitive d'un petit puma haineux. Le ton du fauve était pourtant extrêmement cordial lorsqu'il poursuivit :

« La princesse est folle de jeu. Elle ne me pardonnerait jamais si je n'arrivais pas à vous convaincre d'y participer.

— Comme il vous l'a dit, cher garçon, votre pauvre Yaki n'a pas un *leu*. Lessivé jusqu'à la réception de son mandat.

— Personne ne refuserait une reconnaissance de dette signée par vous, insista Hadjimoscos.

— Mais je sais à peine jouer...

— Vous apprendrez en un rien de temps. »

Yakimov jeta au buffet un dernier regard nostalgique et se laissa emmener en soupirant. On avait allumé les lampes au-dessus de deux tables ovales, auxquelles une douzaine de personnes étaient déjà assises. D'autres attendaient debout derrière leur chaise. Le baron Steinfeld, intéressé, se tenait cependant à quelque distance des tables pour signifier qu'il n'entendait pas être mêlé à la partie. La princesse était toujours assise sur son divan avec le rouquin nommé Foxy Leverett. Hadjimoscos s'approcha d'elle et revint avec une liasse de billets. Leur hôtesse, annonça-t-il, avait la migraine. Il tiendrait donc lui-même la banque, qui se montait à deux cent mille *lei*. « Vous voyez, *mon cher* *, dit-il en souriant à Yakimov, notre jeu est modeste. Vous ne pourrez pas perdre une somme importante. Combien de jetons voulez-vous ? »

Yakimov, sachant que le croupier touchait cinq pour cent de la banque, fit un effort désespéré pour se tirer de là :

« Vous aurez besoin d'un croupier, cher garçon. Pourquoi ne pas laisser votre pauvre Yaki...

— Le croupier, c'est moi. C'est une tradition, ici. Alors, combien de jetons ? » insista Hadjimoscos.

Vaincu, Yakimov répondit :

« Donnez-m'en pour deux mille.

— Chaque mise est de cinq mille minimum. Nous ne jouons pas pour moins », rétorqua Hadjimoscos en riant.

Yakimov accepta cinq jetons et signa un reçu pour vingt-cinq mille *lei*. Hadjimoscos prit sa place derrière le sabot. Ses manières étaient maintenant d'une sobriété toute professionnelle. Yakimov perdit vingt mille *lei* en dix minutes. Il était résigné à perdre tous ses jetons quand, avec ses derniers cinq mille, il commença à se refaire. Voilà qu'il gagnait même au baccara, ce qui ne lui était jamais arrivé auparavant ! Il utilisa ses gains pour augmenter ses mises.

Tandis que la pile de jetons montait devant Yakimov, l'attitude de Hadjimoscos devenait de plus en plus glaciale ; il poussait ses gains devant l'Anglais avec une mauvaise grâce croissante. Il finit par annoncer froidement que la banque avait sauté.

« Il faut que j'aille voir la princesse », dit-il.

Il revint en déclarant que celle-ci refusait de renflouer la banque.

« *Mon cher baron* *, ajouta-t-il en se tournant vers Steinfeld, j'en appelle à vous.

— Vous savez bien que je ne prête jamais d'argent », répondit celui-ci avec un sourire aimable.

« Pas étonnant que Steinfeld fasse figure de *parfait outsider* », pensa Yakimov.

Pendant que Hadjimoscos tentait sa chance ailleurs, Yakimov, assis devant ses jetons, souhaitait pouvoir les changer et filer. Un petit homme, dont les mains étaient si tremblantes qu'il pouvait à peine tenir ses cartes, s'approcha de lui d'un pas curieusement assuré : « Je me présente, *cher prince* * : comte Ignotus Horvath. Nous nous sommes rencontrés à l'*English Bar*. Je me demandais... » Une main aussi sombre et desséchée qu'une vieille brindille s'agita en direction des jetons : « ... si vous pourriez me concéder un petit prêt. Oh, dix mille *lei* tout au plus. »

Yakimov les lui passa. Quand Hadjimoscos revint en prétendant qu'il n'y avait que lui, Yakimov, qui pouvait renflouer la banque, celui-ci, soumis, tendit ses gains : de toute façon, il les aurait perdus au jeu. Puis, sans que personne le retînt, il s'éloigna en déclarant : « Je vais me reposer un moment. »

Il voulait un whisky, mais il n'y avait plus que du vin. Il en prit un verre qu'il emporta vers un canapé moelleux sur lequel il s'effondra et, son verre bu, s'endormit sur-le-champ.

Beaucoup plus tard, il fut réveillé en sursaut. Une douzaine de personnes, dont Hadjimoscos, le tiraient de son canapé. Quand il fut sur ses pieds, on lui arracha ses vêtements. Terrifié, ahuri, ne pouvant en croire ses yeux, il vit tous les invités, nus comme des vers, former un cercle autour de la pièce.

Quand ils eurent exposé son long corps fragile, dont ils se moquèrent, ses assaillants le poussèrent de force dans la ronde. Il se retrouva pris en sandwich entre une femme qui, derrière, lui donnait des tapes sur les fesses, et une autre qui, devant, déplorait activement son manque d'entreprise. Il passa le reste de la nuit à errer lamentablement, nu à l'exception de ses chaussettes et de ses chaussures dépareillées.

5

Le lendemain à midi, Harriet attendait Guy au pied de l'escalier de l'université, sur lequel les Tziganes tenaient leur marché aux fleurs. Leurs paniers croulaient d'une splendide profusion de cannas, de glaïeuls, de chrysanthèmes, de dahlias et de tubéreuses. Perchées sur les marches comme des oiseaux exotiques, elles interpellaient les gens : « *Hey, hey, domnule! Frumoasa. Foarte frumoasa.* Deux cents *lei*. Pour vous, seulement cent cinquante. Pour vous, seulement cent. Pour vous, seulement cinquante... *Domnule, dom-nu-le.* » Ce cri, évoquant le sifflement d'un train dans la nuit, accompagnait les passants indifférents et retentissait longuement à leurs oreilles. Avec ceux qui s'arrêtaient, le marchandage était âpre, strident, dramatique. Si le client partait sans rien acheter, la Tzigane descendait sur le trottoir et le suivait ; longue, déliée, vêtue de couleurs criardes, elle ressemblait à quelque grue, ou quelque flamant rose égaré au milieu de la population de pigeons que figuraient, par contraste, leurs acheteuses replètes.

Toutes les bohémiennes portaient de vieilles robes du soir achetées chez les fripiers qui occupaient un quai du fleuve. Elles adoraient les volants et les mousselines de soie aériennes. Elles avaient une passion pour les couleurs. Avec leurs roses et leurs violets, leurs pourpres et leurs verts acidulés, elles semblaient s'être concertées pour détonner, pour constituer un défi aux idéaux gris de la bourgeoisie roumaine.

Tout en observant le spectacle, Harriet vit arriver Sophie, qui entama un marchandage féroce avec une des vendeuses et qui, l'affaire conclue, monta les marches de l'université en accrochant un bouquet de violettes de Parme à sa ceinture. Elle

en glissa un autre entre ses seins puis, levant la tête, agita vigoureusement le bras. Harriet, dont la présence était passée inaperçue, vit Guy apparaître sur le seuil. Sophie se hâta vers lui en
s'exclamant joyeusement : « Je m'étais dit que je vous trouverais ici. Je ne me suis pas trompée. Tout comme au bon vieux
temps, hein ? » Ses griefs de la veille semblaient oubliés.

Guy aperçut sa femme sur les marches : « Voici Harriet »,
dit-il. Une simple constatation que Sophie choisit de prendre
comme une mise en garde. Elle porta une main à sa bouche
comme une gamine qui a gaffé, regarda Harriet avec une inquiétude feinte et fit à Guy un sourire consolateur. « Vous n'êtes pas
responsable de ce contretemps », disait ce sourire.

« Vous allez déjeuner ? demanda-t-elle.

— Nous devions nous promener au Cismigiu, où nous
comptions aussi déjeuner, répondit Guy.

— Oh non ! s'écria Sophie. Le parc n'est pas agréable par
cette chaleur. Et le café est moche. Pas du tout chic. »

Guy se tourna vers Harriet, pensant qu'elle accepterait de
changer ses projets, mais elle insista en souriant :

« Je tiens absolument à voir le parc.

— Vous ne venez pas avec nous ? » demanda Guy à
Sophie.

Non, impossible. Il y avait trop de soleil, cela lui donnerait
la migraine, etc. « Retrouvons-nous demain soir : nous dînerons chez *Capsa* », lui proposa-t-il alors.

Comme ils traversaient la rue pour atteindre les grilles du
parc, Harriet dit à Guy :

« Nous ne pouvons pas nous permettre de dîner tous les
soirs dans des restaurants chers.

— Oh, le taux de change au marché noir nous est tellement
favorable que nous pouvons nous offrir *Capsa* de temps à
autre. »

Harriet se demanda s'il avait la moindre idée de ce qu'il
pouvait ou non s'offrir avec un salaire annuel de deux cent cinquante livres sterling.

Un paysan était venu en ville avec une charrette pleine de
melons qu'il avait déversés devant la grille du parc. Il était couché dessus, endormi.

« Je n'ai jamais vu autant de melons de ma vie, remarqua
Harriet.

— N'oublie pas que nous sommes en Roumanie. »

L'abondance, en règle générale, mettait Harriet mal à l'aise. Guy la conduisit dans une petite allée latérale bordée d'immeubles. « Inchcape habite ici », dit-il en désignant le premier étage de l'un d'eux.

Avec envie, Harriet vit une terrasse occupée par des chaises de fonte, une vasque de pierre et une profusion de géraniums.

« Il vit seul ? demanda-t-elle.

— Oui, avec Pauli, son domestique.

— Quel homme étrange que cet Inchcape. Cette vanité ombrageuse ! Que cache-t-elle ? Et que fait-il ici tout seul ? Je sens qu'il y a un secret là-derrière.

— Il y vit, tout simplement. Comme nous tous. En quoi cela t'intéresse-t-il de savoir comment ? La vie privée des autres ne nous regarde pas. Nous devrions nous contenter de ce qu'ils veulent bien nous montrer.

— Tu t'intéresses aux idées, moi aux gens. Si tu t'intéressais davantage aux gens, tu les aimerais moins. »

Guy ne répondit pas. Harriet supposa qu'il méditait sur le bien-fondé de sa déclaration mais, lorsqu'il parla à nouveau, elle se rendit compte qu'il n'y avait nullement réfléchi. Il lui expliqua que les paysans qui venaient en ville pour y chercher justice et travail considéraient le Cismigiu comme un refuge. Le parc, brillamment éclairé les nuits de printemps et d'été, était d'une beauté spectaculaire ; les paysans y passaient des heures à contempler les tapis verts, la fontaine, le lac, les paons et les arbres centenaires. À intervalles réguliers, le bruit courait que le roi allait leur prendre leur seule richesse, et ils en discutaient entre eux avec amertume.

« Le fera-t-il ? demanda Harriet.

— C'est peu probable. Quel profit en tirerait-il ? Mais le peuple en est arrivé à attendre le pire de lui, voilà tout. »

Dans la dernière chaleur de l'été, les verts avaient perdu de leur délicatesse ; ils prenaient déjà une teinte automnale sous la lumière poussiéreuse. Quelques groupes de paysans, comme Guy l'avait dit, contemplaient le paysage ; mais la plupart d'entre eux dormaient à l'ombre, un bras posé sur le visage pour se protéger les yeux du soleil. En entendant le couple arriver, certains se levaient pour arranger leur marchandise disposée sur des plateaux : gâteaux au sésame, bretzels, allumettes en vrac et, pour les pigeons, des cacahuètes dont Harriet acheta un paquet. Elle nourrit les oiseaux sous le regard timide et méfiant des vendeurs. Nouvellement arrivés à la ville, ils portaient encore le costume paysan : pour les hommes, pantalons étroits de ratine, vestes courtes et bonnets pointus — un style d'habillement qui existait déjà du temps des Romains ; pour les femmes, blouses brodées et jupes froncées de couleurs plus belles et plus subtiles que celles des Tziganes. Dès qu'ils pourraient se le permettre, les paysans se débarrasseraient de ces gages de leur simplicité et, revêtus de grosse toile bise, ils se déguiseraient en citadins.

Trois jeunes filles, éclatantes dans leurs tenues respectivement rose dragée, rouge prune et vert bouteille, posaient pour un photographe. Elles étaient vêtues comme pour une fête, mais, la tête baissée, elles se blottissaient l'une contre l'autre comme si on était en train de les vendre à un marché d'esclaves. Voyant les Pringle les observer, elles détournèrent le regard, honteuses.

En passant devant les paysans, Guy et Harriet leur souriaient de façon rassurante ; mais leurs sourires devinrent forcés quand une odeur insoutenable chatouilla leurs narines. « L'ennui, avec les préjugés, c'est qu'ils sont parfois fondés », pensa Harriet. Elle crut préférable de garder cette remarque pour elle.

Le chemin sous le hallier menait au café du lac — une simple cabane en planches posée sur un ponton, avec quelques chaises bancales et des tables aux nappes en papier. Les planches craquaient et pliaient sous les pas. Un serveur accourut et leur tendit un menu taché de graisse. La liste des plats était courte. Peu de gens mangeaient là. Les ouvriers qui vivaient en ville venaient le soir, à la fraîche, y boire du vin ou de la *tuicà*. Guy commanda des omelettes. Quand le serveur retourna dans la hutte qui servait de cuisine, il alluma la radio en l'honneur de ses clients étrangers. Un haut-parleur accroché en haut de la porte diffusait une valse.

Le café, comme l'avait dit Sophie, était modeste, mais non dénué de prétention. Un écriteau, curieusement destiné à de probables analphabètes, proclamait que les personnes vêtues de costumes paysans ne pouvaient y être servies. Mais les paysans restaient sur la rive. Avec l'humilité des chiens, ils ne se risquaient jamais sur le ponton.

« Je veux que tu me parles de Sophie », dit soudain Harriet.

Guy ne répondit pas, mais il prit un air résigné.

Harriet insista :

« Hier soir, elle a dit qu'elle était déprimée à cause de la guerre. Est-ce la seule raison ?

— Probablement.

— Rien à voir avec notre mariage ?

— Certainement pas. Il y a longtemps qu'elle a renoncé à cette idée.

— Elle l'a donc eue ?

— Eh bien... expliqua Guy d'un ton détaché destiné à cacher son malaise, sa mère était juive ; quant à elle, elle a travaillé pour une revue antifasciste...

— Tu veux dire qu'elle cherchait à se procurer un passeport britannique ?

— Ça se comprend. Elle me faisait de la peine. Et n'oublie pas que je ne te connaissais pas encore. Deux ou trois amis à moi ont épousé des Allemandes antinazies pour les aider à sortir d'Allemagne et...

— Mais ils étaient homosexuels. C'était un simple arrangement. Les couples se séparaient sitôt franchie la porte de la mairie. Toi, tu aurais eu à vie Sophie sur les bras.

— Elle m'a affirmé que nous divorcerions aussitôt.

— Et tu l'as crue ? Tu dois être cinglé ! »

Guy laissa échapper un rire gêné :

« En fait, je ne l'ai pas vraiment crue.

— Mais tu t'es mis en situation de la laisser essayer de te persuader. Si tu ne m'avais pas rencontrée, tu aurais cédé, n'est-ce pas ? (Harriet l'observait d'un regard neuf.) Moi qui croyais avoir épousé un roc ! Je me rends compte maintenant que tu es capable de la dinguerie la plus totale, lui dit-elle.

— Allons, chérie, protesta Guy. Je ne tenais pas à épouser Sophie, mais je ne voulais pas non plus être discourtois. Qu'aurais-tu fait à ma place ?

— Dit non sur-le-champ. Pourquoi se compliquer inutilement la vie ? Mais de toute façon, elle ne me l'aurait jamais demandé. Je ne suis pas manipulable. D'ailleurs, elle m'a détestée d'emblée. Mais toi, elle sait qu'elle peut t'entortiller.

— Chérie, ne sois pas si dure. C'est une fille intelligente. Elle parle une demi-douzaine de langues...

— Lui as-tu prêté de l'argent ?

— Euh... un peu. Quelques milliers de *lei*.

— Te les a-t-elle rendus ?

— Eh bien, elle ne considérait pas cela comme un prêt. »

Harriet s'en tint là. « Je ne veux pas la voir tous les soirs »,
se contenta-t-elle d'ajouter.

Guy lui serra le bras :

« Chérie, elle est triste, et elle est seule. Tu pourrais te permettre d'être un peu gentille avec elle.

— C'est vrai, je pourrais », concéda Harriet. Et elle pensa
à autre chose.

Une voix criarde se déversa soudain du haut-parleur. Le
serveur assis près de la hutte sauta sur ses pieds. D'autres sortirent de la cuisine. Tous se mirent à parler entre eux d'un ton
fiévreux.

« C'est l'invasion ? » demanda Harriet.

Guy fit non de la tête :

« Quelque chose à voir avec Calinescu.

— Qui est Calinescu ?

— Le Premier ministre.

— Pourquoi sont-ils tous si excités ? Qu'a dit le speaker ?

— Je ne sais pas. »

Le garçon s'approcha de la rambarde et cria quelque chose
à l'homme qui louait des barques en contrebas. Celui-ci lui
répondit en criant à son tour.

« Ils disent qu'on a tiré sur Calinescu et qu'il est soit blessé,
soit mort. Allons vite à l'*English Bar*. C'est toujours là que sont
centralisées les nouvelles », dit Guy.

Ils quittèrent le parc par une grille latérale devant laquelle
se dressait la statue d'un politicien en disgrâce, la tête empaque-
tée dans un sac de jute. Ils arrivèrent sur la grand-place au
moment où les vendeurs de journaux s'égosillaient pour annoncer une édition spéciale. Les gens se bousculaient pour l'acheter,
lisaient les gros titres et jetaient le journal. La place était déjà
jonchée de feuilles qui frémissaient, craquantes, sous la brise
chaude.

Guy replia le journal, le glissa sous son bras et dit : « Il a été
assassiné au marché aux volailles. »

Un homme qui avait entendu ce commentaire se retourna
brusquement et s'adressa à Guy en anglais :

« Ils assurent avoir démantelé la Garde de Fer, et voici ce
qui arrive maintenant ! Ça peut vouloir dire n'importe quoi,
vous m'entendez ? N'importe quoi.

— Qu'est-ce que cela peut bien vouloir dire ? demanda
Harriet à Guy tandis qu'ils se hâtaient vers l'Athénée-Palace.

— Que les Allemands mijotent quelque chose, j'imagine. Nous en saurons plus au bar. »

Mais l'*English Bar* était vide. Avec ses boiseries sombres et ses plantes en pot éclairées par la lumière crue qui tombait de ses hautes fenêtres, le lieu était lugubre. Peu auparavant, il devait y avoir eu foule, car l'atmosphère était terriblement enfumée.

Guy s'approcha d'Albu, un jeune Roumain sobre qui, à Bucarest, passait pour l'archétype du barman anglais :

« Où sont-ils tous passés ?

— Partis transmettre les nouvelles à leurs journaux », répondit Albu.

Guy, les sourcils froncés de frustration, demanda à Harriet ce qu'elle voulait boire, puis lui dit : « Ils vont sûrement revenir. C'est ici qu'est centralisée l'information. »

6

Dans sa chambre située au dernier étage de l'hôtel, Yakimov fut réveillé par les cris des vendeurs de journaux qui s'égosillaient sur la grand-place.

La veille, quand il avait tendu son passeport britannique au concierge, celui-ci lui avait demandé s'il souhaitait être réveillé « à l'anglaise », avec une tasse de thé. Il avait répondu qu'il ne souhaitait pas être réveillé du tout, mais qu'on pouvait déposer chaque matin sur sa table de chevet une demi-bouteille de veuve-clicquot. Ouvrant les yeux avec réticence, il vit le seau à champagne, et en fut reconnaissant.

Environ une heure plus tard, après avoir pris son bain, s'être habillé et avoir mangé un peu de poulet froid dans sa chambre, il descendit au bar. Il trouva celui-ci bondé. Il commanda un whisky qu'il avala d'un coup, puis un autre. Un peu requinqué, il regarda autour de lui.

Les journalistes se pressaient autour de Mortimer Tufton. Celui-ci, posé au bord d'un tabouret, serrait le pommeau de sa canne de ses vieilles mains couvertes de taches brunes.

Galpin, apercevant Yakimov, lui demanda :

« Quelles sont les nouvelles ?

— Eh bien, cher garçon, pour une tuerie c'était une tuerie.

— Tout à fait d'accord, approuva Galpin. Une tuerie en règle. Et, bien sûr, on applique une fois de plus la bonne vieille formule : quelqu'un, à l'intérieur, crée des troubles et ces salopards accourent, soi-disant pour rétablir l'ordre. »

Yakimov regarda Galpin, perplexe, puis finit par s'arracher un commentaire :

« Exact, cher garçon. Exact.

— Je leur donne vingt-quatre heures. »

Galpin, étalé le dos contre le bar, était un grand échalas engoncé dans un costume chiffonné et plein de traces de cendre, qui semblait trop petit pour lui. Il avait une voix grincheuse, nasillarde, et parlait en frottant sans cesse son visage au teint bilieux de buveur de whisky. Un mégot mouillé pendait en permanence de sa lèvre, et le blanc de ses yeux était jaune citron. « Vingt-quatre heures, répéta-t-il. Attendez, et vous verrez ! » conclut-il d'un ton péremptoire.

Yakimov ne tenait pas à le contrarier. Il était dérouté non seulement par les remarques du journaliste, mais par l'atmosphère qui régnait dans le bar : une atmosphère de mécontentement extrême.

D'une voix indignée, Galpin demanda soudain à Yakimov : « Vous êtes au courant pour Miller, de *L'Écho*, je suppose ? »

Yakimov secoua la tête.

« Dès que c'est arrivé, il a sauté dans sa voiture pour aller à Giurgiu. Il est peut-être passé, ou peut-être pas. Mais en tout cas, il n'est pas coincé ici comme un rat pris au piège. »

Galpin, à l'évidence, parlait plus pour décharger sa bile que pour éclairer Yakimov. Ce dernier, laissant errer son regard, remarqua le jeune couple nommé Pringle qu'il avait rencontré la veille au soir. Il y avait quelque chose de rassurant dans la haute stature confortable de Guy Pringle et dans la douceur de son regard de myope à lunettes. Yakimov s'approcha de lui et lui dit : « Je ne vois toujours pas comment les Allemands pourraient entrer en Roumanie. Les Russes occupent l'est de la Pologne. Ils ont atteint la frontière hongroise. »

Galpin se retourna : « Mon pauvre vieux, lui lança-t-il avec une amertume méprisante, les nazis passeront à travers les lignes russes aussi facilement qu'un couteau chaud à travers une motte de beurre. »

Guy passa un bras autour des épaules de sa femme. Elle avait les traits tirés, et il se voulut rassurant : « Ne t'inquiète pas. Je pense que nous sommes en sécurité. »

Un petit homme — cheveux gris, teint gris, costume gris —, plus ombre que substance, entra dans le bar et tendit un télégramme à Galpin, tout en lui chuchotant quelque chose.

« Mon informateur roumain me dit que l'ambassade d'Allemagne déclare avoir la preuve que le meurtre a été commandité par le ministre britannique afin de saper la neutralité roumaine. C'est risible ! Ça aussi, d'ailleurs, ajouta-t-il après avoir ouvert le télégramme qu'il lut à haute voix : "*Écho* rapporte assassinat — Stop — Surpris par absence de nouvelles — Stop — Vous dormez, ou quoi — Point d'interrogation." Alors Miller a réussi ! Un chouette scoop pour lui, et pour nous autres, que dalle.

— Oui, mais nous, nous sommes en nombre. Cela nous protège. Nous ne pouvons pas tous fouetter le même chat en même temps », grommela Tufton.

Yakimov en profita pour demander à Guy dans un murmure : « Cher garçon, que se passe-t-il ? Qui a été assassiné ? »

Malheureusement pour lui, sa question tomba dans un silence. Galpin l'entendit. Se tournant vers Yakimov, il lui dit d'un ton scandalisé : « Dois-je comprendre que, tout à l'heure, vous ne saviez pas de quoi je parlais ? »

Yakimov hocha la tête.

« Que vous n'étiez pas au courant de l'assassinat ? reprit Galpin. Que vous ignoriez qu'on avait fermé la frontière, que la ligne internationale était morte, qu'on ne nous laissait pas envoyer de câbles, que personne ne pouvait sortir de Bucarest ? Que vous ne saviez pas, mon pauvre vieux, que vous courez un danger mortel ?

— Pas possible ! » gémit Yakimov.

Jetant autour de lui des regards furtifs, il cherchait une sympathie que personne ne lui prodigua. Il tenta de se reprendre : « Qui a assassiné qui ? » Galpin ne se soucia même pas de lui répondre. Ce fut Guy qui lui apprit que le Premier ministre avait été assassiné au marché aux volailles.

« Quelques jeunes hommes l'ont doublé en voiture et ont forcé la sienne à s'arrêter. Quand il est descendu voir ce qui se passait, ils lui ont tiré dessus. Il est mort sur le coup. Les assassins se sont ensuite précipités dans les studios d'enregistrement, ont menacé le personnel et ont annoncé que le ministre était mort, ou mourant. Ils ne savaient pas au juste.

— L'ont plombé comme un lapin, intervint Galpin. Il s'accrochait à la portière — petites mains roses, pantalon rayé, petits souliers de cuir tout neufs. Puis il a glissé, ses belles pompes salies de poussière...

— Vous avez tout vu ? » demanda Yakimov, les yeux écarquillés d'admiration. Mais Galpin ne se laissa pas amadouer :

« Quelqu'un a vu, répondit-il sèchement. Mais vous, qu'est-ce que vous fabriquiez, pendant ce temps ? Vous étiez soûl ?

— Votre pauvre vieux Yaki a eu une nuit plutôt rude. Levait à peine la tête de l'oreiller.

— La chance sourit aux imbéciles. Nous, on marnait pendant que lui dormait paisiblement », lança Tufton en s'agitant sur son tabouret.

Un employé de l'hôtel entra dans le bar pour annoncer qu'on pouvait désormais envoyer des télégrammes de la poste centrale. Les journalistes se bousculèrent à la porte et Yakimov crut son supplice terminé. Il allait commander un autre whisky quand Galpin lui saisit le bras :

« Je vous prends dans ma voiture.

— Oh, cher garçon, pas sûr de sortir, aujourd'hui. Loin d'être flambant.

— Êtes-vous ou non chargé de faire le boulot de McCann ? Allez, ouste ! »

Yakimov, résigné, se laissa emmener.

Une fois à la poste, il écrivit : « Extrême regret de vous annoncer que Premier ministre a été... » Il hésita si longtemps sur l'orthographe du mot « assassiné » que le bureau se vida, et il se retrouva seul avec Galpin. Celui-ci, le visage grave, lui demanda : « Vous avez compris toute l'histoire, bien sûr ? Vous savez qui est à la base de tout ceci... Les tenants, les aboutissants ? »

Yakimov secoua la tête : « Pas la moindre idée, cher garçon. »

Galpin siffla entre ses dents d'un air exaspéré. Puis il dit plus gentiment : « Allez, je vais vous aider. »

Sortant son stylo, il concocta un long article qu'il signa « McCann ».

« Cela va vous coûter dans les trois mille *lei* », dit-il.

Atterré, Yakimov s'écria :

« Mais je n'ai pas un seul *leu* !

— Bon, ça va pour cette fois : je vais vous prêter l'argent. Mais il faut que vous ayez sur vous de quoi envoyer des câbles. La ligne internationale risque d'être interrompue pendant des semaines. Maintenant, courez rendre compte à McCann. »

Le lendemain matin, alors qu'il descendait prendre son petit déjeuner dans la salle à manger de l'hôtel, Yakimov vit Galpin et un Canadien nommé Screwby sortir du bar d'un air résolu. Soupçonnant que les journalistes étaient sur une piste, il fit de son mieux pour les éviter. Trop tard : Galpin l'avait vu.

« On donne une petite représentation au marché aux volailles, lui expliqua-t-il comme si cette annonce était de nature à ravir Yakimov. Nous vous y emmenons dans la vieille Ford. »

Yakimov tenta de s'esquiver :

« Je vous rejoindrai plus tard, cher garçon. Dois me sustenter un peu. Manger un morceau.

— Pour l'amour du ciel, Yakimov, s'exclama Galpin d'un ton désagréable, je suis l'ami de McCann, et je veillerai à ce que vous lui serviez à quelque chose. Faites votre travail. » Prenant le bras de Yakimov, il l'entraîna vers la voiture.

Après avoir emprunté la Calea Victoriei, ils se dirigeaient maintenant vers le fleuve, la Dîmbovita. On avait fourré Yakimov sur le siège arrière, où sa position était des plus inconfortables. Galpin, apparemment satisfait de sa soumission, se retourna pour lui dire :

« Naturellement, vous savez qu'ils ont pris les types qui ont fait ça ?

— Sans blague, cher garçon ?

— Ouais. Des gardistes, évidemment. Un complot allemand tout craché, une excuse pour intervenir et maintenir l'ordre. Mais ils ont compté sans les Russkofs. Ces chers Russkofs ne se sont pas laissé faire : les Boches n'ont pas pu passer. Mais les types de la Garde de Fer l'ignoraient. Ils pensaient qu'une fois les Allemands entrés en Roumanie, eux-mêmes deviendraient les héros de l'ordre nouveau. Qu'ils seraient intouchables. Ils ne se sont même pas cachés. On les a pris avant que le corps de leur victime soit froid et on les a exécutés durant la nuit.

— Et le roi, cher garçon ?

— Quoi, le roi ?

— Vous avez dit qu'il voulait la tête de Calinescu.

— Oh, ça ? C'est une histoire compliquée. Vous savez comment ça se passe dans les Balkans... »

Galpin passa la tête par la vitre de la voiture. « La tension s'est relâchée », nota-t-il.

Screwby, jaugeant les passants d'un œil expert, fut de son

avis : « Pourtant, la plupart d'entre eux préféreraient avoir les Allemands ici plutôt que les Russes massés à la frontière. Regardez-moi ce gros salaud-là : il a "proallemand" écrit sur toute sa personne. »

Yakimov regarda, pensant voir partout des sosies de Goering ; mais il ne vit que la foule habituelle de Roumains sortis pour prendre leur collation de chocolat chaud et de gâteaux à la crème. Il murmura en soupirant : « Me sens pas très bien. Un creux à l'estomac », commentaire qui ne fut pas relevé.

Franchissant les rails des tramways, ils s'engagèrent dans une rue en pente qui descendait au fleuve. Galpin se gara sur le quai et Yakimov vit une queue gigantesque devant le marché aux volailles. Il eut un moment d'espoir. Cette affluence était de nature à décourager même un Galpin.

« Cher garçon, on en a pour une bonne journée d'attente, dit-il.

— Vous avez votre carte, n'est-ce pas ? Alors suivez-moi », rétorqua sèchement Galpin.

Carte brandie, Screwby et Yakimov sur ses talons, il fendait la foule avec autorité, se contentant de proclamer son statut privilégié, que personne ne discuta. Paysans et ouvriers s'effaçaient devant eux.

Au centre du marché, un espace était interdit d'accès par des barrières et un cordon de police. Les policiers, indolents, portaient un uniforme bleu ciel assez sale. Ils se redressèrent en voyant Galpin. L'un examina sa carte, prétendant comprendre ce qui y était écrit, puis, conscient de son importance, écarta les autres pour lui permettre de voir.

Yakimov, qui détestait non seulement la violence mais les effets de la violence, se tenait à l'écart. Galpin lui ordonna d'approcher. Avec un dégoût qui lui coupa un rien l'appétit, il regarda les assassins.

« On vient juste de les déverser d'un camion, dit Screwby. Combien sont-ils ? Quatre... cinq... Six, il me semble. »

Les corps ressemblaient à un tas de vieux habits. Les visiteurs, contenus par les barrières, étaient parvenus, en criblant sa base de coups de pied, à ébranler le tas et à exposer une tête et une main. Sur la tête en question, on voyait une tonsure. Un côté du visage était pressé au sol. L'œil et la narine visibles étaient remplis de sang coagulé. La main, une chose sombre en voie de dessication au bout d'un bras raidi, semblait implorer de l'aide. Les pavés étaient tachés du sang qui avait coulé le long de la manche.

« Celui-ci n'était pas mort quand ils l'ont vidé du camion, constata Galpin.

— Qu'en savez-vous, cher garçon ? » gémit Yakimov.

Galpin, ignorant la question, passa son pied sous la barrière et commença à fouiller le tas. Il réussit à exposer un autre visage, dont la joue gauche était barrée d'une longue cicatrice. La bouche était ouverte, noircie d'un vomi de sang.

Galpin et Screwby se mirent à gribouiller des notes dans leur carnet. Yakimov n'avait pas de carnet, mais comme il avait l'esprit vide, cela n'avait pas grande importance.

De retour dans la voiture, il dit à Galpin : « Cher garçon, je me sens tout faible. N'auriez pas une flasque sur vous ? »

Pour toute réponse Galpin démarra. Il conduisit à tombeau ouvert jusqu'à la poste centrale. On leur distribua des imprimés pour les télégrammes mais, juste quand Galpin allait tendre son article, le guichet afficha FERMÉ. On ne pouvait de nouveau plus rien envoyer. Au grand soulagement de Yakimov, qui avait péniblement produit six mots : « Ils ont attrapé les assassins et... » Les yeux vitreux d'effort, il marmonna :

« Pas l'habitude de voir ces horreurs. Dois m'humecter le sifflet.

— Nous sommes attendus à un déjeuner de presse. Vous aurez tout ce que vous voudrez là-bas, dit Galpin.

— Mais je ne suis pas invité, gémit Yakimov, prêt à fondre en larmes.

— Vous avez votre carte, non ? glapit Galpin, à bout de patience. Alors, Bon Dieu de Bon Dieu, cessez de geindre et venez ! »

Rempli de l'impatience tremblante du vieux cheval qu'on ramène à l'écurie, Yakimov suivit les autres journalistes dans l'immeuble désolé qu'on avait récemment réaménagé en ministère. S'enfonçant dans les tunnels que formaient une série de couloirs au sol carrelé, ils débouchèrent sur une pièce aux plafonds trop hauts pour sa surface, dont la disgrâce architecturale était rachetée par un opulent buffet tout dressé. Entouré de cordons, malheureusement. Devant, on avait disposé plusieurs rangées de chaises assez raides à l'intention des journalistes. Ceux-ci, pour la plupart, n'étaient que temporairement à Bucarest, où ils s'étaient rendus pour couvrir l'assassinat ; ils étaient discrètement assis au fond de la salle. Seuls Mortimer Tufton et Inchcape, le nouveau responsable du bureau d'informations britannique, étaient assis devant. Tufton avait posé sa canne sur les trois chaises qui les séparaient. Apercevant Galpin, il lui fit signe de venir s'asseoir près de lui.

Inchcape était installé de travers sur sa chaise, les jambes croisées, un bras posé sur le dossier, une main contre la joue. Quand il vit Yakimov prendre place à côté de lui, il lui chuchota avec aigreur : « Il y a quelque chose de louche, là-dedans. »

Yakimov, qui n'avait rien remarqué d'anormal mais qui craignait de paraître naïf aux yeux des représentants d'une presse cynique, murmura : « Tout à fait de votre avis, cher garçon. » Son ton devait manquer de conviction car Inchcape poursuivit, en désignant le buffet d'un geste irrité : « Accès barré par un cordon. Pourquoi ? Jamais vu ça auparavant dans une réception officielle. Ces gens sont tout sauf inhospitaliers. Et que font tous ces insolents larbins ? poursuivit-il en les désignant du menton, ils montent la garde, ou quoi ? »

Yakimov remarqua alors le nombre considérable de serveurs présents dans la salle qui échangeaient des petits sourires narquois comme s'ils étaient les complices d'un canular. Pourtant la nourriture semblait bien réelle. Une seconde table était couverte de bouteilles de vin et d'alcools divers. Yakimov, pensant qu'on le laisserait au moins avaler un apéritif, adressa au garçon le plus proche un signe, habituellement couronné de succès, qui cette fois-ci échoua. L'homme leva la tête, remua les lèvres en silence et s'absorba dans la contemplation d'un plafond richement lambrissé.

Yakimov, l'air malheureux, se retournait sur son siège. Derrière lui, d'autres s'agitaient également en bavardant entre eux. Plus personne n'arrivait ; le temps passait ; le ministre de l'Information n'était toujours pas là. Les soupçons d'Inchcape avaient gagné l'assistance.

Galpin s'exclama soudain : « Que se passe-t-il ? Pas un seul Boche, ici, et pas un seul Macaroni. Rien que des amis de la courageuse petite Roumanie. Alors, pourquoi nous faire attendre ainsi ? »

Tufton tapa le sol de sa canne. Un serveur leva les yeux. « Whisky », lui ordonna Tufton. L'autre lui répondit en roumain.

« Qu'est-ce qu'il raconte ? demanda Tufton.

— Il dit qu'il faut attendre l'arrivée de Son Excellence *domnul* Ionescu », traduisit Inchcape.

Tufton regarda sa montre : « Si Son Excellence n'est pas là dans cinq minutes, je m'en vais. » Les cinq minutes s'écoulèrent sans qu'il mît sa menace à exécution.

Après une longue pause, il dit :

« Je soupçonne que nous sommes bons pour un blâme officiel.

— Ils n'oseraient jamais », répondit Galpin.

Yakimov, découragé, s'avachit sur sa chaise. Ses mains longues et délicates pendaient entre ses genoux. Il soupira à plusieurs reprises, comme un chien trop confiant à qui on a trop souvent fait le coup du su-sucre. Puis, n'y tenant plus, il crut bon d'informer l'assistance de l'état de son estomac : « Rien mangé du tout, aujourd'hui. » Posant les coudes sur ses genoux, il enfouit son visage dans ses mains et laissa vagabonder ses pensées. Il fut un temps où il savait transformer chaque incident de sa vie en une anecdote savoureuse ; où il pouvait tirer du comique de chaque situation. Il avait, sentait-il, un don pour cela. À l'époque, il amusait les gens pour le seul plaisir de les amuser. Il adorait être au centre de l'attention. Puis vint le temps où il cessa d'amuser les autres à fonds perdu : « Le pauvre Yaki doit chanter pour payer son dîner », se disait-il. Désormais, il avait perdu tout intérêt pour les anecdotes et ne se sentait plus enclin à amuser la galerie. Ce travail pour gagner sa croûte l'épuisait. Il voulait toujours la « croûte » mais surtout, et sans contrepartie, la paix.

Une sonnerie retentit dans la pièce. Les laquais se précipitèrent pour ouvrir la porte à deux battants. Yakimov se redressa avec espoir. Les journalistes se turent.

Ionescu entra au pas de charge. Il regarda l'assistance : « *Comment m'excuser pour mon retard ? Celui-ci est proprement inexcusable* * », dit-il avec un large sourire qui démentait ses regrets. Il s'arrêta au milieu de la pièce, comme s'il attendait des applaudissements. N'étant accueilli que par le silence, il haussa les sourcils, transperçant chacun de ses invités de ses petits yeux sombres comme des raisins de Corinthe. Sa moustache remuait nerveusement. Il se mordait la lèvre inférieure, comme pour réprimer une stupéfaction comique : « Mais qu'ont-ils tous ? Ne me suis-je pas excusé ? » semblait-il se demander. Puis, reprenant son sérieux, il s'adressa à l'assistance en anglais : « Messieurs... et, ah oui, mesdames ! Combien charmantes ! ajouta-t-il en s'inclinant devant les deux femmes présentes, l'une américaine, l'autre, française. Messieurs et mesdames, donc : Hier après-midi, on vous a accordé le privilège d'envoyer vos papiers par câble. Exact ? (Il regarda autour de lui, avec de petits mouvements de tête saccadés, comme un moineau, quêtant une approbation qui ne vint pas.) Exact. Et quels câbles ! Je peux, ici et maintenant, vous lire le communiqué que nous avons envoyé à tous les journaux. Vous constaterez qu'il ne correspond en rien aux délires élaborés à la poste centrale. (Plaçant sur son nez une paire de lunettes à grosse monture, il fouilla lentement ses poches.) Ah, voilà ! dit-il en en sortant finalement un papier qu'il se mit à lire à haute voix avec onction : "C'est le cœur brisé que la Roumanie vous annonce aujourd'hui la perte tragique de son Premier ministre et fils bien-aimé, A. Calinescu, assassiné par six étudiants qui avaient échoué au baccalauréat. Tout en s'efforçant de pardonner l'acte dément d'une jeunesse déçue, toute la nation est prostrée de douleur." »

Il s'avança, s'inclina et tendit le papier à Inchcape.

« J'imagine qu'on va nous rembourser nos frais ? demanda Galpin.

— Pas de remboursement. Mais, comme disent les Anglais, une petite leçon qu'il vous faut prendre comme telle. (En signe d'admonestation, il agita l'index sous le nez du journaliste.) Vous avez tous été très vilains, vous savez. Vous devez vous rappeler que vous êtes les hôtes d'un royaume neutre. Nous ne sommes pas belliqueux. Nous souhaitons vivre en paix avec nos voisins. Tant que vous serez chez nous, vous devrez vous comporter comme des enfants sages. Exact ? »

Se retournant sur sa chaise, Tufton demanda à ses voisins : « Combien de temps encore devrons-nous supporter ces non-sens ? »

Une voix dans le fond demanda : « De quels délires parle-t-il ? Quelle mouche le pique ? »

« Ah, chers amis, reprit Ionescu, se peut-il que je me trompe ? Qu'aucun d'entre vous n'a inventé d'histoires à dormir debout, à savoir : les assassins seraient des gardistes à la solde de l'Allemagne ; les Allemands prépareraient une invasion ; un certain diplomate étranger, trouvé en possession du chèque destiné à payer l'assassin, aurait été placé en résidence surveillée, etc. ?

— Von Steibel a-t-il ou non été assigné à résidence ? demanda Tufton.

— Il est au lit avec la grippe, répondit Ionescu en souriant.

— Lui a-t-on ou non ordonné de quitter le pays ?

— Il rentre demain se reposer en Allemagne. »

Les questions fusaient de toute part et la confusion devint générale. Ionescu, les mains tendues, exigea le silence : « Un petit instant, messieurs et mesdames. Je dois maintenant aborder une affaire plus grave. » Affichant un sérieux de mauvais augure, il déclara : « Je veux parler d'une invention tellement incroyable que moi-même, si je n'avais de mes yeux vu le télégramme, je ne l'aurais jamais crue possible... »

Il marqua une pause si longue que Galpin s'écria : « Bon ! Et alors ? »

« Un journaliste honorable, représentant un journal de renom, a inventé une histoire tellement scandaleuse que j'ai du mal à la mentionner. En gros, il a accusé notre grand et glorieux roi, le père de la culture, le père de son peuple, d'être derrière ce meurtre abject. Ce journaliste est, paraît-il, un homme malade. Il a été blessé en fuyant la Pologne. Il a probablement la fièvre, et nous voulons bien croire que ses élucubrations sont imputables au délire. Aucune autre explication n'est possible. Néanmoins, dès qu'il sera sur pied, nous lui ordonnerons de quitter le pays. »

Nombre de regards se portèrent sur Yakimov, qui ne broncha pas. Rien, dans son expression, ne laissait supposer que, en tant que porte-parole de McCann, il était concerné. Ionescu se détendit et retrouva le sourire.

« Bientôt trois heures, grommela Tufton.

— Encore une petite minute d'attention, dit Ionescu. Je vais maintenant répondre à vos questions.

— Monsieur le ministre, vous nous avez dit que les assassins étaient des étudiants. Est-il possible qu'ils fassent également partie de la Garde de Fer ? » demanda l'Américaine.

Ionescu eut un sourire de pitié :

« Chère madame, Sa Glorieuse Majesté elle-même n'a-t-elle pas annoncé qu'il ne restait plus un seul gardiste vivant dans le pays ?

— Le bruit court que les assassins étaient à la solde de l'Allemagne, insista la Française.

— Le bruit court aussi qu'ils étaient à la solde des Alliés, répondit Ionescu. Il ne faut jamais écouter les ragots de café, *madame* *.

— Je ne fréquente pas les cafés, répliqua la Française.

— Dans ce cas, permettez-moi de vous y accompagner, proposa Ionescu en s'inclinant.

— Pourrait-on savoir qui — très probablement sans procès —, a exécuté les assassins? demanda solennellement Tufton.

— Les militaires, fous de douleur et d'indignation devant le meurtre de leur Premier ministre bien-aimé, ont attrapé ces jeunes hommes et, sans en référer aux autorités civiles, les ont liquidés sur-le-champ, récita d'une seule traite Ionescu.

— Est-ce la thèse officielle?

— Indubitablement.

— Vous savez certainement que les corps sont exposés au marché aux volailles. Approuvez-vous ce genre de pratiques? demanda quelqu'un.

— L'armée est puissante, dans ce pays. Nous n'osons pas intervenir, répondit Ionescu en haussant les épaules.

— J'ai vu les corps. Ils me semblent plutôt vieux pour des étudiants, dit Galpin.

— Chez nous, il n'y a pas d'âge pour étudier. Certains de nos compatriotes fréquentent l'université à vie », dit Ionescu.

Galpin grogna et regarda Tufton. « Nous perdons notre temps », dit tout haut celui-ci.

Tout le monde se leva. Yakimov plus vite que les autres. Mû par des espoirs fous, il bondit de son siège et, trébuchant, bouscula Ionescu.

Ce dernier, impuissant à contenir le flot, se contenta de détacher le cordon tendu devant le buffet. « Permettez-moi... » dit-il.

Avec une retenue qui lui coûtait beaucoup, Yakimov attendit ses collègues. Tufton entreprit de s'extraire de sa chaise.

« Une gifle pour les bons amis de la Roumanie, dit-il à Galpin. Une gifle espiègle, mais à prendre néanmoins au sérieux. Quelqu'un a dû leur rappeler que Hitler était désagréablement près de chez eux.

— Ces salauds de Roumains ont accepté notre garantie *après* que les Allemands ont occupé la Slovaquie.

— Les Polonais aussi », répliqua Tufton, qui était enfin parvenu à se lever.

Ce soir-là, l'automne arriva brusquement. Les Pringle, en sortant du restaurant de leur hôtel saturé d'un air chaud et lourd de fumée, furent surpris de constater que, dehors, il faisait étonnamment frais. Il avait plu. Au loin, on voyait luire les dômes de l'opéra où était exposé le corps du Premier ministre en grand apparat.

Guy était d'humeur euphorique. Tout le monde, non sans réticence, avait désormais admis que les Russes, en occupant l'est de la Pologne, avaient empêché les Allemands d'envahir la Roumanie. On pensait également que les premiers étaient intervenus parce qu'ils avaient eu vent d'un complot allemand. Guy exultait de voir ainsi validés ses idéaux politiques. « Même la légation doit maintenant avoir compris que les Russes savent ce qu'ils font », dit-il à Harriet. Pour donner du courage à sa femme, il dessina sur son carnet un plan prouvant que les Allemands ne pouvaient pénétrer en Roumanie qu'en violant la neutralité de la Hongrie.

« ... Ce qu'ils ne peuvent pas faire. Du moins, pas encore, déclara-t-il.

— Pourquoi ?

— Parce qu'ils se sont déjà assez servis comme ça. »

Harriet se détendit. Ce sentiment de sécurité, nouveau pour elle, était comme un cadeau. Stimulés par le changement de température, ils se prirent par la main et coururent jusqu'à l'opéra, dont les portes ouvertes répandaient un flot de lumière. Les gens avaient fait la queue toute la journée pour entrer mais il n'y avait pratiquement plus personne à cette heure. Dans l'auditorium débarrassé de ses fauteuils on avait dressé la bière, éclairée par des cierges, tendue de draperies pourpre et argent. À la tête et au pied du cercueil, des prêtres — barbes noires et hauts couvre-chefs d'où cascadaient des voiles — marmottaient des prières.

« Prêchi-prêcha », murmura Guy. Il tournait déjà les talons mais Harriet le retint, l'obligeant à s'approcher du cercueil. Il n'y avait rien à voir. Sauf, peut-être, le nez du Premier ministre, étrangement volumineux et d'un curieux gris mastic.

Les Pringle restèrent là un instant puis allèrent examiner les couronnes déposées en cercle autour de la bière. À la tête de celle-ci, on avait posé côte à côte les deux plus importantes — des monstres composés d'œillets rouges disposés en forme de blasons. L'une était ornée de rubans blancs et bleus, l'autre de rubans rouges et noirs. Sur la seconde trônait une croix gammée.

Galpin était là. Il contemplait ces deux témoignages rivaux d'affliction avec un sourire sarcastique.

« Alors, ces bons vieux Russkofs, qu'en pense-t-on, à présent ? lui demanda Guy.

— Cela s'est passé plus ou moins comme je l'avais prévu. Dieu merci, nous avons échappé à la Gestapo. Temporairement.

— Vous croyez que nous sommes en sécurité, alors ? lui demanda Harriet.

— En sécurité ! (Les coins de sa bouche retombèrent. Il regarda Harriet d'un air de morne dérision.) En sécurité, avec les Russes massés à la frontière ? Croyez-moi, ils seront ici avant l'hiver.

— Nous n'avons rien à craindre. Nous ne sommes pas en guerre avec la Russie, dit Guy.

— J'espère pour vous qu'ils vous laisseront le temps d'ouvrir la bouche pour le leur rappeler. »

Une fois dehors, Harriet se sentit d'humeur philosophique : « La seule chose certaine c'est que rien n'est certain », risqua-t-elle.

Guy eut l'air surpris.

« Il y a plusieurs choses dont je suis tout à fait certain, dit-il.

— Quoi, par exemple ?

— Eh bien... (Il réfléchit.) Que la liberté ne règne que lorsqu'on a obtenu le nécessaire. Et que la seule richesse, c'est la vie. Quand on a compris ça, on a tout compris.

— Cela suffit-il à expliquer l'univers ? L'éternité, même ?

— Ils ne comptent pas.

— Moi, je pense qu'ils comptent. (Un peu agacée, Harriet lui retira sa main.) Imagine les possibilités qu'offre l'éternité au regard des limitations de cette vie-ci où, quoi qu'on fasse, la seule issue est la mort, insista-t-elle.

— Tous ces bobards mystico-religieux ne sont qu'un moyen de garder les pauvres pauvres et les riches riches : "La récompense est dans l'au-delà. Acceptez la situation dans laquelle il a plu à Dieu de vous fourrer", vous ressassent-ils. Moi, l'éternité ne m'intéresse pas. C'est ici et maintenant que nous devons prendre nos responsabilités. »

Ils marchaient un peu séparés, conscients d'une différence désormais explicitée. Devant eux, à un coin de rue, brillaient les lumières du café où ils avaient projeté de se rendre. Le *Doi Trandafiri*, ou café des Deux-Roses, était censé être le nouveau lieu de rencontre des transfuges de l'ex-café *Napoléon*. Guy espérait y retrouver toute sorte d'amis. Ce que redoutait Harriet. Elle l'imaginait disparaissant sous leurs étreintes ; l'éternité lui parut soudain une hypothèse improbable et l'univers, un trou noir d'une froideur inhumaine. Elle glissa de nouveau sa main dans la sienne.

« Nous sommes ensemble. Nous sommes vivants. Du moins pour l'instant, lui dit-elle.

— Quand donc serons-nous plus que cela ? » lui demanda-t-il en lui pressant la main.

Il poussa la porte. Dans la lumière retrouvée, elle ne se soucia pas de lui répondre.

7

Inchcape avait loué un magasin vide qu'il était en train de transformer en bureau d'informations. La boutique était située dans la Calea Victoriei, juste en face du bureau où les Allemands se livraient aux mêmes activités. Dans l'« établissement rival », comme le nommait Inchcape, étaient exposées des photos de la ligne Siegfried et de troupes en marche. Inchcape déplorait de n'avoir reçu encore qu'un paquet d'affiches proclamant : LA GRANDE-BRETAGNE EST BELLE, et conseillant au touriste : VISITEZ D'ABORD LA GRANDE-BRETAGNE. Il proposa aux Pringle d'assister aux obsèques de Calinescu d'une des fenêtres du premier étage du bureau et les invita à passer auparavant chez lui prendre un verre.

Quand les Pringle arrivèrent chez Inchcape, il fit la grimace : il avait espéré qu'ils pourraient prendre l'apéritif sur la terrasse. « Aujourd'hui, même le ciel est en deuil », constata-t-il, déçu.

Il avait organisé dans le salon des éclairages intimes qu'il modula à plusieurs reprises en prenant du recul pour juger de leur effet sur ses murs blancs, son piano blanc et ses bibliothèques blanches. Puis il emmena Harriet sur la terrasse pour lui montrer ses géraniums. Elle les admira, devinant que l'admiration était importante pour leur hôte. « L'hiver va bientôt arriver. C'est une bonne chose, car nous serons en sécurité », dit-il.

Elle ne comprenait pas. Il eut un petit rire exaspéré :

« Enfin, ma petite fille, vous devriez savoir qu'on n'envahit jamais l'hiver ! Le moment idéal pour envahir est l'automne — après les moissons et avant que la neige bloque les cols.

— Pourquoi pas cet automne-ci, alors ?

— Une invasion se prépare. Cela prend du temps. Or il n'y a aucun signe de préparation. Les patrouilleurs signalent un calme absolu sur tous les fronts.

— Dieu merci ! »

À sa surprise, il lui serra le bras : « Ne vous avais-je pas assuré qu'il n'y avait aucune raison de s'affoler ? Je ne crois pas un instant que quiconque veuille envahir ce pays. Ou, si cela se produit, ce ne sera pas avant six ou sept mois. D'ici là, la situation peut changer. »

Il lui souriait aimablement. Non parce qu'il aimait les femmes, mais précisément parce qu'il ne les aimait pas, se dit-elle. De plus, elle le soupçonnait d'être soulagé de constater que leurs relations étaient bonnes. Elle en était également soulagée, tout en se disant que cet homme était à manier avec précaution. Du salon leur parvint un bruit de conversation.

« Qui est avec Guy ? demanda-t-elle.

— Pauli, mon Hongrois. Ici, les meilleurs serviteurs sont Hongrois. Les Saxons ne sont pas mal non plus, mais rustres. Vilaine engeance, les Saxons ; pas très aimés. Ils ne rigolent pas. »

Pauli vint les retrouver sur la terrasse pour raconter l'histoire qu'il venait de raconter à Guy et qui, visiblement, semblait le ravir. Il était très beau garçon. Il s'inclina devant Harriet et, pour réclamer son attention, tendit une main vers elle, la touchant presque. Puis il se mit à parler à toute allure en roumain.

Inchcape le regardait en souriant avec indulgence. À la fin de l'histoire, il le congédia d'une bourrade affectueuse.

« C'est la dernière qui court sur le roi », expliqua Inchcape à Harriet. Et il entreprit de la lui traduire : « Dans un café, un ivrogne injurie le roi, le traitant de débauché, de filou, de tyran — bref, les qualificatifs habituels. Entre un membre de la police secrète qui entend les propos de l'ivrogne : "Comment oses-tu parler ainsi de Notre Glorieuse Majesté, ton roi et le mien ? — Mais, mais... balbutie l'ivrogne, je ne parlais pas de *notre* roi. Je parlais du roi de Suède. — Menteur, hurle le policier, tout le monde sait que le roi de Suède est un homme bien." »

Ils rentrèrent dans le salon, où Pauli préparait les cocktails, quand on sonna à la porte. C'était Clarence. Il salua Inchcape et Guy, ignorant Harriet.

« Ah ! dit Inchcape maintenant que ses deux subordonnés étaient présents, j'ai quelque chose à vous dire : je n'irai pas avec vous au bureau pour assister au défilé. Croyez-le ou non, votre humble serviteur en personne a été invité à suivre le cortège dans une voiture officielle.

— Sans blague! Pourquoi? laissa échapper Guy.

— Pourquoi? À cause de mon nouveau statut. Non que cela m'amuse, mais cette invitation est un honneur pour l'organisation. Les deux seuls autres membres de la colonie britannique invités sont le ministre et Woolley.

— À propos d'honneurs, j'espère que vous ne verrez pas d'objection si j'accepte un petit boulot que la légation vient tout juste de me proposer, demanda Clarence.

— Ah, et lequel?

— Administrateur du secours polonais. L'Angleterre a consacré une somme importante au comité d'assistance, et j'ai été recommandé pour le poste d'organisateur. Pas de salaire : seulement le remboursement de mes frais et l'usage d'une voiture de fonction.

— Pourquoi vous?

— Parce que j'ai déjà fait du travail humanitaire en Espagne. Et parce que je parle le polonais; j'ai travaillé à Varsovie pour le British Council. Alors, pas d'objection?

— Oh que si! Personne ne peut faire correctement deux boulots à la fois. Vous avez été détaché auprès de notre organisation par le British Council. Et maintenant, vous voilà recommandé pour autre chose. C'est trop.

— Et l'effort de guerre? Quelqu'un doit faire le boulot. Je veillerai à ce que mes deux activités n'entrent pas en conflit.

— J'y compte. Bon, servez-vous. Il faut que je m'en aille. »

Inchcape sortit en claquant la porte. Le bruit fit sursauter Clarence qui, levant la tête, rencontra accidentellement le regard de Harriet. Il rougit légèrement, mais sembla soulagé d'avoir enfin admis sa présence. Il se détendit et, se servant à boire, dit en souriant : « Quand nous n'étions que d'obscurs tâcherons au service de la culture britannique, Inchcape nous surpassait tous par son mépris des milieux officiels. Et maintenant, quel changement! Bientôt, il va se flatter de dîner avec Woolley. »

Clarence portait une cravate ornée de l'insigne de son université, et un blazer avec l'écusson de son ancienne école. Avant de quitter l'appartement d'Inchcape, il s'enroula dans une écharpe de laine aux couleurs d'un célèbre club d'aviron.

Harriet ne put s'empêcher de se moquer de lui. « Vous voulez convaincre les gens de votre statut social privilégié ? » demanda-t-elle.

Clarence hésita un instant, puis il prit l'air satisfait, décidant que ce commentaire était imputable non à la causticité naturelle de Harriet, mais à sa coquetterie. Ce en quoi, comme beaucoup d'autres, il se trompait. « J'ai les bronches fragiles. Je dois faire attention », répondit-il avec une drôle de lueur dans le regard.

Il commençait à pleuvoir. Pour traverser la rue, ils durent se frayer un chemin à travers plusieurs rangées de spectateurs qui attendaient sous leurs parapluies. La vitrine du bureau d'informations britannique était passée au blanc de chaux, les peintres y travaillant encore. À l'étage, le bureau d'Inchcape n'était pas terminé. Rien n'était même commencé dans la petite pièce de derrière qui devait servir de bureau à Clarence. Pour tout meuble, une table, sur laquelle étaient posés un buvard et une photographie dans un cadre.

Guy prit la photo :

« C'est ta fiancée ? demanda-t-il.

— Oui. C'est Brenda.

— Un visage ouvert, sympathique. »

Clarence se racla la gorge, semblant s'excuser de ne pouvoir fournir d'excuses. On changea de sujet. La fenêtre de Clarence donnait sur un vaste chantier destiné à devenir le boulevard Bràtianu, la future voie de dégagement parallèle à la Calea Victoriei. De part et d'autre du chantier, on avait bâti à la hâte des immeubles aux murs minces comme du papier à cigarette. Devant ces barres de béton, avec des poutres vermoulues récupérées dans les maisons démolies, les paysans avaient fabriqué des sortes de cabanes où ils vendaient des légumes et des cigarettes. D'autres masures, bricolées avec des bidons d'essence aplatis, leurs ouvertures tendues de chiffons, étaient disséminées dans ce chaos urbain.

Clarence désigna aux Pringle la carcasse de ce qui serait devenu un nouveau et quelconque ministère, si le ministre n'avait pas décampé avec des fonds ministériels qu'il avait prudemment placés en Suisse. Depuis l'arrêt du chantier, les ouvriers, laissés sur le carreau, campaient dans les endroits abrités de celui-ci. Harriet les voyait, maintenant juchés sur des poutrelles, attendre le passage du cortège dans la Calea Victoriei.

« Comme il fait déjà froid, ils allument des feux de camp et passent la nuit autour. Dieu sait ce qu'ils vont faire une fois l'hiver venu », dit Clarence.

Au milieu des décombres se dressait l'unique maison ayant échappé aux démolitions. Elle était petite, de style rococo, avec des stucs fissurés et grisâtres ; sa porte d'entrée aux panneaux de verre gravé ouvrait sur une jolie courbe d'escalier, et son jardin était devenu une décharge. Quelqu'un y vivait encore. Aux fenêtres pendaient des rideaux de dentelle aussi crasseux que les stucs.

« Croyez-vous que nous pourrions trouver une maison semblable ? » demanda Harriet.

Cette question parut vaincre les réticences de Clarence. Oubliant les préjugés qu'il semblait nourrir à son égard — ou simplement sa timidité ? — il se pencha vers elle et lui dit : « Moi aussi j'adore ces vieilles bicoques. Mais on ne peut pas y vivre. Elles sont infestées de vermine. J'ai bien peur que ce soient les dernières que nous voyions. » Il ajouta avec un demi-sourire : « Si la Roumanie était restée aussi longtemps sous la domination autrichienne que sous la domination turque, elle serait aujourd'hui civilisée. »

Harriet remarqua, entre autres traits qui, jusque-là, ne l'avaient pas particulièrement attirée, qu'il avait une belle bouche. Il la fixait comme pour laisser entendre qu'existaient entre eux une complicité, un début d'intimité qu'elle-même jugeait imaginaires, et qu'elle ne souhaitait pas.

Leur conversation fut interrompue par le martèlement, encore assez lointain, d'une marche funèbre. Tous trois se précipitèrent dans la pièce située en façade, ouvrirent la fenêtre et se penchèrent pour regarder : le cortège funèbre arrivait. Il déboucha à gauche, se dirigeant vers la grand-place. De là, il gagnerait la gare, Calinescu devant être inhumé chez lui, dans ses terres.

Les gens, massés aux balcons, s'interpellaient et se faisaient des signes d'un immeuble à l'autre. Malgré le temps, régnait une atmosphère de vacances. La fanfare s'approchait et les spectateurs, toujours sous leurs parapluies, quittant leur abri relatif le long des façades, s'avancèrent vers les bords des trottoirs : la police, munie de brassards noirs, se précipita pour les repousser sauvagement. Un reporter, juché sur un camion, tourna la manivelle de sa caméra et commença à filmer. Le monstrueux catafalque apparut, dramatiquement noir, orné de draperies à

franges et de plumes d'autruche noires, avec des angelots brandissant dans leurs menottes des cierges noirs. Il dérapait sur la
chaussée mouillée, de sorte que l'édifice semblait près de bas-
culer.

Le prince marchait derrière.

« Ah ! » s'exclamèrent les gens sur les balcons. C'était exactement ce à quoi ils s'attendaient : le roi avait eu peur de suivre
le cortège, même dans sa voiture blindée. Le jeune prince, en
revanche, défilait seul et sans protection. On sentait que la foule
l'eût acclamé, la situation se fût-elle prêtée à la liesse.

Derrière le prince venait le palanquin du métropolite. Les
prêtres marchaient à ses côtés, leurs longues robes balayant la
chaussée détrempée. Le vieil archevêque portait une longue
barbe blanche. Apercevant la caméra, il tapota ses vêtements
sacerdotaux, redressa sa croix ornée de pierreries et leva le menton en prenant un air digne et affligé.

La fanfare militaire, passant de Chopin à Beethoven, défila
dans un bruit d'enfer. Vinrent ensuite les voitures. Clarence et
Guy tentèrent en vain de repérer Inchcape parmi leurs passagers, tous pareillement anonymes dans leurs costumes sombres.

La queue de la procession mit un temps fou à s'écouler,
talonnée par la circulation brusquement dégorgée des petites
rues transversales. En un instant, la Calea Victoriei se mit à
grouiller de voitures qui, dans une cacophonie de klaxons, se
faufilaient et se coupaient la route, tant leurs conducteurs
étaient impatients de reprendre une vie normale.

Les spectateurs se dispersèrent, envahissant les cafés et les
bars. Ils passèrent sans un regard devant la vitrine brillamment
éclairée du bureau allemand de propagande, où était exposée la
carte d'une Pologne écartelée entre l'Allemagne et la Russie :
une croix gammée oblitérait Varsovie.

La confiance était revenue. Les taux de change au marché
noir avaient baissé, de sorte que même Guy était enclin à penser
qu'ils ne pouvaient inviter Sophie tous les soirs. Dans son éditorial, un journal de Bucarest avait exprimé le regret que la chance
n'eût pas été donnée à la Roumanie de se mesurer à un adver-
saire « *formidabil* », car elle eût pu montrer au monde comment
on gagnait une guerre. On rappelait aux lecteurs qu'en 1914, la
Roumanie avait envoyé son or à Moscou pour le mettre en
sûreté. Elle ne l'avait jamais récupéré. La virilité roumaine brûlait de venger ce tort qu'on lui avait fait. Mais en aurait-elle
jamais l'occasion ?

Clarence ferma la fenêtre. « Maintenant qu'on en a fini avec Calinescu, allons dîner », dit-il.

Mais on n'en finissait pas si facilement avec Calinescu : on proclama trois jours de deuil national, au cours desquels les cinémas devaient rester fermés. Quand ils rouvrirent, ce fut pour montrer un film sur les funérailles. Pendant une semaine entière, le monstrueux cercueil fut porté sous la pluie par des paysans qui se relayèrent jusqu'au caveau de famille. Finalement, on nomma un nouveau Premier ministre, et le précédent fut oublié. Oubliée aussi la Garde de Fer, dont le même Calinescu avait déclaré qu'elle avait été anéantie.

DEUXIÈME PARTIE

Le centre vital

8

Harriet, ne craignant plus de devoir à tout moment fuir le pays, se mit en quête d'un appartement. Elle acheta des vêtements d'hiver et s'intéressa aux invitations qui pleuvaient depuis le début du trimestre universitaire. L'une d'elles émanait d'Emanuel Drucker, le banquier dont Guy avait le fils pour élève.

Les pluies avaient cessé. Elles avaient fait place au vent, qui avait incité les restaurants de la Chaussée à regagner la ville pour y prendre leurs quartiers d'hiver. Après une semaine de temps maussade, le soleil brillait de nouveau mais on ne pouvait s'asseoir dehors qu'à midi.

Au nord de Bucarest, on apercevait maintenant les montagnes, jusque-là noyées dans la brume de chaleur, veinées de glaciers semblables à des écheveaux de coton blanc. Un matin, ils virent le plus haut sommet couronné d'une neige qui, chaque jour, gagnait du terrain sur le flanc de la montagne. La théorie de l'invasion chère à Inchcape faisait rire Guy, qui affirmait que les Russes pouvaient arriver quand ils le voulaient par la plaine côtière. Harriet, pour sa part, préférait croire que les cols étaient infranchissables.

Le jour où ils furent invités à déjeuner chez les Drucker était le dernier beau jour chaud d'octobre. Le couple devait se retrouver à l'*English Bar*, mais Guy n'y était pas. Il était toujours en retard.

Tufton et les autres journalistes avaient rejoint leurs bases respectives. Galpin était assis à une table avec une beauté brune — locale, selon toute apparence. Yakimov les observait de loin d'un air de chien battu.

« Chère fille, venez donc boire un whisky avec le pauvre Yaki », s'écria-t-il en apercevant Harriet.

Dès le seuil, elle fut incommodée par une insupportable odeur de tabac :

« Tenez-vous vraiment à rester ici ? L'hôtel n'a-t-il pas un jardin où nous pourrions nous installer ?

— Un jardin, chère fille ? (Yakimov, déconcerté, regarda autour de lui comme si un acte de magie allait produire l'Éden.) Oh, il me semble en effet en avoir vu un quelque part.

— Cherchons-le », proposa Harriet. Et, laissant à Albu un message pour Guy, elle entraîna Yakimov.

Le jardin en question n'était qu'une cour ombragée au sol pavé, à laquelle on accédait par la salle à manger. On y avait installé quelques tables et chaises dégradées par les intempéries et, à part la petite fontaine qui coulait au milieu, il n'y avait ni fleurs ni ornements d'aucune sorte.

« On est mieux ici, non ? » dit Harriet. Yakimov, marmonnant un vague acquiescement, s'assit près d'elle.

« Qui était cette fille avec Galpin ? demanda Harriet.

— Une Polonaise. Wanda Quelque Chose. Elle est arrivée avec McCann. J'ai cru que c'était sa petite amie. Maintenant, c'est celle de Galpin, semble-t-il. Comprends rien. J'aurais bien aimé avoir un mot avec Galpin à propos de l'ordre de mobilisation, ajouta-t-il en soupirant. Suis journaliste, vous voyez. Bien forcé d'envoyer des informations chez nous. Il faut les vérifier avant. Venais juste d'entrer au bar et de lui demander : "On boit quelque chose ?" quand il m'a presque bouffé le nez. »

Elle fut surprise par l'amertume du ton. Il ressemblait à un gosse vexé. Le garçon s'approcha de leur table et elle commanda une citronnade.

« Que pensez-vous de l'ordre de mobilisation ? C'est inquiétant ? demanda-t-elle.

— Oh non ! »

Yakimov balaya la question d'un geste de la main. Il avait oublié Galpin. Souriant avec la jubilation de l'amuseur-né, il lui dit :

« Vous avez entendu parler de la ligne que le roi projette de construire sur la frontière ? Celle qui doit coûter des milliards de *lei* ? Qui doit être deux fois plus résistante que la ligne Siegfried et la ligne Maginot réunies ? La ligne "Mégalo", je l'appelle. »

Harriet rit. Il se pencha alors vers elle et, jouant les hommes informés, lui confia d'un ton grave :

« Ce que je croyais important, en revanche, c'était le plan de paix de Hitler ; il affirmait qu'il n'avait pas d'autres ambitions territoriales. J'ai été *atterré* quand les autres l'ont refusé. Je ne veux pas critiquer, mais je pense que là, Chamberlain a gaffé. Personne ne veut de cette guerre idiote.

— Hitler a trop souvent affirmé qu'il n'avait pas d'ambitions territoriales pour qu'on puisse le croire.

— Mais nous *devons* le croire, chère fille. (Yakimov la regarda avec des yeux qui semblaient baigner dans la confiance.) En ce monde, faire confiance aux gens est la seule solution. »

Harriet, à court d'arguments, but sa citronnade. Le visage de Yakimov, tendu par l'effort qu'il avait fait pour être sérieux, s'éclaira. Il lui demanda tranquillement :

« Chère fille, pourriez-vous par hasard me prêter un peu de blé ?

— Du blé ?

— Oui, enfin, du pèse, du fric, quelques talbins. Votre pauvre vieux Yaki est fauché : il n'a pas encore reçu son mandat. »

Harriet fut si surprise qu'elle en pâlit. Elle ouvrit son sac, le fouilla avec fébrilité et y trouva un billet de mille *lei*.

« C'est tout ce que j'ai, dit-elle.

— Chère fille, lui répondit-il en empochant prestement l'argent, comment le pauvre Yaki peut-il vous exprimer sa gratitude ? »

Sans attendre qu'il en trouvât le moyen, elle se leva et fila, poursuivie par la voix d'un Yakimov consterné : « *Chère fiii-lle !* »

Elle croisa Guy dans le tambour de la porte. « Que se passe-t-il ? » lui demanda-t-il.

Trop émue pour parler, elle attendit d'avoir traversé la place pour le lui expliquer :

« Le prince Yakimov m'a invitée à prendre un verre. Je trouvais ça aimable de sa part, mais tout ce qu'il voulait, c'était m'emprunter de l'argent.

— Tu lui en as prêté ? demanda Guy, imperturbable.

— Mille *lei*. »

Guy minimisant l'incident, elle se calma, regrettant seulement d'avoir été délestée de mille *lei*.

« Je déteste qu'on me tape, dit-elle.

— Chérie, ne t'en fais pas. Tu prends l'argent trop au
sérieux. »

Prête à répondre que c'était parce qu'elle n'en avait jamais
eu, elle se rappela que Guy non plus. Elle changea de sujet :
« Yakimov est un imbécile. Il m'a dit qu'il fallait faire confiance
à Hitler. »

Guy rit : « Il est politiquement naïf, mais il est loin d'être
idiot. »

Ils approchaient de l'entrée du parc où se tenait le politicien en disgrâce, celui avec la tête dans le sac. Les Drucker habitaient en bordure, dans un des immeubles luxueux que
possédait la banque familiale.

Dans le hall, deux statues de bronze grandeur nature brandissaient des torchères. L'escalier, recouvert d'un tapis épais,
était monumental. L'atmosphère était française, mais l'odeur
roumaine. Le portier, qui s'engouffra derrière eux dans l'ascenseur dans l'espoir d'un pourboire, empestait tellement l'ail que
Harriet avait l'impression d'inhaler de l'acétylène.

Ils s'arrêtèrent au dernier étage. Devant les hautes portes
d'acajou massif de l'appartement des Drucker, Harriet dit : « Je
n'arrive pas à croire que de simples mortels vivent derrière des
portes pareilles. » On leur ouvrit avec une promptitude prouvant qu'on les attendait avec impatience

À la vue de Drucker, Guy poussa une exclamation de joie.
Son hôte, entouré de ses deux filles et de sa sœur, ouvrit les bras
pour l'accueillir.

Toutes ces embrassades rappelaient à Harriet le succès
délirant qu'avait eu Guy auprès des Roumaines inconnues de
l'Orient-Express.

Drucker, un homme grand et lourd, un peu voûté, élégant
dans son costume de tweed gris argent, vint vers elle les mains
tendues pour qu'elle ne se sentît pas exclue : « Ah ! Quelle
femme charmante pour Guy ! *Si petite et si jolie * !* » Il l'enve-
loppa d'un regard de fervente admiration et lui prit les mains
avec le naturel et l'aisance d'un homme qui connaît bien les
femmes. Une rare qualité de tendresse se mêlait à la sensualité
de ce contact. Il était impossible de ne pas y répondre chaleu-
reusement. Harriet sourit, et il inclina légèrement la tête pour lui
signifier qu'ils s'étaient compris. Puis il appela sa sœur aînée,
doamna Hassolel.

Celle-ci se détacha de Guy avec un « Ah ! » de regret. Son

expression animée se fit critique lorsqu'elle accorda son attention à Harriet.

C'était une petite femme corpulente, au visage fatigué et aux façons brusques. Elle prit ses invités en charge en s'excusant de l'absence de leur hôtesse, l'épouse de Drucker, qui n'était pas encore prête. Elle présenta Harriet à ses sœurs cadettes, *doamna* Teitelbaum et *doamna* Flöhr. La première était d'une maigreur qui trahissait sa nature inquiète ; la deuxième, *doamna* Flöhr, la beauté de la famille, d'une rondeur qui, à terme, risquait fort de se transformer en embonpoint. Elle examina Harriet de ses yeux étincelants et vides.

Ils passèrent au salon. Dès qu'ils furent assis, un domestique poussa une table roulante chargée de hors-d'œuvre et de ces petites saucisses grillées qu'on ne fabriquait qu'en Roumanie. Harriet, sachant que le déjeuner ne serait servi qu'entre deux et trois heures de l'après-midi, accepta le verre de *tuicà* et les mets qu'on lui offrait.

La pièce, très grande, était encombrée de meubles d'acajou massif et tendue d'une tapisserie d'un rouge si sombre qu'il en paraissait noir. Des portraits étaient accrochés aux murs dans de lourds cadres dorés. Un immense tapis turc rouge et bleu couvrait le sol. Devant la fenêtre en saillie qui donnait sur le parc trônait un piano à queue. Lorsqu'elle passait à proximité, la fille aînée de Drucker, une écolière, s'asseyait de temps à autre sur le tabouret qu'elle s'amusait à faire tourner, et frappait une touche. La plus jeune, une enfant de neuf ans vêtue de l'uniforme des Jeunesses roumaines, ne quittait pas son père. Quand il eut rempli les verres, il lui murmura quelque chose et elle se leva pour les présenter timidement à la ronde.

Les femmes, passant de l'anglais au français, interrogeaient Guy sur ses vacances en Angleterre, une période qui semblait déjà bien lointaine à Harriet, et sur les activités du couple depuis son arrivée en Roumanie. Drucker souriait à sa jeune invitée pour l'encourager à parler, mais il était assis trop loin pour l'envelopper de sa chaleur ; aux questions qu'on lui posait directement, elle répondait d'un ton qui sonnait lointain et décourageant à ses propres oreilles. Elle se sentait isolée au milieu de cette gaîté bruyante, et Guy, rouge et animé, lui sembla soudain un inconnu. Lors de sa première visite dans cette maison, lui aussi était un étranger, que la famille Drucker avait pourtant immédiatement adopté. Elle sentait qu'elle-même ne répondait pas à leurs attentes et qu'étrangère, elle le resterait toujours pour eux.

La conversation dériva sur la guerre. « Ah, la guerre ! » Maintenant qu'on avait abordé ce grave sujet, tous les regards convergeaient vers Drucker.

« Les affaires marchent fort bien depuis le début du conflit. Ça n'en reste pas moins une chose déplorable », dit-il.

Harriet, curieuse de savoir quel effet avait cette déclaration sur Guy, lui jeta un coup d'œil. Mais il était distrait par l'entrée des grands-parents Drucker. Petits et frêles, ceux-ci marchaient lentement, presque cérémonieusement, elle appuyée au bras de son mari. Drucker s'élança vers eux et, avec égards, les conduisit vers ses invités. Ils étaient nés en Ukraine et ne parlaient que le russe. Le vieil homme, serrant doucement la main de Guy, lui fit un petit discours d'une voix si basse qu'elle était à peine audible.

Guy, ravi, sortit ses quatre mots de russe pour s'enquérir de leur santé. Tout le monde s'extasia. Le vieux couple, en souriant d'un sourire spectral, profita de ces effusions pour s'éclipser.

« Ils se fatiguent vite. Ils préfèrent prendre leurs repas dans leurs appartements », expliqua Drucker.

Avant que la conversation pût reprendre, les beaux-frères de Drucker rentrèrent du bureau. Hassolel arriva la premier. C'était un homme sec et peu expansif vêtu d'un costume gris et chaussé de demi-guêtres blanches. Il avait à peine ouvert la bouche que ses deux beaux-frères arrivèrent à leur tour. Teitelbaum portait plusieurs bagues, une montre-bracelet en or, des boutons de manchette et une épingle de cravate en diamant. Il était le plus jeune des trois, mais son manque évident d'humour le faisait paraître vieux ; sur lui, toute cette quincaillerie ressemblait davantage à une tentative pour détourner l'attention d'une imminente décrépitude physique qu'à une coquetterie réelle. Tous deux, visiblement déprimés, essayaient toutefois d'être aimables. Flöhr, pour sa part, ne fit aucun effort. À peine dans la trentaine, il était déjà presque chauve. Sa frange rousse et son costume brun chocolat lui donnaient une flamboyance qui semblait loin de sa vraie nature. Il s'assit en dehors du cercle, comme contrarié par la présence de visiteurs.

Guy avait dit à Harriet que chacun des beaux-frères était de nationalité différente. Seul Drucker avait un passeport roumain. C'était grâce au pouvoir du banquier que les autres — un Allemand, un Autrichien et un Polonais — bénéficiaient d'un *permis de séjour* *. Ils vivaient dans son ombre.

Deux heures sonnèrent. La femme de Drucker ne s'était toujours pas montrée. La porte s'ouvrit sur Sacha, l'élève de Guy. Il traversa la pièce pour baiser la main de Harriet. Il était aussi grand que son père, mais maigre et étroit d'épaules. Comme ses sœurs, il lui ressemblait sans en avoir la beauté. Ses yeux étaient trop rapprochés, son nez trop fort pour son visage. Mais ses manières étaient d'une gentillesse qui alla droit au cœur de Harriet. Totalement dépourvu de l'énergie et du dynamisme familiaux, il évoquait un animal nerveux rendu apathique par la captivité.

Il quitta Harriet pour aller serrer la main de Guy, puis resta debout, appuyé contre le mur, les yeux mi-clos.

Observant l'adolescent, Harriet se dit qu'en le rencontrant dans n'importe quelle capitale du monde, quiconque se dirait, non pas : « Voici un étranger », mais : « Voici un juif. » Reconnaissable partout et chez lui nulle part, sauf ici, au sein de sa famille, il avait quelque chose de si vulnérable que la sympathie de Harriet lui fut décidément acquise.

Drucker et Guy discutèrent des progrès de Sacha à l'université. Il avait été éduqué dans une *public school* anglaise et, après la guerre, on l'enverrait apprendre le métier de banquier dans la branche familiale new-yorkaise.

« Quelle chance pour un jeune homme de pouvoir aller en Amérique. Dans ce pays, tout peut arriver. Il y a déjà une mobilisation générale et un grand nombre d'étudiants sont arrachés à leurs études, dit Teitelbaum.

— Maintenant, nous devons constamment payer pour que notre Sacha soit exempté », ajouta *doamna* Hassolel.

Tandis que les autres parlaient de Sacha, Drucker souriait à la petite fille qui se trouvait à ses côtés comme pour lui dire qu'elle n'était pas oubliée. Il lui pinça la joue et dit à Harriet : « Ça, c'est Hannah, ma petite fille à moi. Elle est tellement fière de son bel uniforme... On lui apprend à marcher au pas et à crier en chœur "Hourra!" pour son beau prince, n'est-ce pas ? » Elle rougit et pressa son visage contre l'épaule de son père. Sous le sourire de celui-ci, Harriet perçut la même sensibilité qui s'exposait, nue, sur le visage de Sacha.

Le soleil, jusque-là caché derrière les nuages, entra soudain

dans la pièce, illuminant la fameuse chevelure blond lin de
doamna Flöhr — une chevelure qui jetait désormais des feux peu
naturels. On disait qu'elle avait été la maîtresse du roi. Scrutant
Guy de son regard myope, elle lui demanda des nouvelles de son
ami David Boyd. « Ah, ce David Boyd, s'écria-t-elle, comme il
parlait bien ! Il savait tout, cet homme ! »

Guy reconnut que son ami, une autorité en matière de Balkans, savait en effet beaucoup de choses.

« En tant qu'homme de gauche, intervint Teitelbaum, je
me demande ce qu'il pense du pacte germano-soviétique ? »

Tous les regards se portèrent sur Guy, un autre homme de
gauche. Il se contenta de dire : « J'imagine que la Russie a un
plan. Elle sait ce qu'elle fait. »

Doamna Hassolel, s'empressant de détourner la conversation, se mit alors à évoquer avec enthousiasme la vie que son
mari et elle menaient en Allemagne avant de se réfugier en Roumanie : « Ah, ces Balkans ! »

Il était déjà deux heures et demie quand *doamna* Drucker
fit son entrée. N'étant l'épouse du banquier que depuis l'été, elle
ne connaissait pas encore Guy. Elle lui tendit la main en le
regardant à peine. Elle n'avait que quelques années de plus que
Sacha ; elle n'était pas juive. C'était une beauté roumaine :
visage rond, cheveux noirs, yeux noirs, comme toutes les autres
beautés roumaines. Elle portait ce qui, en matière de mode, était
alors quasiment l'uniforme : une robe noire courte et moulante,
plusieurs rangs de perles, une grosse broche en diamants et
nombre de bagues ornées des mêmes cailloux. Elle traversa le
salon pour gagner son siège avec des ondulations d'une langueur toute orientale. Les yeux de Drucker étaient fixés sur elle.
S'installant dans une bergère aux coussins de plumes, elle s'y
prélassait, sans un regard pour l'assemblée, en donnant
l'impression que la totalité de la famille Drucker l'ennuyait à
mourir. Son mari lui demanda si elle voulait de la *tuicà*. « *Oui,
un petit peu* * », répondit-elle.

Quand Drucker se rassit, la petite fille lui tapota le bras en
lui chuchotant quelque chose d'un ton insistant. Mais Drucker
n'avait plus d'yeux que pour sa femme. Ne pouvant capter
l'attention de son père, l'enfant regardait sa belle-mère d'un air
peiné.

On annonça le déjeuner. *Doamna* Hassolel, ouvrant la
marche, conduisit ses invités à la salle à manger. Drucker s'assit

à un bout de la table et sa sœur aînée s'installa à l'autre, où était posée une énorme soupière d'argent. Elle entreprit de servir elle-même une onctueuse soupe de poulet à la crème aigre. *Doamna* Drucker était assise entre Sacha et Flöhr.

Drucker, qui avait placé Harriet à sa droite, lui demanda comment elle trouvait la vie à Bucarest.

Regardant sa femme avec fierté, Guy dit : « Excepté le personnel féminin de la légation, qui jouit de l'immunité diplomatique, Harriet est la seule Anglaise restée dans ce pays... » *Doamna* Hassolel l'interrompit : « Que faites-vous de *doamna* Nicolescu? Elle est toujours ici, non? C''est une Anglaise. La connaissez-vous? » demanda-t-elle à Harriet. Celle-ci secoua la tête tout en jetant à son mari un coup d'œil interrogateur. « Bella Nicolescu est une femme assommante. Vous n'auriez pas grand-chose en commun », lui déclara Guy d'un ton péremptoire.

Doamna Teitelbaum, dont les joues pendaient comme des tentures de chaque côté d'une bouche aux coins tombants, lui demanda avidement : « Vous ne l'aimez pas? Moi non plus. Peut-être vous a-t-elle snobé, vous aussi? »

Les sœurs Drucker, à l'affût de quelque scandale, se tournèrent toutes vers Guy. Celui-ci répondit innocemment : « Non. C'est plutôt moi qui l'ai vexée, un jour — l'unique fois où on m'a invité au Golf-Club. Bella y supervisait l'accrochage d'un portrait de Chamberlain peint par un artiste local. Une croûte allégorique surmontée de l'inscription : À L'HOMME QUI NOUS A APPORTÉ LA PAIX. Chamberlain brandissait le lys de la "Sécurité" et piétinait l'ortie du "Danger". J'ai demandé à Bella Nicolescu : "Avec quoi ce truc a-t-il été barbouillé? De la mélasse?" Et elle m'a répondu : "Monsieur Pringle, vous devriez avoir plus de respect pour un grand homme." »

Cette histoire n'eut pas le succès qu'elle eût valu à Guy dans un cercle plus intime. *Doamna* Hassolel rompit un silence gêné en offrant de nouveau du potage aux invités. La plupart des membres de la famille en avaient repris jusqu'à trois fois. Seule *doamna* Flöhr avait refusé, disant qu'elle devait maigrir. Harriet tenta d'utiliser cette excuse.

« Non, non, protesta *doamna* Hassolel. C'est impossible. Si vous mincissez encore, vous allez disparaître. »

Le potage fut suivi par de l'esturgeon, puis par une « entrée » de steak braisé aux aubergines. Les Pringle, prenant l'entrée pour le plat de résistance, s'étaient laissé resservir. Ils furent consternés en voyant apparaître l'énorme rôti de bœuf qui lui succéda.

« Je suis allée moi-même chez *Dragomir* pour veiller à ce qu'on le coupe dans l'aloyau — à l'anglaise. On dit que vous êtes de gros mangeurs de rosbif. Vous devez donc vous resservir deux, trois fois », déclara *doamna* Hassolel.

Toute cette nourriture, qui détendait leurs hôtes et les rendait plus prolixes, avait un effet d'éteignoir sur les Pringle.

« Alors, vous cherchez un appartement ? » demanda *doamna* Flöhr à Harriet. Celle-ci dit qu'en effet, elle avait commencé à visiter des logements maintenant que Guy et elle semblaient devoir rester.

« *Ach !* fit Hassolel, les Allemands n'occuperont jamais ce pays. Les Roumains sont malins, à leur façon. Lors de la guerre précédente, ils ont acquis pas mal de territoires. Cette fois-ci, ils garderont un pied dans chaque camp et s'en sortiront encore mieux pourvus.

— Ah, cette guerre ! dit Flöhr avec une moue de dégoût. Un pétard mouillé, oui ! Quelle folie de l'avoir commencée. Les grandes nations ne pensent qu'au pouvoir. Elles ne pensent jamais à ceux qui souffrent réellement dans ces conflits.

— On parle d'un prochain effondrement économique de l'Allemagne : voilà qui devrait hâter la fin de la guerre », dit Guy d'un ton conciliant.

Il regarda l'assemblée, espérant être applaudi ; il ne vit que des regards alarmés.

« Mais ce serait terrible, cet effondrement ! Nous serions ruinés ! s'exclama *doamna* Flöhr en s'agitant sur sa chaise.

— Il n'y aura pas d'effondrement. Il ne s'agit que d'une rumeur que font courir les Britanniques », affirma Drucker.

Sa conviction ramena le calme. Harriet jeta un coup d'œil à Guy qui, somnolent de nourriture, ne semblait pas se rendre compte de la perturbation qu'il avait créée. Ou peut-être préférait-il ne pas s'en rendre compte. Il vint à l'esprit de Harriet que, lorsque ses amis étaient concernés, il était enclin à tout excuser.

Drucker, qui avait surpris ce regard, reprit tranquillement :

« C'est vrai que nos affaires dépendent étroitement de la prospérité allemande. Mais notre relation particulière avec ce pays remonte à une époque très lointaine. Nous n'aimons pas plus les Allemands que vous, mais nous ne sommes pour rien dans cette guerre. Il nous faut bien vivre.

— Un banquier se doit de soutenir l'ordre existant, déclara *doamna* Hassolel d'un ton péremptoire. C'est un homme important. Il a tout le pays derrière lui.

— Supposons que l'ordre en question cesse de régner ? dit Harriet. Supposons que les nazis entrent en Roumanie ?

— Ils ne pratiqueraient pas l'ingérence, dit Flöhr d'un air fanfaron. Ils n'y ont pas intérêt. Ils ne veulent pas d'une *débâcle* * financière. Sans nous, la Roumanie serait déjà sur les genoux.

— Nous pourrions acheter et vendre ce pays dix fois, si nous le voulions », ajouta sombrement Teitelbaum.

Seul Drucker comprit que ces propos n'étaient pas du goût de Harriet. Il tendait la main pour faire taire les autres quand sa sœur aînée s'écria avec pétulance : « Nous travaillons, nous économisons. Nous amenons ici la prospérité et ils nous persécutent. En Allemagne, mon mari était un juriste de renom. Il avait un gros cabinet. Il arrive ici : interdiction d'exercer. Pourquoi ? Parce qu'il est juif. Il ne lui reste que la possibilité de travailler pour mon frère. Pourquoi nous détestent-ils ? Le moindre cocher de *tràsurà*, quand il est furieux contre son cheval, lui crie : "Avance, juif !" Pourquoi, hein ? Pourquoi ? »

Ces questions furent accueillies par le silence. Drucker se pencha vers ses filles et leur murmura quelque chose à propos de « *grand-père et grand-mère* * ». Elles prirent chacune une orange sur la table et, main dans la main, quittèrent la pièce.

La conversation reprit dès que la porte se fut refermée sur les enfants. Chaque membre de la famille donna un exemple de persécution. Drucker gardait son long nez aquilin baissé sur son assiette. Ce qu'il entendait là — et qu'il avait entendu maintes fois — n'était que trop vrai. Guy, maintenant complètement alerte, écoutait, bouleversé. Seuls Sacha et *doamna* Drucker n'étaient manifestement pas affectés. La seconde semblait s'ennuyer copieusement. Sacha, quant à lui, ne paraissait pas concerné par ce qu'il entendait. Ses pensées étaient ailleurs. Tel le fœtus bien au chaud dans la matrice, il se croyait préservé de l'hostilité du monde extérieur.

« Pourtant, ici, vous ne vous croyez pas réellement en danger ? demanda Harriet.

— Ce n'est pas la question du danger — le danger est partout, répondit Hassolel ; il s'agit plutôt d'un sentiment familier, ancestral. En Bukovine, on voit encore des juifs porter le chapeau bordé de renard qu'on leur avait imposé voilà des siècles pour mettre le monde en garde contre leur ruse. Aujourd'hui ils en rient, mais ils le portent toujours. Ils sont astucieux, c'est vrai, mais ils vivent à part et ne font de mal à personne.

— C'est peut-être cela, le problème, dit Harriet. Le fait qu'ils vivent à part. Votre loyauté est, au premier chef, pour ceux de votre peuple. Et vous réussissez tous fort bien. Les Roumains ont peut-être l'impression que vous "prenez" au pays sans rien offrir en échange. »

Harriet n'avait suggéré cette hypothèse que comme une base de discussion. Elle fut surprise par le tumulte qu'elle provoqua. *Doamna* Flöhr, dans un état voisin de l'hystérie, se mit à crier : « Non, non ! Ce n'est pas nous qu'il faut blâmer. Ce sont les Roumains. Ils nous claquent la porte au nez. C'est un peuple égoïste. Ce pays est riche, mais personne ne veut partager. Les gens sont avides. Ils prennent tout. »

Drucker, quand il put se faire entendre, dit calmement : « Il y a ici de la place pour tout le monde ; du travail et de la nourriture pour tous. Les Roumains sont contents de ne rien faire à part manger, dormir et faire l'amour. C'est dans leur nature. Ce sont les juifs et les étrangers qui gèrent le pays. Ce sont eux qui font le travail et, conséquemment, l'argent. N'ai-je pas raison ? On pourrait plutôt dire que ce sont les Roumains qui prennent sans rien donner en échange. »

Déclaration qui fut accueillie par des hochements de tête. Teitelbaum avait quelque chose à ajouter : « Qui plus est, nous autres, juifs, sommes généreux. Quand on nous sollicite, nous donnons. En 1937, quand la Garde de Fer était encore puissante, des jeunes garçons en chemise verte ont fait une collecte pour le parti dans tous les bureaux de la ville. Les firmes juives ont donné deux fois, et même trois fois plus que les roumaines. Et pour nous remercier, les fascistes ont fait des lois contre nous. L'an dernier, il y a encore eu un pogrom. »

Hassolel pelait une orange. Sans lever les yeux, il raconta d'une voix rauque : « À l'université, on a jeté notre fils par la fenêtre. Il a eu la colonne vertébrale brisée. Il est actuellement en Suisse, dans un sanatorium. Quant à notre fille, elle était étudiante en médecine. Au labo, des jeunes hommes l'ont déshabillée et battue. Elle est partie pour l'Amérique. Elle a honte de revenir. Ainsi, vous voyez, nous avons perdu nos deux enfants. » Hassolel continua à peler son orange dans le silence total qui suivit. Harriet, consciente de son impuissance, regarda Guy. Il était très pâle. Il dit soudain : « Quand les Russes seront ici, il n'y aura plus de persécutions. Les juifs seront libres d'exercer le métier de leur choix. »

À ces mots censément réconfortants, les beaux-frères tournèrent vers lui des visages si horrifiés que Harriet ne put s'empêcher de rire. Personne ne lui jeta un regard. On servit le café, accompagné de gâteaux et de chocolats. Teitelbaum déclara alors solennellement : « Les communistes sont des gens peu recommandables. La Russie a fait beaucoup de mal. Elle vole son négoce à l'Europe. »

Cet argument était familier à Guy. Un peu remis de son émotion, il rit avec bonhomie :

« Non-sens ! affirma-t-il. Ce dont souffre l'Europe, c'est d'un type d'économie obsolète. Prenez ce pays, par exemple : un million de travailleurs, soit le dixième de la population, contribue à la moitié de la production annuelle globale. Ce qui veut dire que chaque travailleur assume le poids de quatre adultes — quatre adultes mâles non productifs. Et ces travailleurs sont non seulement sous-payés, mais ils paient plus qu'ils ne le devraient pour tout ce qu'ils achètent, sauf pour la nourriture. Pour la nourriture, bien sûr, ils paient trop peu.

— *Trop peu ?* » Les sœurs étaient scandalisées.

« Oui, trop peu. Il n'y a pas un seul autre pays au monde où la nourriture soit aussi peu chère. En même temps, le prix des produits manufacturés est hors de proportion avec leur valeur réelle. On voit donc les malheureux paysans s'échiner pour un salaire de misère et payer un prix prohibitif pour leurs moindres achats.

— Les paysans ! » siffla d'un ton méprisant *doamna* Drucker, qui ouvrait pour la première fois la bouche. Elle tourna la tête, suggérant par là que la conversation était tombée à un niveau tel qu'il était temps pour elle de prendre congé.

« Les paysans sont primitifs, poursuivit Guy, et, en l'occurrence, ils le resteront. D'abord, ils ne reçoivent aucune éducation ; ils ne peuvent se permettre d'acheter de l'outillage agricole ; ils...

— Ce sont des bêtes, l'interrompit *doamna* Drucker d'un ton furieux. Que peut-on faire pour de pareilles créatures ? Leur cas est désespéré.

— *Ils* sont désespérés. Parce qu'on ne leur a jamais donné

le moindre espoir. Quoi qu'il advînt dans ce pays, ils ont toujours été perdants.

— C'est l'heure de ma sieste », lança *doamna* Drucker en se
levant. Elle quitta la pièce.

Après un silence embarrassé, tout le monde passa au salon.
Sacha invita Guy à venir voir ses disques. Drucker murmura :
« Excusez-moi un instant » et sortit, probablement pour aller
rejoindre sa femme. Flöhr partit travailler. De la salle de
musique parvenait le son d'un gramophone qui jouait *Basin
Street Blues*.

Harriet, restée seule avec les Hassolel, les Teitelbaum et
doamna Flöhr, espérait que la réception n'allait pas s'éterniser.
Mais une domestique parut avec un plateau chargé de verres en
cristal de Bohême taillé et *doamna* Hassolel servit les liqueurs.

Doamna Teitelbaum, pensant que peut-être, au déjeuner,
on avait brossé de la Roumanie un tableau trop noir, sourit à
Harriet : « Je pense néanmoins que la vie ici vous plaira : elle est
agréable, facile — *confortable*, si vous voyez ce que je veux
dire. »

Le maître d'hôtel entra, annonçant que la voiture de *domnul* Drucker était avancée. On l'envoya chercher son maître qui,
de retour au salon, annonça qu'il déposerait Guy et Sacha à
l'université. Harriet se leva, prête à les accompagner.

« Pas *doamna* Pringle, s'écrièrent les femmes. *Doamna*
Pringle doit rester avec nous pour le *five o'clock*.

— Bien entendu, répondit Guy. (Harriet lui lança un
regard angoissé, qu'il ne vit pas.) Elle n'a rien de précis à faire.
Elle sera ravie de rester avec vous. »

Hassolel et Teitelbaum partirent à leur tour travailler. Ne
restaient que les femmes.

« Vous voyez, dit *doamna* Hassolel. Il n'est pas encore
quatre heures et demie et ils retournent déjà au bureau. Quels
Roumains iraient travailler avant cinq heures ? »

L'aînée des deux filles Drucker vint rejoindre ses tantes.
Contemplant un moment Harriet, elle s'écria : « Elle est jolie,
n'est-ce pas ? On dirait une vedette de cinéma. » Maintenant
que les hommes étaient partis, *doamna* Flöhr, ne se souciant
plus de coquetterie, sortit son lorgnon. Elle examina Harriet.

« Quel âge avez-vous ? demanda-t-elle.

— Trente-cinq ans », dit Harriet.

Les femmes la regardèrent, effarées. « Nous croyions que

vous en aviez vingt », expliqua la petite fille en pouffant derrière sa main. Harriet se demanda quand elles avaient pu arriver à cette conclusion.

Pour mettre Harriet à l'aise, *doamna* Hassolel déclara : « Souvenez-vous que Léa Blum ne s'est mariée qu'à trente ans. C'est, dit-on, fréquent chez les femmes ambitieuses. »

Les autres rirent de la bizarrerie de cette approche du mariage. Elle poursuivit : « Connaissez-vous le dicton que nous avons chez nous ? À vingt ans, une femme se marie seule ; à vingt-cinq, elle a besoin des services d'une marieuse ; à trente, le diable en personne ne peut plus rien pour elle. »

Harriet, se tournant vers *doamna* Flöhr parce qu'elle était la plus jeune, lui demanda : « Et vous, quel âge avez-vous ? »

Doamna Flöhr sursauta :

« Chez nous, les femmes ne sont pas censées dire leur âge.

— Et chez nous, on ne le leur demande pas, répliqua Harriet.

— Combien d'enfants souhaitez-vous ? lui demanda *doamna* Hassolel d'un ton conciliant.

— Nous attendrons probablement la fin de la guerre pour en avoir, répondit Harriet.

— Ce sera trop tard.

— Sûrement pas.

— Mais combien ? Y avez-vous pensé ?

— Oh, neuf ou dix.

— Tant que ça ? Alors vous devez vous y mettre sans tarder ! »

Harriet éclata de rire. *Doamna* Hassolel, dont les manières étaient nettement plus bienveillantes que celles de ses sœurs, dit :

« Vous plaisantez, certainement. Vous ne pouvez pas être aussi vieille.

— J'ai vingt-deux ans, avoua Harriet. Un an de moins que Guy.

— Ah ! »

Les autres se détendirent, déçues.

Doamna Hassolel sonna et donna des instructions à la bonne. Celle-ci revint avec un plateau chargé de plusieurs sortes de confitures.

« Je dois m'en aller, s'excusa Harriet, se levant pour partir.

— Pas question ! Le thé arrive. Vous devez le prendre avec nous », protesta *doamna* Hassolel.

On amena une table roulante chargée de sandwiches, de gâteaux glacés, de beignets à la crème et de *strudel* aux pommes, aux poires et aux prunes.

Harriet alla à la fenêtre. Il recommençait à pleuvoir. Elle resta un instant à contempler le parc, puis revint s'asseoir, suivie par le regard tranquille de *doamna* Hassolel.

9

La fin novembre amena le *crivàt*, un vent sibérien qui balayait la plaine moldave. Plus tard, il amènerait la neige ; mais présentement, ils se contentait de rendre chaque journée plus glaciale et plus désagréable que la précédente.

Les rues étaient moins passantes. Nombreux étaient ceux qui ne les empruntaient plus que pour se hâter de leur voiture à leur bureau, et vice versa. Le soir, seuls les ouvriers s'y pressaient. Les taxis étaient pris d'assaut. L'essence était bon marché ; elle provenait des gisements pétroliers situés à moins de soixante-dix kilomètres de la ville, et une course en taxi ne coûtait pas beaucoup plus cher qu'un ticket de bus dans toute autre capitale.

La fin novembre amena également un renouveau de crainte que la Russie n'envahît la Finlande. Les amis de Guy semblaient le tenir pour responsable de la trahison soviétique, mais sa propre foi en la Russie était intacte. Les Pringle apprirent la nouvelle à l'Athénée-Palace, où Clarence les avait un soir invités à dîner. En sortant de la salle à manger, ils virent les salons de l'hôtel préparés pour une réception. Tous les lustres étaient allumés, les tables chargées de fleurs, et un tapis rouge déroulé sur toute la longueur du hall.

« Les Allemands », dit Guy en voyant arriver les premiers invités. Tous les Allemands et les Anglais de Bucarest se connaissaient de vue. Pour Harriet, en revanche, c'était la première rencontre avec l'ennemi. Guy et Clarence lui désignèrent plusieurs membres importants de l'ambassade d'Allemagne, en tenue de soirée, dont Gerda Hoffman ; ses tresses blond paille enroulées autour de la tête donnaient l'impression qu'elle portait un fichu jaune. Personne ne connaissait au juste sa fonction, mais on chuchotait qu'elle était un de leurs agents secrets les plus redoutables.

Un groupe de ces Allemands se tenait debout dans le hall. Voyant s'avancer les trois Anglais, ils fermèrent le cercle, de telle sorte que les jeunes gens durent se séparer pour les contourner, au grand amusement des premiers que cette brimade faisait manifestement exulter. Harriet se demandait comment des gens de leur importance pouvaient se conduire aussi grossièrement. Mais Guy et Clarence n'en étaient pas surpris. Ils lui affirmèrent que les représentants du nouvel ordre allemand se comportaient tous ainsi.

« Ce rassemblement doit avoir une cause. Je me demande ce qui s'est passé. Allons nous renseigner à l'*English Bar* », suggéra Clarence.

Galpin leur apprit que les Russes avaient envahi la Finlande.

« Ce n'est qu'un début. La Russie va ensuite nous déclarer la guerre. Puis les Huns et les Russkofs vont dépecer l'Europe et se partager les dépouilles. Qu'est-ce qui pourrait les en empêcher ?

– Beaucoup de choses, dit Guy. Je suis sûr que les Russes ne s'engageront pas à nos côtés tant qu'ils ne se sentiront pas prêts. »

Galpin le regarda de la tête aux pieds ; son regard triste se fit sarcastique : « Vous connaissez les desseins des Russes à peu près comme le pape connaît ceux de Dieu ! Attendez, et vous verrez. Eux ou les autres : la même racaille. Ils seront ici avant que vous ayez eu le temps d'articuler deux mots : "Pologne orientale", par exemple. »

Guy rit, mais il fut bien le seul. Les autres étaient assombris par l'imminence du désastre.

Le lendemain matin, en traversant le Cismigiu avec Guy, Harriet était de nouveau en proie au doute. À midi, elle avait rendez-vous pour visiter un appartement. Si elle le prenait, elle devrait verser trois mois de loyer d'avance ; or elle ne voulait pas risquer de perdre cet argent.

« Ne t'inquiète pas. Nous sommes ici pour au moins un an », la rassura Guy.

Ils avaient le parc hivernal pour eux seuls. Quand ils arrivèrent près du pont, ils furent éclaboussés par l'eau glacée de la fontaine, que faisait gicler un vent mauvais soufflant sur le lac. Ils battirent en retraite, décidant de contourner celui-ci. Les massifs exhibaient sans fierté la soie brune et loqueteuse de leurs derniers chrysanthèmes. Un paon blanc traînait dans la boue une queue miteuse et déplumée. La courbe du chemin les amena au bouquet de châtaigniers qui indiquait la proximité du restaurant. Guy, passant son bras sous celui de Harriet, n'obtint pas de sa part une réaction très chaleureuse. Il lui avait promis de l'accompagner, puis avait oublié sa promesse ; il devait donner une leçon particulière à un étudiant. L'étudiant en question avait plus besoin de lui qu'elle.

« Alors je verrai seule le propriétaire ? demanda Harriet.

— Oh non, dit Guy, fier de ses talents d'organisateur. J'ai appelé Sophie. Elle est d'accord pour venir avec toi. »

Nul Anglais ne pouvant affronter sans l'aide d'un natif la roublardise d'un propriétaire roumain, cet arrangement lui paraissait idéal. Pas à Harriet.

Tout en marchant, Guy tenta de la convaincre de se montrer plus adroite avec Sophie. Il suffisait d'un peu de tact, d'un soupçon de flatterie... Sophie, au fond, était bonne fille : elle serait ravie d'aider Harriet si celle-ci le lui demandait. Cette petite semonce fut apparemment sans effet.

« J'en ai assez de Sophie ! Et on ne peut pas continuer à la nourrir, s'écria Harriet.

— Les choses iront mieux quand nous aurons notre appartement. Nous pourrons recevoir chez nous. »

Ils entendirent un pas derrière eux. Se retournant, ils virent une silhouette qui leur parut familière, mais dont la présence dans ces lieux et par ce froid était tellement incongrue qu'ils crurent s'être trompés.

« Mon Dieu, dit Harriet. C'est bel et bien Yakimov. Faisons semblant de ne pas le voir.

— Jamais de la vie. Allons au contraire lui parler », décida Guy en rebroussant chemin pour aller à sa rencontre.

Yakimov, dans sa longue pelisse à larges lés, une toque d'astrakan posée au sommet du crâne, son corps frêle, tel un roseau sur le point de rompre, dangereusement courbé par le vent, évoquait un fantôme de la Première Guerre mondiale. Il était aussi pitoyable qu'un membre de famille royale déchue qu'on eût exhumé et revêtu d'une capote militaire pour le faire défiler. Il marchait d'un pas chancelant, l'air malheureux, les yeux fixés au sol. Il n'avait pas remarqué les Pringle. La cordialité de Guy le décontenança. Il fit de son mieux pour y répondre aimablement.

« Salut, cher garçon.

— C'est bien la première fois que je vous rencontre dans le parc, lui dit Guy.

— C'est bien la première fois que j'y viens.

— Quel manteau magnifique !

— Oui, n'est-ce pas ? (Le visage de Yakimov s'éclaira un peu lorsqu'il releva un pan de sa pelisse pour en montrer à Guy la doublure de zibeline.) Le tzar l'a donné à mon pauvre vieux papa. Belle qualité. Inusable.

— Vraiment splendide ! Vous ressemblez à un officier de l'armée blanche. »

Yakimov regarda le pardessus de Guy dans l'espoir de lui retourner le compliment, ce qui se révéla impossible. Il semblait si découragé que Harriet l'interrogea :

« Que se passe-t-il ?

— Sans mentir... (il se creusa en vain la cervelle pour trouver un mensonge)... *sans mentir*, chère fille, on vient de me traiter d'une façon scandaleuse. On m'a poussé dehors. Au sens propre du terme. » Il eut un rire triste.

« On vous a mis à la porte de l'Athénée-Palace ?

— Non. Du moins, pas encore. Je... Je... »

L'outrage reçu le faisait bégayer. Il parvint enfin à articuler d'une traite :

« On m'a jeté hors d'un taxi à l'autre bout de la ville. Pas un *leu* sur moi. J'étais perdu. Quelqu'un m'a indiqué le chemin, me disant que je devais traverser ce sale parc.

— Vous voulez dire que vous ne pouviez pas payer le taxi ? demanda Harriet.

— Ce n'était pas mon taxi, chère fille. C'était celui de McCann. C'est lui qui m'en a éjecté. Après tout ce que j'ai fait pour lui. » Ses lèvres tremblaient.

Guy, lui prenant le bras, voulut savoir exactement ce qui s'était passé.

« Ce matin, McCann me tire du lit à une heure impossible. Il me téléphone pour me dire qu'il part pour Le Caire et veut me voir sur-le-champ. Mais, cher garçon, je ne pouvais pas descendre en costume d'Adam, n'est-ce pas ? Tout en m'habillant, je me dis qu'il va me proposer de continuer à faire le boulot. Me demande si je vais accepter. Dur métier, que celui de journaliste ; un peu trop éprouvant pour votre pauvre vieux Yaki. Pas l'habitude. Mais à la guerre comme à la guerre. L'homme doit faire son devoir. Décide donc de dire oui. Descends dans le hall et trouve un McCann dans tous ses états. Vraiment *furibard*. Hurle qu'il va louper son avion et me pousse dans son taxi. On démarre. Et savez-vous ce qu'il me dit ? Que je suis un incapable. Que je ne suis bon qu'à collectioner les rumeurs et les scandales.

— Ah bon ? l'interrompit Harriet, intéressée. Quels scandales ?

— Pas la moindre idée ! Pas mon truc, les scandales. Puis il me reproche de m'être engraissé à ses dépens et ceux de l'agence. Il hurle : "Vous avez claqué deux cent mille *lei* en un mois. Que va dire mon agence quand elle devra payer pour les non-sens que vous lui avez câblés ?" Puis il ordonne au taxi de s'arrêter et me pousse dehors d'un coup de pied au bas du dos. »

Yakimov regarda ses compagnons et ajouta d'un air incrédule :

« Le pauvre Yaki, avec ses pieds fatigués, obligé de trouver son chemin tout seul... Vous vous rendez compte ?

— Et il ne vous a pas payé pour votre travail ? demanda Guy.

— Pas un flèche.

— Mais il a réglé votre note d'hôtel, je suppose ?

— Oui. Mais qu'a-t-il bien pu dire à la direction ? Me le demande. Suis très inquiet. Peut-être qu'en arrivant là-bas je vais trouver mes frusques dans le hall. Ça m'est déjà arrivé. Serai obligé d'aller m'installer au Minerva.

— Mais c'est un hôtel allemand.

— M'est égal, cher garçon. Pauvre Yaki n'est pas difficile. »

Ils étaient arrivés Calea Victoriei. Soulagé de retrouver ses marques, Yakimov déclara avec un sourire suave : « Bon, inutile de s'inquiéter. Gentille petite sinécure que la nôtre. Devrions passer la guerre ici en toute sécurité. » Regonflé, il se prépara à affronter le personnel de l'Athénée-Palace.

Harriet accompagna Guy jusqu'aux portes de la faculté. Il lui donna deux billets de mille *lei* : « Pour que tu invites Sophie à déjeuner. Allez dans un bon restaurant », lui dit-il, en la quittant avec une hâte qu'elle jugea révélatrice de sa mauvaise conscience.

Sophie lui ouvrit la porte en robe de chambre. Sans maquillage, son visage était livide, et elle avait la tête hérissée de pinces à cheveux.

« Entrez. Je viens de me laver les cheveux, dit-elle d'un ton animé. D'ordinaire, je vais au salon de coiffure de l'Athénée-Palace. Mais parfois je le fais moi-même, par économie, vous comprenez ? Vous n'êtes jamais venue dans ma *garçonnière* * ? Elle n'est pas grande, mais bien située. »

Elles montèrent l'escalier. Une fois dans le studio qu'elle louait, au lit non fait et à l'air lourd de sommeil, Sophie, enlevant des vêtements qui traînaient sur une chaise, dit à Harriet : « Je vous en prie, asseyez-vous. J'étais en train de défaire mon linge tout juste arrivé de chez le teinturier. Regardez ! » Soulevant un paquet fait de papier de soie, elle le défit et jeta un coup d'œil dedans. « J'adore ma jolie lingerie », déclara-t-elle.

Regardant autour d'elle pour trouver un réveil, Harriet vit un cadre à photo posé à plat, face contre la table de nuit. Il n'y avait pas de réveil, mais Sophie portait une montre. Harriet lui demanda l'heure : il était midi moins le quart.

« Le rendez-vous avec le propriétaire est à midi, dit Harriet.

— Ah bon. »

Occupée à défaire son paquet, Sophie n'avait pas l'air de comprendre. Elle entreprit, pièce par pièce, de ranger dans les tiroirs des dessous pleins de petits nœuds et de dentelles, activité qui semblait lui procurer un plaisir sensuel. Quand elle eut fini, elle se jeta sur le lit :

« Je suis sortie avec des amis, hier soir. Alors ce matin, j'ai envie de paresser.

— Pensez-vous que nous pourrons y aller bientôt ?

— Aller où ?

— Guy m'a dit que vous viendriez avec moi voir le propriétaire.

— Il m'avait prévenue que vous passeriez me voir, mais il ne m'a pas dit pourquoi. Il n'a jamais évoqué un quelconque propriétaire. »

Sophie examina ses ongles et dit à Harriet, d'un ton impliquant qu'elle connaissait Guy mieux que sa femme :

« Il arrange tellement de choses qu'il finit par oublier de vous expliquer, vous savez.

— Bon. Vous venez quand même ?

— Mais c'est impossible ! Je dois d'abord prendre mon bain, puis m'habiller. Ce sera long, car je retrouve un ami pour déjeuner. Et regardez mes ongles... il faut que je repasse du vernis. Vous pouvez voir le propriétaire seule, non ? Il ne va pas vous manger.

— Le problème, c'est que je ne parle pas le roumain, insista Harriet, décidée à lui laisser une dernière chance.

— Mais lui parlera certainement le français. Je suis sûre que vous le parlez très bien.

— Presque pas.

— Ça alors ! Une fille de bonne famille qui ne parle pas couramment le français, c'est incroyable !

— En Angleterre, c'est fréquent, rétorqua Harriet en se levant.

— Le propriétaire sera ravi d'avoir affaire à une jeune femme seule », dit Sophie en riant.

Harriet ne vit Guy que le soir. Elle lui annonça qu'elle était arrivée à un accord avec le propriétaire. Elle avait pris l'appartement pour six mois.

« Qu'en pense Sophie ? demanda-t-il.

— Elle ne l'a pas vu.

— Mais c'est elle qui a négocié le bail, naturellement ?

— Non, elle n'a pas pu venir. Elle n'était pas prête quand je suis arrivée.

— Mais elle m'avait promis de venir avec toi.

— Elle m'a dit qu'elle n'avait pas compris. »

L'expression de Guy indiquait qu'il était certain que Sophie avait parfaitement compris. Il compensa son mécontentement par un surcroît d'admiration pour sa femme : « Alors tu t'es débrouillée toute seule ? Tu es formidable, chérie. Et nous allons avoir un appartement ! Allons prendre un verre pour célébrer ça. »

Harriet espérait que, au moins pendant quelques jours, elle n'entendrait plus parler de Sophie.

10

Dès qu'ils prirent possession des lieux, les Pringle découvrirent que Harriet n'avait pas été aussi habile qu'ils l'avaient cru. Plusieurs meubles et tapis avaient disparu et la batterie de cuisine était réduite à deux casseroles. Le propriétaire, avec lequel elle avait tenté de négocier en un mélange d'anglais, de français, de roumain et d'allemand, assura à Guy avoir expliqué à *doamna* Pringle que ces objets ne figuraient pas dans le bail.

Ils découvrirent aussi que s'ils voulaient l'électricité, le gaz, l'eau et le téléphone, ils devaient payer les factures du locataire précédent, un journaliste anglais disparu sans laisser de trace.

L'appartement était situé au dernier étage d'un immeuble de la grand-place. Dans un salon en forme de cercueil, cinq portes ouvraient respectivement sur la cuisine, la chambre de maître, la chambre d'amis, le hall et le balcon. L'immeuble était mal construit et le peu de mobilier existant, miteux, mais le loyer était raisonnable.

Quand ils emménagèrent, par un jour particulièrement froid, le concierge qui leur avait monté leurs bagages posa une main sur le radiateur et eut un sourire narquois. Harriet, posant à son tour la main sur l'appareil, le trouva à peine tiède. Elle chargea Guy d'interroger l'homme.

Oui, l'appartement était difficile à louer parce que froid. Ce qui expliquait la modicité du loyer. La capacité de la chaudière était trop réduite pour permettre à la chaleur de monter jusqu'au dernier étage. Cette révélation faite, il devint nerveux et insista sur le standing de l'immeuble qui possédait non une, mais deux chambres de domestiques. L'une était derrière la cuisine et l'autre sous le toit. Harriet n'ayant pas remarqué la première, le concierge lui montra alors un espace de moins de deux mètres carrés qu'elle avait pris pour un placard. Guy, à sa surprise, semblait trouver cela normal ; en Roumanie, la plupart des domestiques dormaient par terre dans la cuisine, dit-il.

Une fois leurs bagages défaits, ils sortirent sur le balcon pour regarder la vue. Ils faisaient face au palais royal. Juste à côté de chez eux, intacte parmi les ruines, il y avait une église byzantine avec des dômes dorés surmontés de croix ornées de perles. À part le charme de cette église et la relative grandeur du palais royal, le reste n'était que ruines et fouillis architectural. Mais se retrouver chez elle, dans ses murs, donna instantanément à Harriet un sentiment d'appartenance.

« Ç'aurait pu être pire, dit-elle. Ici, au moins, nous sommes au centre vital de la ville. Maintenant, nous devrions aller à la Dîmbovita acheter ce dont nous avons besoin pour l'appartement, ajouta-t-elle.

— Pourquoi pas ? (Le trimestre était terminé et Guy était en vacances.) Mais d'abord, allons prendre le thé chez *Mavrodaphné*. »

Il s'agissait du dernier endroit à la mode qui s'était ouvert dans la capitale. Il était situé dans une perpendiculaire à la Calea Victoriei, une rue historique dont les immeubles avaient été rénovés dans une débauche de verre noir, de marbre et d'aluminium. Dans les vitrines des magasins étaient exposés des gants français, des cachemires anglais et des cuirs italiens. Marchandises désignées par des étiquettes dont la formulation incongrue amusait Harriet : *pulovàrul*, *chicul*, *golful* et *five-o'-clock-ul*. Ces boutiques restaient ouvertes tard le soir.

Les hautes vitres de *Mavrodaphné* étaient couvertes de buée. Une colonie de mendiants s'était déjà établie sous le porche. Ils y gisaient, entassés les uns sur les autres pour se protéger du froid, l'estomac vide et les narines chatouillées par l'odeur de chocolat chaud qui montait des grilles d'aération du sous-sol. Dès que quelqu'un entrait, ils se levaient, instantanément ranimés. À l'intérieur du café, il y avait un vestiaire où un portier prenait les manteaux des clients et où un groom, agenouillé devant eux, leur enlevait leurs snow-boots. Ce délestage était obligatoire, les clients étant censés entrer dans le lieu comme dans un salon privé.

Le café, décoré de panneaux de verre noir et de chromes, était meublé de banquettes de cuir rouge ; y régnait une ambiance opulente et feutrée, pleine de parfums divers. Quand les Pringle arrivèrent, il était déjà bondé. L'heure du « thé », pour des Roumains qui n'avaient pas encore acquis le goût de ce breuvage, signifiait en général un chocolat, ou un café, accompagné de gâteaux.

Il ne semblait pas y avoir de table libre. Dobson, assis près de l'entrée, les invita aussitôt à la sienne. Dès qu'ils furent installés, il leur demanda : « Vous êtes au courant, pour Drucker ? »

Les Pringle, qui avaient passé la journée à faire et défaire leurs bagages, ne savaient rien. « Il a été arrêté », dit Dobson.

Guy pâlit :

« De quoi l'accuse-t-on ?

— D'acheter de l'argent au marché noir. C'est trop bête : nous le faisons tous. Ils auraient pu trouver une accusation plus plausible.

— Quelle est la vraie raison de son arrestation ?

— Personne ne semble le savoir. Ses liens avec l'Allemagne, j'imagine. »

Guy, assis au bord de son siège, semblait, au grand dam de Harriet, prêt à passer à l'action ; Dobson, qui n'avait rien remarqué, poursuivit :

« J'ai entendu dire que, depuis quelque temps déjà, Carol complotait pour mettre la main sur la fortune de Drucker. Il ne peut pas faire grand-chose, car la plus grande partie de celle-ci est en Suisse. Le gouvernement pourrait prétendre que cet argent a été versé à l'étranger en contrevenant aux règlements roumains, mais je doute que les banquiers suisses se laissent impressionner par ce genre d'argument : nul pouvoir au monde ne peut faire sortir de l'argent d'une banque suisse sans le consentement du titulaire du compte.

— Ils peuvent donc forcer le consentement de Drucker ? s'enquit Harriet.

— Ils peuvent au moins essayer. Ils *pourraient* exercer une pression sur lui. (Dobson rit à cette idée.) Vraiment, nous avions depuis quelque temps l'impression que Drucker naviguait trop près du vent. Son système de change était tout en faveur de l'Allemagne. Le ministre des Finances a affirmé à Son Excellence que la banque était en train de ruiner le pays. Drucker se disait proanglais. Vous savez ce qu'on raconte à son sujet ? Que son cœur était en Angleterre et son portefeuille à Berlin...

— En tout cas, du cœur, il en avait », dit Guy.

Comme Dobson, il parlait de Drucker au passé. Il demanda quand avait eu lieu l'arrestation.

« Tôt ce matin, répondit Dobson.

— Et les autres membres de la famille ?

— On ne sait rien à leur sujet. »

Guy se leva :

« Il faut que j'aille les voir. Sacha doit être dans tous ses états.

— Pourquoi ne pas y aller après le thé ? » plaida Harriet.

Mais Guy fut inflexible. Une fois de plus, elle se sentait abandonnée. Restée seule avec Dobson, elle lui demanda :

« Je suppose que Drucker va pouvoir payer la caution destinée à acheter sa liberté ?

— Je l'ignore. Il semble qu'il n'ait pas pensé à parer à ce type d'imprévu : sa fortune étant hors du pays, il peut aller à elle mais elle ne peut venir à lui. »

Le garçon apporta du thé et des toasts pour Harriet puis, sans lui demander son avis, déposa sur la table des boules en chocolat hérissées de granulés de la même substance :

« Des "Siegfrieds", dit-il.

— Pas notre ligne de vision », rétorqua Dobson, imperturbable.

Sans se démonter, le garçon revint avec les mêmes gâteaux qu'il posa de nouveau sur la table :

« Des "Maginots", déclara-t-il, au grand amusement de Dobson, qui s'écria :

— J'adore ces gens. Ils ont de l'esprit. »

Harriet, quant à elle, se demandait si elle pourrait jamais les aimer. Elles observait les deux filles que Guy lui avait désignées précédemment sous le nom de « princesse Mimi » et « princesse Lulie ». Elles venaient d'arriver et se frayaient un passage entre les tables en saluant à peine leurs amis roumains. Tel un couple d'amoureuses, elles avançaient très proches l'une de l'autre, dans une communion presque fusionnelle qui excluait les autres. Cette intimité ne les empêchait pas de couler des regards prédateurs sur l'assistance, dans laquelle devait nécessairement se trouver celui qui paierait l'addition. L'une d'elles, repérant Dobson, transmit à l'autre une sorte de signal phylogénétique. Elles obliquèrent vers lui, maintenant tout sourires. Puis elles remarquèrent Harriet. Leur sourire se figea et elles changèrent de cap.

Dobson les suivit des yeux :

« Quelles filles charmantes... murmura-t-il avec un certain regret.

— Vous préférez les Roumaines à toutes les autres ? demanda Harriet.

— Oh, non. J'adore les Françaises et les Autrichiennes. Et je vénère tout simplement les Italiennes. J'ai connu aussi quelques Allemandes exquises », ajouta-t-il après une pause.

Harriet avait maintes fois entendu évoquer son charme, mais elle avait remarqué une chose curieuse le concernant : quand il riait — et il riait souvent —, ses yeux demeuraient aussi inexpressifs que ceux d'un oiseau. Se faisant un devoir de l'amuser puisqu'elle avait trouvé refuge à sa table, elle lui dit :

« Devinez où nous avons rencontré votre ami Yakimov, l'autre jour.

— Où ? Dites-moi.

— Dans le Cismigiu.

— Impossible ! Je ne peux pas croire qu'il se promenait à pied.

— Il ne s'agissait pas à proprement parler d'une promenade. »

Elle lui raconta les déboires de Yakimov avec McCann. L'enthousiasme avec lequel il accueillit cette anecdote dépassa ses prévisions : « Ho-ho ! Ho-ho-ho-ho ! » gémit-il, les yeux humides, son corps mou secoué de rire. Cela encouragea Harriet à lui poser sur Yakimov les questions qui lui brûlaient les lèvres.

« Connaissez-vous le prince depuis longtemps ?

— Oh oui. Depuis des années. Il vivait à Londres avec Dollie Clay-Callard. Ils donnaient des fêtes somptueuses.

— Y avez-vous été invité ?

— Une fois. C'était fantastique. Dehors en plein hiver. Le jardin était éclairé *a giorno* et couvert de neige artificielle. On nous avait demandé de porter des fourrures ; je me souviens que Yaki portait sa fameuse pelisse doublée de zibeline.

— Celle que le tzar a offerte à son père ?

— Celle-là même. Et il y avait une patinoire artificielle : des gens patinaient, d'autres étaient poussés dans des traîneaux éclairés par des lanternes. (Il fit une pause.) C'était vraiment charmant. Et il y avait même une troïka bleu et or traîné par un cheval affublé d'une crinière artificielle.

— Tout était donc artificiel ?

— Tout ce qui pouvait l'être. Mais la vodka était bien réelle. Peu après, Yaki et Dollie se sont installés à Paris. Elle n'avait plus les moyens de vivre sur un tel pied.

— Qu'est devenue Dollie ?

— Morte, la pauvre chérie. Elle était bien plus vieille que Yaki — vingt ans ou plus. Et croyez-moi, elle faisait son âge. Mais c'était une fille formidable. Nous l'adorions tous. Nous pensions que Yaki hériterait une fortune, mais elle ne lui a pas laissé un sou. Elle était endettée jusqu'au cou. Cela a dû être un choc pour lui.

— Qu'a-t-il fait ?

— Il a voyagé. Il n'est jamais revenu en Angleterre.

— En fait, vous ne le connaissez pas vraiment ? »

L'audace de cette question surprit Dobson. Il écarquilla les yeux : « Oh, tout le monde connaissait Yaki », dit-il. Mais personne, semblait-il, n'avait éprouvé le besoin de le connaître davantage, pensa-t-elle. Elle comprit qu'elle commençait à l'inquiéter avec ses questions. Il en restait pourtant une qu'elle brûlait de poser : comment Yakimov faisait-il à présent pour vivre ? Soupçonnant ce qui allait suivre, Dobson, au moment où elle s'apprêtait à ouvrir la bouche, s'empressa de dire : « Voici Bella Nicolescu. Quelle femme délicieuse !... »

Harriet souhaitait depuis un certain temps la rencontrer. Grande, large d'épaules, ses cheveux blonds tirés en un chignon bas, Bella ressemblait à une statue classique affublée d'un costume-tailleur. Elle approchait la trentaine.

« Une très belle femme », approuva Harriet, tout en se disant que le bibi trop chic posé de travers sur sa tête évoquait quelque Vénus de Milo coiffée d'un couvre-chef. Derrière elle trottait un petit Adonis roumain brun et moustachu.

« C'est son mari ?

— Nikko ? Oui. Mais vous ne les avez jamais rencontrés ?

— Non. Elle n'aime pas Guy.

— Quelle sottise ! Tout le monde aime Guy », protesta Dobson en riant. Il se leva pour les saluer.

C'était surtout Harriet qui intéressait Bella : « On m'a appris que Guy avait ramené une femme d'Angleterre », dit-elle avec une cordialité qui donna à penser à Harriet qu'elles seraient amies.

Dobson demanda au couple de se joindre à eux. « Non,

nous devons retrouver des amis roumains », s'excusa-t-elle en accentuant légèrement l'adjectif. Il tâcha de la retenir en lui demandant avec un intérêt flatteur : « Avant de partir, dites-nous ce qui se cache derrière l'arrestation de Drucker. Je suis sûr que vous le savez. »

Ravie que la légation vînt chercher auprès d'elle des informations, Bella répondit :

« Eh bien, une certaine dame — vous vous doutez de qui il s'agit — a découvert que les avoirs fonciers du baron Steinfeld à Astro-Romano appartenaient en fait à Drucker. Naturellement, vous savez que tous ces juifs riches ont des prête-noms étrangers pour se soustraire au fisc. Inutile de vous dire que ces avoirs représentent une fortune, en ce moment ! Bon, donc cette dame invite Drucker à dîner et suggère que, comme cadeau de Noël, il pourrait mettre les biens en question à son nom. Il traite cette suggestion comme une plaisanterie : d'abord, les avoirs sont imaginaires ; ensuite, ce n'est pas dans la tradition des juifs d'offrir des cadeaux de Noël, etc. Elle essaie alors d'autres tactiques (je dois dire que j'aurais bien aimé être une petite souris pour assister à la scène). Mais Drucker, qui a une nouvelle épouse jeune et belle, reste de marbre. Elle se fâche alors et le menace de faire confisquer ses avoirs. Certain qu'avec ses relations allemandes, personne n'osera tenter quoi que ce soit contre lui, il se contente de lui rire au nez. Vingt-quatre heures plus tard, il était arrêté.

— Je suppose que cette arrestation se veut un geste anti-allemand, dit Dobson.

— Oh, vous croyez ? Il faut que j'en parle à Nikko. Il sera enchanté ; il est tellement proanglais... (Elle fit un signe de la main vers la table où son mari avait rejoint leurs amis.) Je dois vous quitter. »

Tendant la main à Harriet, elle lui dit : « Je n'ai jamais pu persuader Guy d'assister à mes réceptions. Maintenant, c'est à vous de l'y amener. »

Harriet la suivit des yeux tandis qu'elle manœuvrait sa croupe large et vigoureuse entre les tables. Puis elle demanda à Dobson :

« Que fait Nikko dans la vie ?

— Mais rien. Il est le mari de Bella.

— Vous voulez dire qu'elle est riche ?

— Très aisée, dirons-nous. »

Dobson devait retourner à la légation. Quand il appela le garçon, Harriet, sachant que les conventions lui interdisaient de rester seule dans un café, demanda son addition que Dobson insista pour payer. Ils sortirent ensemble. Sa voiture l'attendait dehors et il lui proposa de la ramener. Elle refusa, l'assurant qu'elle avait des courses à faire. Elle se dit qu'elle s'était trompée sur lui en le croyant un homme compliqué : s'il était aussi plaisant qu'il lui avait semblé au premier abord, il n'avait rien d'énigmatique.

Elle se dirigea vers la Calea Victoriei pour acheter un radiateur électrique puis, ne souhaitant pas rentrer dans l'appartement vide, elle prit un taxi pour se rendre à la Dîmbovita. Le marché, situé au bord du fleuve éponyme, sentait bien plus l'Orient que les beaux quartiers occidentalisés. Guy l'y avait déjà amenée et lui avait montré les maisons bâties dans le style dix-huitième français. Jadis demeures des officiels grecs phanariotes, puis turcs, elles étaient maintenant, pour la plupart, des asiles de nuit où les pauvres dormaient à vingt et trente par chambre. Les fenêtres en étaient encore barrées de grilles contre une effraction éventuelle de voleurs ou de rebelles. Le fleuve qui les séparait, la Dîmbovita, n'avait aucune beauté. Autrefois navigable au centre de la ville, quelque déficit à la source l'avait presque tari ; il n'était plus qu'un filet d'eau entre deux hautes rives d'argile creusées par un flux autrefois abondant. Par endroits, on l'avait couvert pour faire une route.

Harriet descendit du taxi et marcha le long de la Calea Lipscani, en quête de l'éventaire qui vendait les assiettes hongroises peintes qu'elle avait remarquées la fois précédente. Le quartier était primitif et brutal ; littéralement, il méritait son nom de marché aux puces. La foule s'y pressait en permanence ; à la différence des quartiers chics, les rigueurs de l'hiver ne vidaient nullement les rues. Elle se frayait un passage au milieu d'hommes et de femmes empaquetés d'astrakan graisseux, de peau de mouton, de ratine, des écharpes de laine enroulées jusqu'aux yeux. Les mendiants, qui étaient là chez eux, farfouillaient sous les éventaires pour y trouver des restes de nourriture. Ils ne leur serait pas venu à l'idée de mendier. Mais, à la vue de Harriet, ils furent pris de frénésie.

Quand elle s'arrêta à un étal de boucher pour acheter du veau, elle sentit derrière elle une fétide odeur de pourri. Se retournant, elle vit une très vieille naine qui brandissait son moignon. Elle fouilla en hâte son sac pour y trouver une pièce, mais elle n'avait rien de moins qu'un billet de mille *lei*. Sachant que c'était trop, elle le lui tendit quand même. Comme elle le craignait, elle se retrouva immédiatement dans le pétrin : la femme, émettant un cri strident, rameuta une foule d'enfants — malheureusement pour Harriet, déjà des professionnels, qui se mirent à la harceler avec vigueur.

Son paquet de viande à la main, elle essaya de se fondre dans la foule sans pouvoir toutefois les semer. Accrochés à elle, ils geignaient et pleurnichaient en chœur.

Guy lui avait dit qu'elle devait s'habituer à une situation qui n'était que trop fréquente, et qu'elle pouvait décourager les mendiants en feignant une indifférence aimable. Mais elle n'avait jamais appris le tour, et sans doute ne l'apprendrait jamais. Une fois encore, elle sentit la rage monter en elle.

Elle trouva enfin l'éventaire qui vendait les assiettes hongroises. Elle s'arrêta mais, les enfants l'encerclant, elle tourna les talons, courant presque pour leur échapper. Arrivée au bout de la rue, elle vit passer une *tràsurà* qu'elle héla ; la calèche s'arrêta et Harriet y grimpa. Les enfants l'y suivirent, accrochés au marchepied. Le cocher les frappa avec son fouet pour leur faire lâcher prise. Ils tombèrent l'un après l'autre, et elle eut honte de sa colère. Se retournant, elle les vit, ces gamins misérables, loqueteux, avec leurs bras et jambes maigres comme des baguettes, suivre d'un regard déçu cette dispensatrice de billets de mille *lei*.

Elle se demanda comment, sans états d'âme, on pouvait s'ancrer dans une telle société. Elle se rappelait avec incrédulité que *doamna* Teitelbaum y avait qualifié la vie de facile et *confortable*. La veille, elle avait vu un paysan fouetter sur les yeux son cheval qui avait trébuché. Elle en avait été malade, tout en comprenant que c'était la misère sous toutes ses formes qui motivait cette sauvagerie.

Avant de quitter l'Angleterre, elle avait lu des récits de voyage donnant de la paysannerie roumaine une image de santé, de gaîté exubérante, d'hospitalité pleine de musique. Pour la musique, c'était vrai. C'était le seul exutoire des paysans, leur drogue. Quant au reste, rien de ce qu'elle avait vu jusqu'alors — et qui, à vrai dire, concernait les paysans désespérément en quête de travail dans la capitale — ne cadrait avec ce tableau idyllique : peur, famine, pellagre et même une mendicité sans conviction étaient leur lot commun.

Il eût été plus simple pour elle de partager à leur sujet l'opinion de Guy, à savoir qu'ils étaient non seulement des victimes du système, mais des victimes irréprochables. Malheureusement, Harriet était de plus en plus encline à partager le mépris qu'ils inspiraient à *doamna* Drucker. Elle allait même plus loin : les appeler des « bêtes » lui semblait impropre, puisqu'ils étaient dépourvus de la beauté ou de la dignité de celles-ci. Ils traitaient leurs femmes, leurs enfants et leurs animaux avec une brutalité de barbares.

La *tràsurà* descendait maintenant une Calea Victoriei déserte. Il semblait à Harriet qu'elle pouvait sentir, portée par le vent, l'odeur de ces montagnes et forêts de sapins pas si lointaines où, l'hiver, les loups et les ours, chassés de leur territoire par la faim, hantaient en plein jour les villages enfouis sous la neige. Et le vent, le vent était d'une cruauté sans égale. Elle frissonna, ressentant sa solitude dans ce pays qui lui était non seulement étranger mais hostile.

Passé la faculté, elle vit Guy. Il marchait vite, le visage soucieux. Elle fit arrêter la *tràsurà*. Il lui dit qu'il retournait justement la chercher chez *Mavrodaphné*.

« Tu n'imaginais tout de même pas que j'y serais encore ?

— Je ne savais pas. » À l'évidence, il n'avait rien imaginé du tout. Il avait l'esprit ailleurs.

Il monta dans la calèche. « As-tu vu Sacha ? » lui demanda-t-elle.

Il secoua la tête. Il avait sonné à l'appartement, mais personne ne lui avait ouvert. Le concierge lui avait dit que toute la famille était partie le matin même, avec quantité de bagages. Les domestiques les avaient suivis peu après. L'appartement était vide. L'homme n'était pas sûr d'avoir vu Sacha avec les autres. Guy s'était alors rendu à l'université, pensant y récolter des informations auprès des étudiants qui, faute de mieux, continaient à y venir même en période de vacances. Il avait appris qu'on avait vu les sœurs Drucker, leurs parents et les deux petites filles à l'aéroport, prêts à embarquer pour Rome ; Sacha et sa belle-mère n'étaient pas avec eux. Selon la rumeur, *doamna* Drucker était partie pour la Moldavie, où son père avait un domaine.

« Peut-être Sacha l'a-t-il accompagnée », ajouta Guy.

Harriet se tut, pensant peu probable que la jeune Mme Drucker se fût encombrée du fils de son mari.

« Où qu'il soit, j'aurai bientôt de ses nouvelles. Il sait que je l'aiderai si je le peux », dit Guy.

Harriet songeait à la panique qui avait dû saisir la maisonnée après l'arrestation du chef de famille : les valises bouclées en hâte, le départ précipité.

« Comment ont-ils pu obtenir aussi rapidement des visas ? demanda-t-elle.

— Ils devaient être préparés. Après tout, Drucker avait été averti. Lui aussi serait sans doute parti si on n'avait pas si vite procédé à son arrestation. »

Pensant à l'appartement rempli de meubles massifs et de portraits de famille — un cadre fait pour plusieurs générations de Drucker —, elle sut qu'elle avait envié la permanence dont il témoignait. « Et pourtant, pensa-t-elle, voilà une famille qui vivait dans la même précarité que nous. »

La *tràsurà*, en cahotant sur les pavés, traversait la grand-place. Le cocher se retourna pour leur demander où ils allaient.

« Où dînons-nous ce soir ? Au restaurant de notre ancien hôtel ? demanda Guy.

— Non. Ce soir, nous dînons chez nous », répondit fièrement Harriet.

11

Après son altercation avec McCann, Yakimov retourna à l'Athénée-Palace. Il se rendit directement à l'*English Bar* et commanda un double whisky.

« Mettez-le sur mon compte, cher garçon », dit-il à Albu.

Le barman s'exécuta. Yakimov sut alors qu'il avait encore du crédit dans la maison ; son anxiété s'évanouit. Un problème qu'il n'avait pas à résoudre sur-le-champ n'était pas pour lui un problème.

À la fin de la semaine, on lui présenta la note. Il l'examina avec un étonnement peiné et fit appeler le directeur. Celui-ci lui annonça que puisqu'il ne jouissait plus de la garantie de l'agence de presse de McCann, il devait comme tout le monde régler sa note chaque semaine.

« Cher garçon, mon versement ne devrait pas tarder. Une quinzaine, tout au plus. Temps difficiles ; postes peu fiables. Sommes en guerre, voyez-vous. »

De fait, sa rente trimestrielle, dûment touchée, avait déjà filé jusqu'au dernier sou. Lassé du menu de l'hôtel, il s'était offert quelques ruineux et excellents repas chez *Capsa*, *Cina* et au *Jardin*.

Le directeur accepta de temporiser ; ce qu'il fit jusqu'à Noël, époque à laquelle les clients se mirent à affluer. Cette fois, ce fut lui qui envoya chercher Yakimov.

« D'un moment à l'autre, cher garçon. D'un moment à l'autre.

— Non. Tout de suite, *mon prince* *. Si vous ne pouvez pas payer, je me verrai obligé de soumettre cette petite affaire à la légation britannique. »

Yakimov fut alarmé. Il se souvenait des paroles de Galpin :
« Par les temps qui courent, vous pouvez être arrêté à tout
moment, fourré dans un train ou un bateau — respectivement
troisième classe et entrepont —, direction Le Caire. Et là, d'un
coup de pied bien placé, on vous expédiera dans les rangs avant
que vous ayez le temps de dire "pieds plats", "objecteur de
conscience" ou "psychotique incurable". »

Ce fut donc d'une voix légèrement tremblante que Yakimov répondit au directeur : « Cher garçon, inutile d'en arriver
là. Je vais y aller moi-même. Mon cher vieil ami Dobbie Dobson m'avancera la somme nécessaire. Je n'ai qu'à demander.
Me rendais pas compte que vous vous impatientiez. »

On lui donna vingt-quatre heures pour s'acquitter de sa
dette. Il hésitait à aller trouver Dobson qui, ces temps-ci, le
dépannait de moins en moins volontiers. Il décida de tenter
d'abord une approche auprès des parasites de l'*English Bar* qui
lui étaient redevables : Hadjimoscos, Horvath et Palu. Il
commença par Horvath : « Cher garçon, j'ai une petite note à
régler. Retard dans mon versement. Déteste devoir de l'argent.
Me demandais si vous pouviez me rembourser... »

Avant qu'il eût fini sa phrase, Horvath tendit vers lui des
mains si éloquemment vides que les mots moururent dans la
gorge de Yakimov. Il se retourna vers Hadjimoscos : « Pensez-
vous que je pourrais demander à la princesse de me rembourser ?... »

Hadjimoscos rit : « *Mon cher prince* *, autant implorer la
lune. Vous connaissez la princesse : elle est tellement irrespon-
sable qu'on ne peut que sourire de vos illusions. De plus, c'est
l'habitude roumaine de ne jamais rembourser un prêt. »

Yakimov tourna des yeux implorants vers Cici Palu, un
beau gosse qui avait la réputation de vivre des femmes. Mais
celui-ci se détourna, faisant celui qui n'est pas concerné. Yakimov demanda alors, d'un ton désespéré : « Quelqu'un peut-il au
moins me prêter un *leu* ou deux ? » Pour les encourager, il tenta
de commander une tournée. Mais Albu secoua la tête. Les
autres sourirent avec la compassion hypocrite de qui a trop
souvent essuyé ce type de refus, mais leur mépris était évident.
Yakimov faisait désormais partie du club.

Il fut donc forcé d'aller une fois de plus taper Dobson.
Celui-ci accepta de payer la note à la condition que Yakimov
quittât l'Athénée-Palace, trop onéreux.

« Je pensais essayer le Minerva, cher garçon. »

Mais Dobson ne voulait même pas entendre parler du Minerva, ou de n'importe quel autre hôtel. Yakimov devait se trouver une chambre meublée.

Ainsi donc, le dimanche suivant, après avoir pris un dernier petit déjeuner dans la salle à manger de l'Athénée, Yakimov se vit obligé de traverser le hall en portant lui-même ses bagages. Les employés regardaient ailleurs : volonté de brimer un prince insolvable, mais aussi intérêt soudain et exclusif pour un nouvel arrivant dont l'aspect frappa même Yakimov, qui en lâcha sa valise.

C'était un petit être aux cheveux blancs et à la peau sombre. Vêtu d'un costume bleu à raies, il ressemblait à un corbeau déguisé en homme — sans doute à cause du cliquetis de chaînes qui, tels des croassements, ponctuait ses moindres gestes. Il avait un œil couvert d'un bandeau ; de l'autre — qu'il avait vif et critique —, il inspectait l'assistance. Son bras gauche, terminé par une main atrophiée étroitement gantée de noir, reposait, tordu, contre sa poitrine. Une chaîne de montre en or pendait de sa boutonnière pour venir se perdre dans la poche de son pantalon. Une autre chaîne, plus lourde, qui liait sa canne à son poignet droit, heurtait sans cesse la monture d'argent de ladite canne.

Avec un dédain manifeste pour le lieu et ses occupants, il traversa le hall à grandes enjambées et lança au concierge : « Du courrier pour le commandant Sheppy ? »

Galpin, sur le point d'entrer au bar, se figea, bouche bée. Yakimov lui demanda :

« Qui est ce personnage étonnant ?

— Il est arrivé hier soir. Services secrets, probablement. Chez nous, rien de plus voyant que les membres de cette corporation. Vous nous quittez ? » demanda-t-il en remarquant les bagages de Yakimov.

Le prince opina tristement : « Me suis trouvé un gentil petit logement », dit-il en sortant pour monter dans sa *tràsurà*.

Ce matin-là, une neige précoce suspendue dans l'air comme un duvet de cygne formait un voile mousseux sur le macadam. Le froid était intense.

La calèche de Yakimov prit la direction de la gare. Le cocher, un grand gaillard d'aspect féroce, était tout sauf un *Skopit*. Quant à son cheval, c'était un squelette ; on en avait ôté la chair tout en laissant le cuir, qui formait sur lui un vague capiton. Sous les coups de fouet qui pleuvaient, ses os semblaient à deux doigts de se désassembler. Le sang, provenant de plusieurs plaies ouvertes, ruisselait sur ses flancs. Une larme monta aux yeux de Yakimov. Ce n'était pas sur le cheval qu'il pleurait, mais sur lui. Il quittait malgré lui le cœur de Bucarest, là où battait la vie, pour se replier sur ses abords sordides. Une fois de plus, c'était l'exil, un exil qui n'aurait su lui être profitable. Le monde s'était retourné contre lui depuis la mort de Dollie. On l'avait dépouillé de la dernière relique de leur vie commune — son Hispano-Suiza. Il éprouvait soudain pour la voiture la nostalgie qu'on éprouve pour une mère.

Quand il vit la gare, il se rappela son dénuement à son arrivée dans la capitale. Comme sa bonne fortune avait peu duré... Il se mit à sangloter sans retenue.

Le cocher, entendant des reniflements derrière lui, se retourna et le regarda avec une curiosité fruste. Yakimov s'essuya les yeux avec sa manche.

Au-delà de la gare, les rues n'étaient plus entretenues. Elles étaient pleines de nids-de-poule. Les maisons, en bois pour la plupart, étaient de vrais taudis. Çà et là, émergeaient quelques immeubles en béton, récemment construits, qui se délitaient déjà. Des femmes étendaient leur lessive aux balcons en s'interpellant d'une maison à l'autre. C'était dans l'un de ces immeubles que Yakimov avait trouvé une chambre. L'annonce proclamait : *lux nebun*, luxe inouï. Un luxe inouï pour un loyer modique, voilà qui semblait à Yakimov la solution à son problème.

Ils trouvèrent l'immeuble après avoir erré plus d'une heure dans les ruelles. La domestique qui ouvrit la porte d'un centimètre marmonna quelque chose où revenait le mot « sieste ». Yakimov fit semblant de ne pas comprendre. L'escalier de pierre, en partie à ciel ouvert, était encore plus glacial que la rue. Poussant la porte, il força son chemin à l'intérieur et pénétra dans un appartement lourdement chauffé, dont il refusa de sortir. La bonne, vaincue, frappa frénétiquement à une porte, entra et fut accueillie par une tempête de protestations. Puis un homme et une femme en robe de chambre passèrent une tête ahurie dans l'entrebâillement :

« Que faire cette personne chez nous ? demanda l'homme.

— Dis partir lui aussitôt », dit la femme.

Il fallut un moment à Yakimov pour comprendre que ce

charabia délivré avec une prononciation grumeleuse était sa propre langue. Il s'inclina en souriant :

« Vous parlez l'anglais ? Étant moi-même sujet britannique, vous m'en voyez flatté. Je viens pour l'annonce.

— Un Anglais ! » La femme fit un pas en avant. Son visage exprimait une telle avidité que Yakimov s'empressa de minimiser son statut.

« Russe blanc d'origine, dit-il. Un simple réfugié, je le crains.

— Oh, un réfugié ! » Elle se retourna vers son mari avec une expression qui signifiait : « C'est bien notre chance de récolter *cette sorte* d'Anglais ! »

« Mon nom est Yakimov. Prince Yakimov.

— Ah, un prince ! »

La chambre offerte était petite, encombrée de lourds meubles roumains sculptés, mais chaude et relativement confortable. Il accepta de la louer.

« Le loyer est un mois pour quatre mille *lei* », dit la femme, qui s'appelait *doamna* Protopopescu. Comme Yakimov ne marchandait pas elle ajouta :

« Payables d'avance.

— Demain, chère fille. (Il posa ses lèvres sur une petite main grasse et pas trop propre.) J'attends une importante somme d'argent, que j'irai demain retirer à la légation britannique. »

La propriétaire regarda son mari qui dit : « Puisque le prince est un prince anglais, alors... » L'affaire était donc temporairement réglée.

Doamna Protopopescu indiqua à Yakimov le tarif habituel d'une course en *tràsurà* depuis le centre-ville. Une fois ses bagages en sécurité sur le trottoir, il tendit cet argent au cocher, plus dix *lei* de pourboire. L'homme prit un air ahuri puis hurla comme si on l'écorchait vif. Il voulait plus. Yakimov secoua la tête et prit sa valise. Le cocher jeta les pièces, qui s'éparpillèrent sur la chaussée. Faisant semblant d'ignorer ce geste de colère, Yakimov commença à monter l'escalier. Brandissant son fouet, le cocher sauta de son siège et le suivit en vociférant. Il faisait un tel raffut que Yakimov, les jambes tremblantes, s'appuya au mur. Les gens sortirent de chez eux pour voir ce qui motivait cet esclandre. Sa propriétaire, du palier du troisième étage, lui cria : « Combien lui avez-vous donné ? » Yakimov le lui dit. « C'est largement suffisant », répondit-elle. Les poings brandis, elle descendit à la rencontre du cocher en hurlant des insultes en roumain. L'homme s'arrêta net, puis battit en retraite. Elle fixa sur Yakimov un regard triomphant.

« Chère fille, vous avez été magnifique ! lui dit-il en s'asseyant, pantelant, sur son lit.

— Je sais comment traiter ces sales paysans, répondit-elle. Et maintenant, l'argent !

— Ce soir, lui promit-il. J'attends l'heure d'arrivée du courrier diplomatique pour passer prendre mon versement. »

Doamna Protopopescu le fixa de ses petits yeux noirs exorbités de méfiance. Pour accueillir son locataire, elle avait revêtu une robe noire très courte qui collait comme une seconde peau à tous les plis de sa graisse. Son visage lourdement poudré de blanc s'affaissa de contrariété, tel un magnolia défraîchi. Elle appela son mari, qui était encore dans sa chambre.

Protopopescu apparut, vêtu d'un uniforme d'officier subalterne. C'était un homme maigre et voûté, à la taille prise dans un corset, aux joues rougies de fard. Malgré d'impressionnantes bacchantes de dompteur, il semblait loin d'avoir la fougue de sa femme.

« Vous aller sur-le-champ chercher argent, ordonna-t-il avec un semblant d'autorité qui ne dupait personne.

— Pas maintenant, cher garçon. (Yakimov s'étendit sur les coussins brodés.) Il faut que je me repose un peu. Toute cette agitation m'a fatigué. (Il ferma les yeux.)

— Pas question ! cria *doamna* Protopopescu. (Bousculant son mari, elle attrapa Yakimov par le bras et le tira hors du lit avec une force peu commune.) Vous y aller tout de suite. (Elle lui donna une poussée qui l'envoya valser tête la première dans le couloir ; puis, fermant la porte derrière lui, elle mit la clé dans sa poche.) Voilà. Quand vous apporter argent, moi donner clé. »

Yakimov se retrouva dans la rue, de nouveau tenaillé par le froid, se demandant où diable il allait trouver les fonds. Il n'osait pas retourner voir Dobson qui, la veille, lui avait avancé plus de quatre mille *lei* pour le loyer. N'imaginant pas un seul instant que sa propriétaire serait aussi coriace, il s'était offert deux repas fins.

Les trottoirs gelaient. Il sentait le froid le pénétrer par les semelles trouées de ses souliers. L'idée d'aller à pied jusqu'à la grand-place lui coupait les jambes. Comprenant qu'il devait apprendre à utiliser les transports publics, il se joignit à la foule qui attendait le tramway. Quand celui-ci arriva, il y eut une folle débandade qui précipita Yakimov et une vieille femme par terre. La femme se releva et retourna au combat. Seul Yakimov resta derrière. Quand un autre tramway arriva, il était prêt à faire le coup de poing. Il put monter et, pour quelques *lei*, se retrouva au centre-ville. Il comprit qu'on pouvait vivre pour rien dans ce pays. Mais qui avait envie de vivre pour rien ? Certainement pas Yakimov.

Il alla droit à l'*English Bar*, qu'il trouva vide. Forcé de chercher ailleurs, il traversa la place et entra chez *Dragomir*, un magasin de comestibles de luxe où un homme bien né pouvait goûter des fromages et voler un biscuit ou deux sans être inquiété.

Le magasin — le plus grand et le plus célèbre de Bucarest — arborait ses décorations de Noël. Devant, sur le trottoir, des paysans vendaient des sapins des Carpates et du gui. De longues guirlandes de pommes de pin blanchies de givre ornaient les vitrines. Un sanglier naturalisé se dressait à l'entrée principale, son cuir traité sombre et lustré, ses défenses polies, des flocons de neige dans ses soies. De l'autre côté de la porte était pendu un cerf, la tête en bas, ses bois touchant le sol.

Yakimov soupira. Ces festivités lui rappelaient les Noëls passés à Paris, Berlin et Genève — respectivement Crillon ou Ritz, Adlon et Beau-Rivage. Ce Noël-ci, où le passerait-il ? Pas à l'Athénée-Palace, hélas.

En entrant dans le magasin, il fut assailli par une horde de mendiants qui s'étaient accroupis derrière le sanglier pour exercer subrepticement leur métier. À la vue du nouvel arrivant, ils poussèrent de telles clameurs qu'un vendeur accourut ; il décocha un coup de pied à l'un, en gifla un autre et attaqua le reste à coups de torchon mouillé. Yakimov se glissa à l'intérieur.

Un petit rayon situé près de la porte vendait des produits importés d'Angleterre : marmelades, corned-beef, porridge — des produits, coûteux en Roumanie, qui laissaient Yakimov totalement indifférent. Pour lui, c'était au centre du magasin qu'était concentré le vrai luxe : dindes, oies, canards, poulets, faisans, perdrix, grouses, bécassines, pigeons, lièvres et lapins étaient jetés ensemble, non triés ; ils formaient une immense pyramide sur laquelle était dirigé un faisceau de lumière. Il se joignit au cortège d'acheteurs masculins qui, le visage grave, tournaient autour de ce tas pour inspecter les petits cadavres. On n'envoyait pas les domestiques acheter chez *Dragomir*. Pas même les épouses. Les maîtres de maison y venaient eux-mêmes, comme Yakimov, pour regarder la nourriture et, contrairement à lui, hélas, pour s'y donner les frissons d'une exquise anticipation.

En salivant de gourmandise, il observa un petit homme rondouillard au pardessus à col d'astrakan étroitement boutonné, caoutchoucs enfilés par-dessus les souliers, choisir une dinde parée de la splendeur de ses plumes et en ordonner la préparation.

Ce n'était pas la bonne saison pour le simple spectateur. Les clients s'écrasaient devant l'étal où étaient exposés les caviars, les coquillages et les saucisses, empêchant Yakimov d'admirer à loisir toutes ces merveilles. Il rôdait autour de ce cordon, obligé de se contenter de l'odeur grisante des jambons au miel et de celle, acidulée, des oranges grecques.

Un vendeur coupait les cuisses de grenouilles vivantes et jetait à la poubelle les troncs palpitants. Ce spectacle troubla un peu Yakimov, mais il en oublia l'aspect déplaisant aussitôt qu'il plongea son nez dans un panier de champignons arrivés par avion de Paris le matin même : leur arôme était subtil et, détail touchant, ils étaient encore saupoudrés de terre de France.

Au rayon des fromages, le couteau servant à goûter était déjà en main. Mais le choix était tel que Yakimov n'y tint plus : brisant avec les doigts un morceau de roquefort, il allait le porter à sa bouche quand il se sentit observé. L'observateur était Guy Pringle.

« Salut, cher garçon, dit-il en laissant tomber le morceau de fromage dans un baril de crème aigre. Difficile de se faire servir, ici. »

Guy n'était pas seul. Harriet Pringle avait kidnappé le vendeur, qu'un homme ganté de pécari mobilisait depuis un certain temps avec un sans-gêne arrogant. Elle allait passer sa commande quand l'homme, indigné de s'être fait doubler, reprit l'employé à Harriet. « *Cochon *!* » lui lança-t-elle.

Depuis l'incident à l'Athénée-Palace, Harriet rendait Yakimov nerveux. Il se pencha vers Guy et lui murmura : « Votre pauvre Yaki est dans le pétrin. S'il ne peut pas trouver un peu de pognon, il sera obligé de passer la nuit dans la rue. » Voyant

Guy jeter un coup d'œil dans la direction de sa femme, il s'empressa d'ajouter : « Je n'ai pas oublié que je dois de l'argent à la chère fille. Je la rembourserai dès que j'aurai touché mon allocation. »

Guy sortit son vieux portefeuille et y prit deux mille *lei* qu'il tendit à Yakimov :

« Dommage que vous ne soyez pas un réfugié polonais, dit-il. Je connais l'homme qui administre le secours.

— Je n'en suis pas un au sens strict du terme, cher garçon, mais je n'en suis pas moins un transfuge de Pologne. J'y étais avant la Yougoslavie, vous savez. »

Guy, pensant que ce fait était de nature à le servir, lui donna l'adresse du centre de secours polonais ; puis il rappela à Yakimov que celui-ci avait promis de leur rendre visite. Était-il libre le soir de Noël ?

« Oui, cher garçon, aussi étrange que cela paraisse.

— Alors venez dîner. »

Yakimov trouva le centre de secours polonais. Il était situé dans une rue bordée de maisons rouges à moitié bâties, le travail ayant été abandonné à la venue de l'hiver. Les maçons avaient laissé les matériaux sur place, et la neige recouvrait en partie des tertres d'argile, de sable et de chaux. À l'extérieur de la seule maison à peu près terminée, une longue queue de civils, vêtus de vareuses ajustées et de culottes de cheval, tapait des pieds dans la neige pour se réchauffer. Yakimov, dans sa pelisse héritée du tzar, doubla la file.

Au vieux paysan qui lui ouvrit la porte, il dit : « Le prince Yakimov demande à voir Mr Lawson. » Il fut introduit sur-le-champ dans une pièce qui sentait le plâtre humide. Clarence, assis à une table, un radiateur à huile allumé à ses pieds et une couverture de l'armée sur le dos, paraissait souffrir d'un mauvais rhume. Yakimov se présenta comme un ami de Guy Pringle. Clarence semblait intimidé par la distinction de son visiteur, ce qui mit celui-ci en confiance ; il lui raconta qu'il revenait de Pologne, où il séjournait dans la propriété d'un parent à lui, et qu'il avait secondé McCann durant quelques semaines. Quand celui-ci avait quitté la Pologne, Yakimov, qui attendait son versement trimestriel, était resté derrière. Les perturbations postales dues à la guerre avaient retardé l'arrivée de l'argent : « Ce qui fait que je suis dans la dèche, cher garçon. Ne sais vers qui me tourner pour trouver un croûton de pain. »

Curieusement, Clarence ne réagit pas à cette histoire comme Yakimov s'y attendait. Il se tut longuement en examinant ses ongles, puis répondit avec une fermeté surprenante : « Je ne peux pas vous aider. N'étant pas Polonais, vous devez vous adresser à la légation britannique. »

Le visage de Yakimov s'allongea. « Mais, cher garçon, j'ai autant besoin d'aide que ces types-là, dehors. En fait, si je n'arrive pas à trouver aujourd'hui quatre mille *lei*, je serai obligé de coucher dans la rue. »

Clarence répondit froidement :

« Ces "types", dehors, comme vous dites, font la queue pour toucher une allocation de cent *lei* par jour.

— Vous voulez dire mille *lei*, je suppose ?

— Non. Cent. »

Yakimov, qui commençait à se lever, retomba assis : « Jamais eu besoin de mendier jusqu'ici. Pas habitué. Bonne famille. Besoin désespéré d'argent, pourtant. La légation ne m'aidera pas. Tout ce qu'ils feront, c'est m'envoyer au Caire. Mauvais pour votre pauvre Yaki, ça. Santé délicate. Crève de faim depuis des jours. Ne sait pas d'où lui viendra son prochain repas. » Sa voix se brisa et ses yeux s'emplirent de larmes. Clarence, secoué par cette émotion, mit sa main dans sa poche. Il n'en retira qu'un seul billet, mais c'était un billet de dix mille *lei*.

« Cher garçon ! s'exclama Yakimov, rétabli à sa vue.

— Une minute ! »

Clarence, manifestement agité par sa générosité, les joues rouges, fouilla dans les tiroirs de son bureau pour trouver une feuille de papier. Puis il lui fit signer un reçu en lui disant d'un ton sévère : « Je vous prête cet argent parce que vous êtes un ami de Guy Pringle. Il provient du fonds de secours et doit être remboursé dès que vous aurez reçu votre mandat. »

Une fois le reçu signé, l'argent changea de main. Clarence sembla soulagé par son acte. En souriant, il dit qu'il partait justement déjeuner. Yakimov voudrait-il se joindre à lui ?

« Avec joie, cher garçon. *Avec joie !* »

Ils étaient en route pour *Capsa* dans la voiture de fonction de Clarence, quand celui-ci demanda à Yakimov :

« Connaissez-vous un certain commandant Sheppy ? Il vient de m'inviter à une réception. J'ignore tout de lui.

— Oh oui, cher garçon. Je le connais bien. Il n'a qu'un œil et qu'un bras, mais il pète le feu.

— Que fait-il ici ?

— On m'a dit... (Yakimov baissa la voix.) Ce n'est bien sûr pas le genre de chose qu'il faut crier sur les toits, mais on m'a dit qu'il était une huile des services secrets britanniques. »

Clarence rit, incrédule :

« Qui vous a dit ça ? demanda-t-il.

— Pas en position de vous le dire. »

Capsa était le restaurant préféré de Yakimov à Bucarest. Passant du froid coupant du *crivàt* au confort luxueux de cet intérieur tout en tapis rouges, cristaux et ors, il se sentit de nouveau chez lui.

Une table avait été réservée pour Clarence près de la baie qui donnait sur le jardin recouvert de neige. Pour éviter les courants d'air, on avait placé un long boudin de soie rouge le long de l'appui de fenêtre. L'invité de Clarence, un homme bien bâti qui semblait arrogant — probablement par timidité —, se leva sans un sourire et fronça les sourcils en voyant Yakimov. Clarence les présenta : « Comte Steffaneski, prince Yakimov. »

« Vous êtes Russe ? demanda le premier.

— Russe blanc, cher garçon. Sujet britannique », répondit Yakimov.

Steffaneski grogna comme pour dire : « Un Russe est un Russe, quelle que soit sa couleur », puis, se rasseyant lourdement, il fixa la nappe.

« Le prince Yakimov est un réfugié de Pologne, déclara défensivement Clarence.

— Vraiment ? (Levant la tête, le comte fixa Yakimov avec méfiance.) De quelle région de Pologne vient-il ? »

Yakimov enfouit son nez dans le menu : « Je vous recommande les écrevisses au paprika. Et le pilaf de cailles est remarquable », dit-il.

Steffaneski, obstiné, réitéra sa question.

« Le prince m'a dit qu'il séjournait chez un parent qui avait un domaine là-bas, répondit Clarence.

— Ah ? Cela m'intéresserait de connaître son nom. Nombre de parents à moi sont propriétaires terriens. Et nombre de mes amis. »

Yakimov, coincé, tenta de s'expliquer : « En fait, cher garçon, il y a un léger malentendu. Quitté la Pologne avant le début des événements. Activités ultrasecrètes, voyez-vous. Commençait à sentir le roussi : ordre de quitter le pays. Russe blanc, voyez-vous. En bref, votre pauvre Yaki a été obligé de prendre ses jambes à son cou. »

Le surveillant de près, Steffaneski, ne pouvant rien tirer de cohérent de ce magma, attendait la suite. Yakimov se taisait, pensant avoir fourni suffisamment d'explications. Le comte poursuivit :

« Oui ?

— Me suis perdu en descendant. Me suis retrouvé en Hongrie. Un ami, là-bas, le comte Ignotus, m'a généreusement invité à séjourner dans sa propriété. De fait, le domaine dont je parlais était en Hongrie.

— Vous n'êtes donc pas passé par Lvov et Iasi ? demanda le comte avec une apparente courtoisie.

— Non. Suis tombé tout droit en Hongrie.

— Par la Tchécoslovaquie ?

— Naturellement, cher garçon.

— Et comment vous y êtes-vous pris pour traverser les lignes allemandes ?

— Quelles lignes ?

— Vous voulez dire que vous n'avez pas vu les Allemands ? »

Yakimov regarda Clarence avec des yeux suppliants. Celui-ci, gêné par l'interrogatoire que Steffaneski faisait subir à l'autre, s'empressa de dire :

« Il est peut-être arrivé par la Ruthénie.

— La Ruthénie ? Se peut-il qu'elle ne soit pas occupée ?

— Je ne pense pas qu'elle le soit », dit Clarence.

Steffaneski et Lawson discutèrent un moment de cette éventualité. Mais soudain, il vint une idée au premier :

« S'il est venu par la Ruthénie, il a dû traverser les Carpates. Avez-vous traversé les Carpates ? demanda-t-il à Yakimov.

— Comment le saurais-je ? C'était terrible. Vous ne pouvez pas savoir ce que c'était ! gémit-il.

— Je ne peux pas le savoir ? Alors que je suis venu avec les réfugiés de Varsovie à Bucarest ! Que j'ai été mitraillé et bombardé sur la route ! Que j'ai vu mes amis mourir, que j'ai aidé à les enterrer ! Et vous osez me dire que je ne peux pas le savoir ? »

D'un geste dédaigneux indiquant que la vie était réelle mais que Yakimov ne l'était pas, il lui tourna le dos et commença à interroger Clarence sur le secours polonais.

Soulagé d'être laissé en paix, Yakimov put s'intéresser au pilaf de cailles qu'on venait de leur servir. Il avait chaudement recommandé un moselle 1934 et un bourgogne 1937, mais Clarence avait commandé une simple bouteille d'un vin rouge roumain. Le serveur arriva avec trois bouteilles qu'il plaça près de Yakimov. Tous deux échangèrent un regard d'intelligence.

Steffaneski racontait sa visite de la veille dans un camp d'internement polonais situé dans les montagnes. Arrivé aux barbelés qui l'entouraient, il avait vu des huttes de bois enfouies sous la neige. La sentinelle roumaine postée à la grille avait refusé de le laisser entrer sans l'autorisation de l'officier responsable. Mais on ne pouvait pas déranger l'officier en question à « l'heure de la sieste ». Steffaneski avait insisté pour qu'on appelât celui-ci au téléphone : « Impossible. Le responsable ne dort pas seul », avait répondu la sentinelle.

« Ainsi, j'ai passé deux heures assis dehors, devant le camp, à attendre que l'officier de service ait fini sa sieste galante. Ah, comme je méprise ce pays ! D'ailleurs, tous les Polonais méprisent ce pays. Je me dis parfois que nous aurions dû rester en Pologne et y mourir tous ensemble.

— On ne peut plus d'accord, cher garçon », approuva Yakimov avant d'enfourner une bouchée de caille.

Le comte lui jeta un regard dégoûté : « Je pensais que notre conversation serait privée », dit-il à Clarence.

On apporta le second plat, une pièce de bœuf à la broche avec laquelle les convives vidèrent la deuxième bouteille. Clarence expliqua longuement à Steffaneski comment il avait arrangé avec un jeune secrétaire d'État aux réfugiés de faire passer par la mer les Polonais en Yougoslavie. De là, ils pourraient rejoindre la France, puis gagner l'Angleterre. Mais pour permettre aux membres de l'armée polonaise de fuir, les autorités roumaines exigeaient mille *lei* par tête.

La viande était excellente. Tout en la mangeant avec appétit, Yakimov examinait le plateau de fromages français posé près de leur table, quand Clarence remarqua qu'on leur servait du vin d'une nouvelle bouteille.

« Je n'en avais commandé qu'une. Pourquoi en avoir apporté une seconde ? demanda-t-il au garçon.

— Ceci, *domnule*, est la troisième, répondit-il.

— La *troisième* ? Mais je n'en ai jamais commandé trois !

— Alors, pourquoi les buvez-vous ? rétorqua insolemment le garçon en s'éloignant.

— Ces serveurs roumains sont tous les mêmes. On ne peut pas leur faire confiance, dit Yakimov d'un ton consolant.

— Mais avons-nous vraiment bu trois bouteilles ? C'est impossible.

— Voici pourtant les vides, cher garçon. »

Clarence jeta sur les bouteilles, puis sur Yakimov, un regard qui l'accusait de les avoir vidées seul. Celui-ci, quand on apporta le café, murmura au garçon : « Cognac. » Immédiatement, une bouteille fut posée sur la table.

« Qu'est-ce que ceci ? demanda Clarence.

— Cela ressemble à du cognac, cher garçon, dit Yakimov.

— Remportez-le, ordonna Clarence au serveur. Et donnez-moi l'addition. »

Le plateau de fromages était toujours posé près de la table. Avec une hâte furtive, Yakimov se coupa une longue tranche de brie et la fourra dans sa bouche. Clarence et le comte le regardant avec une incrédulité écœurée, il dit pour s'excuser : « Un rien de fringale, chers garçons. »

Aucun des deux ne fit de commentaire.

Après avoir payé l'addition, Clarence sortit son carnet et nota ses dépenses. Yakimov, qui avait la vue perçante, put lire :

Déjeuner comte S. et prince Y. : 5 500 lei
Avance prince Y., réfugié polonais : 10 000 lei

Yakimov éprouva un léger malaise en voyant ses mensonges fixés sur le papier. Mais quand ils sortirent du restaurant, il s'épanouit en constatant que la bonne nourriture qu'il avait absorbée était un rempart contre le froid. « Merveilleux déjeuner ! Agréable compagnie ! » s'exclama-t-il à l'intention de Clarence et de Steffaneski. Le premier ne lui répondit pas et le second lui tourna le dos. On ne lui proposa pas de le déposer. Comme la voiture s'éloignait, son bien-être commença à se dissiper. Il se souvint alors qu'il avait douze mille *lei* en poche. Il entra dans la confiserie de luxe qui jouxtait le restaurant et s'offrit une petite boîte d'argent remplie de pastilles à la framboise. Puis il appela un taxi et se fit conduire à son nouveau logis pour y dormir tout l'après-midi.

12

Quelques jours avant Noël, Harriet rencontra dans la rue
Bella Nicolescu qui, lui fixant une date, l'invita à prendre le thé
chez elle. Le commentaire de Guy relatif à cette amitié naissante
fut concis :

« Tu vas voir comme elle est emmerdante.

— Pourquoi dis-tu cela? Tu la connais à peine.

— C'est la petite-bourgeoise réactionnaire type.

— Tu veux dire que ses préjugés sont différents des tiens?

— Tu jugeras par toi-même. »

Lui rappelant qu'ils étaient invités le soir même à l'Athénée-Palace par le commandant Sheppy, il partit donner une
leçon particulière à un de ses étudiants. La perspective du thé
avec Bella souriait déjà moins à Harriet.

Les Nicolescu habitaient dans un immeuble du boulevard
Bràtianu. Il faisait partie d'un des rares pâtés de maisons termi-
nés dans cette artère laissée en chantier. La nuit était tombée.
En passant devant l'énorme carcasse noire de l'ex-futur ministère, Harriet vit un feu allumé dans un coin du rez-de-chaussée
ouvert à tous les vents. S'y chauffait un ouvrier du chantier,
trop vieux pour l'armée et probablement dépourvu des qualifications nécessaires pour un autre emploi. L'immeuble où habitait Bella se dressait dans la désolation du boulevard comme
une tour ruisselante de lumière. Par les portes vitrées, on voyait
des halls d'entrée qui indiquaient la grandeur à laquelle les
urbanistes avaient originellement aspiré.

Une bonne fit entrer Harriet au salon, une pièce basse de
plafond et surchauffée, avec des meubles en noyer et une
moquette bleu ciel. Les fauteuils étaient également recouverts

de tissu bleu. Bella — twin-set de cachemire et deux rangs de perles — était assise à une table où trônait un service à thé en argent.

« Comme on se sent bien ici, dit Harriet. Ce sont des meubles anglais ?

— Oui. C'est papa qui nous les a offerts pour notre mariage. Tout vient de chez Maple.

— Comment avez-vous fait pour les introduire dans ce pays ?

— Nous avons dépensé une fortune en pots-de-vin divers. Nous aurions aussi bien fait de payer des droits de douane. »

Elle proposa à Harriet de lui faire visiter l'appartement. Dans la chambre à coucher, l'immense lit à têtière de noyer était recouvert d'une courtepointe de satin ruché, galonné, brodé et gaufré de tulipes. Sur la coiffeuse, il y avait toute une collection de brosses, boîtes en argent et flacons de cristal. Bella ouvrit une porte qui donnait sur une salle de bains à l'atmosphère de serre, remplie de frous-frous rose layette.

« Exquis », commenta courageusement Harriet. Bella sembla contente.

« Et maintenant, la salle à manger. » Harriet avait envie d'assurer à sa nouvelle amie qu'elle n'avait nul besoin d'être impressionnée. Elle voulait tout simplement se sentir en sympathie avec quelqu'un qui était sa propre découverte, et non un des satellites de Guy.

Dans la salle à manger, Bella s'arrêta devant un buffet couvert d'argenterie et de cristal. Quelque chose la contrariant dans l'alignement de certains objets, elle se mit à se plaindre des domestiques roumains, qu'elle rangeait en deux groupes : les imbéciles honnêtes et les délinquants intelligents — les qualificatifs « honnêtes » et « intelligents » n'étant bien sûr que relatifs. Harriet lui dit qu'elle n'avait qu'à se louer de sa Despina, la cousine de Pauli, le serviteur d'Inchcape. « Elle est Hongroise », répondit Bella, comme si cela expliquait tout. Désignant le buffet, Harriet lui demanda :

« Vous utilisez tous ces trucs ?

— Mais oui, ma chère. C'est ce qu'attendent les Roumains. Si on ne leur en met pas plein la vue, comme eux-mêmes le font avec vous, ils vous regardent de haut. »

Bella semblait le déplorer, mais son ton était empreint d'un certain respect.

« J'ai bien peur que l'appartement Pringle ne réponde pas à leurs attentes, dit Harriet.

— Vous n'avez pas emporté vos cadeaux de mariage ?

— Nous n'en avons pas reçu. Nous nous sommes mariés très vite et n'avons eu qu'un chèque ou deux. »

Elles retournèrent au salon, où le thé les attendait.

« De toute façon, vous n'aurez pas à recevoir les Roumains. Ils ne fréquentent pas les étrangers. »

Harriet avoua qu'ils n'avaient été invités que dans des maisons juives. Chez les Drucker et autres amis de Guy. Elle se rappelait les paroles de *doamna* Flöhr à propos des juifs : s'ils vivent entre eux, avait-elle affirmé, c'est qu'ils sont exclus.

« Qu'est-ce qui pousse les Roumains à être d'un tel snobisme ? demanda-t-elle. Ils doivent souffrir d'un terrible complexe d'infériorité. »

Cette idée était nouvelle pour Bella.

« À qui se sentiraient-ils inférieurs ? demanda-t-elle.

— À nous, bien sûr. Et aux étrangers et aux juifs qui dirigent le pays, car ils sont trop paresseux pour le faire eux-mêmes.

— Peut-être. En tout cas, quand ils vous invitent chez eux, quel cirque ! Jamais de petite soirée tranquille et sympathique. Il faut toujours être sur son trente et un, toujours sur le qui-vive. Et cette comédie de ne pas comprendre les blagues des hommes et rester assise là comme une potiche ! Mon Dieu, il y a des jours où je rentrerais volontiers à Roehampton. Comme si les femmes ici étaient toutes des satanées vierges ! Et vierges, elles ne le sont pas, croyez-moi ! »

Bella avait retrouvé une liberté de ton qui plut à Harriet ; de même que son rire, qui découvrait des dents saines, blanches et bien plantées. Harriet sentit qu'elles avaient enfin réussi à nouer un contact.

« Tenez, prenez un autre gâteau. Ils viennent de chez *Capsa*. Pour ma part, je ferais mieux de m'abstenir, car j'ai tendance à grossir. Mais j'adore manger.

— Les petites compensations de la vie, dit Harriet.

— Exactement. Quand je suis arrivée ici, les Anglaises m'ont traitée avec condescendance. Elles pensaient que c'était déchoir que d'épouser un Roumain. Mais mon Nikko pourrait leur apprendre une chose ou deux. Il m'a appris, entre autres, que les Anglaises étaient d'une naïveté effarante.

— Vous exagérez peut-être un peu, protesta Harriet en riant.

— Pas tellement. En tout cas, pas en ce qui concerne l'échantillon dont nous disposons ici — vous savez, celles qui sont parties puis revenues. La mère Woolley m'a écrit d'Angleterre. Devinez ce qu'elle m'a dit : "Mon Joey est comme tous les autres hommes. Sa santé pâtit de mon absence." *Vous vous rendez compte?* (Bella éclata de rire.) Mon Nikko affirme que les gars n'ont crié au loup que pour se débarrasser de leurs femmes. Oh! mon Dieu, dit-elle en essuyant les larmes qui lui montaient aux yeux, ça fait du bien de parler à une Anglaise de mon âge! Surtout depuis que Nikko est parti.

— Parti?

— Oui. Son régiment l'a rappelé. Hier. Je suis immédiatement allée trouver son supérieur — un escroc. En octobre dernier, je m'étais arrangée avec lui pour que Nikko soit exempté six mois; il n'a pas tenu parole, malgré les cent mille *lei* qu'il m'a alors extorqués. Je lui ai dit que si la guerre devait durer, je serais ruinée. Il m'a ri au nez.

— Votre roumain doit être excellent.

— Parfait, me dit-on. J'ai étudié les langues. J'ai rencontré Nikko à la London School of Economics. Je parle aussi le français, l'allemand, l'espagnol et l'italien.

— Comme Sophie Oresanu. Vous la connaissez?

— Cette petite... Hum!

— Vous pensez vraiment qu'elle est une...?

— J'en suis convaincue. Nikko m'a dit de me taire, mais franchement, la façon dont cette fille court après votre mari... c'est honteux. Je pense que vous ne devriez pas la laisser faire. Le fait qu'il n'y ait pas plus de ragots à ce sujet en dit long sur l'estime dont jouit Guy.

— Il y en a? Des ragots, je veux dire.

— Évidemment. Je suis sûre que Guy ne s'en rend pas compte. Mais il devrait avoir plus de jugeote. Cette sorte de filles est prête à tout pour se procurer un passeport britannique. Si j'étais vous, je sévirais. »

Harriet ne répondit rien. Elle était songeuse. Ce commentaire sur l'absence de « jugeote » de Guy la frappa comme une vérité révélée.

Quand Bella la raccompagna à la porte, Harriet lui dit : « Votre immeuble est bien construit. Le nôtre semble si peu solide qu'un coup de vent pourrait l'abattre. »

Bella rit :

« Vous avez emménagé dans le Blocul Cazacu. Il a été construit par Horia Cazacu, dont la devise était : *Santajul etajul.*

— Ce qui veut dire ?

— "Chaque chantage construit un étage." Cazacu est un financier véreux qui extorquait de l'argent pour réaliser des projets immobiliers. Le Blocul Cazacu est effroyablement mal construit, même pour Bucarest. »

Sachant que Bella serait seule le soir de Noël — les « vrais » Roumains ne conviant pas une épouse sans son mari —, Harriet l'invita à dîner.

Les salons de l'Athénée-Palace étaient bondés. En ce premier Noël de guerre, on semblait avoir oublié la guerre. Même la menace d'invasion paraissait de l'histoire ancienne. Dans ce pays, la précarité était devenue une habitude, au point que les gens, tels les lapins qui ont échappé au collet, avaient des facultés de récupération peu communes. La clientèle roumaine respirait une confiance en elle mêlée d'une certaine suffisance. Sans doute l'annonce par la presse de Bucarest de la défaite allemande sur la Plate y était-elle pour quelque chose ; de même que la résistance des Finlandais aux envahisseurs russes — on disait que les premiers avaient ridiculisé les seconds. Peut-être avait-on exagéré la puissance supposée de l'Axe, se disait-on. Peut-être que la menace n'était que du bluff, un énorme bluff... Et une Roumanie richement dotée de ces barrières naturelles que constituaient des montagnes aux cols bloqués par la neige n'était-elle pas quasi imprenable ?

Cet optimisme était loin de régner dans la salle à manger de l'hôtel, où l'on sentait un certain malaise. Le commandant Sheppy y recevait des hôtes qu'il n'avait jamais vus et auxquels Dobson était obligé de le présenter. Ce que, malgré son charme, il faisait avec une nervosité évidente.

Guy, Clarence et Inchcape n'étaient pas encore arrivés. Harriet ne connaissait personne dans l'assistance. Prenant un verre, elle alla à la fenêtre pour regarder le jardin où elle s'était assise avec Yakimov. Il était maintenant sous la neige, et elle n'était pas sûre d'entendre l'eau couler de la fontaine : peut-être était-elle gelée ? Un serveur, prenant son intérêt pour le monde situé au-delà de la vitre pour une réprimande, vint en hâte fermer les rideaux. Elle n'avait dès lors plus rien à regarder que les invités massés autour de celui qui devait être le commandant Sheppy. Elle ne pouvait le voir, mais elle entendait sa voix cassante. Elle l'entendit rire d'un ton incisif : « Ne vous mêlez pas de cela, messieurs ; c'est mon problème. » Puis quelqu'un bougea, et elle le vit.

Elle nota le bandeau noir sur l'œil, la canne attachée au poignet, la main artificielle arborée comme une médaille et sourit, parce qu'il lui évoquait quelqu'un qui aurait pris par correspondance des cours de meneur d'hommes. En se retournant, elle aperçut Woolley assis au bar. Elle traversa impulsivement la pièce pour le rejoindre : « On m'a dit que votre femme était revenue. Alors, n'ai-je pas eu raison de rester à Bucarest ? »

Il la dévisagea en silence puis il lui lança : « Absolument pas ! Vous voulez savoir ce que je pense de votre attitude, après tout ce que cela m'a coûté de renvoyer ma femme chez nous ? Je pense que vous n'avez pas joué le jeu. » S'inclinant, il la quitta pour rejoindre les hommes d'affaires anglais qui entouraient Sheppy.

Guy, Clarence et Inchcape arrivèrent ensemble. Dobson s'empara des deux premiers pour les présenter au commandant. Inchcape, laissé pour compte, s'approcha de Harriet, le sourcil froncé en une mimique interrogative.

« Pourquoi nous a-t-on traînés ici ? lui demanda-t-il.

— Personne ne semble le savoir.

— Lequel de ces hommes est Sheppy ? On m'a dit qu'il avait une dégaine invraisemblable...

— C'est celui-ci, entre Guy, Clarence et d'autres jeunes hommes, dit-elle en le lui désignant.

— Qu'est-ce qu'il mijote ? Et qu'est-ce que tous ces garçons qu'il a rassemblés ont en commun ? »

« La jeunesse », pensa-t-elle. Mais elle répondit :

« Probablement le fait de parler le roumain.

— Moi aussi, je le parle, dit-il en se détournant. Bon, j'ai assez perdu de temps. Je dois rentrer car j'ai invité des gens à dîner. »

Clarence les rejoignit assez vite. Inchcape lui demanda aussitôt :

« Que mijotez-vous ?

— Top secret », répondit-il avec un sourire provocateur.

Inchcape avala le reste de sa boisson. « Je m'en vais », dit-il. Et il quitta la pièce d'un pas martial.

Guy parlait toujours avec le groupe d'hommes : quatre ingénieurs de la compagnie du téléphone, un excentrique nommé Dubedat, et un des fils Rettison — une famille anglaise qui vivait à Bucarest depuis plusieurs générations.

« Inchcape se demandait ce que vous pouviez tous avoir en commun, dit Harriet à Clarence.

— Nous sommes la fleur de la colonie britannique », répondit-il d'un ton narquois.

Harriet se sentit à la fois flattée et inquiète de voir Guy figurer parmi les élus :

« Ce type a vraiment une allure impayable. Qu'attend-il de vous, au juste ?

— Le fait est que nous n'en savons encore rien. Il nous a convoqués à une réunion après Noël. Je ne serais pas surpris qu'il soit une sorte de barbouze, un de ces enragés des services de la sûreté.

— Qu'est-ce qui vous le fait penser ?

— Il a fait allusion à une mission secrète dont il serait chargé. Mais je n'aurais pas dû vous le dire », ajouta-t-il en se balançant sur ses talons.

S'exerçant au flirt avec une maladresse consternante, il semblait suggérer que Harriet lui avait tiré les vers du nez. Cela la fit sourire. Mais elle comprenait que, bon gré mal gré, elle avait créé entre eux une certaine intimité. Rien, pensa-t-elle, ne le convaincrait jamais qu'elle n'avait pas fait le premier pas.

« Que fait Guy là-bas ? » s'impatienta-t-elle, voyant son mari s'attarder avec Dubedat.

Harriet avait déjà rencontré le Dubedat en question dans la rue, et elle avait été frappée par son aspect bizarre. Cet Anglais, professeur d'école primaire, traversait la Galicie en stop quand la guerre avait éclaté. Il était parvenu à franchir la frontière pour passer en Bessarabie. À Tchernovtsy, quand les réfugiés tentant de gagner le sud avaient commencé à affluer, il avait trouvé une voiture qui l'avait amené jusqu'à Bucarest, où il était arrivé en short et chemisette. Pendant des semaines, il était resté vêtu ainsi. Le *crivàt*, qui avait fini par le forcer à endosser un gilet sans manches en peau de mouton, continuait néanmoins à fouetter cruellement ses jambes et ses bras, restés nus. Ses grosses mains mauves et enflées se balançaient de chaque côté de son corps comme des gants de boxe attachés à une ficelle. L'intérêt manifeste que lui portait Guy faisait rayonner de satisfaction un visage ingrat habituellement grincheux affligé d'un nez camus et d'un menton fuyant.

« Dubedat entend-il rester à Bucarest ? demanda Harriet à Clarence.

— Il ne veut pas rentrer en Angleterre. Il est objecteur de conscience. Guy va l'engager comme professeur d'anglais. »

Cette remarque ayant suscité sa curiosité, Harriet s'approcha du groupe. Guy pérorait sur les paysans, son sujet de prédilection, et leur amour de la musique et de la danse. Joignant le geste à la parole, il avait enlacé les ingénieurs en leur disant : « Ils dansent en se tenant par les épaules et en tapant des pieds jusqu'à devenir complètement hystériques. Ils finissent par croire qu'ils piétinent leurs ennemis : le roi, le propriétaire terrien, le prêtre du village, le boutiquier juif. Et quand ils sont épuisés, ils retournent au travail. Rien n'est changé, mais leur colère est passée. »

En s'approchant de Dubedat, qui lui jeta un regard inamical, Harriet sentit l'odeur désagréable qui émanait de sa personne. Elle remarqua ses dents jaunes et gâtées, sa peau grasse, les ailes de son nez piquées de points noirs, ses cheveux pleins de pellicules et ses ongles cernés de crasse. Comme il allumait une cigarette au mégot de la précédente, elle constata que l'index et le médius de sa main droite étaient jaunis de nicotine.

Observant la vitalité débordante de Guy, Harriet se sentit remplie pour lui d'un amour teinté d'irritation. Clarence se fit l'écho de ce sentiment quand il dit : « Allons tirer Guy de là. »

Ils devaient tous trois aller voir un film français qu'on donnait dans le plus grand cinéma de la ville. S'ils ne voulaient pas en rater le début, ils devaient partir sur-le-champ. Elle s'approcha de Guy et entendit le jeune Rettison lui dire, avec cet accent particulier propre à tous les membres de la dynastie :

« C'est une vieille histoire. Les Anglais critiquaient déjà le roi quand il n'était pas encore un dictateur. Ils oublient qu'il est probritannique et que, s'il n'était pas là, notre vie serait autrement moins facile.

— Le roi est probritannique parce que les Britanniques sont pour le roi. Voilà exactement le type de politique qui va nous couler. »

Les ingénieurs, nerveux, lancèrent un coup d'œil en direction de Dobson, ce représentant officiel de la politique britannique. Harriet dit à Guy : « Chéri, si tu veux voir le film nous devons partir tout de suite. »

Guy voulait voir le film, mais il voulait aussi rester à parler avec ses amis. Il ressemblait à un bébé à qui on offre trop de jouets.

« Allez, viens », insista-t-elle. Et pour l'encourager, elle sortit de l'hôtel avec Clarence. Quand Guy les rejoignit, il était avec Dubedat. Dans la voiture de Clarence, Guy se mit à interroger Dubedat sur ses origines et son parcours professionnel. Il répondait avec réticence. Sa voix était nasillarde et cassante, et il avait l'accent écossais. « Je suis d'Édimbourg. Né et grandi dans la purée de pois. »

Il avait reçu une bourse pour aller au lycée mais avait trouvé non seulement les professeurs mais aussi les élèves remplis de préjugés à son égard. Partout où il était allé, cela avait été pareil.

« Quelles sortes de préjugés ? demanda Guy.

— De classe, répondit Dubedat.

— Ah ah ! Je vois. »

Quand ils arrivèrent devant le cinéma, le film n'intéressait plus Guy. « Vous y allez ensemble, dit-il à Clarence et à Harriet. Je reste avec Dubedat ; nous avons à discuter. Venez nous rejoindre après au *Doi Trandafiri*. »

Clarence, très contrarié, protesta, mais Guy s'éloignait déjà, flanqué de Dubedat.

« C'est Guy qui insistait pour voir ce film, ce n'est pas moi, dit Clarence à Harriet.

— Préférez-vous que nous allions tout de suite au *Doi Trandafiri* ?

— Pour écouter les confessions de Dubedat ? Non merci. »

Le film était un drame psychologique terriblement statique et bavard. Harriet ne comprenait pas le français, et les sous-titres roumains lui étaient de peu d'utilité. Il était précédé d'actualités françaises montrant la ligne Maginot, les arsenaux sous-terrains et les stocks de viande congelée pour les soldats. À l'intérieur des lignes françaises on voyait ceux-ci, désœuvrés, boire du café, leur souffle se condensant dans l'air glacé, et se taper les bras pour se réchauffer. Une voix off disait : « *Nous sommes imprenables* *. »

« Espérons-le », conclut Clarence d'un ton lugubre.

Il y eut quelques applaudissements dans la salle, mais toussotements et bruits de pieds constituaient le fond sonore : les spectateurs étaient aussi las de la guerre que les soldats oisifs.

Harriet et Clarence quittèrent le cinéma déprimés. Comme ils entraient dans le *Doi Trandafiri*, un vieux mendiant tira Clarence par la manche en lui répétant :

« *Kein Mutter, kein Vater.*

— *Ich auch nicht* », répondit Clarence. Fier de son esprit, il dit en souriant à Harriet :

« Je ne donne jamais rien aux mendiants. Par principe.

— Quel principe ?

— Ils suscitent en moi le pire. À leur contact, je me sens devenir fasciste. »

Harriet rit. Avec un certain malaise car, à cet égard, elle se sentait proche de Clarence. Heureusement, aimer quelqu'un comme Guy la protégeait d'elle-même.

L'atmosphère du *Doi Trandafiri* était très *Mitteleuropa* : banquettes de moleskine, échiquiers et jeux de dominos placés sur des tables de noyer patinées par le temps, journaux glissés dans la rainure de bâtons qu'on décrochait d'un support mural, photographies fanées d'écrivains, d'acteurs et de peintres. Le tout était à la fois miteux et confortable. Durant l'année universitaire, le café, un des rares à la portée de leur bourse, était surtout fréquenté par les étudiants.

Guy et Dubedat étaient assis dans un coin, près de la fenêtre.

« Dubedat me disait qu'il vivait à la Dîmbovita, Calea Plevna très exactement, logé dans une famille de juifs pauvres.

— Les pauvres entre les pauvres, dit Dubedat avec une morne satisfaction. Les seuls gens décents dans cette sale ville corrompue. Une ville de la plaine », ajouta-t-il en fixant Clarence, et comme à son intention. Celui-ci, décrochant le *Bukarester Tageblatt*, se plongea dedans pour cacher son dégoût.

« Il faut qu'il vous raconte sa vie à la Dîmbovita, dit Guy. (Il se tourna vers Dubedat.) Racontez-leur l'épisode des rats qui sont entrés par la lucarne, ou celui du mendiant fou qui buvait du liquide à nettoyer l'argenterie. »

Dubedat refusant de s'exécuter, Guy le fit pour lui. Ces histoires étaient aussi intéressantes qu'il l'avait promis, pourtant Harriet écoutait avec impatience, tout en se demandant si Dubedat lui eût été aussi antipathique si on ne lui avait pas imposé sa compagnie. Le problème avec Guy, pensait-elle, venait de ce qu'il avait presque toujours raison. Clarence et elle pourraient affirmer que la présence de Dubedat leur avait gâché la soirée : elle savait pourtant que ce n'était pas à cause de la générosité de Guy, mais de leur propre absence de générosité.

Quand il fut temps de partir, Dubedat était ivre. Il fallut le soutenir jusqu'à la voiture. Ils le ramenèrent à la Dîmbovita. Ce quartier était encore animé malgré l'heure, peuplé des clients des bordels, des paysans et des mendiants qui cherchaient un asile pour la nuit. Ils étaient arrivés Calea Plevna. Guy secoua Dubedat pour savoir à quel numéro il habitait. Il demanda son aide à Clarence pour monter son nouvel ami jusqu'à sa mansarde. Clarence refusa, déclarant que, dans ce quartier, on ne pouvait laisser Harriet seule dans la voiture. Les deux autres partis, Clarence rit et dit à Harriet, avec quelque exaspération :

« Quel homme extraordinaire que ce Guy : il donne et n'attend jamais rien en retour. Arrivez-vous à comprendre cela ?

— C'est par fierté. Il veut être celui qui donne parce que, dans le passé, il était toujours trop pauvre pour rendre ce qu'il avait reçu. »

Frappé par cette analyse des vertus de Guy, Clarence dit d'un ton de réprimande :

« C'est un saint. J'ai souvent envie de lui offrir quelque chose pour lui montrer combien je l'admire. Mais que peut-on offrir à un saint ?

— Plein de choses. Comme il vient d'une famille pauvre, il n'a jamais eu ce qu'on offre habituellement aux jeunes gens, répondit Harriet, mue par son sens pratique. Une brosse et un peigne ; un stylo ; un blaireau...

— Vraiment, je ne me vois pas offrir ce genre d'objets à Guy, l'interrompit Clarence d'un ton méprisant. Je pensais à un vrai cadeau, du genre deux cents livres sterling, pour qu'il ait quelques réserves en cas de besoin. Mais bien sûr, il n'accepterait jamais.

— Je suis sûre du contraire. Ce serait merveilleux.

— Mais je ne pourrais pas les lui offrir.

— Alors, pourquoi en parler ? »

Il y eut un long silence, puis Clarence dit en soupirant :

« J'ai vraiment envie de faire quelque chose pour quelqu'un. Mais je finis toujours par laisser tomber mes amis.

— N'en parlons plus », dit Harriet, comprenant qu'il ne s'agissait, de la part de Clarence, que d'un exercice masochiste.

Guy revint.

« Nous devons faire quelque chose pour Dubedat, dit-il.

— Que pourrions-nous faire ? demanda Harriet. C'est un exhibitionniste. La dernière chose à faire, c'est de tenter d'agir sur le mode de vie d'un exhibitionniste.

— Comment pourrait-il vivre autrement ? s'indigna Guy. Il n'a pas d'argent.

— Pourtant il fume comme une cheminée.

— Oh, le tabac lui est nécessaire. À chacun selon ses capacités. À chacun selon ses besoins. Nous devrions lui offrir la chambre d'amis.

— Il n'en est pas question ! » s'écria Harriet avec une telle détermination que Guy n'insista pas.

Le lendemain matin, il remit pourtant le sujet sur le tapis : « Nous devrions au moins inviter Dubedat le soir de Noël.

— C'est impossible, chéri. Nous ne tenons que six à table. Nous avons déjà Inchcape et Clarence, et tu as invité Yakimov.

— Il reste donc une place.

— Non, parce que j'ai invité Bella.

— Bella Nicolescu !

— J'ai le droit d'inviter une amie, non ? Bella est seule : Nikko a rejoint son régiment.

— Bon. Mais Sophie ?

— Quoi, Sophie ?

— Elle aussi sera seule.

— Elle est chez elle, dans son propre pays, où elle a des amis. »

Il fut convenu que Sophie et Dubedat les rejoindraient après dîner. Guy leur téléphona, et tous deux acceptèrent.

13

Le soir de Noël, ce fut Yakimov qui arriva le premier chez les Pringle. Il avait amené quelqu'un : un certain Bernard Dugdale, un jeune diplomate, nommé à Ankara, de passage à Bucarest.

Serrant à peine la main de Harriet, le jeune homme se jeta dans l'unique fauteuil de la pièce où il resta vautré, sans vie à l'exception d'un regard critique qui inspectait les lieux.

Harriet courut à la cuisine dire à Despina qu'ils seraient sept à table. Despina n'en fit pas un drame. Serrant affectueusement le bras de Harriet, elle partit emprunter des assiettes au cuisinier du voisin. Quand Harriet revint au salon, Inchcape et Clarence arrivaient. Yakimov, qui s'était installé près du radiateur électrique avec un verre de *tuică*, sembla un peu gêné en voyant Clarence. Harriet les présenta.

« Nous nous connaissons déjà, dit Clarence.

— Et comment, cher garçon ! *Et comment !* »

Les présentations terminées, Inchcape et Clarence semblèrent se retrancher des autres invités ; Harriet mit un certain temps à comprendre qu'ils étaient contrariés de constater qu'ils n'étaient pas les seuls. Ils s'attendaient à une soirée « en famille » — la famille étant l'Organisation. Tous deux regardaient leurs pieds, mais seul Inchcape, assis jambes croisées, feignait l'amusement tout en fixant les siens, élégamment chaussés.

Avant que la conversation reprît, on entendit un bruit de porte qui claquait et Despina introduisit dans la pièce Bella, suivie de Nikko.

Son Nikko lui avait été rendu seulement une demi-heure

auparavant, expliqua-t-elle. Elle s'excusa de l'avoir amené à l'improviste tout en rayonnant de fierté de pouvoir le montrer. Nikko, en revanche, semblait peu à l'aise. Il s'était habillé simplement — sans doute sur l'avis de Bella —, et coulait des regards furtifs sur les autres hommes pour voir ce qu'ils portaient. Rassuré, il se retourna vers Harriet, s'inclina et lui présenta un bouquet d'œillets roses. Quand tout le monde fut assis, Harriet remarqua que Clarence et Inchcape échangeaient un regard d'intelligence. La présence des Nicolescu leur déplaisait. Sachant que les deux hommes ne s'aimaient guère, elle fut surprise de la similitude de leurs réactions. Tous deux étaient « difficiles », ils étaient renfermés et soupçonneux. Elle aurait pris le temps de les mettre en confiance si elle n'avait eu d'autres chats à fouetter. Elle retourna à la cuisine et Despina, une fois de plus, déploya des trésors d'ingéniosité. « *Poftiti la masà* », annonça-t-elle triomphalement, après avoir retiré les chaises d'appoint du postérieur de deux invités et les avoir portées à table. Parmi la vaisselle et les serviettes blanches des Pringle, il y avait deux assiettes jaunes avec des serviettes roses. À côté des quatre chaises de salle à manger, il y avait deux chaises pliantes, le tabouret de la cuisine et la corbeille à linge sale de la salle de bains. C'était le premier dîner que donnait Harriet. Elle en aurait pleuré.

À table, tout le monde était au coude à coude. Nikko, pressé contre Yakimov, lui jetait des regards obliques. À la fin, n'y tenant plus, il s'exclama : « J'ai souvent entendu parler du fameux prince anglais et de son *esprit* * légendaire ! » Tout le monde regarda Yakimov avec espoir — on allait enfin s'amuser —, mais celui-ci gardait les yeux fixés sur Despina qui passait la soupière. Quand son tour vint, il remplit son assiette à ras bord et l'avait déjà finie avant même que Guy se fût servi. Il attendait le second passage du potage.

Guy demanda à Nikko, qui avait été comptable à la banque Drucker, s'il avait des nouvelles de la famille de celui-ci. Nikko répondit avec satisfaction qu'il n'en avait aucune.

« Et Sacha ? poursuivit-il. J'espérais qu'il me ferait signe.

— Personne ne sait où il est. Ce qui est sûr, c'est qu'il n'est pas avec *doamna* Drucker. Il a disparu. Mais on sait qu'Emanuel Drucker partage une cellule avec des criminels et des pervers. Ce qui doit être très inconfortable.

— Très, en effet, dit Inchcape avec un sourire sardonique.

— Qui est Drucker ? demanda avec condescendance Dugdale à Nikko.

— Un escroc d'envergure. (Nikko répéta l'histoire déjà racontée par Bella à Dobson, la complétant par les accusations portées contre le banquier.) Chaque minute, ils en trouvent une nouvelle : trahison, faux et usage de faux, complot avec l'Allemagne, complot avec l'Angleterre, marché noir, et ainsi de suite. Une seule aurait suffi : il est juif, une raison qui leur permettait de confisquer tous ses biens. Son fils a disparu, sa famille s'est sauvée, sa femme demande le divorce. Quant à l'homme lui-même, il va croupir en prison le reste de sa vie.

— Sans un vrai procès ? intervint Clarence scandalisé.

— Il y en aura un. Nous sommes un pays démocratique. Un procès public, retentissant, qui va l'écrabouiller.

— Cette histoire est délicieuse, s'écria Dugdale avec un hennissement de rire.

— Un système de gouvernement qui permet l'arrestation arbitraire, la saisie injustifiée de biens et l'emprisonnement à vie sur des charges truquées vous fait rire ? s'indigna Clarence.

— Ne sommes-nous pas en Ruritanie ? Qu'attendez-vous d'autre ? » répliqua le diplomate.

Nikko, consterné, regardait à tour de rôle Dugdale et Clarence. Il tenta de les châtier tous les deux : « Ce pays n'est pas mauvais. Il a un grand nombre d'invités, qui y vivent bien, qui y gagnent énormément d'argent et qui pourtant le critiquent. Les uns admirent l'Angleterre, les autres la France, d'autres encore l'Amérique. Mais qui admire la Roumanie ? Personne. Elle sert de vache à lait au monde entier. »

Les convives se turent, saisis par la vérité de cette déclaration. Harriet, au bout d'un moment, demanda à Dugdale s'il était content d'être nommé à Ankara.

« Cela pourrait être pire, dit-il. Pour mon premier poste, on m'avait offert Sofia. Un trou mortel. J'ai tiré quelques ficelles pour avoir la Turquie. Ankara étant une ambassade, je ne suis pas mécontent. »

Yakimov, qui venait juste de remplir son assiette de dinde en prenant presque tout le blanc, dit : « Avouons-le, cher garçon, une ambassade c'est mieux qu'une légation. » Ayant de la sorte contribué à la conversation, il se concentra sur sa nourriture.

Guy demanda à Dugdale son avis sur ce que les Allemands

se préparaient à faire. Le diplomate déclara sur un ton péremptoire : « Ils ne feront rien de plus. C'est plutôt la Russie qui devrait nous inquiéter. »

Yakimov, la bouche pleine, marmonna son acquiescement.

« La prochaine victime sera la Suède, poursuivit Dugdale. Puis, bien sûr, la Norvège et le Danemark. Après ça, les Balkans, la Méditerranée, l'Afrique du Nord... Qui pourrait les arrêter? Les Alliés et l'Axe assisteront, impuissants, à la curée, chacun redoutant que la moindre tentative précipite l'autre dans les bras des Russes.

— C'est absurde, dit Guy. La Russie a suffisamment à faire à l'intérieur de ses propres frontières. Pourquoi voudrait-elle... »

Nikko l'interrompit. Il dit d'un ton inquiet :

« Mais la Roumanie se battrait. Et les Turcs aussi; du moins, je le pense.

— Les Turcs! s'exclama Dugdale avec mépris, avalant une petite pomme de terre. On leur donne de l'argent pour acheter des armes et devinez où il passe? Dans *l'éducation*.

— Ces gens sont indécrottables! » Inchcape sourit à Clarence, qui lui rendit son sourire. Harriet était soulagée de les voir prendre position. L'ironie, en ce qui la concernait, faisait l'affaire.

Despina avait découpé de nouveau de la dinde et elle repassait le plat. Arrivée à Yakimov, elle le tourna de manière que le blanc fût hors d'atteinte.

« Juste un *soupçon* *, chère fille », quémanda-t-il d'un ton enjôleur. Et, tendant le bras, il fit de nouveau main basse sur les meilleurs morceaux. Il ne restait que peu de légumes : il les prit tous. Despina, en sifflant entre ses dents, attira l'attention de Harriet et lui désigna l'assiette de son invité. Elle lui répondit par un geste qui signifiait : « Ne vous occupez pas de ça. » Seul Yakimov, absorbé par la nourriture, ne remarqua pas l'indignation de la domestique. Il mangea avec une rapidité hallucinante, s'essuya la bouche avec sa serviette et regarda autour de lui pour voir ce qui viendrait ensuite.

Guy, qui avait espéré que Yakimov serait `éblouissant d'esprit, tentait de l'encourager en racontant lui-même des histoires. Quand il eut épuisé celles-ci, il passa aux bouts-rimés. Quand, là aussi, il fut à court d'inspiration, il demanda à Yakimov de trouver une rime, mais celui-ci secoua la tête. Despina venait d'apporter un énorme pâté en croûte qui requérait toute son attention.

Guy, laissé seul à ses poèmes humoristiques, s'en rappela un, tout rédigé, que, dans le présent contexte, il trouvait particulièrement drôle : il concernait le moral d'un diplomate britannique échoué dans les Balkans.

« Celui-ci me semble d'un goût douteux, dit froidement Dugdale.

— On ne peut plus d'accord avec vous », acquiesça Yakimov.

Pendant quelques minutes, on n'entendit plus que le bruit de sa mastication. Il vida son assiette avant que Despina eût fini de servir tout le monde. « A-a-h ! » soupira-t-il avec satisfaction. Et il attendit qu'elle lui repasse le plat.

Harriet était furieuse. Elle alla un moment dans sa chambre pour se calmer. « Comment ose-t-il critiquer Guy, qui le reçoit à sa table. Ce type ne mettra plus les pieds chez nous ! » se dit-elle.

Le dîner achevé, tout le monde se rassembla autour du radiateur électrique. Guy servait du cognac à Yakimov. Dugdale avait de nouveau mobilisé le fauteuil. Quand Harriet revint, il fit mine de se lever ; comme il allait se rasseoir, elle tira le fauteuil et l'offrit à Bella. Il prit une chaise avec un regard signifiant que, pour une fois, il voulait bien passer sur cette inconvenance. Inchcape, à qui le geste de Harriet n'avait pas échappé, sourit malicieusement à celle-ci puis demanda à Yakimov :

« Allez-vous plus tard à la réception de la princesse Teodorescu ?

— Peut-être. Mais ces fêtes sont un peu éprouvantes pour votre pauvre Yaki. »

À la grande contrariété de Harriet, Guy tenta de nouveau de faire parler Yakimov. Celui-ci allait secouer sa torpeur digestive quand on sonna à la porte. C'était Dubedat.

Il n'avait fait aucune concession vestimentaire et, si faire se pouvait, il semblait plus sale que jamais. Il était toujours vêtu de sa peau de mouton et, à son odeur personnelle incommodante, s'ajoutait celle d'un cuir qui n'avait pas reçu le traitement adéquat. Il posa sur la table un regard qui signifiait qu'on l'avait exclu d'un repas.

À la vue du nouvel arrivant, Dugdale se leva en disant qu'il devait partir.

« Oh non ! Vous avez largement le temps avant de prendre votre train. Buvez un autre cognac avec nous », plaida Guy. Mais Dugdale tint bon. Il dit qu'il devait d'abord aller chercher ses bagages à la consigne.

« Bon. Mais avant, nous devons ensemble chanter *Auld Lang Syne* », insista Guy.

Tous lui firent remarquer qu'il s'agissait là d'un chant destiné à fêter la nouvelle année. « Tant pis », dit-il. Son enthousiasme était tel que les autres se levèrent et que Dugdale se laissa inclure dans le cercle. Il dit, une fois la corvée finie : « Bon, maintenant, mon pardessus. » Tandis qu'il s'habillait, Yakimov se rassit et se resservit un cognac. Harriet lui dit :

« J'imagine que vous accompagnez votre ami à la gare ?

— Oh non, chère fille. Yaki n'est pas très flambant.

— Vous devriez, cependant. »

Même Yakimov prit cette remarque pour un congé. L'air abattu, il avala d'un trait son cognac et se laissa emmitoufler dans sa pelisse.

Une fois les deux hommes partis, Harriet et Bella exprimèrent leur indignation — une indignation qui surprit Guy.

« Mais de quoi parlez-vous ? » s'étonna-t-il, tombant des nues.

Quand elles lui dirent qu'il avait été insulté, il éclata de rire :

« Je suis sûr que Yaki ne savait même pas ce qu'il disait.

— Yakimov est venu hier au centre de secours. Il s'est présenté comme un réfugié polonais et je lui ai prêté dix mille *lei*, dit Clarence.

— Oh, il te les rendra », affirma tranquillement Guy.

Une fois dans la rue, Yakimov dit à Dugdale : « J'ai l'impression qu'on m'a fichu dehors. Me demande bien pourquoi. »

L'autre n'exprima aucune compassion. Hélant un taxi, il demanda sans enthousiasme :

« Vous voulez que je vous dépose quelque part, je suppose ?

— À l'Athénée-Palace, cher garçon. Je pense qu'il faut que je me montre à la réception de la princesse T. Me demandais, cher garçon... fin de mois difficile, un peu à court... si vous pouviez prêter au pauvre Yaki un *leu* ou deux ?

— Non, dit Dugdale. Mes derniers cinq cents ont servi à payer le thé.

— Mais il vous reste peut-être quelques pence ou quelques francs... »

Dugdale ne répondit pas. Quand le taxi s'arrêta, il ouvrit la porte et attendit que Yakimov descende. Une fois sur le trottoir, celui-ci dit : « Quelle journée exquise ! Merci pour tout. Quand vous repasserez à Bucarest, ce sera le tour de Yaki de vous... »

L'autre lui coupa la parole en claquant la portière, et il donna au chauffeur l'ordre de continuer. Yaki s'engagea dans le tambour de la porte de l'hôtel qui effectua un tour complet et le recracha sur le trottoir. Le taxi était encore en vue, Yaki le suivit des yeux avec regret. S'il avait osé donner son adresse, il se serait fait raccompagner chez lui.

Il partit à pied. Le vent sibérien soulevait les pans de son manteau et lui coupait les oreilles. Relevant son col et y enfouissant son long nez glacé, il murmura : « Le pauvre Yaki est trop vieux pour ce boulot. »

Peu après le départ des autres invités, le téléphone sonna chez les Pringle. Guy répondit. C'était Sophie, qui ne les avait pas rejoints après dîner, comme convenu. Harriet, par discrétion, alla dans sa chambre et s'assit à sa table de toilette. Elle entendait néanmoins la voix de Guy, pleine d'une sollicitude inquiète et, lui sembla-t-il, implorante. Elle fut de nouveau saisie d'un accès de colère. Elle se rappelait les mots de Bella concernant Sophie. Le moment était venu de mettre les choses au point avec Guy. Elle revint dans le salon et demanda : « Que se passe-t-il ? »

Guy avait l'air grave. Mettant sa main sur le récepteur, il lui dit :

« Sophie est déprimée. Elle veut que j'aille la voir. Seul.

— À cette heure ? Dis-lui qu'il n'en est pas question.

— Elle menace de commettre un acte désespéré.

— Quoi, par exemple ?

— Sauter par la fenêtre, ou avaler des somnifères.

— Laisse-moi lui parler. »

Harriet prit le récepteur et demanda : « Que vous arrive-t-il, Sophie ? Cessez de vous conduire comme une sotte. Vous savez bien que si vous aviez réellement l'intention de le faire, vous n'en parleriez pas. »

Il y eut une longue pause. Puis la voix de Sophie retentit de nouveau, pleurnicharde :

« Si Guy ne vient pas sur-le-champ, je saute. J'ai bien réfléchi.

— Bon, très bien, alors faites-le.

— Faire quoi ?

— Mais sauter, naturellement. »

Sophie hoqueta d'horreur : « Je vous déteste. Je vous ai détestée dès que je vous ai vue. Vous êtes une fille cruelle. Une fille sans cœur. » Elle raccrocha.

« Bravo ! dit Guy. Maintenant je vais être obligé d'y aller. Elle est capable de commettre le pire.

— Si tu y vas, tu ne me trouveras pas ici à ton retour.

— Ne dis pas de bêtises. J'attendais plus de bon sens de ta part.

— Ah oui ? Pourquoi ?

— Parce que je t'ai épousée. Parce que tu fais partie de moi et que j'attends de toi ce que j'attends de moi-même.

— En somme, je n'existe pas à part entière ? Eh bien, tu es un imbécile. Je ne tolérerai plus aucune de ces inepties au sujet de Sophie. Si tu y vas, je pars.

— Ne fais pas l'enfant. »

Il alla dans le hall et commença à enfiler son pardessus, mais ses gestes étaient hésitants. Une fois prêt, il la regarda avec incertitude. Elle eut un bref sentiment de triomphe : il venait enfin de comprendre qu'il ne la connaissait pas. Puis un sanglot monta à sa gorge et elle s'enfuit dans sa chambre. Il la suivit.

« Chérie, si cela te bouleverse à ce point, je n'irai pas.

— Non. Vas-y. Autrement tu passeras le reste de la nuit à t'inquiéter pour Sophie. Ce sera encore pire pour moi.

— Bon. Alors j'y vais.

— Ah non ! Oh, je sais : allons-y ensemble. »

La porte de l'immeuble de Sophie n'était pas fermée à clé. Celle de son appartement, dont elle avait bloqué le pêne, était entrebâillée. Entendant le pas de Guy, elle lui dit d'une petite voix : « Entrez, *chéri* *. » Il poussa la porte et Harriet, qui le suivait, vit Sophie assise dans son lit, un châle rose drapé sur les épaules. Elle avait redressé la photographie précédemment posée face contre la table de nuit : c'était celle de Guy.

Malgré la minceur de son sourire, Sophie semblait tout à fait ragaillardie. Elle pencha la tête de côté, renifla et ouvrit la bouche pour parler quand elle vit Harriet. Son expression changea : « Votre femme est un monstre », lança-t-elle. Cette déclaration, qui fit rire Guy, cloua Harriet sur place. « Je t'attends en bas », dit-elle.

Elle resta environ cinq minutes dans le hall de l'immeuble, puis sortit. Elle commença à marcher au hasard, reprise de colère contre Guy au point de ne ressentir ni le froid ni la peur de se retrouver seule dehors en pleine nuit.

Harriet décida de ne pas rentrer chez elle. Elle se dirigeait vers la Dîmbovita quand elle se dit qu'elle ne pouvait pas prendre une chambre d'hôtel. Dans ce pays, où les femmes ne sortaient pas même le jour non accompagnées, son absence de bagages éveillerait les soupçons. On lui refuserait probablement la chambre. Elle pensa aux gens qu'elle connaissait : Inchcape, Clarence, Bella. Elle se voyait mal leur demander asile et se plaindre de Guy. Bella n'était pas seule. Inchcape lui témoignerait de la sympathie mais détesterait être mêlé à ses problèmes conjugaux. Clarence interpréterait faussement la situation. Elle se dit qu'à bien des égards, Clarence et elle étaient semblables : la vie, pour eux, était un processus involutif ; ils se réservaient, Dieu seul savait pour quoi. Guy, en revanche, n'était pas tenté par le repli régressif : il allait de l'avant. Pour lui, la vie était simple : il suffisait de la vivre. Elle se sentit de nouveau remplie d'amour pour lui, et honteuse de son manque de générosité envers Sophie. Elle rebroussa chemin et poussa la porte cochère. Guy sortait. Il lui prit la main et l'enfouit bien au chaud sous son bras.

« Tu es une chic fille, lui dit-il.

— Où en est-on avec Sophie?

— Je lui ai dit de cesser cette comédie. C'est une emmerdeuse. Elle est aussi sotte que Bella, mais d'une sottise autrement plus offensive. »

TROISIÈME PARTIE

Roumanie, janvier-septembre 1940

La neige

14

Le Nouvel An amena la neige. Une neige abondante qui tombait jour après jour, molle, régulière et obstinée. On ne voyait désormais dans la rue que les paysans et les domestiques. Ceux qui restaient chez eux étaient gênés par le silence qui régnait dehors. On avait l'impression que la ville avait cessé de respirer. Après une courte période de confinement, Harriet sortit ; mais sa sensation de claustrophobie persistait, et, tout repère aboli, elle se perdit dans son propre quartier. Retournant chez elle, elle téléphona à Bella, qui lui suggéra d'aller prendre le thé chez *Mavrodaphné* et vint la chercher en taxi.

Les deux jeunes femmes s'étaient vues plusieurs fois depuis Noël. Elles avaient noué une relation qui, tant pour l'une que pour l'autre, eût été impensable en Angleterre. Harriet s'était habituée à la conversation limitée de Bella, qu'elle n'écoutait d'ailleurs que d'une oreille ; les rapports avec sa nouvelle amie étaient, sinon stimulants, du moins faciles et, dans l'étrangeté ambiante, ils étaient pour Harriet le rappel d'un monde familier.

Dans le café, tandis que Bella énumérait les derniers méfaits de ses domestiques, Harriet regardait la neige tomber de l'autre côté de la vitre. Elle voyait de temps à autre passer une ombre — un taxi, une *tràsurà* capotée, un paysan, la tête protégée par un sac. Les occupants des taxis couraient pour échapper aux mendiants et s'engouffraient dans ce havre à la mode en arborant un air hautain qui l'amusait. Tournant le dos à la barbarie de leur propre ville, ils venaient s'offrir ici un succédané de Rome, de Paris ou de New York — surtout de New York.

Voyant l'attention de Harriet vagabonder, Bella éleva la voix :

« *De plus*... je suis obligée de fermer tous les placards à nourriture à clé.

— Pourquoi te donner cette peine ? La nourriture est si peu chère ici... Autant leur faire confiance. C'est moins fatigant. »

À peine l'eut-elle faite qu'elle regretta cette remarque : après tout, la tolérance devait naître de la générosité et non de l'expédient. Bella, pour sa part, avait d'autres raisons de ne pas y souscrire : « Cette attitude n'est pas correcte vis-à-vis des autres patrons. Et puis leur chapardage constant finit par vous taper sur les nerfs. Si, comme moi, tu les avais pratiqués... »

Harriet l'interrompit. Elle avait maintes fois entendu de la bouche de sa tante ce refrain qui l'irritait et la déprimait tout à la fois : « Mais quelle est la cause de ce "chapardage", comme tu dis ? Les pauvres ne sont pas par essence plus malhonnêtes que nous. »

Bella la regarda, stupéfaite. C'était la première fois qu'elle sentait Harriet hostile.

« Je l'ignore. Tout ce que je sais, c'est qu'ils sont ainsi. » Elle leva le menton et une rougeur envahit son cou. Mal à l'aise, elle tripotait ses perles.

Dans le silence contraint qui suivit, Harriet vit entrer Sophie. Heureuse de cette diversion, elle se redressa sur la banquette pour la saluer pensant que, comme elle, Sophie aurait renoncé à ses griefs. Mais quand la nouvelle arrivante, l'air digne et le sourire triste, s'empressa d'aller rejoindre des amies assises plus loin sans la saluer, Harriet comprit qu'il n'en était rien.

Décontenancée, elle se retourna vers Bella. Celle-ci, ayant eu le temps de réfléchir, poursuivit : « Je sais que quelque chose cloche dans ce pays. Je m'en suis aperçue dès mon arrivée. Mais on finit par s'habituer. Il le faut, si on veut tenir le coup. On ne peut pas pleurer sans cesse sur les conditions de vie des gens. Que peut-on y faire ? »

Harriet secoua la tête. Bella n'avait pas une âme de réformatrice. Mais quand bien même elle eût décidé de lutter contre l'oppression, elle n'eût pas changé grand-chose à la situation. Elle semblait un peu honteuse, et Harriet sentit sa sympathie pour elle reprendre le dessus.

« Personne n'y peut rien, ou presque, dit-elle. Seule une

révolution pourrait forcer ces gens à changer la situation. Mais pourquoi acceptes-tu ces poncifs sur les catégories défavorisées et ces conventions ridicules ? Tu es Anglaise. Tu peux penser, dire et faire ce que tu veux.

— J'ai essayé, au début. J'avais envie de faire moi-même les courses. J'ai pris un panier, je suis sortie et suis tombée sur des femmes de la bonne société roumaine. Si tu avais vu la façon dont elles m'ont regardée ! »

Bella eut un de ces francs éclats de rire que Harriet trouvait sympathiques. La première éprouvait du plaisir à faire l'éducation roumaine de la seconde. La seconde, à se laisser faire par la première sans trop renâcler : voilà quelle était la base de leur amitié. Accepter leurs différences sembla soudain à Harriet une façon de triompher de ses propres limites.

Quand la neige cessa enfin, Bucarest ressemblait à une ville fantôme, étincelante sous un ciel plombé. Les citoyens investirent de nouveau les rues, et les mendiants sortirent de leurs trous. Ils étaient plus nombreux que jamais. Des centaines de familles de paysans, indigentes maintenant que le soutien de famille était conscrit, avaient été chassées par l'hiver de leurs campagnes ; elles étaient venues dans la capitale où, croyaient-elles, on dispensait une justice magique. Elles passaient des heures plantées devant le palais royal, les tribunaux, la préfecture et autres bâtiments officiels. Elles n'osaient pas entrer. Quand le froid et la faim devenaient insoutenables, elles se dispersaient pour mendier — femmes, enfants et vieillards sans distinction. Dépourvus de l'endurance des professionnels, ces néophytes se décourageaient vite. Nombre d'entre eux se contentaient de rester accroupis, en pleurs, sous les porches. Peu d'entre eux survivaient longtemps. Chaque matin, une charrette passait ramasser les corps déjà en partie enfouis sous la neige et dont certains se présentaient en grappes, gelés, inséparables ; on les jetait alors tels quels dans la fosse commune.

Un matin, Sheppy convoqua Guy et Clarence à l'Athénée-Palace. La réunion devait finir à midi et Harriet, pleine d'une curiosité inquiète, traversa la grand-place pour les rejoindre à l'*English Bar*.

Au réveil, ce matin-là, elle avait vu les toits couverts de neige se réfléter sur le plafond de sa chambre. Se sentant d'humeur aventureuse, elle s'habilla et descendit. À peine la porte cochère franchie, elle reçut de plein fouet le *crivàt* qui soufflait en sifflant méchamment aux oreilles. Au centre de la place, qu'on avait dégagée, la neige formait un gros tas, semblable à du duvet de cygne, dont le vent faisait voler la couche externe, encore poudreuse. Aux abords, là où circulaient les voitures, la neige déjà tassée était aussi dure que du ciment. Elle tourna autour de la statue du vieux roi transformé en un gigantesque bonhomme de neige informe et menaçant. La neige crissait sous ses bottes.

Malgré le froid qui entamait la chair, les Roumains les plus timorés s'étaient risqués dehors pour admirer leur ville blanche, équipés, pour les hommes, de pelisses et de caoutchoucs, pour les femmes de manteaux et de bonnets d'astrakan, de moufles et de snow-boots à talons hauts ornées de fourrure.

Devant l'hôtel, le portier était tellement couvert qu'il paraissait obèse ; les mendiants, eux, étaient comme toujours à moitié nus. Ils tremblaient violemment dans l'air glacial. En passant devant la vitrine du salon de coiffure de l'hôtel, Harriet vit Guy et Clarence qui se faisaient couper les cheveux. Elle entra. « On dirait que votre réunion a été plutôt courte. De quoi avez-vous parlé ? » demanda-t-elle. Guy la fit taire du regard et s'empressa de changer de sujet :

« Nous avons une surprise pour toi, déclara-t-il.

— Quoi ? Quand ? Où ?

— Du calme ! »

En sortant, Guy enfila un passe-montagne en tricot gris prêté, dit-il, par Clarence et prélevé sur le stock de vêtements destinés au secours polonais.

« Il faudra qu'il le rende, précisa Clarence.

— Vraiment ? dit Harriet d'un ton moqueur. Vous croyez que les Polonais se sentiraient dépouillés s'il leur manquait un bonnet ?

— Je suis le responsable du stock.

— De toute façon, c'est un accessoire ridicule. Que voulait Sheppy ?

— Nous n'avons pas le droit d'en parler, dit Guy.

— C'est secret et confidentiel. J'ai refusé d'en être, dit Clarence.

— "En" ? Que signifie ce "en" ?

— Un plan complètement dingue.

— C'est dangereux ? demanda Harriet à Clarence.

— Pas plus qu'autre chose, ces temps-ci. Mais de toute façon, il n'en sortira rien. Je pense que ce type est fou. »

Comme l'un et l'autre refusaient d'en dire plus, Harriet décida qu'elle trouverait toute seule.

« Où allons-nous ? demanda-t-elle.

— Faire une balade en traîneau.

— Non ? » s'écria-t-elle, ravie.

Oubliant Sheppy, elle pressa le pas, entraînant les deux hommes. Ils se dirigeaient vers la Chaussée qu'ils apercevaient, large étendue blanche dans le lointain. Les *tràsuri* les plus chics de la ville étaient garées le long du trottoir. Les cochers en avaient remplacé les roues par des patins et avaient orné de grelots et de pompons leurs chevaux dont la croupe était tendue d'un filet destiné à protéger les passagers des projections de neige.

« L'important, c'est de choisir un cheval bien soigné », décréta Harriet.

Ils en trouvèrent un moins maigre que les autres. « Que le cocher sache que nous l'avons choisi parce qu'il traite bien sa bête », dit-elle à ses compagnons.

L'homme répondit qu'en effet, il la traitait bien : il la nourrissait presque tous les jours. Content de lui-même, il fit claquer son fouet orné d'une cocarde et remonta la Chaussée à toute allure. Laissant derrière eux le tumulte des marchandages qui sévissaient dans la file des calèches, ils s'enfoncèrent dans un silence de cristal troublé seulement par le crissement des patins et les grelots. De chaque côté de la route, des squelettes d'arbres pailletés étincelaient sous un ciel lourd. À travers les champs de neige qui, en été, constituaient les *gràdini*, le vent cognait dur contre l'équipage. Ses occupants ratatinés de froid sous de vieilles couvertures qui sentaient le moisi et le crottin, éblouis par la lumière, contemplaient en clignant des yeux la grande plaine blanche qui s'étendait devant eux jusqu'au lac et à la forêt de Snagov.

Une fois passé l'arc de triomphe, ils virent une fontaine pétrifiée, tel un immense lustre scintillant qui se détachait sur un fond de mosaïques rouge, bleu et or. Comme ils atteignaient le Golf-Club, le cocher se retourna et leur cria quelque chose.

« Il dit que nous allons traverser le lac. Je crains que la glace soit trop mince, murmura Clarence, inquiet.

— Oh oui, traversons-le ! » s'exclama Harriet.

Ce qu'ils firent. Grisée, exultante, elle essaya de crier : « Merveilleux, merveilleux ! », mais elle pouvait à peine respirer. La glace crissait sous les patins et ils furent quand même soulagés de se retrouver en sécurité sur l'autre rive. Ils avaient atteint une banlieue paysanne aux masures de bois enduites de goudron, consolidées par des bidons d'essence aplatis, avec des chiffons qui pendaient aux portes. Malgré l'action antiputride du froid, l'air était fétide d'ordures amoncelées. Les femmes cuisinaient dehors. Elles agitèrent les bras en direction du traîneau mais le cocher, gêné que des étrangers voient cette misère, tenta de détourner l'attention de ses passagers en leur désignant la forêt : « Snagov. *Frumoasa.* » Et « joli », ce l'était.

Ils rejoignirent la grand-route à la gare dite « royale » qui se dressait, peinte en blanc et or, comme une baraque de foire. Ils revinrent vers la ville ; ils avaient maintenant le vent dans le dos. Le cocher permit à son cheval de souffler, et ils regagnèrent leur point de départ au petit trot.

Comme leur voiture retrouvait la file, Harriet vit un jeune homme, trop costaud pour être un Roumain et dépassant la foule d'une bonne tête, qui observait avec amusement l'agitation qui l'entourait.

« C'est David ! » s'exclama Guy en sautant du traîneau et en se dirigeant vers l'homme les bras tendus. Le second ne broncha pas, mais son sourire en coin s'élargit : « Salut », dit-il sobrement.

« Quand es-tu arrivé ? demanda Guy.

— Hier soir. »

Harriet demanda à Clarence qui était l'inconnu. « C'est David Boyd », répondit-il sans enthousiasme. Guy, se retournant vers lui, lui dit : « Clarence, tu te souviens de David, n'est-ce pas ? C'est le Foreign Office qui l'a envoyé ici. Enfin quelqu'un qui va remédier aux imbécillités de la légation. »

Harriet avait entendu dire que Guy et David Boyd se ressemblaient beaucoup. Ce fut pourtant leurs différences qu'elle nota au premier coup d'œil. Tous deux étaient bâtis de la même façon — ils étaient grands, plutôt corpulents, avec un nez court, des lunettes et des cheveux frisés —, mais la bouche de David était plus petite que celle de Guy, et son menton, plus volontaire.

« Vous comptiez louer un traîneau ? lui demanda Harriet.

— Non. Mais Albu m'a dit qu'il avait entendu *domnul* Pringle et *domnul* Lawson parler d'en louer un. »

Ravi que son ami fût venu le chercher, Guy s'écria :
« Allons déjeuner quelque part.

— J'avais prévu de rencontrer quelqu'un, dit David.

— Qu'à cela ne tienne, nous irons avec toi », déclara Guy joyeusement.

David hésita. Clarence, pensant que ses réticences étaient dues à sa propre présence, déclara qu'il avait un déjeuner avec des officiers polonais. Ils traversèrent tous ensemble la place, Guy et David marchant devant et discutant avec animation, Clarence et Harriet les suivant en silence. Guy voulait savoir pourquoi on avait envoyé David à Bucarest.

« Pour aider. Je ferai tout ce que je pourrai dans cette intention. »

Sa timidité initiale surmontée, le jeune homme était devenu volubile. Il avait une voix sonore et bien timbrée, et il s'exprimait avec une extrême précision — « comme un vieux prof », pensa Harriet.

« J'ai vu Foxy Leverett, ce matin, poursuivit-il. Ce type avec une grosse moustache rousse. Je lui ai demandé quand la guerre allait enfin commencer et tu sais ce qu'il m'a répondu ? "Oh, ça ne va pas tarder à barder. On va flanquer aux Boches notre poing sur la gueule et les faire saigner du nez." Comme je te le dis ! La politique du ring ! »

Guy éclata de rire. Ils arrivèrent Calea Victoriei. Le restaurant où David avait rendez-vous était situé dans une ruelle perpendiculaire. Arrivé au niveau de celle-ci, Clarence prit congé d'eux. Il échangea avec Harriet un long regard de complicité tout en lui offrant un de ses rares et beaux sourires.

Avant de s'engager dans la ruelle, David dit à Guy : « La Roumanie est un gros consommateur de maïs. Pourtant, elle en produit moitié moins que la Hongrie. Nous sommes une fois de plus dans un cercle vicieux : les paysans sont indolents parce que mal nourris, ils sont mal nourris parce que indolents. Si les Allemands envahissent le pays, crois-moi, ils vont les faire travailler comme ils n'ont jamais travaillé auparavant. A propos de bourreaux de travail, comment va Inchcape ? J'ai rencontré, à Cambridge, un professeur de ses amis, un certain Lord Pinkrose. Il m'a dit qu'Inchcape était un érudit remarquable ; un de ces types si doués qu'ils ne savent par où commencer et qui, en fin de compte, ne font rien du tout. »

Ils arrivèrent devant un pavillon dix-neuvième avec jardin.

Le restaurant était constitué de quatre immenses salles bour-
donnantes de conversations entrecoupées du cliquetis des couverts. Régnait dans les lieux, dont la décoration était plutôt
miteuse, une atmosphère de serre imprégnée d'une odeur de
viande grillée : la spécialité de la maison était le veau à la
broche. Un cortège de serveurs surmenés s'activait. L'un d'entre
eux tenta de les conduire dans la salle du fond. David, sans
même se donner la peine de discuter, entraîna ses amis dans la
salle principale. À peine furent-ils assis que Boyd reprit la
conversation interrompue :

« J'ai vu aussi Dobson, ce matin. Pas antipathique, le petit
bougre — j'ai toujours eu une certaine affection pour lui. Malheureusement, lui aussi a été atteint par la maladie propre à la
profession. Quand je lui ai demandé si la situation ici lui paraissait satisfaisante, il m'a répondu : "Tout à fait. Le souverain est
pour nous." Je lui ai alors demandé ce qui se passerait si son
peuple n'était plus pour le souverain : "Oh, je ne crois pas que
cela doive nous inquiéter", m'a-t-il dit. Je l'ai encore torturé
avec quelques questions. Il s'en est tiré par ces mots : "La situation est un peu complexe pour un nouveau venu !" »

Harriet profita d'un silence pour demander à Boyd où il
logeait. Elle fut surprise quand il lui répondit :

« Au Minerva.

— Cet hôtel plein d'Allemands ?

— Cela me permet de peaufiner leur langue, lui répondit-
il ; et de grappiller des informations. Le bar, le Q.G. de la presse
allemande, y est fréquenté par les mêmes correspondants locaux
que l'*English Bar*. Une version va à l'Athénée-Palace, l'autre au
Minerva. De sorte que nos alliés roumains gardent un pied dans
chaque camp. »

Posant le menu qu'il avait en main il poursuivit : « Cette
politique consistant à soutenir l'ordre établi ne va pas seulement
nous faire perdre ce pays-ci. Quand "ça va commencer à barder", comme dirait Leverett, nous perdrons nos concessions
partout dans le monde. En bref, nous serons foutus. »

Quand un sujet l'intéressait, David perdait toute timidité.
Harriet fut frappée par sa façon de discourir, qui évoquait plus
le cours magistral que la conversation. Son autosuffisance était
évidente. Elle se rappela à son sujet un détail confié par Guy, et
qui maintenant la frappait : son passe-temps favori consistait à
observer les oiseaux.

« Ces crétins du Foreign Office ne voient pas plus loin que le bout de leur nez. Pour eux, la politique intérieure du pays n'a aucune importance. Tout ce qui les intéresse, c'est la position du souverain à l'égard de l'Angleterre. »

Tandis que David parlait — et il était prolixe —, un serveur s'était approché de la table pour essayer de prendre la commande. Mais Boyd ne souffrait pas d'être interrompu. Quand l'homme voulut repartir, il le retint par un pan de sa queue-de-pie tout en disant : « J'ai appris dans le train que des agents allemands avaient pris position partout dans le pays. Ils opèrent par le biais de la Garde de Fer ; ils achètent des céréales au double de leur prix, puis disent : "Voyez comme les Allemands sont généreux ! Avec l'Allemagne pour alliée, la Roumanie s'enrichira." Mais comment parviendrais-je à persuader Sa Majesté que des agissements suspects ont lieu derrière son dos ? De plus, le souverain affirme que la Garde de Fer n'existe plus, or le souverain ne peut se tromper. »

La patience du serveur était à bout. Il tenta de dégager sa queue-de-pie de la poigne vigoureuse de son client en lui criant : « *Stai, domnule, stai* », mais son tourmenteur ignorait ses protestations.

« Passons la commande, implora Harriet.

— Taisez-vous », aboya Boyd.

Harriet était sidérée : « Je ne me tairai pas ! » s'insurgea-t-elle.

Boyd ricana, baissa les yeux et finit par admettre que, en effet, commander s'imposait : « *Fleicà de Brasov* pour tout le monde », dit-il au serveur, qui put enfin s'échapper.

« Dis-nous ce qui va se passer ici, le pressa Guy.

— Il y a plusieurs scénarios possibles. Le plus favorable ? Les paysans pourraient se révolter contre l'Allemagne — mais nous veillerons à ce que cela ne se produise pas ; le parti paysan s'opposant au souverain, notre politique officielle consiste à ne surtout pas le soutenir. Je suis le seul Anglais dans ce pays qui ait rencontré les chefs du parti paysan...

— Je les ai rencontrés avec toi, l'interrompit Guy.

— Bon, *nous* sommes les seuls Anglais qui nous soyons donné la peine de les rencontrer. Pourtant ces hommes sont nos alliés — nos *vrais* alliés. Ils pourraient fomenter un soulèvement qui serait conforme à nos intérêts, mais on les ignore et on les snobe. Nous nous sommes déclarés en faveur de Carol et de ses sbires.

« — Pourquoi les paysans sont-ils si méprisés ? demanda Harriet.

— Ils souffrent de la faim, de la pellagre et de six cents ans d'oppression — tous ces maux conjugués sont très énervants.

— Six cents ans ?

— Plus, même. »

David entreprit de leur brosser le tableau historique de l'oppression subie par la Roumanie. Tout avait commencé au troisième siècle après Jésus-Christ, avec le retrait des légions romaines et l'invasion des Wisigoths. Des ravages occasionnés par les Huns il passa aux Gepides, aux Avars, aux Slaves et à une tribu de nomades turco-mongols nommés les Bulgares. Puis au neuvième siècle, poursuivit-il, les Magyars déferlèrent sur l'Europe de l'Est.

« Mais cela ne s'inscrit-il pas dans le processus de migration des peuples ? demanda Harriet.

— Oui. Ils ont migré pour s'établir en particulier dans cette partie de l'Europe. Avec, bien sûr, quelques intervalles ; par exemple, le pays a connu une brève gloire sous Michel le Brave qui l'a pourtant mené à la période la plus lamentable de son histoire : le règne des Phanariotes aux ordres de la Sublime Porte. »

Le garçon leur apporta du potage. David vida son assiette tout en leur racontant les infortunes du peuple roumain après la révolte paysanne de 1784, « réprimée d'une façon que je me garderai bien d'évoquer à table de peur de vous couper l'appétit ».

Harriet allait lui poser une question. David la fit taire d'un geste. « Nous arrivons maintenant au dix-neuvième, avec la fin du joug turc (dès la fin du dix-huitième, de fait), et le partage de la Roumanie entre les Autrichiens et les Russes... »

Ils avaient commandé du veau grillé aux herbes. On le leur apporta sur une planche et on le coupa sous leurs yeux en menus morceaux avec deux hachoirs. Dérangé par le bruit, David se tut jusqu'à ce que ce fût fini. Il allait reprendre la parole quand entra un petit homme aux allures de lutin souriant qui s'avança vivement vers leur table.

« Ah, voici Klein ! » s'écria David. Le nouveau venu lui prit les deux mains et lui exprima en allemand son plaisir de le revoir. Présenté aux Pringle, il les salua aimablement tout en jetant à David un regard interrogateur.

« Ne vous inquiétez pas. Ce sont des amis

— *Ach so !* » répondit Klein, pour qui le mot « ami » dans la bouche de Boyd avait manifestement une connotation particulière.

Détendu, il s'assit sur la chaise que Guy était allé lui chercher. Son visage était frais et rose, il avait un nez mutin et, malgré sa calvitie, un visage d'enfant — un enfant extrêmement subtil, que sa bonne nature n'empêchait nullement d'évaluer avec sagacité ce qui l'entourait. Il accepta du vin qu'il mélangea d'eau minérale, refusant de manger. Il sortait, disait-il, d'une réunion avec un comité nouvellement formé.

« Un comité important, vous vous en doutez. Créé pour discuter des pressions exorbitantes que l'Allemagne exerce sur la Roumanie en matière de nourriture. Et que fait le comité ? Il mange, boit et s'amuse. Il y avait un buffet haut comme ça... (il fit un geste qui indiquait une pile de victuailles plus grande que lui) : rôtis, dindes, langoustes, caviar ; une *débauche* de nourriture. Plus que les Allemands n'en ont vu depuis longtemps, vous pouvez me croire. (Il rit.) Je suis le conseiller économique du cabinet, expliqua-t-il. On m'a nommé au comité parce que chaque jour l'Allemagne demande davantage : plus de viande, plus de maïs, plus de café, plus d'huile de cuisson. Mais comment pouvons-nous produire tout ça ? Par magie ? Alors l'Allemagne nous dit : "Plantez du soja." On se regarde tous, perplexes : "Qu'est-ce que le soja ?" Personne n'en sait rien, mais il faut du soja à l'Allemagne. Tous les jours arrive une nouvelle demande, de plus en plus impérative. Le cabinet est nerveux. Il dit : "Allez chercher Klein." Vous voyez, je suis juif. Je n'ai aucun statut. Mais je comprends l'économie.

— Klein était un des meilleurs économistes d'Allemagne », commenta David.

Klein sourit en haussant les épaules, sans toutefois démentir. « Ce qui se passe ici est très amusant, poursuivit-il. On m'appelle donc à la rescousse. Je dis : "Produisez plus, consommez moins." Et que répondent-ils ? "*Ach, Klein !* Vous n'êtes qu'un juif. Que pouvez-vous comprendre de l'âme de notre chère patrie ? Dieu nous a tout donné. Nous sommes riches. Notre terre est féconde ; elle est inépuisable. Vous n'êtes qu'un pauvre petit juif ridicule." »

Il rit comme un gamin malicieux. Guy, charmé, rit avec lui. Négligeant son déjeuner, il voulut connaître les conditions de son départ d'Allemagne, deux ans auparavant, et de son arrivée en Roumanie.

L'histoire de Klein ressemblait à celle des autres émigrés juifs, sauf qu'il était resté en Allemagne plus longtemps que la plupart, du fait de sa réputation d'économiste brillant. Un ami allemand l'avait averti que son arrestation était imminente. Il avait quitté son appartement berlinois les mains vides, pris un train jusqu'à la frontière roumaine et, n'ayant pas eu le temps d'acheter un laissez-passer, avait, de nuit, traversé la frontière à pied. Il avait été pris et avait passé six mois dans la tristement célèbre prison de Bistrita, celle où Drucker était maintenant enfermé. Des amis avaient acheté sa mise en liberté.

« Mais je n'ai toujours pas de permis de travail. Je suis un immigrant clandestin. Si je cesse d'être utile, on me renvoie à Bistrita. » Il rit joyeusement à cette perspective.

David, observant l'intérêt avec lequel Guy questionnait Klein, souriait avec amusement, content d'avoir ménagé entre eux une rencontre si réussie. Harriet était loin de partager leur euphorie. Elle avait beaucoup entendu parler de David Boyd, que Guy considérait comme son meilleur ami. Maintenant qu'elle se trouvait face à lui, elle constatait leur goût commun et exclusif, à Guy et à lui, pour les abstractions, l'impersonnel. Que de mots, que de théories... Elle soupira. Elle se sentait un peu exclue, un peu jalouse. Comme s'il l'avait compris, Klein se tourna vers elle en souriant :

« Et vous, *doamna* Pringle ? Êtes-vous aussi de gauche, comme votre mari et David ?

— Non, répondit Harriet. Je livre le combat solitaire des réactionnaires. »

Guy, en riant pour ne pas que Klein se méprît, pressa la main de sa femme.

« Aimez-vous la Roumanie, *doamna* Pringle ? Intéressant ce qui se passe ici, non ? Et ça va l'être encore plus. Croyez-vous les Alliés capables de défendre ce pays ? Moi non. Les Roumains vont être obligés d'acheter les Allemands avec de plus en plus de nourriture — avec tellement de nourriture qu'il y aura une famine. Si vous restez, vous assisterez à la ruine d'un pays — révolution, occupation ennemie, et autres joyeusetés. (Il les regarda comme s'il leur offrait un avenir radieux.) J'ai dit au comité : "Écoutez, ce pays devrait produire deux cent mille charretées de blé par an. Or cette année, avec les travailleurs agricoles rappelés sous les drapeaux, nous n'en aurons que vingt mille, peut-être moins. Il faut les démobiliser d'urgence et les renvoyer à la terre, sinon, le peuple va crever de faim." Ils m'ont ri au nez : "Nous vous connaissons, Klein. Vous êtes de gauche. La gloire de la Grande Roumanie ne vous intéresse pas ; vous ne cherchez que le bien-être de sales paysans stupides. La Roumanie est riche, la Roumanie ne peut pas manquer de nourriture. Ici, vous jetez une graine au sol et le lendemain, vous avez du pain. Si nous manquons de blé, nous n'avons qu'à cesser d'en exporter." J'ai répondu : "Si vous faites cela, où trouverez-vous l'argent ?" Ils ont dit : "Il suffit de créer un nouvel impôt." J'ai demandé : "Que taxer qui ne le soit pas déjà ?" Ils ont répondu : "Ah, Klein, c'est à vous de trouver la réponse. Vous êtes économiste, non ? " »

Il rit de nouveau et posa sa main sur l'épaule de Harriet. « Écoutez, *doamna* Pringle : la Roumanie ressemble à celui qui, venant d'hériter une fortune inespérée, la dissipe de façon inepte et vulgaire. Vous connaissez l'histoire que les Roumains racontent sur eux-mêmes ? En créant le monde, Dieu découvre qu'il a trop richement doté la Roumanie. Elle a tout : forêts, rivières, montagnes, pétrole et un sol fertile qui produit bien des moissons. Ah, dit Dieu, c'est trop ! Alors, pour compenser, il peuple ce pays des gens les pires qu'il puisse trouver. Cela fait rire les Roumains. Pourtant, c'est une blague triste, car ce n'est que trop vrai », ajouta-t-il sans manifester le moindre signe de tristesse.

Ils avaient fini depuis longtemps leur déjeuner, et la plupart des clients avaient quitté le restaurant, mais leur tablée s'attardait, prête à y passer l'après-midi. Klein racontait des anecdotes sur sa vie en prison. Il donnait l'impression de s'y être immensément amusé.

« Ah, dit-il, c'était si intéressant ! *Vraiment* intéressant. Avec autant de monde entassé dans la même cellule, on n'a pas le temps de s'ennuyer : querelles, vengeances, scandales, il se passe toujours quelque chose. Beaucoup deviennent fous, là-bas. Quand ils crient, les gardiens les battent ; ou bien, comme je l'ai vu faire une fois, ils leur maintiennent la tête sous un oreiller de plumes pour les calmer. Oh, leur propre tête quand ils enlèvent l'oreiller et découvrent que si le type ne crie plus, c'est qu'il est mort ! (Klein rit.) Et les autres prisonniers, comme eux aussi ont trouvé ça drôle ! » Il évoqua en détail les horreurs du lieu, les haines et les violences entre détenus, les jeunes garçons violés qui, une fois corrompus, se vendaient pour quelques *lei*.

« C'est affreux, dit Harriet.

— Mais si intéressant ! » ajouta-t-il en riant une fois de plus.

Le maître d'hôtel finit par venir lui-même leur apporter une addition qu'ils n'avaient pas encore demandée. Guy invita David et Klein à venir prendre le thé chez lui mais ils refusèrent : ils voulaient aller au Minerva pour y avoir une conversation privée. David accepta de venir les retrouver dans la soirée. Harriet, plutôt soulagée, rentra à la maison seule avec Guy.

Une fois chez eux, il lui tendit une enveloppe cachetée sur laquelle figurait la mention « Top secret » : « C'est Sheppy qui nous les a données. Il a dit qu'il fallait les mettre en lieu sûr. J'ai peur de perdre la mienne. Trouve-lui une cachette. »

La plupart des tiroirs de l'appartement ne fermaient pas à clé. Harriet plaça l'enveloppe dans le compartiment secret d'un petit bureau en disant : « Je crois que c'est une bonne cachette. Après tout, nous vivons seuls. »

15

En sortant de sa réception avec les officiers polonais, Clarence passa chez les Pringle après le thé. Il entra en titubant, tenta de traverser le salon mais s'affala sur la chaise la plus proche. Despina, qui l'avait fait entrer, éclata de rire.

« Je veux me soûler, dit-il.

— C'est déjà fait, constata Harriet.

— Dites à Despina d'aller acheter de la bière, plein de bière.

— D'accord. Où est l'argent ?

— Ah, vous gâchez toujours tout ! » grommela-t-il. Il ferma les yeux.

Despina avait trouvé une excuse pour revenir dans la pièce et rire encore un bon coup. « Hé ! Despina, allez acheter de la bière. » Clarence lui tendit un billet de cent *lei*

« Ce n'est pas avec ça que vous vous soûlerez », lui fit remarquer Harriet.

Guy, qui lisait, leva le nez de son livre : « Cessez de vous disputer, vous deux. Tenez, Despina », dit-il en lui tendant un billet de cinq cents *lei*. Quand elle fut sortie, David arriva. Voyant Clarence affalé sur une chaise, les yeux fermés, il demanda :

« Que lui est-il arrivé ?

— Rien. Il est ivre. »

Despina revint avec un jeune garçon qui portait un tonneau de bière. Guy bondit de son siège et lança : « Faisons une fête. Je vais inviter des gens. » Il passa plusieurs coups de fil, en vain. Les uns n'étaient pas libres, d'autres n'avaient pas envie de sortir par ce froid, d'autres encore n'étaient pas là. Il revint vers ses amis et se versa un verre.

« Que s'est-il passé ici d'important depuis que la guerre a éclaté? s'enquit David.

— À part l'assassinat, rien.

— Que fais-tu des forces civiles du commandant Sheppy? s'écria soudain Clarence.

— Nous sommes censés nous taire à ce sujet, dit Guy, partagé entre son désir d'amuser David et sa discrétion.

— Boyd va s'y joindre, c'est sûr, énonça Clarence d'une voix pâteuse. Tout le monde en sera, sauf moi. Je lui ai dit que j'étais un pacifiste, et que, de plus, le British Council ne permettait pas à ses membres de participer à autre chose qu'aux activités culturelles. Vous savez ce qu'il m'a répondu? (Clarence se leva péniblement et, un doigt pointé en signe d'admonestation, tenta d'imiter Sheppy.) "C'est en tant que jeunes et robustes patriotes anglais que vous êtes convoqués ici. Vous devriez être dans le service actif, or, pour une raison ou une autre, vous n'y êtes pas. On vous demande en compensation de remplir une mission importante." Alors j'ai dit : "Je suis jeune et Anglais, mais pas robuste. Je suis faible des bronches." » Il retomba assis sur sa chaise en se marmottant quelque chose.

« Qui est ce Sheppy? demanda David à Guy.

— Un commandant qu'on a envoyé mettre sur pied une armée de civils.

— Que compte-t-il faire?

— C'est top secret.

— Avez-vous signé l'Official Secrets Act?

— Pas encore.

— Alors, pas la peine de vous inquiéter. De toute façon, il ne peut pas vous obliger à faire quoi que ce soit.

— Je le sais. Mais il a raison. Nous devrions être dans le service actif, alors il est normal que nous fassions notre possible pour aider.

— Raconte-moi ce qui s'est passé à la réunion », le pressa David.

Au point d'indiscrétion où ils en étaient, Guy laissa Clarence raconter à sa façon la séance à l'Athénée-Palace :

« Une carte était punaisée au mur. Sheppy demande : "Qu'avons-nous là? — Le Danube", répond un des jeunes ingénieurs du téléphone. "Exact, dit Sheppy. Maintenant, les gars, j'attends de vous une obéissance totale. Je ne peux pas vous révéler grand-chose, si ce n'est que nous sommes en train de former un groupe d'intervention pour frapper l'ennemi là où ça fait le plus mal : au ventre. Quatre cent mille tonnes de blé ont circulé sur le Danube l'année dernière de la Roumanie à l'Allemagne. Nous allons commencer à tout faire sauter. Premier objectif : les Portes de Fer. Souvenez-vous d'une chose : ce n'est pas de la rigolade. C'est l'aventure. On va bien se marrer et on a pensé à vous. Soyez prêts. Attendez les ordres. Rom-pez."

— Les Portes de Fer ? répéta David. J'espère qu'ils n'imaginent pas que ce sont de vraies portes ! Peut-être espèrent-ils, en faisant sauter l'écluse, libérer les rapides et bloquer une voie navigable non loin de la rive droite. Mais les Allemands pareraient rapidement à cet inconvénient. C'est pathétique ! » ricana-t-il.

Harriet, n'y tenant plus, s'écria d'un ton angoissé :

« Mais Guy serait nul dans ce genre de situation. Au lieu de faire sauter les Portes de Fer, il se ferait sauter lui-même. Quant à Clarence, je ne suis pas surprise qu'il se soit défilé... »

Se rappelant soudain la présence de sa femme, et surpris de son intervention, Guy lui dit :

« Chérie, tu ne dois pas répéter un mot de ce que tu as entendu ici à qui que ce soit. Promis ?

— Harriet est une salope, déclara doucement Clarence. (Il réfléchit.) J'aime les salopes. Au moins, avec elles, on sait où on en est. »

Harriet ne fit aucun commentaire mais elle se dit que, maintenant, elle savait ce que le jeune homme pensait d'elle. Une situation qui avait son charme — c'était comme si on vous offrait une personnalité de rechange. En même temps, en le voyant vautré là avec son sourire suffisant, elle avait envie de traverser la pièce et de le jeter à bas de sa chaise.

David dut percevoir quelque chose de son désir de meurtre car il déclara avec un sourire taquin : « Je suggère que nous fassions plutôt quelque chose d'utile : déculottons Clarence ! » Se levant, il s'avança furtivement vers celui-ci, animé d'intentions qui n'étaient pas simplement espiègles. Il jeta un regard de côté à Harriet, comprenant qu'il avait en elle une alliée pour maltraiter l'ami de Guy.

« Allez ! » encouragea-t-elle ce dernier, qui finit par se joindre à l'attaque. Clarence, les yeux toujours fermés, se balançait sur sa chaise. Il ne vit rien venir. Les apercevant soudain dressés sur lui, il perdit l'équilibre et tomba de son siège, sa tête heurtant durement le sol : « Faites ce que vous voulez. Ça m'est égal », déclara-t-il de sa voix pâteuse. Bien que ne rencontrant aucune résistance, David le cloua au sol avec une violence curieusement vindicative. Harriet se jeta sur lui et lui plaqua les épaules. Il fit un effort faible et presque idiot pour se dégager et leva une main, tentant de la repousser. Elle le mordit. Il hurla. Seul Guy semblait traiter toute l'affaire comme une plaisanterie.

David défit la ceinture de Clarence et entreprit de baisser son pantalon, œuvrant avec la concentration grave du bourreau. « Passe le froc sur ses chaussures », ordonna-t-il à Guy. Quand ce fut fait, David brandit victorieusement le pantalon de leur victime :

« Qu'en faisons-nous ?

— Jetons-le par la fenêtre ! » s'écria Harriet.

David sortit sur le balcon : « Voilà, c'est fait », dit-il à Clarence.

Celui-ci se leva lentement, sortit sur le balcon et vit son pantalon posé sur la balustrade. Il se rhabilla, traversa la pièce et sortit en fermant sans bruit la porte d'entrée. Il y eut un silence.

« Qu'est-ce qui nous a pris ? demanda enfin Harriet. Pourquoi avons-nous fait ça ? Nous nous sommes conduits comme de sales gosses. »

Revoyant Clarence quitter l'appartement sans un mot, sans un reproche, elle eut des remords. Il lui vint à l'idée qu'ils n'étaient pas assez adultes pour la vie qu'ils menaient.

« Clarence m'a dit un jour qu'il finissait toujours par laisser tomber ses amis. Qu'est-ce qui ne tourne pas rond chez lui ? reprit-elle.

— Quelqu'un devrait le démonter, réparer les pièces défectueuses puis le remonter pour qu'il fonctionne correctement, suggéra David sur un ton ironique.

— Je pourrais le faire si j'en avais le temps, remarqua Guy.

— C'est plutôt un travail pour Harriet, dit David en jetant à celle-ci un regard moqueur.

— Je n'en ai aucune envie », protesta-t-elle en rougissant.

Ils changèrent de sujet.

16

Le lendemain matin, une fois Guy parti, Harriet sortit l'enveloppe qu'il lui avait confiée et l'ouvrit en roulant un crayon sous le rabat. Elle contenait un dessin sur papier millimétré de ce qui lui sembla être un puits artésien, ou un puits de pétrole – elle n'en était pas sûre. Un truc à faire sauter, en tout cas. À un endroit précis du pipe-line, un trait rouge accompagné du mot « détonateur ». Le diagramme ne comportait aucune explication écrite. Refermant l'enveloppe, elle la remit dans le tiroir secret.

Elle n'entendit plus parler des forces spéciales pendant quelques semaines. Puis, un jour, Guy lui téléphona de l'université pour lui dire qu'il ne rentrerait pas dîner. Il avait une réunion.

« Pas avec Sheppy, j'espère ? demanda-t-elle.

— Si », admit Guy. Il s'empressa d'ajouter que Clarence avait offert d'inviter Harriet à dîner dans un nouveau restaurant, *Le Jardin*. Lui-même les retrouverait plus tard à l'*English Bar*.

Clarence passa prendre Harriet comme celle-ci écoutait les nouvelles. La ligne Mannerheim avait été prise, mais, excepté les combats qui faisaient rage entre Finlandais et Russes en Carélie, la guerre semblait être au point mort.

Clarence était manifestement mal à l'aise, seul avec Harriet. Celle-ci, prenant plaisir à son embarras, parlait avec animation, professant un optimisme que Clarence ne paraissait pas partager. Il ramassa le livre qu'elle était en train de lire : un roman de D.H. Lawrence, auteur que Guy avait mis à son programme ce trimestre-ci.

« *Kangourou*, lut-il tout haut avec mépris. Ces romanciers modernes ! Comment se fait-il qu'il n'y en ait pas un seul bon ? Ce truc, par exemple...

— Je ne qualifierais pas Lawrence de "moderne", dit Harriet.

— Vous voyez ce que je veux dire : tout ces dieux obscurs, ces conneries sur la toute-puissance du phallus, ce... ce fascisme. Insupportable ! »

Il jeta le livre en lui jetant un regard accusateur. Elle le ramassa.

« Je suggère que vous sautiez les passages relatifs à ces "conneries", comme vous dites, et que vous lisiez le reste simplement comme un brillant exercice de style. »

Elle lut à haute voix un des passages marqués par Guy, la description d'un coucher de soleil sur Manley Beach : « Les longs rouleaux verts du Pacifique... l'écume pâle comme de la lumière d'étoile... le miroitement d'une mer vert sombre teinté d'un rose fumée. »

« Pitié ! gémit Clarence. Toute la palette y passe. Un océan de mots mis bout à bout. N'importe qui pourrait le faire. »

Harriet relut le passage pour elle-même. Étrangement, il ne lui sembla plus aussi merveilleux qu'avant les persiflages de Clarence ; elle était tentée de lui en vouloir pour lui avoir gâché Lawrence. Elle lui lança d'un ton agressif :

« Et vous ? Avez-vous déjà essayé d'écrire ?

— Oui. Je voulais être écrivain. J'ai laissé tomber. Quel intérêt d'être un écrivaillon ? Si on n'a pas le talent d'un Tolstoï, d'un Flaubert ou d'un Stendhal, mieux vaut s'abstenir.

— Si tout le monde raisonnait comme vous, nous n'aurions plus grand-chose à lire, dit-elle sans conviction.

— Qu'y a-t-il à lire qui en vaille vraiment la peine ? Personnellement, je ne lis plus que des romans policiers.

— Et Virginia Woolf ?

— *Orlando* est à mon sens le pire roman du siècle.

— Vraiment ? Et *La Promenade au phare* ?

— Pas mal. Mais, franchement, je trouve son écriture diffuse, poisseuse, féminine... Une écriture qui a une odeur. Une odeur de menstruation. »

Frappée par l'originalité d'esprit de Clarence, elle le regarda avec un respect neuf.

« Et Somerset Maugham ? risqua-t-elle.

— Bon Dieu, *Harry*! s'écria-t-il, exaspéré. Il n'est qu'un journaliste de haut niveau. »

Personne n'avait jamais appelé Harriet *Harry*. Détestant ce diminutif, elle dit d'un ton sec : « On y va ? »

Le Jardin était le dernier restaurant en vogue. Il le resterait tant que son luxueux décor bleu argent, véritable provocation en ces temps de guerre, ne serait pas défraîchi. Son propriétaire avait fait preuve de hardiesse en n'optant pas pour les ors et les tapis rouges des autres restaurants et cafés. Il était situé sur un petit square au bout du boulevard Bràtianu. En entrant, elle remarqua à une table près de la porte l'habituel notable roumain, son chapeau sur la tête, s'empiffrant de gâteaux. En se faufilant entre les tables, elle comprit, aux regards qu'on leur jetait, que sa présence avec Clarence seul ne passait pas inaperçue. La femme d'un petit professeur en tête à tête avec un autre homme dans ce lieu qu'un petit professeur ne pouvait certainement pas s'offrir avec son traitement, à moins d'arrondir ses fins de mois en faisant un peu d'espionnage, disaient ces yeux...

Quand ils furent assis sur la banquette de velours bleu, Harriet revint sur les tentatives d'écriture avortées de Clarence. Combien de temps s'était-il accroché ? Qu'avait-il produit ? À quel éditeur avait-il soumis ses textes ? Toutes questions qui mettaient Clarence au supplice. Il répondait évasivement, finissant par admettre qu'il en était resté au plan d'un roman et à six pages de synopsis — extrêmement travaillées, à vrai dire. Il n'était pas allé plus loin. Il n'arrivait pas à visualiser les scènes, ne savait pas comment donner vie à ses personnages.

« Donc vous avez abandonné ? Qu'avez-vous fait, après ? » demanda Harriet. Clarence frisant la trentaine, il avait sûrement une carrière derrière lui.

« Je suis entré au British Council.

— Vous aviez des qualifications suffisantes ?

— Oh, largement ! »

On l'avait envoyé à Varsovie, où il avait passé deux ans. Il y avait rencontré une fille dont il était tombé amoureux. Mais elle n'avait pas voulu de lui. « Je n'oublierai jamais cette nuit le long de la Vistule prise par les glaces, la ville déserte, son visage que j'avais pris entre mes mains et tourné vers moi à la lueur d'un réverbère. J'étais amoureux pour la première fois. »

Harriet se dit que si Guy lui avait parlé de la Pologne, il n'aurait évoqué que les conditions socio-politico-économiques du pays. Clarence, lui, en avait ramené des souvenirs tendres et personnels. Elle le trouva soudain émouvant, et il lui devint sympathique.

« Je n'ai jamais eu les femmes que je voulais. Je n'aime que les salopes, et elles me maltraitent.

— Et Brenda, votre fiancée ?

— Oh, elle, c'est différent. C'est une fille bien, mais elle ne m'émeut pas. Elle est prête à m'attendre dix ans, s'il le faut.

— Où êtes-vous allé après la Pologne ?

— À Madrid. J'y étais quand la guerre civile a éclaté. On évacuait les Britanniques. J'ai sauté d'un camion en route pour Barcelone et me suis offert aux brigades internationales. Mais je suis tombé malade — je suis faible des bronches. On m'a alors chargé d'administrer un camp de réfugiés. J'ai accepté contre mon gré — une sorte de sacrifice de ma part. Je voulais me battre. »

Harriet laissa échapper un petit rire sceptique.

« Pas de salopes, sur place ? demanda-t-elle.

— Si, une. Superbe, en plus. Une Anglaise qui s'occupait d'enfants évacués. Elle faisait exactement ce qu'elle voulait. Elle couchait avec qui elle voulait. Même avec moi, ajouta-t-il en souriant.

— Ce n'est pas allé plus loin, j'imagine.

— Non. Elle était folle d'un Espagnol. Elle s'est fait ramener une robe du soir de Paris par un officier britannique qui, au retour, a donné une fête, pensant qu'elle danserait avec lui. Mais elle ne lui a pas jeté un seul regard. Toute la nuit, elle n'a dansé qu'avec son Espagnol. Une femme de caractère. »

Tandis qu'ils attendaient l'addition, Harriet lui dit :

« Vous vous plaisez à montrer les pires aspects de vous-même. Pourquoi ?

— On finit tous par être corrompus. Même Guy.

— En quoi Guy est-il corrompu ?

— Quand il ne vous connaissait pas, il n'avait rien. Pas de chambre à lui, pas même un placard. Il dormait chez les autres : sur leur canapé, ou par terre. Maintenant, il est environné de confort bourgeois. C'est votre faute.

— Il devait souhaiter être corrompu, autrement il ne se serait jamais marié. Un célibataire peut squatter le plancher de ses amis. Pas un couple. »

Clarence ne répondit pas. En quittant le restaurant, Harriet s'aperçut qu'il était passablement ivre. Elle lui proposa de laisser la voiture et de marcher jusqu'à l'*English Bar*, mais il insista pour conduire, ce qu'il fit très mal, en donnant de violents coups de frein. Ils pilèrent devant l'Athénée-Palace.

Guy, bien sûr, était en retard. Les journalistes — la poignée de ceux restés à Bucarest — occupaient toutes les cabines téléphoniques du hall.

« Je crois qu'il se passe quelque chose, dit Harriet.

— Ça m'étonnerait », répondit Clarence en commandant un cognac.

Yakimov se tenait seul au bar, un verre vide à la main. Harriet prit soin de ne pas rencontrer son regard, mais, l'observant du coin de l'œil, elle le trouva très changé : sa mise était négligée, il avait la goutte au nez, le teint cireux, et toute sa personne évoquait le délabrement général qui désigne les vaincus. Quand il s'approcha prudemment d'elle et lui dit : « Chère fille, quel plaisir de voir enfin une face humaine », elle le trouva si abject qu'elle n'eut pas le cœur de le snober.

« Que se passe-t-il ? lui demanda-t-elle froidement.

— Rien, que je sache, chère fille. Mais le sentiment antianglais gagne du terrain, ajouta-t-il d'un ton confidentiel en se penchant vers elle. En tant que correspondant de guerre, je suis bien placé pour m'en rendre compte. Les Roumains commencent à trouver que les Alliés sont trop loin.

— C'est maintenant qu'ils s'en aperçoivent ? »

Albu venait de poser sur le comptoir deux verres de cognac que Yakimov fixait avec des yeux nostalgiques. Clarence lui demanda avec une irritation résignée s'il voulait boire quelque chose. « Je ne dis pas non, cher garçon. Un whisky. » Son verre en main, il entreprit d'évoquer l'attitude « horrible » de ses amis Hadjimoscos, Horvath et Palu, qui avaient refusé de l'amener à une soirée sous prétexte qu'il n'était pas invité : « Comme si, dans ce pays, il fallait une invitation pour aller aux réceptions ! Je n'y vois qu'une seule explication : le sentiment antianglais. Pour changer de sujet, on m'a raconté ce matin une histoire amusante : hier soir, en sortant de chez *Capsa*, Foxy Leverett voit la Mercedes du ministre allemand garée devant. Il monte dans sa De Dion-Bouton, recule de quelques mètres pour prendre son élan, repart en marche avant, et fonce droit sur la limousine. Le choc est terrible. La police s'amène et Foxy lui dit : "Vous pouvez qualifier mon acte d'agression délibérée." »

Harriet fut soulagée de voir rentrer les journalistes : leur présence allait la délivrer de Yakimov. Elle demanda à Galpin s'il y avait du nouveau. Il opina, l'air sombre : « Je viens juste d'apprendre que la Hongrie mobilise. Les troupes allemandes sont en train de se déverser dans le pays. Nous avons passé la soirée à essayer en vain de joindre Budapest. La ligne est morte. On dirait que cette fois, nous y sommes. »

La peur serra le cœur de Harriet. Six mois après son arrivée en Roumanie, elle réagissait plus vivement à ce genre de nouvelles qu'elle ne l'eût fait au début. Elle demanda d'une petite voix :

« Mais les cols ne sont-ils pas bloqués par la neige ?

— Vous ne croyez tout de même pas que la neige peut faire obstacle au passage des tanks ?

— Les Roumains ont dit qu'ils se battraient comme des lions.

— Ne me faites pas rire ! Avez-vous déjà vu l'armée roumaine ? Une horde de paysans faméliques. Savez-vous à quoi vous allez assister ici ? À la montée de la cinquième colonne. Ce pays grouille de salopards de la cinquième colonne — et pas seulement les Allemands, mais des milliers de Roumains proallemands, ou à la solde des Allemands. Et puis il y a tous ces types qui traînent à la légation allemande. Vous ne croyez tout de même pas qu'ils sont ici pour leur santé ? Il y a deux gros établissements boches, ici, avec un véritable arsenal dans chacun. Nous sommes tous inscrits sur leurs listes, votre humble serviteur comme les autres. Ne vous y trompez pas : nous sommes assis sur une bombe. »

Harriet pâlit. Clarence lança à Galpin, d'une voix exagérément calme :

« Qu'êtes-vous en train de faire, Galpin ? Essayer de l'affoler ?

— Nous devons regarder les choses en face. Les femmes ne devraient pas être ici si elles en sont incapables. Pareil pour vous, les gars. Vous passez pour des espions. Vous avez toutes les chances du monde de vous réveiller une nuit avec un canon de fusil dans le ventre.

— Je me soucierai de cela le temps venu, rétorqua Clarence.

— Est-ce vrai que les Allemands ont envahi la Hongrie ? demanda Yakimov, les yeux ronds de surprise.

— Assez vrai pour que je câble la nouvelle à mon journal.

— Ce qui signifie que vous et les autres venez tout juste de l'inventer ? s'enquit Clarence.

— Pas du tout. Tenez, demandez à Screwby. Hé, Screws ! »

L'Australien confirma que Budapest ne répondait plus, et que quelque chose allait à coup sûr se produire dans la nuit. Harriet dit à Clarence qu'il leur fallait absolument retrouver Guy.

« D'abord, prenons encore un verre, répondit celui-ci.

— Oui, chère fille. Encore un ou deux. Je doute que nous en ayons l'occasion, dans ce bon vieux Dachau », renchérit Yakimov.

En sortant de l'hôtel, Harriet et Clarence croisèrent Gerda Hoffman. Une caricature de femme fatale, entourée d'une cour de congénères, tous d'excellente humeur. « Ils se félicitent de leur nouvelle victoire », pensa Harriet.

Ils cherchèrent Guy au *Doi Trandafiri*, puis dans l'ombre d'autres bars — en vain. Harriet était inquiète de sa disparition. Elle décida de rentrer l'attendre à la maison. En la déposant devant le Blocul Cazacu, Clarence lui dit : « Vous le trouverez sans doute là-haut. C'est lui qui doit vous attendre. » Mais l'appartement était sombre et silencieux. Elle était maintenant convaincue que Sheppy, ayant appris l'invasion de la Hongrie, avait entraîné Guy dans une opération de sabotage. Peut-être était-il blessé, ou entre les mains de la police, ou pire, entre celles de membres de la cinquième colonne. Peut-être ne le reverrait-elle jamais. Elle se blâmait de ne pas avoir téléphoné à Inchcape plus tôt dans la soirée pour lui demander son aide. Se précipitant au téléphone, elle composa son numéro. Il lui dit ne pas avoir vu son mari de la soirée.

« Le bruit court que l'Allemagne a envahi la Hongrie. Pensez-vous que ce soit vrai ? demanda-t-elle.

— Ce pourrait l'être. Ce qui ne signifie nullement qu'ils vont envahir la Roumanie. Au plan stratégique, la Hongrie est plus importante pour eux. Elle leur permet de renforcer le front de l'est. »

Harriet n'était pas d'humeur à l'écouter développer ses théories. Elle lui raconta tout : les plans de sabotage de Sheppy, les Portes de Fer, le puits de pétrole... Elle n'avait qu'une idée en tête : sauver Guy du désastre.

« C'était donc cela qu'il mijotait ? Ne vous inquiétez pas, ma chère enfant. Laissez-moi faire, voulez-vous ?

— Mais Guy ? Où est Guy ? s'écria-t-elle, frénétique.

— Oh, il va bien finir par rentrer », répondit-il impatiemment, trouvant secondaire la disparition d'un mari quand un Sheppy lui faisait l'affront de disposer de ses propres hommes.

Au moment où elle posait le récepteur, Harriet entendit la clé de Guy tourner dans la serrure. Il entra, le visage rougi de froid, et fut surpris de la trouver assise près du téléphone.

« Mon Dieu, mais où étais-tu ? Nous devions te retrouver à l'*English Bar*.

— J'y suis passé, mais vous n'y étiez pas. Alors j'ai raccompagné Dubedat jusqu'à la Dîmbovita.

— Pourquoi n'as-tu pas attendu ? Ne peux-tu pas m'attendre ne serait-ce que dix minutes ? Sais-tu que les troupes allemandes sont entrées en Hongrie ? Elles pourraient envahir la Roumanie cette nuit même.

— Je n'en crois pas un mot. D'où tiens-tu ça ? De Galpin ?

— Oui. Mais ça ne veut pas dire que c'est faux.

— Toutes ces rumeurs qui courent ne sont jamais fondées.

— Un jour ou l'autre, elles le seront. La drôle de guerre ne peut pas durer éternellement. Quelqu'un va se décider à bouger et nous serons pris au piège. Galpin dit que les membres de la cinquième colonne sont partout. Nous serons envoyés à Dachau. Nous ne serons plus jamais libres... nous ne rentrerons jamais chez nous... »

Elle s'effondra, en larmes, dans les bras de Guy.

« Ma pauvre chérie, dit-il, je ne me rendais pas compte que tu étais dans cet état de nerfs. » L'installant dans le fauteuil, il téléphona à la légation, où Leverett était de service. Il apprit de sa bouche que les rumeurs qui couraient n'avaient d'autre origine qu'une panne sur la ligne téléphonique avec Budapest — qui avait d'ailleurs été rétablie depuis. Foxy venait d'avoir Budapest : rien à signaler.

Tout en se déshabillant, Guy maugréait contre l'irresponsabilité des journalistes, prêts à tout pour faire un gros titre. Harriet, désormais rassurée, n'en déclara pas moins d'un ton passionné :

« Si les types de la cinquième colonne viennent te chercher, je les tue. *Je les tue !*

— Je t'en crois fort capable », répondit Guy avec indulgence, tout en ôtant sa chemise sans la déboutonner.

17

L'Europe occidentale connaissait un hiver d'une rigueur exceptionnelle. Les actualités cinématographiques montraient des enfants se livrant des batailles de boules de neige sous le portique de Hadrien. Les fleuves étaient gelés. Une adolescente patinait sur la Seine, sa jupe gracieusement évasée en corolle quand elle tournoyait. Les toits de Paris étaient tout blancs, et ses habitants circulaient avec des masques à gaz roulés dans des cylindres. Quand sonnait l'alerte, on les voyait se précipiter vers les bouches de métro. Dans les rues soudain désertées, la caméra s'arrêtait sur des voitures abandonnées. Puis on voyait les gens ressortir du métro en souriant, comme si tout cela n'était qu'une plaisanterie. (« C'en est peut-être une, pensa Yakimov. Peut-être cette guerre restera-t-elle dans l'histoire comme une guerre pour rire — une non-guerre. ») Il y eut ensuite un plan sur la cathédrale Saint-Paul, un boa blanc enroulé autour de ses flèches. Quand Chamberlain apparut brièvement, muni de son parapluie, des applaudissements éclatèrent dans la salle. La projection fut immédiatement interrompue, remplacée à l'écran par un avertissement précisant que toute manifestation, de quelque nature qu'elle fût, était interdite. L'assistance regarda la suite du film en silence.

Ces images rappelèrent à Yakimov, assis à l'une des places les moins chères, qu'il lui faudrait tôt ou tard retrouver les rues de Bucarest, ses trottoirs gelés qu'il sentait durement par les trous de ses semelles, et le vent qui lui râpait le visage comme du papier de verre.

Il avait échoué au cinéma après avoir été surpris couché à l'Athénée-Palace. Au début, il s'était débrouillé pour garder

dans cet hôtel non seulement une vie sociale, mais aussi un semblant de résidence. L'après-midi, après la fermeture du bar, peu
désireux d'entreprendre le long trajet jusque chez lui, il montait
aux étages et s'installait dans n'importe quelle chambre dont la
clé était sur la porte. Si elle comportait une salle de bains, il prenait un bain puis dormait tout l'après-midi. Quand le propriétaire légitime de la chambre rentrait, il feignait de s'être trompé
d'étage : « Ces chambres se ressemblent toutes. Celle de votre
pauvre Yaki est à l'étage en dessous. »

Mais les soupçons s'éveillèrent, et il finit par y avoir des
plaintes. L'un des concierges, sachant qu'il n'habitait plus
l'hôtel, le prit en flagrant délit. Le directeur, alerté, le prévint
que s'il recommençait, il serait tout bonnement interdit d'accès,
même au bar. Après cette algarade, on le trouva couché sur un
canapé d'un des salons, et il reçut un second avertissement. Il
tenta alors de dormir assis dans un fauteuil, mais les clients se
plaignirent d'être indisposés par ses ronflements, et les serveurs
le secouaient pour le réveiller.

Traqué (selon ses propres termes), renvoyé d'un côté à
l'autre comme une balle de ping-pong, il allait souvent se réfugier dans une salle de cinéma. Quand il n'avait pas d'argent
pour acheter un ticket, il marchait au hasard dans les rues afin
de se tenir éveillé.

Matin et soir, il se joignait à Hadjimoscos, Horvath et
Palu : un quatuor de mendiants plantés au bar en marge de tel
ou tel groupe qui attendaient qu'une bonne âme leur offrît un
verre. L'attente était parfois longue : le plus souvent, on leur
tournait le dos — quand on ne les insultait pas. Ils n'attendaient
rien d'habitués tels que Galpin ou Screwby, dont ils ne rece-
vaient rien. Ils fondaient plutôt leurs espoirs sur le client for-
tuit : l'un des ingénieurs anglais de Ploiesti ou l'Américain de
passage, la poche bourrée de *lei* échangés au marché noir contre
ses dollars. Quand ils se tenaient près de Galpin, celui-ci leur
criait : « Foutez-moi le camp », alors que tel ou tel journaliste
américain, joignant le geste à la parole, était enclin à dire : « On
peut bien se fendre d'un verre pour sacrifier à la couleur
locale. »

Yakimov était peiné de se retrouver sans un seul ami. Il ne
pouvait comprendre pourquoi ses trois compagnons d'infor-
tune roumains étaient « horribles » avec lui, pourquoi ils manifestaient à son encontre cette dérision haineuse. Concernant

Hadjimoscos, il se rappelait à vrai dire, avec une certaine gêne, l'épisode du dentier parti dans la cuvette des waters : un soir où, soûl, le Roumain avait vomi ses fausses dents, Yakimov, qui lui tenait le front, avait tiré la chasse. « Juste une petite plaisanterie, cher garçon », s'était-il défendu plus tard en lisant la colère qui brillait dans les petits yeux mongols et malveillants fixés sur lui. Mais dès lors, l'autre ne l'avait plus jamais amené à aucune réception, prenant le prétexte que Yakimov n'était pas invité.

Les trois Roumains semblaient également lui en vouloir de ce qu'il « payait » les boissons qu'on lui offrait avec des histoires amusantes : « Non seulement il vous assomme avec des plaisanteries éculées, mais il vous rabâche qu'il n'est pas celui qu'il semble être ! » disait Hadjimoscos avec ressentiment. Leur second chef d'accusation contre lui était autrement plus grave. Agacés des mystères que faisait Yakimov sur ses activités pseudo-journalistiques, ils avaient commencé à faire courir le bruit qu'il était un agent allemand. Cette rumeur était parvenue aux oreilles de Dobson, qui, à l'*English Bar*, avait pris Hadjimoscos entre quatre yeux : « L'histoire que vous colportez est très dangereuse pour Yaki », lui avait-il dit. Hadjimoscos, effrayé par le pouvoir de la légation britannique, avait protesté :

« Mais, *mon ami* *, le prince est un membre de quelque service secret — il ne s'en cache nullement Comment voulez-vous que je croie les Anglais capables d'employer un pareil imbécile ?

— Pourquoi dites-vous qu'il ne s'en cache pas ?

— Eh bien, il sort un bout de papier de sa poche, approche une allumette avec des doigts tremblants, le brûle, soupire de soulagement et dit en s'essuyant le front : "Grâce à Dieu, je m'en suis débarrassé." »

Yakimov fut convoqué à la légation, où Dobson lui rapporta sa conversation avec Hadjimoscos. Le prince, tremblant de terreur, gémit pathétiquement :

« Une simple plaisanterie, cher garçon. Une plaisanterie innocente !

— Certains se sont retrouvés en cabane pour moins que ça, lui répondit Dobson avec une sévérité inhabituelle. Cette histoire est arrivée aux oreilles de Woolley. Lui et d'autres hommes d'affaires anglais demandent que vous soyez arrêté sur-le-champ et envoyé au Moyen-Orient, d'où on vous expédiera dans les rangs.

— Cher garçon ! Vous ne feriez jamais cela à un vieil ami !

Le pauvre Yaki n'avait aucune intention malveillante. Il a seulement voulu s'amuser. »

Dobson lui prêta mille *lei* et lui promit d'arranger les choses avec Woolley.

Si Yakimov avait su manger modérément, il aurait pu subsister entre deux versements. Mais l'idée même de « subsister » lui était insupportable. Dès qu'il touchait son argent, il faisait un repas somptueux et, tout stuporeux de nourriture, retournait mendier à l'*English Bar* parce qu'il était fauché. Non qu'il méprisât les nourritures simples — il ne méprisait aucune nourriture. Quand il ne pouvait rien s'offrir d'autre, il allait à la Dîmbovita acheter ce qui constitue l'ordinaire des paysans : une solide platée de maïs. Mais la nourriture, la nourriture riche, était pour lui une obsession. Il en avait besoin comme d'autres ont besoin d'alcool, de tabac ou de drogue.

Il n'avait souvent pas même de quoi payer un ticket de tramway. Obligé de rentrer à pied chez lui par des rues sinistres pleines de miséreux qui, littéralement, mouraient de froid, il se disait que s'il pouvait reprendre possession de son Hispano-Suiza, la situation serait bien différente : il retrouverait son statut social. Tout ce qu'il lui fallait, c'étaient un visa de transit yougoslave et trente-cinq mille *lei*. Il devait forcément trouver quelqu'un susceptible de lui prêter cette somme. Naturellement, la voiture était un gouffre à essence. Mais le carburant était ici si bon marché que c'était jouable.

Sa chambre chez les Protopopescu était assez confortable malgré un infortuné problème de vermine qu'il eut à régler au début. Piqué de toute part, il avait allumé, vu ses draps infestés d'insectes noirs et sa peau délicate marquée de boursouflures. Malheureusement, au matin, ces dernières preuves de sa nuit agitée avaient disparu. Quand il alla se plaindre à sa propriétaire, celle-ci eut une réaction peu encourageante :

« Bunaises ? Quelles bunaises ? Pas possible bunaises, vous les avoir apportées avec vous.

— De l'Athénée-Palace ?

— Alors, vous avoir imaginations. »

Il avait payé son loyer d'avance et il n'avait plus un sou pour se loger ailleurs. Il n'avait donc d'autre choix que de souffrir. Il produisit du bout des doigts une ou deux de ces bestioles mortes à *doamna* Protopopescu qui le regarda avec mépris : « Où vous les avoir trouvées ? Dans taxi ? Dans café ? Partout il y en avoir, bunaises. »

Ulcéré aux deux sens du terme, il se présenta le lendemain avec un verre d'eau où flottait une dizaine de ces choses mortes. Il le tendit à sa propriétaire en claquant des talons. Elle l'examina, perplexe :

« Quoi être, ça ?

— Des punaises, chère fille.

— Des bunaises ! »

La vérité lui fut révélée en un éclair. Animée d'une rage qui n'était, Dieu merci, pas dirigée contre Yakimov, elle s'écria : « Ça, bunaises hongroises. Ah, les sales gens ! Ah, les voleurs dégoûtants ! » Il apparut qu'elle avait acheté le lit de Yakimov aux puces. Le vendeur, un Hongrois, lui avait juré qu'il était vierge de toute vermine et maintenant, que découvrait-elle ? « Des bunaises ! »

Doamna Protopopescu, les trois quarts du temps, avait l'indolence des personnes trop bien nourries. Mais le quart restant, elle témoignait d'une énergie féroce et totalement imprévisible qui trahissait ses origines paysannes et terrifiait Yakimov. Soulevant le lit et le posant sur le côté, elle examina les ressorts du sommier. Rien.

« Ah ! menaça-t-elle, elles se cacher. Mais pas résister longtemps ! »

Elle attacha au bout d'un tisonnier des chiffons qu'elle enflamma après les avoir plongés dans de la paraffine. Elle promena ce lance-flammes improvisé le long des ressorts en sifflant des imprécations.

Yakimov la regarda faire, impressionné. Cette nuit-là, il dormit en paix. L'incident les avait rapprochés. Il eut raison de l'étrangeté de leurs rapports — une étrangeté intensifiée par le fait que Yakimov devait traverser la chambre à coucher des Protopopescu pour se rendre aux toilettes.

Le couple avait probablement imaginé que son locataire ne prendrait qu'un bain ou deux par semaine, oubliant qu'il aurait des besoins plus naturels. Quand la bonne lui montra la première fois le chemin des toilettes, elle lui fit traverser la chambre des Protopopescu, encore au lit. L'épouse souleva de l'oreiller une tête ébouriffée au visage bouffi de sommeil, et le regarda passer dans un silence stupéfait. Par la suite, s'instaura le schéma suivant : on feignait de ne pas le voir à l'aller et on lui disait un mot aimable au retour, comme si on ne s'apercevait qu'alors de sa présence.

Doamna Protopopescu était souvent seule dans sa chambre. Elle passait la plus grande partie de la journée étendue sur son lit, vêtue d'un kimono. Pour le plus grand plaisir de Yakimov, elle faisait ce que sont censées faire la plupart des Orientales : elle mangeait des loukoums, fumait des cigarettes turques, buvait du café turc et se tirait inlassablement les cartes, prédisant d'heure en heure les événements de sa vie. Il s'arrêtait parfois pour l'observer, amusé de constater que si les cartes annonçaient un événement déplaisant, elle les brouillait aussitôt, en quête d'un avenir plus à son goût.

Elle entra dans son répertoire de caractères, alimentant son réservoir d'anecdotes à raconter à l'*English Bar*. Il rapporta qu'un jour, revenant des toilettes et s'attendant à être salué, il avait dit comme d'habitude : « Bonjour, *doamna* et *domnule* lieutenant Protopopescu », s'apercevant trop tard que, malgré l'uniforme, le corset et les bottes jetés par terre, l'homme couché dans le lit était beaucoup trop jeune pour être le mari. « Maintenant je suis prudent, conclut-il. Je me contente de dire : "Bonjour, *doamna* et *domnule* lieutenant." »

L'appartement, dont les fenêtres avaient été soigneusement calfeutrées pour l'hiver, sentait la cuisine et la sueur. La seconde dominait fortement dans la chambre à coucher de ses propriétaires ; pourtant Yakimov en était venu à s'accommoder de cette odeur, l'assimilant au confort du foyer.

Un jour qu'il s'était arrêté pour regarder sa logeuse se tirer les cartes, il risqua sur elle une petite plaisanterie. Sortant de sa poche une pièce d'un *leu* où, recto, figurait la tête du roi Carol et, verso, un gros épi de maïs triomphant, il la lui tendit côté épi : « Un portrait plus intime de votre Glorieuse Majesté Carol II. Vous, chère fille, contrairement à bien d'autres, ne pourrez peut-être pas en apprécier la ressemblance. »

Doamna Protopopescu prit immédiatement l'air figé avec lequel les bourgeoises roumaines accueillaient les inconvenances. Puis ses origines paysannes prirent le dessus. Avec un petit rire, elle fit à Yakimov un geste plutôt vulgaire qui signifiait « Allez vous coucher », et qui enhardit celui-ci à poser une fesse au bord de son lit. Lui jetant un regard rapide et calculateur, elle lui dit : « Parlez-moi de l'Ankleterre. Moi prononcer bien : Ankleterre ? »

Bien que Yakimov fût très nerveux en présence de sa propriétaire, une sorte d'amitié naquit entre eux. Quelques jours après son arrivée, il avait été réveillé en sursaut par un esclandre. L'ordonnance du lieutenant Protopopescu, appelé chez son supérieur pour y effectuer un quelconque travail, avait été surpris en train de voler une cigarette. *Doamna* Protopopescu le bourrait de coups de poing tandis que l'homme — un costaud — essayait de se protéger la tête de ses bras en criant : « Pitié, *conità*, ne me battez pas ! » Ergie, la bonne, éclata de rire en voyant le regard effaré de Yakimov. Le spectacle lui était familier.

Il ne pouvait s'habituer à ces altercations, pourtant fréquentes. Seul avec *doamna* Protopopescu, il observait, songeur, ses petites mains pleines de bagues dotées d'une force stupéfiante.

Tout d'abord, la chambre de sa logeuse lui apparut comme un refuge en comparaison de l'*English Bar*, où il était forcé de passer des heures debout, tenaillé par la faim et la soif, et souvent fatigué. Dans la chambre de *doamna* Protopopescu, il pouvait s'asseoir et, en fixant avec une obstination de chien affamé tout ce qu'elle portait à la bouche, obtenir d'elle un loukoum, une tasse de café, un verre de *tuicà* et même, mais rarement, un repas. *Doamna* Protopopescu n'était pas généreuse. Le peu qui lui était concédé, Yakimov devait le payer par une heure ou plus de ce qu'elle appelait « conversation anglaise ».

Il n'avait aucune objection à discuter avec elle à bâtons rompus. En revanche, il trouvait intolérable de devoir relever ses erreurs de grammaire et de prononciation et de se donner le mal de les corriger. S'il était trop indulgent, il éveillait ses soupçons ; elle le laissait alors parler des heures sans lui accorder la moindre récompense. Or son accent était si épouvantable qu'il ne voyait aucun espoir de l'amender. Elle n'avait aucune oreille. Quand elle répétait un mot après lui, il recevait un vague écho de sa propre voix, traînante et cultivée. Mais elle rechutait aussitôt irrémédiablement. Comme nombre d'autres bourgeois roumains, sa seconde langue était l'allemand. « Une de mes relations affirme que l'anglais est un bas dialecte allemand. Depuis que je connais *doamna* P., j'en suis venu à le croire », gémissait Yakimov au bar.

Ses activités pédagogiques finirent par devenir pour Yakimov une telle corvée que les petites compensations qui lui étaient attachées avaient perdu tout leur charme. Il se disait tristement que la tâche qu'il devait accomplir pour survivre était au-dessus de ses forces. La survie n'était-elle pourtant pas un des droits de l'homme ?

Fort heureusement, on n'exigeait rien de plus de lui que des cours d'anglais.

Le kimono de *doamna* Protopopescu, en rayonne noire semée de chrysanthèmes flamboyants, était graisseux et impré-gné de l'odeur du corps qu'il recouvrait. Parfois, un gros sein blanc s'en échappant, sa propriétaire le rentrait avec une indif-férence née de l'habitude. Il était évident — grâce à Dieu ! — qu'elle ne considérait pas Yakimov comme un homme. « La chère fille ne vit que pour le repos du guerrier », admettait-il de bonne grâce à l'*English Bar*. Elle lui avait confié que son mari était impuissant, ajoutant qu'en Roumanie tous les hommes, insatiables dans leur jeunesse, devenaient impuissants à trente ans. Elle n'avait jamais fait allusion à ses aventures extra-conjugales, mais avait tenu à préciser que cela ne se faisait pas d'avoir plus d'un amant à la fois.

Comme la plupart des Roumains, elle exprimait du mépris pour les paysans et les juifs, et ne cessait de les vitupérer.

« Ah, ces paysans ! Pas mieux que bêtes, ils sont.

— On fait si peu pour eux, objecta Yakimov, usant de la formule anglaise homologuée.

— C'est vrai, admit-elle, magnanime. Prêtre, lui devrait faire travail, mais lui rien faire. Lui taureau du village. Femmes pas oser refuser à lui. Mais si lui pas être comme ça, eux être autrement ? Je doute. C'est nature eux être lie, partout dans le monde.

— Oh, je ne sais pas. Certains d'entre eux sont très gentils.

— *Gentils !* »

Elle accompagna ce mot d'un regard si furieux que Yaki-mov recula, craignant qu'elle ne le frappe.

Quant aux juifs, à en croire *doamna* Protopopescu, ils étaient responsables de tous les maux de la terre : la guerre, l'augmentation des prix, la pénurie d'artisans et la stagnation de la mode française.

Pensant que l'humour était la meilleure arme contre les préjugés, Yakimov lui dit :

« Ah, chère fille, quel dommage que vous ne soyez jamais allée à la chasse avec mon cher vieil ami, le comte Horvath : il avait le meilleur tireur de juifs de toute la Hongrie.

— Alors, en Hongrie, eux tuer juifs ? s'exclama-t-elle, admirative. Ici non. Toujours pareil : Roumains trop doux.

— Mais, chère fille, les Hongrois ne tuent pas les juifs. Je plaisantais, précisa Yakimov, déconcerté.

— Une plaisanterie, hein ? »

D'un air dégoûté, elle enfourna un énorme loukoum qui laissa une moustache adolfienne sur sa petite bouche avide.

Yakimov attendit plusieurs semaines avant de s'aventurer à la cuisine. Il osa le faire, une nuit où il rentrait à jeun dans l'appartement silencieux : il ouvrit la porte et alluma. Des milliers de cafards, de cancrelats et autres insectes indigènes s'égaillèrent frénétiquement. Il se dirigeait sur la pointe des pieds vers un placard quand il entendit bouger. Il vit Ergie et sa fille étendues sur une paillasse coincée entre le fourneau et l'évier. Ergie avait dressé la tête.

« Juste un peu d'eau, chère fille », chuchota-t-il. Et, remplissant un verre, il fut forcé d'avaler ce breuvage démoralisant avant d'aller se coucher, le ventre vide.

18

Quelques jours après que Harriet eut parlé à Inchcape des plans de sabotage de Sheppy, les Pringle eurent leur première querelle. Soulagée que Guy fût rentré sain et sauf à la maison, Harriet avait tout oublié de l'incident. Elle fut aussi surprise que lui quand, un matin, elle vit entrer Inchcape, qui lança à Guy avec un rire de triomphe : « Je quitte tout juste votre ami le commandant Sheppy. J'ai remis les choses en place en l'informant qu'il n'a aucun droit sur mes hommes. »

Guy, sans répondre, regarda Harriet. Harriet regarda par la fenêtre.

Inchcape, qui s'amusait, poursuivit : « Nous avons le droit de vivre et de travailler ici à condition de nous tenir tranquilles. Je comprends que vous ayez envie d'avoir des activités plus stimulantes que l'enseignement, mais la situation l'interdit. Que cela vous plaise ou non vous êtes exempté du service militaire. Vous êtes ici pour obéir aux ordres. *Mes* ordres. »

Guy se taisait toujours. Prenant la bouteille de *tuicà*, il entreprit de chercher des verres. Inchcape l'arrêta d'un geste : « Pas pour moi », dit-il. Guy remit la bouteille en place. Inchcape reprit : « Si vous voulez vous rendre utile à la légation en faisant un peu de travail de bureau — décodage ou autre —, pas d'objection. Clarence a ses Polonais : *aucune* objection. Le gouvernement de Sa Majesté a décidé que notre boulot était ici, et que nous devions le faire aussi longtemps qu'il était humainement possible. Je suis prêt à parier que votre Sheppy sera jeté sous peu hors du pays. Vous ne le reverrez plus. Je m'en suis chargé. »

Il mit son chapeau et se retira avec grâce.

Guy jeta à Harriet un second regard interrogateur. « Oui, admit-elle. Je lui ai tout raconté la nuit où tu étais avec Dubedat. Je croyais que Sheppy t'avait embarqué dans une de ses expéditions. J'avais peur pour toi. »

Guy, toujours silencieux, alla dans le hall prendre son manteau. Il ouvrit la porte :

« Je suis pressé, dit-il.

— Mais n'allons-nous pas nous promener dans le parc? demanda Harriet, blessée par sa froideur.

— Pas le temps. Une réunion avec les étudiants. Je retrouve David au *Doi Trandafiri* à une heure. Tu peux nous y rejoindre, si tu veux. »

Après son départ, Harriet, en quête de consolation, prit dans ses bras le petit chaton roux qu'elle avait recueilli après l'avoir trouvé errant dans un terrain vague. Il était devenu son bébé, son alter ego. Il ne se laissait prendre par personne d'autre qu'elle. Guy en avait peur, et le chaton le sentait : à son contact, il se transformait en une furieuse petite pelote d'épingles et le mordait sauvagement. Quand il lisait, le chat grimpait sur le dos de son fauteuil et, toutes griffes dehors, atterrissait dans ses cheveux, auxquels il s'agrippait, miaulant ensuite désespérément pour que Harriet vînt le tirer de là. Despina avait promis aux Pringle que s'ils étaient obligés de quitter la Roumanie, elle prendrait soin de la petite bête.

Harriet retourna à la fenêtre et contempla le palais couronné de neige. Elle éprouvait un sentiment d'abandon nouveau pour elle. Embrassant le chaton, elle lui déclara avec passion : « Je t'aime. Parce que tu es sauvage. Parce que tu es chaud. Parce que tu es vivant. » Et, bien sûr, parce que Guy s'était retourné contre elle.

Repensant au rendez-vous au *Doi Trandafiri*, elle se dit que David y viendrait avec Klein, à qui Guy avait demandé de se renseigner sur la disparition de Sacha Drucker. À l'inverse d'elle, qui s'était résignée à la chose, il n'avait jamais laissé tomber. Il était d'une absolue fidélité à ses amis... et d'une indifférence totale à son égard. Il n'avait aucun besoin d'elle. Elle n'avait que son chat. Se sentant d'humeur frondeuse, elle décida d'appeler Clarence à la légation.

« Je devais aller me promener dans le parc avec Guy, mais il a une réunion. Voulez-vous venir avec moi?

— Volontiers », dit Clarence.

Manifestement heureux de trouver une excuse pour quitter son bureau, il vint aussitôt la prendre en voiture. Ils se garèrent devant le Cismigiu.

Malgré la neige, le printemps était déjà dans l'air. Harriet oublia aussitôt sa querelle avec Guy. Comme ils traversaient le pont, elle se pencha sur la rambarde pour regarder la fontaine encore prise par les glaces.

« C'est merveilleux. Tout est merveilleux. Je veux... Je voudrais être... commença-t-elle.

— ... être ce que vous n'êtes pas ?

— Non. Ce que je suis. Ce "je" masqué par ma sottise féminine. En un sens, je crois que je suis aussi ridicule que Sophie et Bella.

— Probablement. Toutes les femmes sont ainsi, et c'est ainsi qu'on les aime, dit-il en riant.

— Vous, peut-être. Mais n'imaginez pas que j'existe pour exalter votre sentiment de supériorité. J'existe pour satisfaire les exigences que j'ai vis-à-vis de moi-même. Je place la barre plus haut que vous. Si vous ne m'aimez pas telle que je suis, tant pis pour vous.

— Tant pis pour *vous*, la reprit Clarence sans se démonter. Toutes les femmes veulent être aimées. C'est pourquoi elles ne peuvent jamais être elles-mêmes.

— Pas plus que vous, mon pauvre Clarence.

— Peut-être. Mais il y a des choses qui vous marquent à vie.

— Quoi, par exemple ?

— Votre enfance. »

Sentant qu'il voulait qu'elle le questionne, elle lui demanda, un peu à contrecœur :

« Quelle sorte d'enfance avez-vous eue ?

— Oh, une enfance parfaitement ordinaire. Mon père était pasteur. C'était un sadique, ajouta-t-il après une pause.

— Parlez-vous sérieusement ? »

Harriet eut envie de lui dire : « Pensez à autre chose. Et surtout, parlez d'autre chose. » Mais, bien sûr, c'était de cela qu'il voulait parler. Elle sentit qu'il allait lui faire une confidence pénible.

« Il y a eu pire que mon père : l'école, celle qu'il avait choisie pour moi car le directeur croyait en la vertu des châtiments corporels. À sept ans, j'ai commencé à être battu, systématiquement, pour tout, notamment pour avoir tenté de m'enfuir. Sauvagement battu. Puis j'ai appris à dissimuler mes émotions, à faire bonne figure. Mais au fin fond, j'étais foutu. »

Chez lui, auprès d'une mère pourtant aimante, il n'avait pas trouvé de refuge. Elle le plaignait, mais elle craignait encore plus son mari que Clarence ne craignait son père. Elle était morte quand il n'avait que dix ans. Il s'était senti trahi, abandonné.

« Et vos camarades de classe ? Vous vous entendiez bien avec eux ?

— C'était le genre d'école où on brutalisait les garçons. La brutalité était une tradition transmise par les maîtres », répondit-il indirectement en haussant les épaules.

Ils approchaient de la Calea Victoriei. Après cette conversation, Harriet se sentait de nouveau déprimée. Bien que n'ayant pas vécu les mêmes expériences que Clarence, elle comprenait son désespoir et se sentait désagréablement proche de lui : tous deux attendaient la rédemption ; les confidences de Clarence la maintenaient dans des limbes dont elle voulait s'échapper. Instinctivement, elle s'écarta de lui. Sans remarquer son mouvement de recul, il poursuivit : « J'ai besoin d'une femme forte. Une femme cruelle qui n'a pas peur de se montrer telle qu'elle est. »

Il la croyait donc cette sorte de femme ? Elle ne tenta pas de le détromper. Elle savait pourtant qu'elle n'était pas forte, qu'elle n'avait aucune vocation de prendre en charge un homme brisé. Aux portes du Cismigiu, elle lui dit qu'elle devait retrouver Guy au *Doi Trandafiri*. Voulait-il venir ?

Le café était bondé mais, naturellement, Guy n'y était pas. Ils attendirent un bon moment debout qu'une table se libère. À peine étaient-ils assis que David Boyd entra avec Klein. Guy, les suivant de peu, demanda à ce dernier ce qu'il avait découvert à propos des Drucker.

« Pas grand-chose. Il semble que Sacha ait été pris aussi.

— Vous voulez dire qu'il a été arrêté ?

— On ne peut pas dire cela. (Le visage de Klein se plissa d'amusement.) N'oubliez pas que ce pays est civilisé. Ils n'avaient aucune charge contre le jeune garçon. En tout cas, il n'est pas en prison. S'il l'était, je l'aurais découvert. On ne peut pas escamoter totalement un prisonnier.

— Peut-être est-il mort ? dit Harriet.

— On ne se débarrasse pas aussi facilement d'un corps. Les gens parlent. Le secret est difficile à garder. De plus, pourquoi auraient-ils tué un adolescent ? Ce ne sont pas des monstres. Ils ne tueraient pas sans raison. Tout ce que je peux dire c'est qu'il a disparu depuis l'arrestation de son père. J'ai quand même découvert quelque chose d'intéressant. De très intéressant ! L'argent que Drucker a placé en Suisse — une grosse somme — est au nom de Sacha. Je pense donc qu'il est vivant. Les banquiers suisses ne lâcheront jamais l'argent : même le roi n'est pas en mesure de l'exiger. Seul le jeune Drucker, ou l'un de ses héritiers légaux, peut le retirer. C'est quelqu'un d'important.

— Je le crois volontiers, acquiesça David. Peut-être le détient-on quelque part dans le but de le persuader de signer un pouvoir ?

— Nous ne sommes pas au Moyen Age. La situation doit être très délicate pour notre cabinet. Il n'est qu'un jeune homme innocent ; aucune charge ne peut être retenue contre lui. Le garder sans motif valable ? Impossible. Trop peu occidental ! Et pourtant, un jeune homme de son importance... Comment pourraient-ils se permettre de le laisser quitter le pays ? »

Le dilemme devant lequel étaient placées les autorités roumaines semblait beaucoup amuser Klein. Guy fronça les sourcils, perplexe.

« Mais qu'ont-ils bien pu lui faire ? demanda-t-il à la cantonade d'une voix angoissée.

— Pourquoi vous soucier de ces Drucker ? demanda Klein en écarquillant ses yeux clairs. Ils ont gagné beaucoup d'argent. Illégalement. Ils ont bien vécu. Maintenant, certes, leur situation est moins confortable. Mais est-ce une raison pour pleurer ?

— Sacha était un de mes élèves. Les Drucker m'ont toujours traité avec bonté. Ils étaient mes amis. »

Klein le regarda d'un air moqueur : « Dites-moi, comment arrivez-vous à concilier cette amitié avec vos idées sur la haute finance internationale ? »

David Boyd ricana, dévisageant Guy avec un sourire ironique. Son ami était coincé : qu'allait-il bien pouvoir répondre ? Mais Klein sauva la mise à Guy en abordant le problème plus spécifique de la politique intérieure roumaine.

« Le roi a décidé d'amnistier les gardistes », déclara-t-il.

David et Guy furent stupéfaits par cette nouvelle. La presse n'en avait rien laissé filtrer.

« L'amnistie est déjà signée, mais ce n'est pas encore officiel. Vous en entendrez parler demain ou après-demain, ajouta Klein à voix basse.

— Mais pourquoi amnistier la Garde de Fer ? s'enquit David.

— Ah, c'est très intéressant ! La guerre est terminée en Finlande. Les Russes peuvent désormais à tout moment tenter une avance ailleurs. Et où, hein ? Le cabinet est très nerveux. Qui pourrait-il appeler à l'aide ? Les Alliés défendraient-ils la Roumanie contre les Russes ? Et, le voudraient-ils, en auraient-ils les moyens ? Mais l'Allemagne, l'Allemagne, elle, le pourrait. À supposer que la Roumanie fût prête à y mettre le prix. Question du cabinet : "Quel prix ?" Réponse : "D'abord, l'amnistie de la Garde de Fer." Comme tout le monde, vous croyez peut-être la Garde de Fer démantelée. Il n'en est rien. Les gardistes sont partout, mais ils se cachent. Beaucoup sont en Allemagne, où ils se sont réfugiés en 1938, après l'exécution de Codreanu et de ses légionnaires. L'Allemagne les a accueillis à bras ouverts. Elle les a entraînés, les a formés dans les camps de concentration. Ils sont devenus plus nazis que les nazis. Les Allemands souhaitent leur retour chez eux, car ils y seront utiles.

— Mais personne ici ne veut du fascisme, objecta Clarence. La Roumanie est toujours probritannique. Cela provoquerait un tollé général, peut-être même une insurrection.

— Si elle n'avait rien à y perdre, la majorité choisirait un gouvernement libéral. Mais sa crainte de la Russie l'emporte sur son amour pour l'Angleterre.

— Depuis un an, je ne cesse d'avertir la légation que si nous ne changeons pas de politique, nous perdrons le pays, dit David.

— À ce stade, croyez-vous qu'un changement de politique ferait une différence ? lui demanda Clarence d'un ton boudeur.

— Plus maintenant, dit David. C'est trop tard. Mais ce n'est pas une raison pour faire le jeu des Allemands. Nous soutenons une dictature haïe. Nous snobons les dirigeants paysans. Nous fermons les yeux sur l'éradication de l'extrême gauche et l'emprisonnement de ses chefs. Nous appuyons l'une des pires entreprises d'exploitation de l'homme par l'homme d'Europe. Nous approuvons la suppression des minorités — une suppression qui, à la première occasion, conduira inévitablement au démantèlement de la Grande Roumanie.

— Peut-être cette occasion ne se présentera-t-elle pas ?

— Peut-être pas. Cela dépend de la conduite de la guerre, qui ne peut pas rester éternellement au point mort. Les choses vont bouger. Et je ne crois pas à la trêve. Si les Alliés pouvaient enfoncer la ligne Siegfried et entrer en Allemagne, ils pourraient, sans trop de dommages pour les intérêts britanniques, poursuivre ici indéfiniment la même politique. Mais au premier signe d'une victoire allemande, le fort anticommunisme qui règne dans ce pays se retournerait contre nous.

— Espérez-vous nous voir soutenir les communistes ? demanda Clarence.

— Certainement pas. Mais je déplore que, lorsque nous le pouvions encore, nous n'ayons pas aidé à instaurer une politique libérale qui aurait sauvé ce pays de l'extrémisme — de gauche ou de droite.

— Il me semble que vous avez une vue trop pessimiste de la situation, dit Clarence.

— Vous, en tout cas, me semblez avoir une vue très proche de celle de Son Excellence. Ce nullard qualifie mes rapports d' "alarmistes". Il les range dans un tiroir et les oublie aussitôt », répondit David en regardant Clarence avec une pitié amusée. « Gentil garçon. Dommage qu'il ait ce côté intellectuel-mal-dégrossi », signifiait ce regard.

QUATRIÈME PARTIE

La chute de Troie

19

L'annonce de l'amnistie de la Garde de Fer coïncida avec le dégel. Le déluge fit couler beaucoup plus d'encre que l'événement politique. Ce dernier, loin de déclencher l'insurrection attendue par Clarence, ne donna lieu qu'à un simple remaniement du cabinet. Parmi les ministres récemment nommés figurait Horia Sima, le chef des gardistes. Le roi affirma aux Alliés que cette amnistie n'avait aucune signification particulière, et qu'ils n'avaient rien à craindre. De nouvelles blagues circulèrent dans les cafés. Les Roumains semblaient désormais prêts à tout.

Le dégel, en revanche, fut toute une affaire. La neige fondait en cascadant des avant-toits et des balcons. La ville entière dégoulinait sous un ciel plombé. La presque totalité de ses habitants vivait sous des parapluies. La glace qui couvrait les rues et les trottoirs commença à céder, les passants s'enfonçaient brusquement dans la gadoue, et la partie non immergée de leur personne était éclaboussée par les voitures.

Un malheur ne venant jamais seul, le ciel s'assombrit, se fit encore plus bas, pour finalement se rompre sous son propre poids : la pluie se mit à tomber à torrents. Des villages entiers furent emportés en une seule nuit par les rivières en crue. Des paysans conscrits, qui avaient demandé une permission pour venir en aide à leurs familles, erraient lamentablement, en quête de ce qui avait jadis été leurs maisons, ne trouvant à la place que des lacs où flottaient des débris. Les survivants de ces familles vinrent à la ville remplacer les mendiants que l'hiver avait tués.

Le traité de paix avec la Finlande fut signé : les Russes étaient prêts pour de nouvelles aventures. Les citoyens de Bucarest, entassés dans les cafés d'où ils regardaient tomber la pluie,

répandaient des rumeurs d'invasion : un avion de reconnaissance avait repéré des troupes traversant le Dniestr ; des flots de
réfugiés tentaient de gagner le Prut ; des troupes russes avaient
commis, à l'encontre des minorités roumaines et allemandes,
des atrocités décrites par le menu. Tout le monde allait se coucher le cœur serré d'angoisse pour retrouver au matin un monde
inchangé. On démentait alors les rumeurs de la veille pour les
propager derechef le lendemain.

Ce fut à cette époque qu'arriva à Bucarest un professeur
d'anglais nommé Toby Lush. Il déclara que toute la Bessarabie
était en effervescence : on y attendait les Russes la nuit même.

Au début, les Pringle et Clarence croyaient Lush un transfuge de l'université de Iasi. Ils plaignaient les Anglais en poste
dans les villes frontalières, sachant ce qui était arrivé à un professeur du British Council en Slovénie. Une voiture de
patrouille allemande l'avait un soir ramassé dans une rue de
Ljubljana et conduit de l'autre côté de la frontière autrichienne ;
depuis, personne n'en avait plus entendu parler. Mais il se
trouva que Lush venait de Cluj, non de Iasi. Pensant être plus
en sécurité dans la capitale, il y avait passé une quinzaine.
Quand il devint évident qu'aucun ennemi n'avait violé les frontières, il se sentit obligé de regagner son poste.

Un matin avant Pâques, alors que les premiers bourgeons
pointaient sur les branches des châtaigniers et que les flaques
miroitaient au soleil, Yakimov se tenait devant la vitre d'un
petit restaurant de la Calea Victoriei. Il était bien trop intéressé
par ce qui se passait à l'intérieur pour être sensible aux frémisse-
ments du printemps ou aux sollicitations de Tziganes aux
paniers remplis de perce-neige, de jacinthes, de jonquilles et de
mimosa. L'une d'elles lui prit le bras, l'obligea à se retourner et
lui dit d'un ton fervent : « *Bunà dimineatà, domnule.* » Il lui sourit en murmurant un vague : « Bonjour, chère fille », avant de
s'absorber de nouveau dans sa contemplation des steaks crus et
des côtes de porc exposés dans la vitrine.

Il était sans chapeau et ses cheveux blonds et fins, qui
avaient grand besoin d'être coupés, volaient au vent froid de
mars. Ses chaussures étaient trempées, l'ourlet de sa pelisse, en
partie décousu, pendait sur ses talons. Il avait un gros rhume.
Mais tout cela n'était rien comparé à la faim qui le tenaillait.

Guy, qui rentrait chez lui, le vit et s'arrêta pour lui parler.

Yakimov fit un effort pour s'arracher aux côtelettes et prendre un air normal.

« Content de vous rencontrer, cher garçon, dit-il d'une voix rauque.

— Vous n'êtes pas bien ? s'inquiéta Guy.

— Un peu de grippe. » Il tenta de se moucher sans enlever son gant. Le contact du cuir mouillé et cartonné sur ses narines enflammées lui fit monter une larme aux yeux.

« Avez-vous des projets pour le déjeuner ? lui demanda Guy.

— Non, cher garçon. Aucun. »

La perspective d'un repas émut si fort Yakimov qu'une autre larme, venue du cœur cette fois, coula le long de son nez. Il gémit en reniflant :

« Sans mentir, on m'a drôlement laissé tomber. Devais déjeuner avec mon vieil ami Hadjimoscos mais, apparemment, il a été rappelé sur ses terres.

— Sans blague ! Ce type possède des terres ?

— Très hypothéquées, bien sûr. »

Les propriétés, hypothéquées ou non, étant hors du sujet, Yakimov revint à l'important :

« Me trouve présentement un peu gêné, cher garçon. Retard dans mon versement, voyez-vous. Me demandais justement comment j'allais me sustenter.

— Venez donc partager notre déjeuner.

— Avec plaisir ! »

Yakimov ne se souciait plus de faire bonne figure. Il trébucha et dut se raccrocher au bras de Guy. Tandis qu'ils se dirigeaient tous deux vers la grand-place, il déversa ses souffrances sur son interlocuteur compatissant :

« Votre pauvre Yaki est dans une mauvaise passe. Jeté dehors par sa propriétaire. Une femme terrible ! Elle a gardé toutes mes affaires.

— Elle n'a pas le droit, s'écria Guy d'un ton indigné. À moins que vous lui deviez de l'argent, se ravisa-t-il.

— Juste quelques *lei*, cher garçon. Une broutille. Non, je dois mes ennuis à un os de jambon qui traînait par là. J'avais une petite faim et elle m'a surpris l'os à la main. Vous savez le peu de chair qu'il y a sur un os : tout juste une bouchée... mais elle s'est mise en rage. Elle m'a bourré de coups de poing et de coups de pied en hurlant comme une forcenée. Puis elle a ouvert

la porte et m'a poussé dehors. Jamais rien vu de pareil, cher garçon. »

Il frissonna au rappel de cette terrible expérience.

« Il vous reste votre pelisse, dit Guy.

— Par chance, je l'avais sur moi. C'était la nuit dernière. Je
venais tout juste de rentrer. (Il toucha le vêtement avec amour.)
Vous ai-je dit que c'était le tzar qui l'avait offerte à mon pauvre
vieux papa ?

— Oui. Où habitez-vous, maintenant ?

— Nulle part. J'ai arpenté les rues toute la nuit. Comme un
vagabond. »

Quand Guy entra accompagné de Yakimov, Harriet, sans
un mot, partit s'enfermer dans sa chambre en claquant la porte.
Guy l'y suivit.

« Je t'avais dit que je ne voulais pas de cet homme chez
moi, lui lança-t-elle avec colère.

— Chérie, il est malade. Il a faim. Sa propriétaire l'a mis
dehors.

— Ça m'est égal. C'est un pique-assiette doublé d'un
goinfre.

— Non, ça ne t'est pas égal. (Il lui passa le bras autour des
épaules et la secoua affectueusement.) Nous devons l'aider, non
parce qu'il est quelqu'un de bien mais parce qu'il a besoin
d'aide. Tu le comprends, n'est-ce pas ? »

Elle appuya la tête sur la poitrine de son mari. Heureux de
la voir capituler, il ajouta : « Allez, retourne là-bas. Sois gentille
avec lui. »

Quand Harriet revint au salon, Yakimov leva sur elle des
yeux pleins d'appréhension : « Quelle magnanimité de la part de
la Belle de nourrir la Bête ! » risqua-t-il.

Elle ne put s'empêcher d'être touchée par son état : il semblait malade, amaigri et vieilli.

Il mangea voracement, sans un mot. Une fois restauré, il
leva de son assiette un œil moins terne et dit à Guy : « Cher garçon, je voudrais vous faire profiter d'un bon filon. Essayé de le
faire pour mon bon ami Dobson, mais je ne l'ai pas vu depuis
plusieurs semaines. Suis passé plusieurs fois à son bureau, mais
sa secrétaire m'a dit qu'il était occupé. Je voulais lui demander
de me procurer un visa de transit yougoslave. Avec ce papier en
poche, il me faudrait seulement l'argent pour mon billet de
train, quelques milliers de *lei* et une plaque d'immatriculation

CD. Une fois là-bas, je pourrais dégager ma chère Hispano-Suiza et la ramener. Quiconque financerait ce voyage serait gagnant. Avec une plaque "corps diplomatique", on peut se faire du pognon en passant des trucs à la frontière : des devises et de l'or, par exemple...

— Je suis sûre que Dobson ne peut pas vous procurer une plaque CD, objecta Harriet.

— Je suis sûr du contraire, chère fille. C'est un vieil ami, et il est grandement redevable au pauvre Yaki. De plus, il aura sa part. Maintenant, cher garçon, si vous me passiez quelques *lei* — trente-cinq mille, très exactement —, je veillerais à ce que vous vous y retrouviez. »

Guy rit, ne prenant pas cette combine au sérieux. Il lui expliqua que Harriet et lui allaient passer quelques jours à la montagne pour Pâques, et qu'ils devaient économiser pour s'offrir ces vacances.

Yakimov soupira et avala son café. Guy se retourna vers sa femme :

« L'appartement sera vide en notre absence. Pourquoi ne pas le laisser à Yakimov ?

— Pourquoi prendre la peine de me le demander ? lui répondit-elle en lui jetant un regard noir.

— Il s'occupera du chat.

— C'est Despina qui s'en occupera. Et d'ailleurs, nous ne partons que demain. Où coucherait-il en attendant ? Il n'y a pas de lit dans la chambre d'amis.

— Je peux dormir n'importe où, chère fille, s'empressa de dire Yakimov. Sur un fauteuil, sur un matelas, par terre. Votre pauvre Yaki sera trop heureux d'avoir un toit au-dessus de sa tête. »

Guy fixait silencieusement Harriet, attendant sa réponse.

« Entendu. Mais il faut qu'il trouve à se loger avant notre retour. »

Elle retourna dans sa chambre, d'où elle entendit Guy prêter à Yakimov l'argent nécessaire pour payer *doamna* Protopopescu et récupérer ses affaires. « Je suppose que vous ne venez pas me prêter main forte ? » lui demanda Yakimov.

Guy était prêt à faire beaucoup de choses, mais pas cela.

Quand ils furent partis, Harriet marcha de long en large dans l'appartement, conciente d'avoir été dupée. Elle avait refusé d'héberger Dubedat. Mais cette fois-ci, Guy l'avait eue

par la ruse : il ne lui avait laissé aucune échappatoire. La prenant au piège de sa propre compassion, il lui avait malhonnêtement imposé Yakimov. Elle était furieuse. Ramassant
le chaton qui dormait sur le fauteuil, elle l'embrassa passionnément et lui dit : « Je t'aime. Et je n'aime personne d'autre »,
ajouta-t-elle.

20

Le dégel avait gagné le village montagnard de Predeal juste avant les Pringle. La neige étant mouillée, les skieurs avaient déserté les hôtels pour gagner les plus hauts sommets des Alpes transylvaines. La pluie se mit à tomber le samedi de Pâques et continua jusqu'à la fin de leur séjour. Cela ne gênait nullement Guy qui, de toute façon, ne levait pas le nez de ses livres.

Il comptait monter une pièce de théâtre et hésitait entre *Macbeth*, *Othello* et *Troïlus et Cressida*. De chacune, il avait apporté un exemplaire. L'hiver précédent, il avait fait part de ce projet à Harriet. Elle avait espéré qu'il n'y donnerait pas suite, mais elle découvrait maintenant qu'il n'y avait pas renoncé.

« En fin de compte, j'ai choisi *Troïlus et Cressida*, que je monterai au Théâtre national », dit-il.

Feuilletant la vieille édition Penguin de Guy, elle constata que la pièce comportait vingt-huit rôles parlants. Consternée, elle essaya de le raisonner. Il se contenta de rire, ne voyant dans cette abondance de personnages aucune difficulté particulière.

« Très peu d'étudiants seront capables de jouer Shakespeare, objecta-t-elle.

— Oh, je ne leur attribuerai que des rôles mineurs. Je compte surtout sur mes amis de la légation et...

— Crois-tu vraiment que les hommes de la légation aient du temps à consacrer au théâtre d'amateurs?

— Ma mise en scène n'aura rien d'amateur.

— Et les costumes? Les dépenses? Le travail? Et vous risquez de jouer devant une salle vide. »

Guy rit de ses angoisses : « Ce sera formidablement amusant à monter. Et il y aura du monde. Tu verras, ce sera un succès. »

Sa confiance la rassura sans toutefois vaincre toutes ses réticences. Elle tenta de modérer son enthousiasme :

« Pourquoi ne pas simplement organiser une lecture dans l'amphithéâtre de l'université ?

— Pas question. Nous devons le faire avec panache, pour impressionner les Roumains.

— Quand comptes-tu t'y mettre ?

— Dès notre retour. »

Leurs vacances terminées, les Pringle rentrèrent à Bucarest en fin d'après-midi. Deux jours auparavant, ils avaient envoyé un télégramme d'avertissement à Yakimov. Celui-ci n'était pas dans le salon.

« Tu vois, fit Guy d'un ton triomphant, il est parti. Je savais que nous n'aurions aucun problème avec lui. »

Harriet n'en était pas aussi sûre. Elle ouvrit la porte de sa chambre et se figea, alertée par une odeur lourde, inhabituelle. Les rideaux étaient fermés. Elle les tira. Les fenêtres étaient closes. Elle les ouvrit, découvrit le désordre qui régnait dans la pièce et vit une silhouette en position fœtale nichée sous un monceau de couvertures. Yakimov dormait comme un loir. S'approchant du lit, elle le secoua avec colère et tira la couverture qui lui recouvrait le visage. Un œil se posa sur elle, ahuri et offensé.

« Vous n'avez pas reçu notre télégramme ? Nous espérions que vous seriez parti, comme convenu, dit-elle.

— Aujourd'hui même, chère fille », répondit-il, le visage gonflé et moite de sommeil.

Il jeta un coup d'œil réprobateur en direction de la fenêtre ouverte :

« On se les gèle, ici.

— Allez, debout ! Habillez-vous. Il faut changer les draps. »

Yakimov se dégagea des couvertures, révélant un pyjama de crêpe de Chine pourpre déchiré et extrêmement sale. « Très souffrant », marmonna-t-il en tâtonnant pour trouver, et enfiler, une robe de chambre de brocart défraîchi. « Besoin d'un bain. » Il partit en hâte s'enfermer dans la salle de bains.

Despina, qui venait d'arriver, annonça à Harriet qu'un malheur s'était produit en son absence :

« Le petit chat est mort.

— Non ! » s'écria Harriet, oubliant sur-le-champ ses griefs contre Yakimov.

Elle se fit raconter le drame. La fenêtre du salon était ouverte et le chaton, qui avait sauté sur l'appui, était allé jusqu'à la fenêtre des voisins. En le voyant, une domestique (« une Roumaine, bien sûr ») avait agité son chiffon ; effrayé, il avait perdu l'équilibre et était tombé du neuvième étage.

Harriet se mit à pleurer. Un peu calmée, elle demanda : « Et où était Yakimov pendant ce temps ?

— Oh, celui-là, il dormait ! dit Despina d'un ton méprisant. Manger, manger, manger. Dormir, dormir, dormir. C'est tout ce qu'il sait faire. Et me faire dépenser tout l'argent que vous m'aviez laissé. Le dimanche de Pâques, il a invité un autre prince et un comte et m'a demandé de leur préparer un bon repas. Il ne me restait plus rien. Pour vous faire honneur, je suis allée emprunter des sous à *domnul* professeur Inchcape.

— Lui avez-vous dit pourquoi ?

— Oui.

— Et qu'a-t-il répondu ?

— Rien. Il a ri.

— Ça ne m'étonne pas. »

Despina apportait le thé quand Yakimov sortit de la salle de bains. Il était habillé et semblait si nerveux que Harriet s'abstint de tout commentaire. Il but son thé en mâchouillant tristement un gâteau, puis resta assis tout près du radiateur. Harriet, impatiente de lui voir tourner les talons, lui demanda s'il avait trouvé une chambre.

« Pas encore, chère fille. Me sentais pas assez bien pour me traîner d'un bout à l'autre de la ville.

— Tant pis pour vous. Maintenant, vous partez.

— Pour aller où ? »

Exaspérée, elle alla se réfugier dans sa chambre, que Despina était en train de nettoyer. Guy vint la raisonner : « Chérie, sois charitable. Il n'a pas d'argent. Personne ne lui louera rien sans exiger qu'il paie d'avance. Permets-lui de rester. Cela ne nous coûte rien de le laisser dormir dans le fauteuil. D'ailleurs, je lui ai déjà donné notre accord. »

Harriet, ne pouvant en croire ses oreilles, s'assit à sa coiffeuse. L'homme qu'elle avait épousé, qui semblait le plus doux, le plus raisonnable des hommes, n'avait aucun égard pour elle.

Il n'en faisait qu'à sa tête. Guy, prenant son silence pour un accord, lui dit avec une gaîté confiante :

« Et tu sais, ce sera payant d'avoir Yaki sous la main.

— Tu veux dire qu'ainsi, tu auras une chance de revoir l'argent que tu lui as prêté?

— Non. L'argent n'a aucune importance. Je parle de la pièce. Yakimov est le parfait Pandarus.

— Oh, encore ta foutue pièce!

— Si nous le renvoyons, on va le ramasser pour vagabondage et l'expulser. Si nous le gardons, il sera obligé de se tenir. Et crois-moi, je vais le faire travailler. Attends et tu verras. »

21

Quelques jours plus tard, Guy invita ses amis à une première lecture à haute voix de *Troïlus et Cressida*. Il avait dit à Harriet qu'elle serait Cressida. Yakimov, à qui on avait acheté un lit de camp qu'on avait placé dans la chambre d'amis, commençait à comprendre que Guy comptait lui faire jouer le rôle de Pandarus. Il était donc censé l'apprendre par cœur. Il traita ce projet comme une plaisanterie :

« J'en serai bien incapable, cher garçon, dit-il en souriant. J'ai toujours été un cancre. Aucune mémoire.

— Je veillerai à ce que vous l'appreniez », répondit Guy.

Yakimov croyait que Guy avait renoncé à le torturer quand le sujet revint sur le tapis. Avec une fermeté étonnante, le professeur lui fit clairement comprendre que s'il voulait garder le gîte et le couvert, il n'avait pas le choix. Yakimov prit donc la vieille édition Penguin de Guy et lut la pièce. Avant la première répétition, Guy lui avait fait lire son rôle à haute voix une demi-douzaine de fois. Yakimov en eût pleuré : cet homme, habituellement si accommodant, était devenu un professeur exigeant, et même tyrannique. Le soir de la première lecture commune, il commençait déjà malgré lui à connaître par cœur de grands passages. Il ne savait pas très bien si c'était une chance ou un désastre, mais à se sentir traité comme quelqu'un d'important, il finit par penser qu'il l'était, et, par voie de conséquence, à être assez content de lui.

Quand Inchcape arriva, il lui posa la main sur l'épaule en lui disant :

« Mon bon Pandarus, qu'as-tu, Pandarus ?

— Je n'ai eu que mon travail pour ma peine », répondit

automatiquement Yakimov, à qui le glapissement amusé
d'Inchcape rendit aussitôt son sourire.

Guy, qui avait fait taper et polycopier la pièce, distribua un
exemplaire à chaque arrivant. Tous les hommes étaient déjà là.
Bella, qui était invitée à un cocktail, devait venir après. Le salon
des Pringle était tout bruissant de conversations quand Guy
réclama le silence. Au grand étonnement de Harriet, il l'obtint
aussitôt. « Cressida va lire son premier échange avec Pandarus », annonça-t-il.

Harriet se leva et vint calmement au centre de la pièce,
informant d'abord l'assemblée que, contrairement à ses camarades d'école, elle n'avait jamais eu d'ambitions théâtrales. Guy
fronça les sourcils, agacé de sa légèreté : « Veux-tu bien
commencer, s'il te plaît ? » lui demanda-t-il sèchement.

« Savez-vous reconnaître un homme quand vous en voyez
un ? lança Yakimov.

— Oui, pourvu que je l'aie déjà vu, et que j'aie fait sa
connaissance », répliqua-t-elle gaiement.

Elle avait l'impression de ne pas mal s'en tirer. Quant à
Yakimov, il était confondant de naturel : il lui suffisait d'être
lui-même. Subtil, insinuant, il se contentait d'accentuer la
mélancolie naturelle de sa voix en plaçant çà et là une note
comiquement plaintive.

« Ça va ! » dit Guy, laconique. « Maintenant, Thersite »,
ajouta-t-il en désignant Dubedat. Celui-ci allait « entrer en
scène » quand, du palais royal, monta le son du cor qui, quotidiennement, sonnait l'adresse ancestrale du souverain aux
paysans.

« Venez, venez, tous ceux qui le peuvent, abreuver vos chevaux... Et que celui qui y manque soit fouetté et jeté dans un
trou noir, déclama Harriet.

— Je t'en prie ! » lui dit Guy, agacé.

Levant un sourcil, elle rencontra le regard de David qui lui
répondit par une grimace espiègle. Ignorant cet échange muet,
Guy répéta : « Thersite. » Dubedat s'avança, vêtu de sa tenue de
printemps — un T-shirt et une culotte de sport exhibant les
ravages que l'hiver avait faits sur ses cuisses. « Commencez à
lire l'acte II, scène I. Je ferai provisoirement Ajax », précisa
Guy.

« ... Si Agamemnon avait des abcès ? S'il en était plein, sur
tout le corps ?... » lut Dubedat avec un accent écossais à couper

au couteau. Son ton geignard n'était qu'une légère exagération de son ton habituel. On l'applaudit à la fin de la scène. Mais Guy était plus exigeant : « La voix passe, concéda-t-il. Mais le rôle exige du venin, non des pleurnicheries. »

Avalant compulsivement sa salive, Dubedat recommença. Guy l'interrompit au bout d'un moment : « Ça suffit. Je voudrais entendre Ulysse. »

Inchcape, dont Harriet croyait qu'il refuserait de se commettre, se leva avec une satisfaction manifeste et vint se planter au milieu de la pièce, les épaules élégamment rejetées en arrière : « J'ai l'habitude du théâtre : c'est moi qui montais notre spectacle annuel à l'école. Mais nous n'avons jamais tenté quelque chose d'aussi pétulant », dit-il.

« Acte I, scène III, lança Guy, imperturbable. La longue réponse à Nestor : "La gloire que notre Achille tirerait de la gloire d'Hector..." »

Toujours souriant, en assortissant son ton à son sourire, Inchcape lut son texte d'un ton uni et pince-sans-rire que Guy toléra, du moins provisoirement : « Ça va », dit-il. Inchcape se rassit en veillant à ne pas casser le pli de son pantalon.

Clarence et David n'avaient pas encore de rôles attitrés. Guy suggéra au second d'essayer Agamemnon. Boyd, avec une inquiétude feinte, marmonna quelque chose d'un ton nasillard en s'adressant à ses pieds. Harriet constata que non seulement il s'amusait, mais qu'il était ravi. Après quelque hésitation, il lut son texte en montant sa voix de vieux prof de fac sur une note trop aiguë qui accentuait sa tendance à nasiller.

Guy l'interrompit :

« Donne plus de voix, David. N'oublie pas que tu es le général en chef des armées grecques.

— Très juste ! »

Remontant ses lunettes sur son nez, Boyd reprit un ton plus bas.

Harriet et Yakimov, les deux stars auxquelles Guy avait assigné une place dans un firmament ordinairement plus chaotique, étaient assis sur le fauteuil — elle sur le siège, lui sur l'accoudoir. Ils n'avaient rien à se dire, mais elle le sentait détendu, comme si l'impossible était soudain devenu possible, et peut-être même agréable. Pour sa part, elle commençait à comprendre qu'elle avait eu tort de croire le projet de Guy voué à l'échec, et ses amis prêts à le bouder : non seulement ceux-ci ne lui feraient pas faux bond, mais ils étaient heureux de jouer dans sa pièce. On eût dit qu'ils avaient attendu toute leur vie l'occasion de monter sur les planches. Elle se demandait pourquoi. Peut-être parce qu'ils se sentaient sous-employés en ces temps de guerre, exilés dans cette capitale étrangère. Peut-être Guy leur offrait-il un dérivatif, une occasion d'effort créatif, de dépassement. Bien que résolue à ne pas le montrer, elle était bien obligée d'admettre que le professionnalisme de Guy l'impressionnait. Il avait pour lui l'avantage d'une confiance presque surnaturelle en son propre talent à gérer les relations. Il ne lui serait jamais venu à l'idée que les gens ne répondent pas à ses attentes. Il avait, nota-t-elle avec surprise, de l'autorité.

Jusqu'à ce jour, le gaspillage qu'il faisait de son énorme vitalité tant physique qu'intellectuelle l'avait souvent irritée. Elle trouvait qu'il dispensait son charme à fonds perdu, comme le radium dissipe sa propre luminance ; il donnait sans discrimination, pour le seul plaisir de donner. Aujourd'hui, elle le voyait dépenser son énergie dans un but précis. Seul quelqu'un capable de donner autant pouvait recevoir autant. Elle se sentait fière de lui.

David, qui arrivait à la fin d'une longue tirade, lança un regard inquiet à Guy, qui l'encouragea : « Continue. Tu t'en tires magnifiquement. » Boyd, en se rengorgeant un peu, poursuivit avec un plaisir renouvelé.

Bella arriva, en tailleur d'ottoman noir et renard argenté. Guy lui proposa d'être Hélène.

« Le rôle est long ? s'enquit-elle.

— Non.

— Ouf ! Alors d'accord.

— Vous êtes Hélène de Troie. Mille vaisseaux vont se lancer sur les mers pour la beauté de votre visage, lui susurra Inchcape.

— Seigneur Dieu ! » dit Bella. En rougissant, elle dégrafa ses fourrures.

Elle s'avança, lut son échange avec Pandarus et revint, sérieuse et un peu congestionnée, s'asseoir près de Harriet. Celle-ci commençait à comprendre que Bella était une femme formidablement compétente : elle n'était jamais montée sur une scène, elle bougeait avec raideur, et pourtant, elle s'était bien débrouillée.

« Et Troïlus ? demanda Inchcape. Qui allons-nous prendre ? »

Guy répondit qu'il avait en tête quelqu'un de la légation. Il attendait l'accord du ministre.

« Et Achille ? Un rôle plutôt délicat ! s'inquiéta encore Inchcape.

— Un de mes nouveaux étudiants, le jeune Dimancescu. Un beau garçon, champion junior d'escrime. Il était dans une *public school* anglaise avant la guerre.

— Vraiment ? Laquelle ?

— Marlborough.

— Parfait ! s'écria Inchcape. Excellent ! »

Harriet éclata de rire. « La plupart de tes acteurs n'ont qu'à jouer leur propre rôle », dit-elle à Guy. Il la regarda en fronçant les sourcils : « Tâche de te tenir tranquille », lui lança-t-il.

Le voyant mécontent, elle se tut. Par la suite, il évita soigneusement les scènes dans lesquelles paraissait Cressida.

Le lendemain, alors que Guy était parti retrouver les étudiants qu'il comptait enrôler, Dobson téléphona chez les Pringle pour annoncer que le ministre permettait à tous les membres de son personnel qui le souhaitaient de jouer dans la pièce.

« Il approuve donc le projet ? demanda Harriet, surprise.

— Il trouve l'idée magnifique. Pour lui, c'est une excellente occasion de brandir le drapeau national, de faire un pied de nez aux Boches, etc. »

Là encore, Harriet s'était trompée. Quand Guy revint, elle lui dit : « Chéri, quelle bonne nouvelle ! » Mais il était singulièrement peu communicatif. « Il est tout à sa pièce », pensa-t-elle.

« J'emmène Yaki avec moi, demain matin. Nous devons commencer à répéter sérieusement, dit-il.

— Et moi ?

— Non. (Assis sur le lit, il essayait d'enlever ses chaussures sans défaire les lacets.) Je pense que tu seras plus utile si tu t'occupes des costumes.

— Au lieu de jouer Cressida, tu veux dire ?

— Oui. »

Tout d'abord, elle fut simplement déconcertée :

« Mais il n'y a aucune autre Cressida possible...

— J'en ai trouvé une.

— Qui ?

— Sophie.

— Tu as proposé mon rôle à Sophie sans me le dire ? »

Elle en était abasourdie. Être traitée ainsi lui semblait monstrueux, mais elle tenta de se persuader qu'elle ne souffrait pas. Être ou ne pas être dans une pièce, quelle importance ? Au bout d'un moment, elle demanda :

« Tu lui as dit que c'était moi qui devais avoir le rôle ?

— Bien sûr que non !

— Mais quelqu'un d'autre a dû le lui dire.

— Peut-être. Et alors ?

— Que Sophie pense qu'elle m'a piqué mon rôle ne compte pas à tes yeux ?

— Elle ne t'a pas piqué ton rôle. Tout cela n'a rien à voir avec elle. Il m'a soudain paru évident que toi et moi ne pouvions pas travailler ensemble. Tu ne prendrais jamais cette production au sérieux. (Il se baissa pour chercher ses pantoufles sous le lit.) D'ailleurs, ajouta-t-il, aucun homme ne peut faire du bon travail avec sa femme dans les parages. »

Elle tenta de digérer la situation en se disant qu'elle représentait une sorte de menace pour Guy : sa causticité naturelle détruirait l'illusion de pouvoir qu'il entretenait.

« Je suppose que j'ai mérité ce qui m'arrive, finit-elle par dire.

— Comment ça ?

— Je n'ai pas voulu essayer de tirer le meilleur de Sophie. Alors, toi, tu t'y emploies. Tu lui donnes la chance que je lui ai refusée.

— Chérie, mais qu'est-ce que tu vas chercher ? L'explication est beaucoup plus simple : il me fallait quelqu'un, or elle convient à peu près, tu ne peux pas le nier. Tu aurais été une Cressida plausible, mais je ne peux pas travailler avec toi. Point final. »

Harriet laissa tomber le sujet en se disant que sa jalousie n'était pas raisonnable. Après tout, Guy avait été parfaitement honnête avec elle sur sa relation avec Sophie. Il n'était pas du genre à se marier par esprit de sacrifice, et, en fin de compte, il avait de bonnes défenses — meilleures que les autres, elle y compris, ne le pensaient. L'homme apparemment simple qu'elle avait épousé était bien plus compliqué qu'il n'y paraissait.

22

Les averses de printemps lavèrent les dernières traces de neige. Jour après jour, le soleil devenait plus chaud. Les gens recommençaient à sortir le soir. En haut de la chaussée, où les châtaigniers se paraient de vert, on entendait de nouveau, derrière les bruits de la circulation, le bourdonnement d'une foule qui exprimait tout haut sa mauvaise humeur.

Le cabinet avait instauré un rationnement de la population afin d'augmenter le volume de ses exportations vers l'Allemagne. Pour économiser l'essence, il avait interdit la maraude aux taxis, qui ne pouvaient prendre de clients qu'à certaines stations — mesure entraînant pour les usagers un désagrément sans précédent. La nourriture devenait chère. Les soieries françaises affichaient des prix prohibitifs dans les magasins de nouveautés. Les marchandises importées se faisaient rares, et on murmurait qu'elles allaient disparaître totalement. Pris de panique, les gens achetaient des produits qu'ils ne voulaient pas vraiment.

Harriet, qui avait tout le loisir de prendre la température de la ville, rapportait à Guy ce qu'il semblait considérer comme des trivialités. L'homme créait : il ne fallait pas le déranger. Même Inchcape, qui, un matin, débarqua chez eux à l'improviste porteur d'une nouvelle qu'en d'autres temps Guy eût jugée sensationnelle, ne parvint pas à éveiller chez lui un intérêt réel. Sheppy avait été arrêté. Lui et quelques membres de sa force combattante avaient été pris, les poches bourrées d'explosifs, dans un bar des bords du Danube où, plutôt ivres, ils se vantaient de leur intention de faire sauter les Portes de Fer. Ils avaient eu la naïveté de croire que la sympathie des mariniers leur était acquise. Inchcape pensait probable une intervention du Foreign Office pour obtenir leur libération.

La Roumanie ne voulant pas d'incident diplomatique, Sheppy et ses hommes furent rapatriés en Angleterre. La presse locale, après avoir minimisé l'incident, finit même par nier qu'il y en eût un. Mais, concernant les relations entre l'Angleterre et la Roumanie, le mal était fait, la seconde se sentant injustement entraînée dans une guerre qu'elle n'avait pas provoquée.

Harriet, qui commençait à pouvoir lire les journaux roumains, comprit combien les Anglais devenaient impopulaires. La déclaration de Chamberlain — « Hitler a manqué le coche » — n'avait rassuré personne : si la Grande-Bretagne était devenue cette « forteresse imprenable » dont parlait le ministre, elle ne se soucierait pas pour autant de la pauvre petite Roumanie : « Tant pis pour les autres » titrait *Independenta Românà*. Pour sa part, *Timpul* déclarait que la Roumanie n'avait pas à se féliciter d'exporter soixante-dix pour cent de sa production en Allemagne ; celle-ci réclamerait encore plus, et, si elle ne l'obtenait pas, elle viendrait se servir sur place. *Universul* dénonçait l'égoïsme des nations qui utilisaient la Roumanie en temps de paix, mais l'abandonnaient en temps de guerre. Ce journal, dans un style ampoulé, se demandait : « Quand, ô quand le généreux peuple roumain, obligé de payer le prix fort pour sa neutralité, connaîtra-t-il à nouveau l'insouciance, la frivolité de ces étés joyeux qu'il avait connues avant que n'éclate cette guerre insensée ? »

Harriet, citoyenne d'une nation tombée en disgrâce, épouse momentanément délaissée par son mari, se sentait seule dans un monde hostile. Elle allait souvent à l'Athénée-Palace pour lire les journaux anglais, particulièrement ennuyeux ce mois-là, presque entièrement consacrés qu'ils étaient à une polémique concernant le mouillage de mines dans les eaux territoriales norvégiennes.

L'atmosphère de l'hôtel était aussi terne que les nouvelles : il n'y avait plus personne pour commenter les événements. C'était l'intersaison, période creuse où les journalistes s'absentaient. Rien ne se passait à Bucarest. Rien non plus dans le reste du monde, semblait-il.

Pourtant, l'inquiétude ambiante n'était pas sans fondement. On sentait un net changement d'atmosphère. Sous le verre de chaque table de café était glissée une notice signalant qu'il était interdit, sous peine d'arrestation, de parler politique. Or une arrestation, murmurait-on, pouvait bien conduire dans l'un de ces nouveaux camps de concentration organisés sur le modèle allemand par des gardistes formés à Dachau et à Buchenwald. On murmurait aussi que ces camps étaient cachés quelque part dans les Carpates, mais personne ne savait exactement où.

Un matin, comme Harriet revenait de l'hôtel, elle vit près de chez elle un jeune homme appuyé contre un mur. Il était visiblement désœuvré, et elle fut désagréablement frappée par son apparence. Ce n'était ni un paysan ni un mendiant. Pas un bourgeois, non plus, bien qu'il fût vêtu de gris. Il était maigre, avec des joues creuses et un air dur — un type de visage qu'on n'avait pas l'habitude de voir en ville. Rencontrant son regard inamical, elle se dit que ce devait être un de ces jeunes gardistes récemment rentrés d'Allemagne.

Après celui-ci, elle commença à en voir partout. Leurs visages pâles et osseux étaient souvent marqués, à l'allemande, d'une cicatrice de duel. Postés dans les rues, ils contemplaient cette foule de gens trop choyés avec le mépris teinté d'incrédulité de ceux qui n'ont rien. « Notre jour viendra », semblait dire leur regard.

« Ils me font froid dans le dos. Ils sont le présage funeste d'une infiltration fasciste », dit-elle un jour à Guy. Mais celui-ci, occupé à couper certains vers des monologues d'Ulysse, ne lui prêta qu'une oreille distraite.

L'indignation de Clarence quand il apprit qu'elle ne faisait plus partie de la distribution réconforta un peu Harriet. Il quitta la répétition pour lui téléphoner, lui demandant avec véhémence :

« Harry, qu'est-ce que cette petite garce fait à votre place ? Avez-vous plaqué la pièce ?

— Non. On m'a renvoyée.

— Pourquoi ?

— Guy m'a dit qu'il ne pouvait pas travailler avec moi. Il pense que je ne le prends pas au sérieux.

— Pourquoi le devriez-vous ? Ce n'est qu'un amusement de fin de trimestre. Si vous n'en êtes pas, moi non plus.

— Surtout pas. Guy a besoin de vous tous. Et le spectacle sera certainement excellent. »

Clarence, qui avait reçu le rôle non négligeable d'Ajax, se

laissa aisément convaincre de rester. Il avait très peu de travail au bureau d'informations britannique, et pratiquement plus de réfugiés à aider. Les camps s'étaient vidés. Tous les officiers polonais, à l'exception d'un seul, avaient rejoint les forces françaises. Clarence, qui avait organisé leur passage en fraude de la frontière, s'était tué à la tâche. Il avait besoin de distractions. Il invita Harriet à dîner le lendemain soir. Tant l'invitation que son acceptation laissaient deviner une légère fronde contre Guy, et sa monomanie dramaturgique.

Le lendemain matin, au petit déjeuner, elle lui dit :

« Clarence m'a invitée à dîner, ce soir.

— Très bien, approuva-t-il d'un ton absent. Il faut que j'aille réveiller Yaki.

— Quand serons-nous enfin débarrassés de cet incube ?

— Il cherchera une chambre quand il aura reçu son mandat. En attendant, nous devons le nourrir, le loger et l'accepter comme un enfant.

— Un enfant drôlement roublard !

— Si le monde ne comptait que des gens comme lui, il n'y aurait plus de guerres.

— Il n'y aurait plus rien. Le chaos ! »

On était le 9 avril 1940. À peine Guy et Yakimov avaient-ils quitté l'appartement que le téléphone sonna. C'était Bella.

« Tu as écouté la radio ?

— Non.

— Les Allemands ont envahi la Norvège et le Danemark », annonça-t-elle d'un ton fiévreux.

Devant le silence de son amie, elle ajouta :

« Ne vois-tu pas ce que cela signifie ? Qu'ils nous laisseront tranquilles.

— Je ne vois pas pourquoi », répondit Harriet. Elle comprenait néanmoins le soulagement de Bella. Le couperet était tombé à côté : c'était toujours cela de gagné. Elle sortit acheter le journal.

L'invasion était annoncée dans un communiqué de dernière heure assorti d'un commentaire du ministre de l'Information. Le texte, truffé de majuscules, incitait les Roumains à garder leur calme : leur Roi, le Père de la Culture et le Père de son Peuple, le Grand Carol avait presque fini la fameuse Ligne éponyme. Un mur de feu entourerait la Valeureuse Roumanie, et l'envahisseur potentiel serait repoussé.

Les gens se tenaient par groupes près des vendeurs de journaux, commentant tout haut, quoique en français, l'événement : « *Alors, la guerre a enfin commencé? — Eh oui, nous y sommes!* »

Ses propres peurs renouvelées, elle traversa la grand-place, prit la Calea Victoriei, traversa le territoire coloré des marchandes de fleurs tziganes, et s'arrêta devant le bureau d'informations britannique. Personne ne regardait les photos des croiseurs anglais qui se cornaient et jaunissaient au soleil. En revanche, de l'autre côté de la rue, les gens se bousculaient devant le bureau allemand de propagande. La curiosité l'emportant sur la dignité, elle traversa.

Une immense carte de la Scandinavie occupait toute la vitrine. Des flèches de carton rouge, arrogantes et longues de dix centimètres, indiquaient la direction des attaques allemandes sur plusieurs fronts. La foule se taisait, écrasée par l'énormité du fait accompli. Harriet tenta de dissimuler son émotion. Le cœur serré, elle remonta la rue en direction de l'université. C'était presque l'heure du déjeuner, et elle pensait y trouver Guy.

Les portes du bâtiment étaient ouvertes, mais le concierge était absent. Le trimestre ne devait commencer qu'à la fin avril. Les couloirs vides étaient sinistres et sentaient la cire et le linoléum. Elle se laissa guider par la voix de Guy qui résonnait dans le lointain : « Oh oui, là-dessus, la science d'un cabaretier suffit pour vite faire son addition », récita-t-il. Puis il expliqua que Cressida se moquait de Pandarus, la science d'un cabaretier ayant ses limites. « À vous », dit-il.

Les mots, sur le ton badin que voulait Guy, furent repris par une voix féminine. Celle de Sophie. Harriet fut frappée d'une jalousie si aiguë qu'elle s'arrêta net. Elle allait battre en retraite quand elle se dit que, tôt ou tard, elle serait bien obligée de confronter sa « rivale ».

Elle s'approcha silencieusement. Au bout du couloir, la porte était ouverte. Il n'y avait plus dans la pièce que Guy, Sophie et Yakimov. Guy, leur faisant dire et redire leur texte, les interrompait sans arrêt pour les bombarder d'explications. Harriet se dit qu'elle n'aurait pas supporté cette dissection constante. Mais elle, au moins, n'aurait pas eu besoin qu'on lui explique que Cressida persiflait. Pourtant, comprit-elle, ce rôle de Pygmalion convenait à Guy. De fait, il préférait probablement une Cressida qui fût sa propre créature. Elle comprit aussi que ces répétitions qu'elle-même eût considérées comme une corvée procuraient à Sophie et à Yakimov un plaisir évident.

Sophie n'avait jamais manqué de vanité. Malgré son teint terreux et ses joues trop rondes, elle se comportait comme si le monde entier devait s'incliner devant sa beauté. Maintenant que le sentiment de sa propre importance lui semblait particulièrement justifié, elle voulait encore plus : elle exigeait une attention exclusive. Cette attention, quand Guy l'accordait à Yakimov, elle tentait de l'accaparer de nouveau ; elle les interrompait toutes les deux minutes pour demander à Guy : « *Chéri* *, ne croyez-vous pas que, lorsque Pandarus me dit ci, ou ça, je devrais faire comme ci... ou comme ça ? Vous êtes d'accord ? » Elle prenait des poses, tortillait son petit derrière, saturant chacun de ses gestes, la moindre de ses moues d'une sensualité câline. Elle était visiblement dans un état de fièvre presque extatique. Tout son corps respirait la sexualité.

Même avec Yakimov, elle ne pouvait s'empêcher de flirter. Mais c'était à Guy qu'elle coulait ces regards provocants et conspirateurs qui, concéda Harriet, ne semblaient pas le troubler. Il accordait à Sophie la même qualité d'attention qu'à Yakimov. Il la traitait gentiment, mais sans la moindre ambiguïté.

Yakimov, pour sa part, semblait avoir grandi et s'être étoffé : il faisait exactement ce que son metteur en scène lui demandait. Harriet pouvait comprendre la satisfaction de Guy à tirer de son acteur la version du personnage qu'il aurait lui-même choisi de donner, eût-il joué le rôle. Elle sentait entre les deux hommes la chaleur d'une approbation mutuelle. C'était Yakimov qui recevait de Guy les acclamations que Sophie recherchait en vain par ses constantes interruptions. Harriet sentait dans les questions de cette dernière monter une récrimination qui éveilla sa sympathie : Sophie aussi commençait à se sentir exclue.

Guy ramassa soudain son script en déclarant : « On arrête. » Tous trois remarquèrent enfin la présence de Harriet.

« Savez-vous qu'ils ont envahi la Norvège et le Danemark ? demanda-t-elle.

— Bien sûr. Tout le monde le sait. Il fallait s'y attendre. Dès que nous avons miné les eaux territoriales norvégiennes, nous n'avons plus laissé d'autre choix à Hitler que d'envahir, dit Guy, sans émotion particulière.

— Peut-être les avons-nous minées justement parce qu'il projetait cette invasion ?

— Peut-être. (Guy, manifestement, ne souhaitait pas entamer un débat.) On va boire quelque chose ? »

Harriet, qui affrontait toujours ses angoisses, se dit, résignée, qu'il préférait nier ce qu'il n'était pas en position de combattre. L'indifférence de Yakimov et de Sophie à l'événement l'irritait beaucoup plus. Surtout celle de Sophie, qui aurait pourtant eu de bonnes raisons d'être inquiète.

Guy voulait aller au *Doi Trandafiri*. Sophie faisait la tête.

« Je déteste cet endroit. C'est toujours la cohue, dit-elle.

— Alors à plus tard », dit Guy.

Comme Sophie s'éloignait, furieuse, Harriet dit à Guy :

« Tu devrais prendre des gants avec ta vedette, sinon, elle va te lâcher.

— Ça m'étonnerait. Elle s'amuse bien trop ! »

Une fois dans le café, Guy demanda à Yakimov de lui réciter encore certaines scènes. Ce qu'il fit. Entre chacune, Guy lui payait un verre de *tuicà*. À la fin, Yakimov, tremblant d'anxiété, lui demanda :

« Comment étais-je ?

— Magnifique », dit Guy.

Son approbation était tellement sincère que Yakimov rougit de plaisir. « Cher garçon ! » murmura-t-il.

Harriet percevait en lui un changement subtil, mais radical : Guy avait suscité en Yakimov un désir d'exceller.

« Vous savez, vous avez l'étoffe d'un grand acteur, lui dit-il.

— Vous croyez ? »

On sentait de la modestie dans cette question, mais pas vraiment de surprise. Il posa sur Guy des yeux remplis d'une gratitude admirative.

« Mais vous devez apprendre votre texte !

— Oh, je vais le faire, cher garçon ! Vous pouvez y compter. »

Yakimov semblait avoir vaincu son inertie. Harriet se demanda avec stupéfaction comment Guy avait réussi à transformer progressivement cette nébuleuse en homme.

23

Le 14 avril, Inchcape exposa dans la vitrine du bureau d'informations britannique sa propre carte de Scandinavie, sur laquelle deux cercles timides signalaient que les troupes britanniques avaient pu prendre pied à Namsos et à Andalsnes — hélas, pas pour longtemps.

Le 28 mai, soit un mois et vingt jours après l'invasion de la Norvège et du Danemark, Inchcape indiquait par des flèches d'un bleu moins triomphaliste que les rouges d'en face les destroyers allemands coulés par les forces alliées à Narvik.

De l'autre côté de la rue, dans la vitrine du bureau allemand, les replis successifs des troupes norvégiennes étaient cruellement pointés. Un jour les Alliés annonçaient une avance et le lendemain les Allemands annonçaient une retraite — que les Britanniques s'empressaient de qualifier de « purement stratégique ». Quand les Allemands, avançant sur Gudbranstal, proclamèrent qu'ils avaient réussi la jonction avec leurs autres troupes marchant sur Trondheim, les Anglais admirent un retrait provisoire.

Chaque matin, les passants traversaient la rue pour comparer les vitrines. Mais c'était surtout la menace des flèches rouges géantes qu'ils retenaient. La faction probritannique de la presse roumaine prédisait une contre-attaque anglaise qui permettrait d'en finir avec l'agression nazie. Mais au moment même où ces prédictions étaient faites, quatre mille Norvégiens rendaient les armes à Andalsnes, leurs hommes politiques fuyaient le pays et les Alliés reprenaient la mer. La victoire était sans conteste allemande.

Le plan aux flèches rouges finit par disparaître, et la vitrine resta vide. Personne n'était très impressionné par ces victoires remportées dans un cul-de-sac. Le public attendait une démonstration de force plus spectaculaire.

Début mai, Harriet dut commencer à se soucier d'habiller les acteurs. Inchcape, qui avait écrit au bureau de Londres, avait obtenu une petite subvention pour financer la production. L'essentiel de cet argent passerait dans la location du Théâtre national et la rétribution des techniciens. Ce qui restait serait pour les costumes. Alors qu'elle rêvait des somptueux atours des productions shakespeariennes de Londres, elle avait tout juste de quoi vêtir les acteurs de sacs de jute.

Elle avait découvert que le théâtre possédait encore les vieux costumes qui avaient servi dix ans auparavant dans une production d'*Antoine et Cléopâtre*. Ils étaient en lambeaux, et ce qui en restait était d'une laideur chichiteuse.

« En plus, ils sont dégoûtants ! dit Bella qui l'avait accompagnée. Tu vois Hélène vêtue de cette immonde peluche vert pomme ? »

Découragée, Harriet avait tenté de refiler le bébé à Guy. Celui-ci, qui s'y entendait pour déléguer, lui dit en riant :

« Ne complique pas les choses, chérie. C'est très simple : pas d'armures — les acteurs les détestent, de toute façon. Tu te contentes de les suggérer. Loue au théâtre quelques casques, quelques sabres et des capes. Mets les Grecs en jupettes et corselets — tu peux facilement les faire faire en tissu. Les Troyens, qui sont des Asiatiques, peuvent ne porter que des collants — rien de moins onéreux.

— Mais les Roumains seraient scandalisés !

— Ils adoreront. Une idée neuve, voilà ce qu'ils veulent. »

Ayant en quelques mots réglé le problème, Guy la planta là. Elle eut l'impression d'avoir fait beaucoup de bruit pour rien.

Clarence lui avait proposé de la conduire en voiture partout où elle le voudrait. Un matin, elle décida d'aller en banlieue, dans une usine qui fabriquait des collants de théâtre. Il vint la chercher en compagnie de Steffaneski, son associé et dernier Polonais restant. Tous deux avaient ensuite à faire dans un des magasins du secours polonais. Durant le trajet, Harriet, pensant qu'il était le plus disponible des hommes maintenant que leur tâche, à Clarence et à lui, touchait à sa fin, lui suggéra de jouer dans la pièce. Se retournant vers elle, il lui dit d'un ton offensé :

« Je n'ai pas de temps à perdre avec ces futilités. Je me vois mal faire le clown quand il y a une guerre à gagner.

— Mais puisque, ici, vous ne pouvez pas vous battre... »

Le comte, soupçonnant qu'elle le taquinait, pinça les lèvres.

Dans ce quartier de Bucarest, les constructions étaient de bois. Différentes des taudis en planches des pauvres, elles évoquaient plutôt les magasins et entrepôts spacieux des petites villes du Middle West. La route, non goudronnée, était encore inondée par les pluies de printemps. Ils s'embourbèrent. Harriet suggéra au comte de retrousser ses manches comme un prolo et de pousser la voiture. Trouvant l'humour de Harriet déplacé, Clarence se mit à bouder. Heureusement, il réussit finalement à faire repartir la voiture. Ils s'arrêtèrent devant une grande cabane de bois ressemblant à un garage. À l'intérieur, une douzaine de paysans travaillaient sur des machines à tricoter. Il n'y avait pas même une chaise à offrir au client potentiel. Des lampes à huile, qu'on venait tout juste d'allumer, éclairaient faiblement la pièce.

Un petit homme décharné, vêtu d'un pantalon paysan et d'un veston dépareillé, élément d'un vieux costume, se leva pour l'accueillir. Il se tint devant elle, sans un sourire de bienvenue, le visage totalement inexpressif. Dans son roumain approximatif, elle tenta de lui expliquer ce qu'elle voulait et lui tendit sa liste de mesures en centimètres où, à droite, figuraient les couleurs souhaitées. Il la prit et inclina la tête. Elle ne pouvait croire qu'il eût compris aussi vite ce qu'on lui demandait. Elle tenta de le lui expliquer de nouveau. Se baissant vivement, il toucha ses chevilles, puis sa taille.

« *Da, da, precis* », acquiesça-t-elle.

Il hocha de nouveau la tête et attendit qu'elle s'en aille. Ce qu'elle fit, perplexe.

« C'est réglé ? lui demanda Clarence en démarrant.

— Je me le demande », avoua-t-elle, doutant de l'utilité de ce déplacement.

Au retour, Clarence s'arrêta devant un entrepôt fermé par un cadenas. C'était là qu'étaient stockés les vêtements et les couvertures envoyés par l'Angleterre au secours polonais.

« Qu'allez-vous faire de tous ces trucs ? demanda Harriet en voyant les piles de chemises, de sous-vêtements et de pull-overs tricotés à la main.

— Nous sommes justement ici pour le décider. »

Harriet s'arrêta devant une pile de chemises et suggéra qu'ils pourraient en donner quelques-unes à Guy : « Il n'en a que trois », dit-elle.

Clarence réfléchit. Il finit par répondre :

« Je pourrais éventuellement lui en *prêter* quelques-unes...

— Très bien, s'inclina Harriet en choisissant quelques grandes tailles.

— Eh, une minute ! Je ne lui en prête que deux. »

Harriet eut un rire irrité. « Quelle générosité, Clarence ! s'exclama-t-elle. Et les sous-vêtements ? » Sans attendre sa réponse, elle se mit à en retirer un certain nombre des piles.

« Doucement ! protesta Clarence. Je ne lui prête que deux tricots de corps et deux caleçons. » Il savait que, vexée, elle refuserait cette offre mesquine, mais elle l'accepta avec défi.

Clarence, après avoir convenu avec Steffaneski de vendre le stock à l'armée roumaine, referma l'entrepôt au cadenas avec un soin ostentatoire. Harriet, masquant sa rage par un sourire, remonta en voiture avec ses trophées. Arrivés au centre-ville, ils virent un attroupement devant le bureau allemand de propagande : une nouvelle carte figurait en vitrine. Clarence sortit de la voiture. Sa haute taille lui permit de l'examiner malgré la foule des Roumains qui se bousculaient devant. Il revint à la voiture :

« Voilà. C'est commencé, leur dit-il.

— Que voulez-vous dire ?

— Que l'Allemagne a envahi le Luxembourg, les Pays-Bas et la Belgique. Elle prétend avancer à toute allure. »

Harriet, secouée par un frisson nerveux, se dit que pendant qu'ils se querellaient à propos de sous-vêtements, cette nouvelle les attendait, tel le tigre prêt à bondir.

« C'est à cause de la folie des Belges. Ils ont refusé l'extension de la ligne Maginot jusqu'à la mer, dit Steffaneski. Maintenant ils sont *kaputt*. » Il fit le geste de se couper la gorge. Il semblait plus furieux qu'affligé.

« Pas encore, dit Harriet.

— Attendez ! Vous ne savez rien. Moi, j'ai vu ce qu'était l'avance allemande.

— Oui, mais ils ne se sont jamais frottés aux troupes britanniques.

— Attendez », se contenta-t-il de répéter.

Clarence sourit à Harriet. Elle lui rendit son sourire. Ils se sentaient soudain unis par l'euphorie paradoxale de ceux qui savent que des événements extérieurs vont changer le cours de leur vie.

« Cette fois, déclara Clarence, le combat sera sans merci. Allons boire un verre. »

24

Yakimov vivait des jours bénis. Chaque matin, on lui apportait son petit déjeuner au lit. Il avait persuadé Guy qu'il ne pouvait « étudier » que couché, et Guy avait à son tour persuadé Harriet de lui accorder ce privilège. Malheureusement, l'attitude de Despina envers lui était déplorable. Fidèle à Harriet, elle reflétait la désapprobation de celle-ci : elle posait violemment le plateau près de lui, allait tirer les rideaux et quittait la pièce en claquant la porte. Tout ce raffut le réveillait en sursaut, et bien trop tôt. De plus, elle refusait obstinément de laver et de repasser son linge.

Harriet, pour sa part, l'ignorait. Elle le rendait toujours nerveux, mais, sachant que tant que Guy avait besoin de lui il le défendrait, il n'essayait plus de l'amadouer. Il se contentait de l'éviter.

Les jours où Guy ne le forçait pas à se lever pour participer à une répétition matinale, il faisait la grasse matinée, un exemplaire de *Troïlus et Cressida* abandonné sur le couvre-lit. Dans la délicieuse apathie d'un demi-sommeil, il entendait Despina faire le ménage dans le salon, puis Harriet quitter l'appartement. Quand toutes deux lui avaient laissé le champ libre, il se levait, prenait un bain et s'habillait dans une confortable solitude.

Il ne tenait pas vraiment à déjeuner seul avec Harriet. Guy l'avait compris. Les jours où lui-même était retenu dehors par une répétition à laquelle ne participait pas Yakimov, il envoyait celui-ci acheter des sandwiches. Quand, au contraire, ils rentraient ensemble déjeuner à l'appartement, Yakimov s'asseyait près de Guy et se taisait. La médiocrité de la table des Pringle était un autre élément regrettable. Il ne cessait de voir dans les magasins des comestibles qui le faisaient saliver. Parfois, en procédant par allusions, il tentait le coup auprès de Harriet : « Chère fille, vous savez, ces grosses asperges très vertes ? Eh bien, elles sont bon marché, en ce moment. C'est la saison. » Mais il ne vit jamais la queue d'une. Résultat : il avait toujours faim — non de nourriture, mais de nourriture riche. Chaque fois qu'il réussissait à emprunter de l'argent, il allait seul au restaurant. Dobson avait refusé définitivement de lui en prêter, mais il arrivait parfois à faire cracher Fitzsimon, le séduisant troisième secrétaire de la légation qui jouait Troïlus, et Foxy Leverett, qui jouait Hector.

Guy avait formellement interdit à Yakimov de taper les étudiants. Ceux-ci n'arrêtaient pas de le harceler avec leur admiration pour ses talents d'acteur. Il en profitait alors pour leur glisser : « Je me demandais, cher garçon, si vous pourriez me passer un *leu* ou deux ? » Saisissant l'offrande, il filait avec cette célérité que Bacon, dans ses *Essais de morale*, préférait encore à la discrétion.

Il pouvait également se faire un peu d'argent de poche quand il dînait avec les Pringle. Guy laissait des pourboires d'une générosité que Yakimov trouvait commune. Le second, s'effaçant régulièrement derrière le premier, empochait prestement au passage les pièces laissées sur la table.

Guy était d'une négligence extrême avec l'argent. Il lui arriva un jour d'extraire de sa poche en même temps que son mouchoir deux billets de mille *lei* qu'il fit tomber sans s'en rendre compte. Yakimov les dépensa à la terrasse de *Cina*, où il s'assit pour manger les fameuses asperges dont il avait été privé.

Comme Dollie, Guy était devenu son protecteur. Mais, mieux que Dollie, il avait su lui inspirer un sentiment de réciprocité dans le don. De plus, Yakimov se sentait bien établi non seulement dans l'appartement des Pringle, mais aussi dans le pays. Il avait la légation pour lui. Il faisait un boulot destiné à rehausser le prestige de l'Angleterre ; si par malheur on annulait son permis de séjour, Leverett ou Fitzsimon veilleraient à ce qu'il fût renouvelé. Et surtout, il était redevenu ce qu'il était jadis : une personnalité.

Tout le monde l'admirait, mais il restait modeste. Quand les étudiantes aux gros seins, dont il était devenu le héros, se pressaient autour de lui en glapissant : « Vous avez tellement de

talent, prince Yakimov ! Comment faites-vous ? » il répondait :
« Je n'en sais fichtre rien », et il était sincère.

Son succès en tant que Pandarus le surprenait pourtant
moins qu'il ne surprenait les autres. À l'école, un de ses professeurs avait dit un jour à la classe : « Yakimov est un tel crétin
qu'il doit avoir du génie. » Et Dollie elle-même n'avait-elle pas
affirmé plus d'une fois : « Yaki vous surprendrait si vous le
connaissiez mieux » ?

Il avait toujours supposé que le succès ne s'obtenait pas
sans effort. Or le mot « effort » était presque un gros mot pour
Yakimov. Sa seule surprise venait de la facilité de son succès. Il
commençait à croire non seulement au présent, mais en l'avenir.
Il se voyait vivre sur sa renommée d'acteur le reste de sa vie.

Pourtant, présentement, Guy lui faisait de l'ombre. C'était
lui qui était toujours le centre du groupe dans les cafés — en
général le *Doi Trandafiri*, au grand dam de Yakimov qui préférait l'*English Bar*. Le seul avantage du premier était que les boissons y étaient moins chères, un piètre avantage pour qui n'avait
pas à les payer. Au café, donc, c'était Guy qui parlait, qui expliquait. Yakimov ne s'avisait jamais de lui disputer la vedette. Il
s'était dit un jour : « Le cher garçon aime les feux de la rampe. »
C'était une constatation, non une critique, mais il pensait judicieux d'en tenir compte car son confort immédiat en dépendait.

La veille du « putsch » allemand, il était passé à l'*English
Bar*, ne résistant pas à l'envie de se montrer à Hadjimoscos et
consorts dans toute sa nouvelle gloire. Il avait tout juste de quoi
leur offrir ue tournée de *tuicà*, qui lui fut payée en retour par
une amabilité très mesurée :

« Où étiez-vous passé, tout ce temps ? lui demanda Hadjimoscos.

— Je répétais une pièce.

— Une *pièce* ? Vous avez donc réussi à vous faire engager
au théâtre ?

— Certainement pas, répondit Yakimov, scandalisé. Il
s'agit d'un spectacle d'amateurs. Plusieurs membres importants
de la légation y jouent aussi. »

Les autres se regardèrent, prétendant dissimuler leur
mépris sous une certaine perplexité — quels excentriques, ces
Anglais ! Pour remettre les pendules à l'heure, Yakimov se sentit obligé de laisser entendre que la pièce n'était qu'une couverture à des activités plus importantes — des activités en rapport

avec les services secrets. Hadjimoscos leva les sourcils. Horvath et Palu ne bronchèrent pas. Yakimov, qui ouvrait la bouche pour débiter d'autres folies, fut sauvé par l'entrée de Galpin. Tendu et frémissant d'excitation, le journaliste avait visiblement des nouvelles à annoncer. Tout le monde se figea, sauf Yakimov, surpris de voir les parasites partager l'expectative générale.

« Ils ont traversé la Meuse, annonça Galpin. L'armée belge vient de capituler. »

Yakimov ne savait pas au juste qui avait traversé la Meuse. Comme la rumeur avait mentionné l'avance rapide des Allemands en Hollande, il identifia ces « ils » par déduction. « Qu'avez-vous à craindre, cher garçon ? Ils ne viennent pas de notre côté, que je sache », dit-il.

Personne ne sembla l'entendre. Ces gens étaient fascinés par les mouvements d'une armée lointaine ; ils ne s'intéressaient nullement aux succès artistiques de Yakimov. Découragé, celui-ci quitta l'*English Bar*, comprenant soudain pourquoi Guy préférait créer son propre univers au *Doi Trandafiri* et ne s'occuper que de sa production.

Les répétitions se multipliaient. Guy avait annoncé que le théâtre était loué pour la soirée du 14 juin. Cela donnait un mois aux acteurs pour peaufiner leur rôle. Ils n'avaient pas le temps de ruminer les angoisses d'une actualité inopportune. Ils ne vivaient que pour faire revivre une guerre livrée dans l'antiquité – si elle avait jamais été livrée. La salle des professeurs était bourrée d'étudiants. Quelques-uns d'entre eux avaient de petits rôles dans la pièce, d'autres n'étaient que figurants, d'autres encore, même pas inscrits en anglais, venaient simplement pour voir Yakimov. Son arrivée était toujours accueillie par des murmures fiévreux. Il souriait à la ronde de ses admirateurs, qu'il voyait à travers un brouillard.

Les seuls autres qui suscitaient un semblable enthousiasme étaient Guy, Sophie et Fitzsimon. Guy parce qu'il était le metteur en scène et que, de toute façon, il était déjà populaire. Sophie parce qu'elle était des leurs. Et Fitzsimon parce qu'il était très beau et qu'il lorgnait les filles quand Sophie lui en laissait le loisir. Lorsqu'il annonça que, le jour J, il allait se mettre de la poudre d'or dans les cheveux, elles se répandirent en clameurs extatiques devant une telle audace. En tout cas, il prenait son rôle plus au sérieux qu'on ne l'eût pensé.

Ce que personne ne prenait plus au sérieux dans cette petite communauté fermée, c'était la guerre. La vraie. Parfois, les membres de la légation avaient le mauvais goût de laisser échapper une nouvelle, du genre : « Ces salauds ont pris Boulogne », ou : « Maintenant les fils de pute ont Calais. »

« *Calais !* » s'exclama Yakimov. Même pour lui, c'était la chute d'un voisin. Mais que pouvait-on y faire ? Rien. Mieux valait tourner son attention sur la chute de Troie.

Fin mai, Yakimov savait tout son texte par cœur. Guy le laissait réciter sans l'interrompre. Après la première répétition générale, Guy regarda les trente-sept hommes et femmes de sa distribution et dit : « Ça prend forme. Cressida est bonne. Hélène, Agamemnon, Troïlus, Ulysse et Thersite, bons. Pandarus, excellent. Les autres devront travailler. »

Un matin, Harriet fit irruption dans l'amphithéâtre. Guy était en train d'expliquer à son audience le caractère d'Achille : confronté au choix de vivre dans une obscurité paisible ou de connaître une gloire courte et foudroyante, il avait opté pour la seconde. Dans Homère, Achille était l'archétype du soldat-héros. Mais Shakespeare, dont la sympathie allait aux Troyens, l'avait décrit comme un fasciste qui accomplissait ses prouesses en compagnie d'autres voyous fascistes. Le jeune Dimancescu, debout, une main sur la hanche, un sourire fat sur le visage, haussa un sourcil interrogateur en voyant entrer Harriet suivie de Clarence.

Guy, remarquant quelque chose d'inhabituel dans les manières de sa femme, interrompit son exposé :

« Que se passe-t-il ?

— Les troupes britanniques ont quitté l'Europe. Elles ont été rapatriées. »

On venait tout juste d'apprendre l'évacuation de Dunkerque.

« "Ils" ont dit que c'était merveilleux. *Merveilleux* », répéta-t-elle d'une voix brisée.

Yakimov, perplexe, regarda Guy :

« De quoi s'agit-il, cher garçon ? D'une victoire ?

— D'une sorte de victoire, intervint Clarence. Nous avons sauvé notre armée. »

Les étudiants se mirent à chuchoter entre eux. Visiblement, ce fait n'avait rien de glorieux à leurs yeux. Les armées alliées qui, entre autres, étaient censées protéger la Roumanie, s'étaient désintégrées. Les Français étaient en déroute ; les Anglais avaient détalé pour rejoindre leur île ; les autres avaient capitulé. Qui, maintenant, allait défendre la Roumanie ?

Harriet était plantée dans une sorte de transe au centre de la pièce. Guy lui prit le coude et, avec une gentillesse teintée d'impatience, la secoua légèrement :

« Laisse-nous continuer, dit-il.

— Je suppose que tu rentreras un jour à la maison ? » finit-elle par demander.

Elle sortit. Clarence allait la suivre quand Guy lui dit : « Clarence, j'ai besoin de toi. » Celui-ci hésita puis répondit, résigné : « D'accord. »

Harriet se retrouva dans la rue seule avec son angoisse.

25

Pauli, le domestique d'Inchcape, avait construit un modèle réduit de l'« opération Dynamo » : on voyait les membres de la force expéditionnaire britannique faire la queue sur les plages de Dunkerque pour s'embarquer. Les petites barges étaient posées sur une mer de cire bleue. Inchcape exposa cette maquette habile mais déprimante dans la vitrine du bureau d'informations. Le peu de passants qui se souciaient de la regarder devaient penser que les Anglais n'avaient désormais plus rien à leur offrir, sauf leur courage désespéré.

À Bucarest, les événements eurent surtout un effet d'ordre cinématographique : les films d'actualités françaises disparurent. Peut-être plus personne n'avait-il le cœur de les tourner ? Les actualités anglaises étaient bloquées du fait du chaos qui régnait en Europe. Les seules qui arrivaient avec une triomphante régularité étaient celles de l'UFA.

Le public était atterré, médusé par la ferveur et l'ardeur de ces jeunes hommes qui défilaient devant leurs yeux. Ces images étaient totalement dépourvues du réalisme plat qui caractérisait les actualités anglaises, de l'inactivité morne qu'ils s'étaient habitués à attendre des soldats. La moindre astuce de caméra était utilisée pour accentuer l'effet dramatique des chars d'assaut qui fauchaient des villes entières sur leur passage. Leur fièvre destructrice donnait un aperçu terrifiant de ce qu'avait dû être le Moyen Age. Les flammes qui consumaient Rotterdam se dressaient contre un ciel de nuit avec un grondement qui crevait l'écran. La caméra reculait, évitant de justesse d'être écrasée par le déluge de gravats qui accompagnait la chute de gigantesques façades aux fenêtres embrasées. Les spectateurs avaient également un mouvement de recul, comme si les immeubles allaient leur dégringoler dessus. Les briques pleuvaient de toute part. Les flèches des cathédrales, les tours, les merveilles architecturales qui avaient résisté à nombre d'autres guerres et avaient été la fierté des peuples, tout cela s'écroulait sous leurs yeux dans la poussière.

Clarence, assis à côté de Harriet, dit tout haut, de sa voix chaude et posée : « Je parie que ces films sont truqués. »

Les gens s'agitèrent nerveusement sur leurs sièges. Les plus proches, effrayés de sa témérité, lui jetèrent des coups d'œil réprobateurs.

Les caméras avançaient maintenant sous la double rangée de peupliers d'une route flamande. De chaque côté de la route, on voyait des camions abandonnés aux portières arrachées dont on avait sorti le contenu — pain, vin, vêtements, matériel médical, munitions —, qui gisait à côté, en désordre. Dans les rues principales des villes fuies par leurs habitants, les envahisseurs dormaient, étalés au soleil. Dans la lumière dorée d'un printemps superbe on voyait des chars laissés sur place, hors de service, dans le blé en herbe. Sur chacun, un nom écrit à la craie : *Mimi, Fanchette, Zéphyr*. L'un d'eux, couché sur le flanc, ses canons pathétiquement tordus, s'appelait *L'Inexorable*.

Le jour où on apprit le bombardement de Paris, un dernier film français parvint à Bucarest, comme un dernier cri poussé par la France. Harriet le vit en matinée, séance où l'audience était majoritairement féminine. Il montrait une file de réfugiés se traînant sur une longue route droite. Gros plans sur des pieds, des roues, des visages qui regardaient brièvement la caméra en train de les filmer. Enfants buvant à tour de rôle dans un gobelet d'étain. Un autre enfant gisant sur le bitume comme une poupée désarticulée. Ce film criait : « Ayez pitié de nous. » Mais les films allemands qui lui succédèrent faisaient bon marché de la pitié.

De la fumée montant de quelque ville conquise surgirent les chars allemands. Depuis Ypres et Ostende, ils descendaient vers la France en une file interminable. *Lille : 5 kilomètres*, pouvait-on lire sur un panneau. Ils semblaient ne rencontrer aucune résistance. Ils avaient évité la ligne Maginot qui, interrompue le long de la frontière belge, était bien le « gruyère » dénoncé par Steffaneski. La percée par Sedan avait été si facile qu'elle semblait une plaisanterie.

Les jeunes hommes blonds et souriants juchés sur leurs engins étaient sortis indemnes des ruines. Ils présentaient leurs visages au soleil en chantant : « Quelle importance si nous détruisons le monde ? Quand il sera à nous, nous le reconstruirons. »

Les tanks, filmés de façon à ressembler à des monstres, défilèrent par milliers — du moins, c'était l'impression qu'on avait. Dans la salle, les spectateurs, qui pensaient encore en termes de cavalerie, fixaient l'écran en silence, totalement immobiles. Cette débauche de forces blindées était pour eux une nouveauté effrayante. Les garçons aux cheveux d'or entamaient un autre chant :

> *Wir wollen keine Christen sein,*
> *Weil Christus war ein Judenschwein.*
> *Und seine Mutter, welch ein Hohn,*
> *Die heisst Marie, gebor'ne Kohn.*

En quittant la salle, Harriet perçut une sorte d'excitation dans les chuchotements consternés des spectatrices. « Que ces hommes sont beaux ! » s'exclama l'une d'elles. « Des dieux de la guerre », lui répondit une autre.

Une fois dans la rue, elle éprouva une impression étrange en voyant les bâtiments debout. Maintenant, elle savait où passer son temps libre : dans le petit jardin de l'Athénée-Palace, devenu le lieu de rencontre des Anglais depuis qu'ils avaient été dépossédés de l'*English Bar*.

Les Allemands avaient occupé le bar fin mai. L'attaque, à l'évidence, avait été préparée. Un matin, une foule de journalistes, d'hommes d'affaires et d'attachés d'ambassade avait débarqué et, en jouant des coudes, avait poussé dehors les trois seuls Anglais présents à cette heure. Ceux-ci n'avaient pas tenté de résister. Les Allemands avaient pour eux leurs mauvaises manières ; les Anglais, leur horreur du scandale.

Galpin, emportant son verre, fut le premier à partir non sans s'être préalablement défoulé : « Je ne supporte ni la vue, ni l'odeur, ni le bruit d'un nazi », dit-il d'une voix forte en se retirant, ses compatriotes sur les talons.

Le hall et les salons de l'hôtel étaient également bourrés d'Allemands qui attendaient de passer à la salle à manger. Un déjeuner de célébration, semblait-il. Galpin trouva refuge dans le jardin.

Le lendemain, les Allemands avaient de nouveau investi le bar, prêts à n'en plus bouger. Galpin retourna dans le jardin après avoir dit à Albu que, si on le cherchait, c'était là qu'on le trouverait. Il finit par y passer la plupart de ses journées ; il y recevait ses correspondants locaux venus lui annoncer les défaites des Alliés ainsi que quelques nouvelles de politique intérieure roumaine, telle la démission forcée du ministre des Affaires étrangères Gafencu, un probritannique dont la mère était Anglaise. Tous les membres de la colonie anglaise prirent l'habitude de venir attendre les nouvelles assis dans le jardin. Le serveur, compréhensif, évitait de les déranger : un réconfort pour des gens dont la sphère d'influence se rétrécissait comme une peau de chagrin.

À la venue de l'été, les citadins s'attendaient à trois mois de beau temps ininterrompus. La chaleur allait finir par les forcer à se réfugier à l'intérieur, mais, en attendant, ils vivaient sur les terrasses de café.

Galpin avait fait sienne une table près de la fontaine, au centre du jardin. Après la séance de cinéma, Harriet vint s'y asseoir ; s'y trouvaient déjà Screwby et les trois vieilles dames qui, tous les après-midi, formaient le noyau du groupe : des gouvernantes à la retraite qui survivaient désormais en donnant des leçons d'anglais. Guy les employait le matin ; le reste de la journée, elles n'avaient rien d'autre à faire que ruminer le désastre. Elles accueillirent Harriet comme une vieille amie. À peine assise, celle-ci posa la question qu'ils posaient tous :

« Quelles sont les nouvelles ?

— D'après la rumeur, Churchill a fait une déclaration. Nous en saurons peut-être davantage plus tard. »

Les trois vieilles dames avaient commandé du thé. Harriet en prit avec elles.

« Excellent », déclara la plus âgée, Miss Turner, qui n'ouvrait généralement la bouche que pour évoquer la maisonnée d'un riche Roumain dont elle avait élevé les enfants. « C'était ce genre de thé que nous buvions autrefois. Le prince était on ne peut plus généreux. Je peux vous assurer qu'à la *nursery*, nous n'étions pas privées, ce qui est rare, croyez-moi. Quand j'ai pris ma retraite, il m'a versé une pension — pas très grosse mais suffisante pour mes besoins. Il a toujours été un homme attentionné et perspicace : "Miss Turner, cela saute aux yeux que vous êtes une dame", me disait-il souvent. »

Elle tourna son petit visage pâle et insignifiant vers Miss Truslove, quêtant son approbation. Puis elle posa un regard de pitié sur la troisième, qu'elle appelait toujours derrière son dos « cette pauvre Mrs Ramsden ». Celle qui n'avait pas la chance d'être une « dame ».

Cette dernière chuchota à Harriet : « Sa pension n'est valable qu'ici. Elle n'aura pas un penny si nous devons déguerpir. »

Pour avoir écouté une semaine durant leurs conversations, Harriet savait que voir se désintégrer leur monde d'adoption était ce que ces femmes redoutaient le plus. Tout ce qu'elles possédaient était là. Le peu de parents qui leur restait en Angleterre les avait oubliées. Si on les chassait de Roumanie, elles n'auraient plus d'amis, plus de logement, plus de statut et plus d'argent.

« Moi, je n'ai pas de pension, dit Mrs Ramsden, mais j'ai mes économies. Elles sont placées ici, dans ce pays. J'y resterai quoi qu'il arrive. C'est un risque que je dois courir. »

C'était une grosse femme, célèbre pour ses chapeaux à plumes, dotée d'une vitalité qui faisait défaut aux deux autres. « Vous ne le croirez peut-être pas, mais j'ai soixante-neuf ans », disait-elle souvent à la cantonade. Elle avait perdu son mari à la guerre de 14 et était venue s'établir à Bucarest, qu'elle n'avait plus quittée. « Quand Woolley nous a toutes expédiées, l'été dernier, poursuivit-elle, j'avais tellement le mal du pays que je pleurais tous les soirs. Istanbul est un trou pourri. Alors tant pis si je finis dans un de leurs fameux camps. Hein, Truslove ? » dit-elle en abattant une main sur le genou de la vieille demoiselle.

Celle-ci sursauta. Elle semblait très affectée.

« Ça ne me dit rien du tout de rester ici, entourée d'Allemands, répondit-elle de sa petite voix plaintive.

— Oh, ça s'arrangera peut-être. Allons, du nerf ! »

Galpin semblait avoir peu de sympathie pour Mrs Ramsden, dont l'énergie l'agaçait. Il ne ratait pas une occasion d'être désagréable avec elle. « Vous ne croyez tout de même pas que vous pourrez rester ici sous occupation allemande ? Tout Anglais qui serait assez idiot pour tenter le coup se retrouverait à Belsen. »

Ce nom honni réveilla les terreurs de Miss Truslove. Elle se mit à renifler. Elle cherchait son mouchoir quand son attention, comme celle de Galpin, fut détournée par l'arrivée de Wanda, la Polonaise.

Récemment, on avait beaucoup vu en ville cette ex-petite amie de Galpin dans la De Dion-Bouton de Foxy Leverett. À la surprise générale, car on croyait toujours Foxy au mieux avec la princesse Teodorescu. Peut-être, se disait-on, Foxy était-il en mission : à savoir empêcher Wanda de continuer à envoyer à son journal les inepties irresponsables qu'elle lui dépêchait. Quelle que fût leur relation, la jeune femme était plutôt désœuvrée depuis que Leverett avait été enrôlé dans la pièce. Comme beaucoup d'autres, elle passait régulièrement à l'Athénée-Palace.

« Merde alors ! » s'exclama galamment Galpin, les yeux hors de la tête, quand Wanda fit son entrée dans le jardin. Elle portait une robe noire très moulante et des talons très hauts ; son dos nu et ses bras étaient déjà chocolat. Elle ignora Galpin et demanda à Screwby : « Des nouvelles ? » Il n'y en avait pas.

Les femmes se poussèrent pour lui faire de la place. Ses longs cheveux lui retombant sur le visage, le menton posé dans sa main, elle se pencha en avant et, sans un mot, plongea ses yeux dans les yeux de Screwby. Elle procédait toujours ainsi avec les hommes qui l'intéressaient. « Que va-t-il arriver ? Qu'allons-nous faire ? » finit-elle par lui demander, comme si leur avenir en général et le sien en particulier dépendaient d'un mot du Canadien.

Screwby ne mangeait pas de ce pain-là : « Je n'en sais rien », répondit-il simplement. Galpin, que la présence silencieuse de Wanda rendait nerveux, se mit à raconter des histoires prétendues drôles qu'il avait mille fois racontées. Il était agressif et grotesque. Quand elle partit, il se crut obligé de dire : « Pauvre fille. Elle me fait de la peine. Elle n'a pas un seul ami, ici. »

Il avait avec lui son poste de radio portatif et s'efforçait périodiquement de trouver une retransmission du discours de Churchill. Ils restèrent dans le jardin jusqu'au soir. À l'exception de quelques rares couples roumains clandestins, ils l'avaient pour eux seuls. Visiblement, personne ne s'était jamais soucié d'en exploiter les possibilités. Il n'était éclairé que par les fenêtres de l'hôtel. Les tilleuls embaumaient et des chauves-souris volaient au ras de leurs têtes, obligeant souvent Mrs Ramsden, qui craignait pour son chapeau, à plonger quasiment sous la table.

On entendit enfin retentir la voix du Premier ministre. Les Roumains s'approchèrent pour mieux entendre Churchill déclarer que l'Angleterre ne se rendrait jamais. « Nous nous battrons sur les plages. Nous nous battrons dans les champs », affirma-t-il.

Mrs Ramsden enfouit son visage dans ses mains. Son chapeau roula au sol sans que personne le remarquât.

Chaque jour, la foule massée devant le bureau allemand de propagande voyait les flèches gagner du terrain en France. L'une d'elles pointait Paris. Les gens, incrédules, se disaient que Paris ne pouvait pas tomber ; que ce cauchemar allait finir. Harriet se fraya un passage jusqu'à la vitrine, puis poursuivit son chemin jusqu'à l'appartement de Bella, où la couturière devait venir livrer les costumes des femmes.

Les robes, de ce voile blanc bon marché dont les paysannes se faisaient des blouses, étaient d'une simplicité classique. Toutes les actrices devaient être habillées à l'identique, ce qui contrariait Bella : elle aurait vu pour Hélène de Troie quelque chose de plus cossu, dans le genre satin. Elle avait passé la robe de voile et se regardait d'un œil critique dans la glace de la gigantesque armoire de sa chambre, tout en marchant de long en large.

La couturière, à genoux devant elle, l'observait. C'était la moins chère que Harriet avait pu trouver, une créature minuscule et décharnée qui sentait le pain moisi. Son visage, curieusement déformé d'un côté, était d'un brun jaune, et sa lèvre affligée d'une moustache très nette.

« On va toutes ressembler à des vestales. Heureusement que moi, j'ai mes bijoux. Mais les autres... se plaignit Bella.

— Dois-tu absolument porter des bijoux ?

— Mais ma chère, n'oublie pas que je suis une reine. »

La robe était d'une élégance qu'auraient eu du mal à égaler les meilleurs couturiers anglais. Elle était parfaite. « Ça manque un peu de couleur, dit Bella... un carré de mousseline de soie. Un foulard d'un joli bleu ou or, pour moi, et d'un ton différent pour les autres. »

Harriet se sentit brusquement déprimée. N'avait-elle pas

gâché la pièce par l'austérité de ses costumes ? La couturière se répandit soudain en un flot de paroles.

« Que dit-elle ? demanda Harriet.

— Elle veut être payée. »

Harriet sortit l'argent.

« Elle réclame mille *lei*, dit Bella. Donne-lui-en huit cents.

— Mais mille, ce n'est rien. Tout juste dix shillings.

— Elle ne peut pas le savoir. Elle prendra huit cents. Une Roumaine ne lui donnerait que la moitié de cette somme. »

La plus petite coupure que Harriet put trouver était un billet de mille *lei*. Elle le tendit à la femme, qui courut à la porte. Bella, bloquant celle-ci, tendit la main pour recevoir la monnaie. La femme se mit à gémir comme une mendiante professionnelle puis fondit en larmes. « Je t'en prie, Bella. Elle a bien gagné son argent. Laisse-la tranquille », plaida Harriet. Bella s'exécuta, de mauvaise grâce.

Elles s'aperçurent que, dans sa hâte de partir, la femme avait oublié le paquet : elle était censée livrer ensuite les costumes aux autres actrices.

« Regarde-moi ça ! Maintenant, il va falloir nous trouver un homme pour apporter ce truc à l'université, dit Bella.

— Je vais le faire, proposa Harriet.

— Pas question. C'est moi. Je n'ai pas honte qu'on me voie porter un paquet. »

Quand Clarence conduisit Harriet à l' « usine » de tricot, elle fut surprise de constater que les collants correspondaient exactement à ce qu'elle avait demandé. Au retour, Clarence s'arrêta de nouveau au magasin du secours polonais. Il en ressortit avec une pile de chemises et de sous-vêtements. « Pour Guy », dit-il en les lui tendant.

« Pourquoi ne pas me les avoir donnés la fois précédente ?

— Parce que vous avez été désagréable avec moi. Ne comprenez-vous pas que si vous me traitiez convenablement, vous obtiendriez tout ce que vous voulez ? »

Cet après-midi-là, dans le jardin de l'Athénée-Palace, Harriet apprit que Mussolini avait déclaré la guerre aux Alliés — nouvelle qui leur fut annoncée par le serveur italien de l'hôtel.

« *Che sorpresa*, hé ? répétait-il avec jubilation.

— Pas vraiment, répondit Galpin. Ce qui nous surprend, en revanche, c'est qu'il n'y ait pas plus de hyènes dans votre genre pour participer à la curée. »

Le garçon ne comprit pas, ou fit semblant de ne pas comprendre : « Maintenant, c'est nous, les Italiens, qui irons à l'étranger regarder les tableaux dans les musées. »

Donnant un coup de chiffon symbolique sur la table jonchée de fleurs de tilleul, il eut un rire de triomphe puis partit en fredonnant quelques mesures d'opéra.

26

La répétition en costumes de *Troïlus et Cressida* devait avoir lieu le 13 juin au soir, le théâtre étant fermé le jeudi. Jusqu'au vendredi suivant minuit, il était loué aux Anglais et réservé aux préparatifs de leur spectacle. Harriet fut invitée à cette répétition qui était prévue pour vingt-trois heures.

Clarence, qui devait l'emmener dîner avant, vint la prendre tôt dans la soirée.

« Il se passe quelque chose. La police arrête les gens pour examiner leurs papiers, lui dit-il.

— Que cherchent-ils?

— Des espions, probablement. »

Les rues, comme à l'ordinaire, étaient pleines de promeneurs. Au point de désolation où ils en étaient, il en fallait davantage pour les affoler. Pour les habitants de Bucarest, la chute de Paris signifiait l'effondrement de la civilisation. La France était un idéal pour tous ceux qui luttaient afin de s'extraire de leur condition paysanne. Elle était à leurs yeux le berceau de la culture, de la liberté, de l'indépendance d'esprit et de la mode. Une fois la France perdue, il n'y aurait plus aucun rempart contre la barbarie. À part une poignée de fascistes convaincus, personne ne croyait à l'ordre nouveau. Que la victoire des nazis fût la victoire des ténèbres était une évidence même pour ceux qui avaient investi leurs capitaux en Allemagne. Coupée de l'Europe occidentale, la Roumanie serait ouverte à la persécution, au fanatisme, à la cruauté, à la superstition et à la tyrannie. Il n'y avait désormais plus personne pour la sauver.

Une atmosphère lourde de tristesse, de désespoir, même,

pesait sur la ville. Clarence et Harriet remontèrent la Chaussée en voiture dans un crépuscule qui leur sembla soudain le dernier du monde.

Les *gràdini* avaient retrouvé leur animation saisonnière, leur musique et leurs éclairages *a giorno*. Ils étaient le seul lieu où l'on tentait de croire que la vie continuait comme avant. La foule déambulait sous les châtaigniers et les tilleuls dont le feuillage n'avait pas encore souffert des chaleurs de l'été. Clarence et Harriet s'y joignirent, se promenant avec eux jusqu'à l'arc de triomphe. Les conversations qu'ils surprenaient tournaient néanmoins toutes autour de l'invasion de la France : qu'avait-il pu arriver à ce pays ? Il fallait qu'il fût bien démoralisé pour tomber aussi vite aux mains de l'ennemi. « Rien ni personne ne peut s'opposer à la nouvelle Allemagne », affirmait quelqu'un. Et ainsi de suite.

« Steffaneski ne donne pas une semaine à la France, dit Clarence. Il clame qu'en trois semaines il en a vu assez en Pologne pour être sûr. Il exagère peut-être, mais n'oublions pas que la capitulation de la Belgique et de la Hollande et le repli de l'Angleterre n'ont pris que dix-huit jours.

— Et vous, qu'en pensez-vous ?

— Je n'en sais rien. Lors de la guerre précédente, les Allemands sont arrivés jusqu'à la Marne. Les Français se sont battus comme des fous pour sauver Paris. Ils sont montés au front en taxis. La ligne a tenu. Pourquoi ne referaient-ils pas la même chose cette fois-ci ? »

Comme ils approchaient de l'arc de triomphe, ils furent entourés par trois petites filles en robes paysannes qui s'adressèrent à Clarence sur un ton interrogatif et insistant.

« Que vous offrent-elles ? demanda Harriet, qui croyait avoir affaire à des mendiantes ayant mis au point une tactique spéciale.

— Leur corps. Ce sont des putains.

— Non ! Mais elles ne sont même pas pubères... »

Les trois filles continuèrent leur litanie en gambadant et en gloussant, prises parfois de fou rire.

« En tout cas, elles sont plus joyeuses que la plupart des paysans, dit Harriet en souriant. Ce qui m'étonne, c'est qu'elles vous sollicitent en ma présence.

— Elles sont encore inexpérimentées.

— Je trouve cela assez drôle.

— Pas moi », déclara-t-il d'un ton sinistre.

Ils choisirent un des restaurants les plus intimes où un petit orchestre jouait dans le jardin. Chaque fois qu'il s'arrêtait, on entendait les orchestres des restaurants voisins lui répondre, comme dans une conversation entre merles. La trille aiguë de Florica vibra dans le lointain. Clarence soupira.

« Je me demande ce que nous allons devenir. Nous ne rentrerons peut-être jamais chez nous. J'imagine que vos parents sont inquiets à votre sujet ? demanda-t-il.

— Je n'ai pas de parents. Du moins, personne qu'on puisse définir ainsi. Ils ont divorcé quand j'étais encore très jeune et se sont tous deux remariés. Ni l'un ni l'autre ne souhaitant s'encombrer de moi, c'est ma tante Penny qui m'a élevée. Elle aussi, je l'encombrais. Quand je faisais une bêtise elle me disait : "Pas étonnant que ton papa et ta maman ne t'aiment pas." En fait, tout ce que je possède est ici. »

Elle se tut, se demandant ce qu'elle possédait au juste. Levant les yeux vers le ciel plein d'étoiles, elle en voulut soudain à Guy de ne pas être avec elle. Cet homme n'était jamais présent quand on avait besoin de lui. Ils traversaient des temps où le partage était pourtant nécessaire.

Ils choisirent ce qu'ils voulaient manger. Clarence commanda au sommelier une bouteille d'un tokay ruineux. « Si on doit mourir demain, au moins qu'on boive bien », déclarat-il.

Elle se dit qu'après tout elle n'était pas seule. Dommage qu'elle ne pût éprouver des sentiments plus tendres pour Clarence. Il ne lui servait que de substitut à ce qui lui manquait avec Guy. Et Guy s'apercevait-il seulement que quelque chose manquait à sa femme ? Dans quelle sorte de réalité vivait-il ?

Récemment, Dobson avait téléphoné aux Pringle pour leur dire qu'ils devaient d'urgence se procurer un visa pour les pays voisins en cas d'évacuation de la Roumanie. « Tu t'en occupes, avait dit Guy à Harriet. Je suis bien trop pris par mon spectacle. » Elle trouvait cette évasion de la réalité d'autant moins excusable que durant leur brève vie commune d' « avantguerre », il s'était fait le héraut d'une croisade antifasciste. « Je bois à ta santé avant que les crosses de mitraillette ne cognent à notre porte », déclamait-il souvent. Eh bien, le temps des crosses de mitraillette était venu mais Guy n'était plus là. Quand on le traînerait à Belsen, il protesterait en disant qu'il n'avait pas le temps d'y aller.

Cette idée l'amusa. Clarence lui demanda ce qui la faisait sourire.

« Je pensais à Guy, dit-elle.

— Je vous avais dit qu'il était une sorte de saint. Je pense aussi qu'il est un imbécile. Il ramasse n'importe qui. Prenez Yakimov, par exemple. Ce mollusque va s'incruster chez vous à vie, déclara-t-il.

— Guy n'est pas un imbécile. Mais c'est vrai qu'il a une certaine capacité à supporter des gens qui, eux, le sont. C'est sa force, en quelque sorte. De ce fait, il ne sera jamais à court d'amis. Il s'est constitué une suite.

— Une suite d'abrutis...

— N'oubliez pas que ceux qui ont l'esprit critique sont seuls. Moi, par exemple : quand Guy est occupé, je n'ai que vous. »

Clarence sourit.

Le violoniste de l'orchestre circulait maintenant entre les tables pour donner l'aubade aux amoureux. Il s'arrêta devant la leur, s'inclina et leur fit un sourire complice. Puis, maniant son instrument avec furie, il en tira des sons aigus et nostalgiques. Tout fut fini en un instant : un bref orgasme. Il s'inclina de nouveau et Clarence lui offrit un verre de vin qu'avant de boire il leva en guise de félicitations. Félicitations pour quoi ? Pour leur passion non existante ?

Clarence avait l'air triste.

« Vous devriez vous marier, lui suggéra Harriet.

— Avec qui ? La femme qu'il me faudrait doit être forte, fière, intolérante et noble. Comme vous. »

Elle rit, un peu gênée par la franchise de cette attaque.

« Je ne me reconnais pas dans ces vertus. Forte, je ne le suis pas. Intolérante, ça oui — un vilain défaut. Sophie me l'a d'ailleurs reproché : elle affirme que je suis un monstre. Je me dis parfois que je finirai mal. Je me vois assez en vieille clocharde à qui la solitude a fait perdre la boule.

— Une hypothèse improbable : vous avez Guy. Vous aurez toujours Guy.

— Et lui aura toujours le reste du monde. »

Quand ils remontèrent en voiture la Calea Victoriei, ils virent qu'on avait éteint le Cismigiu. Le parc qui, en été, était habituellement fréquenté de nuit comme de jour, était désert et silencieux ; un îlot de noirceur dans une ville en deuil. « Le Paris de l'Est pleure son homonyme occidental », dit Clarence. Par contraste, la vitrine du bureau allemand de propagande ne semblait que plus brillamment éclairée : les flèches rouges encerclaient presque la capitale française.

En entrant dans le théâtre, ils eurent l'impression d'arriver sur une autre planète. Les gens couraient dans tous les sens, animés d'une fièvre créatrice annonciatrice du triomphe, et non de la défaite. Même Clarence se laissa prendre à cet enthousiasme. « Je dois vous quitter. Guy veut que nous soyons prêts à onze heures pile », dit-il.

Elle chercha un visage familier mais tout le monde était trop occupé ne serait-ce que pour la reconnaître. Seul Yakimov, en collant et cape roses, s'arrêta pour lui parler :

« Que se passe-t-il, chère fille ? Vous semblez soucieuse.

— Tout le monde est soucieux : les Allemands sont presque à Paris.

— Oh non ! » Il semblait consterné. Mais on l'appela. Son visage s'éclaira aussitôt et il partit s'occuper de choses sérieuses.

Harriet espérait qu'on lui demanderait son avis pour l'habillage. Mais elle n'était que la créatrice des costumes. L'habilleuse, une étudiante, la bouche pleine d'épingles, lui laissa entendre qu'elle pouvait très bien se débrouiller seule.

Elle trouva la loge qu'Hélène partageait avec Andromaque et Cassandre. Les deux dernières s'habillaient discrètement au fond tandis que Bella, déjà habillée, se maquillait assise devant le miroir. Ses cheveux, nettement plus blonds depuis la dernière fois qu'elles s'étaient vues, étaient pris dans un tube doré ; l'extrémité retombait dans son dos en queue de cheval.

« J'ai apporté les carrés de mousseline, annonça Harriet.

— Oh, merci chérie. Tu es un ange ! » lui dit Bella. Sans détacher ses yeux de la glace, elle tendit une main et plia les doigts en un petit geste impératif qui signifiait : « Donne ! »

Ses enjolivements distribués, Harriet gagna l'imposante salle de théâtre pleine de dorures dont seule la scène était éclairée. Elle s'assit dans un fauteuil de peluche rouge derrière la rangée où étaient assis Fitzsimon, Dobson et Foxy Leverett, déjà habillés pour la répétition. Les deux derniers conseillaient au premier d'affermir le succès de Troïtus en rembourrant le devant de son collant.

« Du coton ferait sans doute l'affaire, disait Foxy, que cette idée faisait jubiler. Un bon rembourrage impressionnera les filles du cru. »

Sur la scène, Guy, habillé en Nestor mais non maquillé, haranguait une file de paysans qui clignaient des yeux, aveuglés par les feux de la rampe.

« Que se passe-t-il ? chuchota Harriet à Dobson.

— Ce sont les machinistes. Guy a passé l'après-midi à leur expliquer ce qu'ils devaient faire, mais depuis le début de la répétition, ils ne font que des bêtises. Bien sûr, ils s'en fichent. Pourquoi se donner du mal pour une bande d'étrangers ? »

Pris d'un de ses rares et légendaires accès de colère, Guy les avait alignés devant lui. Certains, vêtus de costumes sombres misérables, ressemblaient à des employés indigents ; d'autres portaient encore le costume paysan. La plupart semblaient ahuris d'entendre un étranger s'adresser à eux en roumain. Un ou deux, dont les manières ne manquaient pas de dignité, semblaient peinés. Les autres conservaient leur air abruti, comme s'ils ne comprenaient même pas leur propre langue.

Du discours de Guy, Harriet parvint à saisir ceci : la soirée du lendemain serait un grand événement ; y assisteraient des princes et autres aristocrates roumains, ainsi que nombre de personnalités étrangères. C'était pour eux, les techniciens, une formidable occasion de montrer de quoi ils étaient capables. L'honneur du grand Théâtre national, l'honneur de la ville de Bucarest, non, l'honneur de toute la Roumanie était entre leurs mains.

Les machinistes, mal à l'aise, s'agitaient. L'un d'eux, un petit gros en haillons avec un air d'idiotie congénitable sur le visage souriait, comme si tout cela n'était qu'un jeu. Guy l'apostropha : « Vous, là, qu'est-ce que vous faites ? »

L'homme changeait les décors.

« Un travail d'une importance capitale, déclara Guy. Un travail dont dépend le succès ou l'échec de tout le spectacle. » Le sourire s'effaça du visage du petit gros.

« Et maintenant, reprenons les éclairages et les changements de décor depuis le début », dit Guy.

Harriet le regardait, le cœur serré, se demandant à quoi servait une telle dépense d'énergie : à produire un spectacle d'amateurs qui remplirait le théâtre une matinée et une soirée et serait complètement oublié au bout d'une semaine. Elle se savait elle-même incapable de s'adonner à des entreprises aussi éphémères. Guy était une sorte de tornade ; il ne savait pas canaliser ses ardeurs, et il ne la laissait pas l'y aider. Elle ne pouvait que le prendre — et l'aimer — tel qu'il était.

27

La représentation en matinée de *Troïlus et Cressida* était réservée aux seuls étudiants : les places étaient bon marché. Pour la représentation en soirée, les prix étaient si exorbitants que nombre de riches Roumains et de juifs, qui ne pouvaient pas se permettre de ne pas être vus dans la salle, s'étaient fait un devoir d'acheter des billets. Les profits devaient servir à financer un projet, conçu par Guy et Dubedat, pour loger des étudiants pauvres. Un projet qui provoquait la stupeur : comment des gens, fussent-ils anglais, pouvaient-ils travailler si dur sans faire de profit personnel ?

Nikko, qui avait cérémonieusement demandé à Guy la permission d'escorter Harriet, passa prendre celle-ci à sept heures et demie. Dans son smoking cintré rehaussé d'un nœud papillon parfait, il lui fit penser à un coq de combat, un petit coq noir. Elle s'attendait à ce qu'il se dresse sur ses ergots et lance son cri : au lieu de quoi, il s'inclina et lui baisa la main, un sourire radieux sur le visage.

« Harry-ott, acceptez ce gage d'estime, dit-il en lui tendant une rose achetée chez le fleuriste royal. Fréquenter ce lieu n'est pas dans mes habitudes ; ce serait encourager un roi qui, non content d'être un gangster, est un vulgaire boutiquier. Mais ce soir, en passant devant la vitrine, j'ai vu la rose et j'ai pensé à Harry-ott. »

Il souriait toujours mais semblait à cran. Quand Harriet lui servit un verre, il explosa : « Je ne parle jamais d'argent. Comme les Anglais, j'estime que ce n'est pas *chic* *, mais... voilà des semaines que je suis séparé de ma femme et maintenant, que me dit-on ? "*Domnule* Nicolescu, payez s'il vous plaît cinq mille *lei* pour voir *doamna* Nicolescu monter sur les planches". » Il eut un rire de dégoût : « Drôle, non ? » ajouta-t-il en s'efforçant de prendre un air amusé.

« Il n'y a aucun siège gratuit. La recette ira à une œuvre de charité, expliqua Harriet.

— L'aide aux étudiants pauvres, vous voulez dire ? Mais Harry-ott, regardez autour de vous. Il y a trop d'étudiants pauvres. Chaque fils de paysan fréquente l'université. Ils veulent tous être juristes. Croyez-moi, nous avons déjà trop de juristes. Il n'y a pas de travail pour eux. Ce dont nous manquons, c'est d'artisans. Mais cessons cette conversation si ennuyeuse. Soyons légers. N'ai-je pas la chance de sortir une belle dame pour une grande occasion ? Venez, le taxi nous attend. »

Une fois dans la voiture il lui demanda :

« Vous connaissez la nouvelle ?

— Quelle nouvelle ?

— Madame a demandé qu'on hâte le procès de Drucker. Elle craint que les Allemands le fassent annuler pour ne pas être compromis.

— Vous voulez dire que ce sont les Allemands qui pourraient sauver Drucker ?

— Pas du tout. Personne ne peut sauver Drucker. Pour lui, si ce n'est pas Bistrita, ce sera Dachau. Il n'est plus utile à quiconque.

— Dans ce cas, je ne comprends pas pourquoi la maîtresse du roi tient tant à ce procès.

— Parce que, sans lui, l'État ne peut pas saisir les biens du banquier. Ils resteraient la propriété de sa femme. »

En entrant au théâtre, Harriet fut soulagée de voir qu'il y avait foule. « Une brillante audience », nota Nikko lorsqu'ils prirent leurs sièges. Il se levait fréquemment et s'inclinait ensuite pour saluer des connaissances, ses dents blanches étincelant sous la barre noire de sa moustache. Entre deux courbettes, il énonçait à Harriet les titres des personnes à qui il les adressait. Très titrées, semblait-il. « Grande famille, ajoutait-il, mais fauchée. Je me demande qui a payé leurs places. » Dans le nombre, figurait la princesse Teodorescu, accompagnée du baron Steinfeld.

La salle était pleine. Sir Montagu et ses invités apparurent dans la loge royale. Le public se leva quand on entama le *God*

Save the King, suivi de l'hymne roumain, lui-même suivi d'une valse qui mourut quand les lumières s'éteignirent. Un étudiant monta sur scène et, devant le rideau baissé, lut le prologue. Les répétitions avaient porté leurs fruits, et il s'acquitta fort bien de sa tâche. Dès qu'il se fut retiré, certains spectateurs félicitèrent ses parents. Le père, se levant à demi de son siège, s'inclina pour remercier. Harriet s'inquiétait : tous ces salamalecs allaient troubler le spectacle. Mais le silence se fit instantanément au lever du rideau. On vit Fitzsimon, dans une pose languissante, une main sur la hanche, vêtu — terme très exagéré — de blanc et or. Son collant était avantageusement rembourré devant, et il avait une perruque dorée sur la tête.

L'assistance était bouche bée. Les têtes se rapprochèrent. Un frisson d'émoi, telle une brise, parcourut les fauteuils d'orchestre. Les femmes se mirent à applaudir avant même de se rendre compte qu'elles le faisaient. Fitzsimon attendit patiemment le retour au calme en parcourant des yeux le public féminin des premières rangées. Son regard s'arrêta sur la princesse Teodorescu. Il soupira et dit :

« Appelle mon valet, je veux ôter mes armes,
À quoi bon guerroyer hors des murs de Troie,
Quand je trouve bataille si cruelle ici, en moi-même ? »

Personne n'avait encore remarqué Yakimov. « Cette affaire ne s'arrangera-t-elle jamais ? » s'enquit-il d'une voix insinuante qui pointait l'ambiguïté du propos, tout en la dissimulant sous une fausse innocence confondante. Et il s'avança avec naturel vers les feux de la rampe.

Le public roumain s'agita, ne sachant trop sur quel pied danser. Il se détendit aussitôt quand, dans la loge royale, Sir Montagu laissa échapper un gros rire ravi. Et bientôt, ce fut gagné pour Yakimov : tout le monde l'adorait. On retenait son souffle de peur de louper une inconvenance. Les femmes, servies par l'obscurité, s'amusaient en douce ; les hommes riaient sans retenue.

Harriet suivait, fascinée, la performance de Pandarus. Leur Yaki, leur « pauvre vieux Yaki », comme il se plaisait à le dire, avait fait du chemin. Il leur avait à tous beaucoup pris, mais maintenant il *se* donnait sans réserve. Il payait magistralement ses dettes. Guy pouvait être satisfait.

Il sortit dans un tonnerre d'applaudissements qui suspendit

l'action pendant un moment. Fitzsimon accepta cette interruption avec bonne humeur. Quand il leva finalement la main en disant : « Paix, clameurs malgracieuses ! Paix, bruits barbares ! » le rire qui accueillit ces propos ne laissait aucun doute que le public fût tout acquis aux acteurs. La façon dont s'était déroulée cette scène I persuada Harriet qu'elle n'avait plus rien à craindre pour la suite.

Tous les acteurs étaient bons : Dubedat, Inchcape, David, les hommes de la légation. Quant à Sophie... Ses petites mines, ses regards éloquents, son chiffon rose qu'elle laissait traîner dans son sillage comme le symbole de sa propre fragrance sexuelle pour attirer les mâles — Troïlus, son serviteur, et *tout* mâle qui se trouvait aux alentours —, c'était une Cressida-née. La quintessence de l'enfant de la balle. La ruse faite femme. Son interprétation stupéfia Harriet. Même dans leurs scènes communes, Pandarus n'arrivait pas à lui faire de l'ombre. Tous deux se mettaient mutuellement en valeur, ils se complétaient : un oncle et une nièce qui complotaient pour dévorer le naïf et romantique Troïlus.

Nikko remua sur son fauteuil, tentant de lire son nom sur le programme.

« Qui est-ce ? Est-ce Sophie Oresanu ?

— Oui.

— Mais elle est *charmante* ! »

L'entracte survint après que Pandarus eut conduit les amoureux dans « une chambre avec un lit » (meuble qu'il leur conseilla pragmatiquement d'« écraser à mort pour qu'il ne parle pas de vos jolis combats »).

Dans le foyer, Nikko joua des coudes pour pouvoir s'approcher du bar et lui rapporter un verre. Harriet, en l'attendant, écoutait les commentaires qui fusaient de toute part. Elle entendit mentionner les noms de Clarence (« Qui aurait pu penser, en le rencontrant dans la rue, que Mr Lawson pouvait être aussi comique ? »), et de Dubedat, qui fut déclaré « très fort » — preuve qu'une pleurnicherie contrôlée pouvait devenir virulence.

« Et ce jeune Dimancescu ! Quel bel anglais il parle ! Et ses manières : un vrai aristocrate, non ? » s'exclama une femme, faisant sans doute, quant aux manières, référence au jeu très distancé d'Achille, qui laissait tomber son texte du bout des lèvres. Preuve que, là, Guy avait manqué son coup, puisque le « voyou fasciste » passait pour un aristo.

« Et Ménélas. Ah, Ménélas ! » gloussaient les hommes d'un air entendu. Dobson, dans sa jupette et son corselet grecs, n'avait pu imiter l'effet produit par Fitzsimon et Leverett en collant. Il s'était débrouillé pour suggérer que, même si sa tenue l'eût permis, son rôle lui interdisait d'exhiber ses avantages. Il avait donc exprimé sa position peu enviable de « cocufié » (le mot même de Shakespeare) par de piteux sourires d'excuse qui avaient ravi les Roumains, friands de ce type d'humour.

Quand Nikko revint vers Harriet avec deux whiskies, on le félicita pour la prestation de Bella, dont le jeu avait été très remarqué.

« On dirait Vénus en personne », dit un homme. « Oui, se dit peu charitablement Harriet, une Vénus de la décadence, une grande fleur tocarde sans aucun parfum. »

L'étudiant qui avait joué Pâris — pas très bien —, avait été écrasé par sa formidable maîtresse. Celle-ci avait monopolisé l'espace, soucieuse au premier chef de présenter son profil sous le meilleur angle. Yakimov, qui s'était surpassé dans cette scène, s'était chargé de communiquer au public l'enjouement supposé d'Hélène.

Durant la représentation, quelqu'un dans le public avait demandé : « Se peut-il que cette dame soit Roumaine ? — Oui, oui ! » avait chuchoté un autre. Nikko avait eu du mal à contenir sa fierté. Maintenant, au foyer, il recevait ces félicitations avec le visage crispé d'un bonheur que Harriet redoutait de voir à tout moment se dissoudre dans les larmes.

Celle-ci reçut aussi sa part de félicitations, pour la performance du metteur en scène. Guy jouait le rôle ingrat de Nestor. « Il a vraiment l'air d'un vieillard », s'extasia quelqu'un. « Les acteurs sont tous bons », répondit Harriet.

L'acquiescement fut général.

Dans la seconde moitié de la pièce, Inchcape, au cours de ses échanges avec Achille, donna toute la mesure de son ironie histrionique. Le vice-consul, assis dans la rangée derrière Harriet, croyait chuchoter quand il hurla : « Bon Dieu, ce vieil Ulysse est exactement comme ce vieil Inchcape ! »

« Voilà, pensa Harriet, d'où vient la force de cette production. » Excepté Guy et Yakimov, aucun ne devait vraiment forcer sa nature pour jouer, au sens strict du terme. Chaque acteur n'était dans la pièce que ce qu'il était dans la vie. Elle se rappelait avoir critiqué la distribution, mais pourquoi Guy se serait-il volontairement privé de la manne qu'il avait sous la main ? Il ne s'agissait ici pas tant de jeu que d'intensification de comportements habituels. Le public l'avait compris, et cela le frappait davantage que n'importe quelle prouesse dramatique. Quand le rideau tomba, les plus applaudis furent ceux qui avaient été le plus eux-mêmes. On fit à Yakimov une ovation délirante. Le rideau tomba et se releva une douzaine de fois. Guy fut obligé de se détacher du rang pour venir remercier le public, les acteurs, et surtout les techniciens, dont la coopération avait été si précieuse.

Le public accepta enfin de se disperser. Dans la rue, la réalité reprit ses droits : « Paris est tombé », dit quelqu'un. La nouvelle se propagea dans cette foule heureuse qui sortait du théâtre. Ils avaient tous oublié la guerre, mais la guerre les rattrapait.

28

Après la représentation, Inchcape donnait chez lui une réception pour tous les Anglais et les quelques étudiants roumains qui avaient un rôle parlant dans la pièce. Harriet et Nikko, les premiers arrivés, furent reçus par Pauli qui, en l'absence de son maître, leur fit les honneurs de la maison.

Toutes les lampes du salon étaient allumées et la pièce embaumait les tubéreuses disposées çà et là en grands bouquets. Il n'y avait à boire que de la *tuicà* et du vermouth roumain, et le buffet se réduisait à quelques triangles de pain de mie tartinés de caviar. Harriet demanda à Pauli de lui préparer un Amalfi. Il avait vu la pièce. Il n'en avait pas compris grand-chose, dit-il, mais il avait tout trouvé merveilleux. Reprenant un par un chaque rôle, il commenta le jeu des acteurs. Bref il les divertit, s'acquittant à merveille de son rôle de maître de maison par intérim.

Harriet applaudit la prestation, mais elle ne pensait qu'à la chute de Paris. Quand les autres arrivèrent, tous d'humeur joyeuse, elle se sentit exclue par sa tristesse.

Nikko courut vers sa femme et lui prit les mains. « *Dragà*, s'écria-t-il, tu as été magnifique. Tu sais ce que tout le monde me disait ? "Comme votre Bella est belle ! Elle mérite bien son nom ! " »

Bella accueillit le compliment avec un rire peu naturel. En quête d'un petit supplément, elle se tourna vers Harriet, qui ne trouva rien d'autre à dire que :

« Tu connais la nouvelle ?

— Oui, chérie. C'est terrible ! » répondit-elle d'une voix trop stridente.

Puis elle s'éloigna brusquement, laissant à son amie l'impression d'avoir dit ce qu'il ne fallait pas.

Guy, très entouré, avait cet air noyé et bienveillant que donne une satisfaction doublée d'épuisement. Harriet, soulagée que cette épreuve fût finie, et pensant retrouver enfin une intimité avec son mari, s'approcha de lui et lui passa tendrement les bras autour de la taille.

« Le spectacle a eu un tel succès que tout le monde en a oublié la France, dit-elle.

— Oui, ce n'était pas trop mal. Pourtant... (Et il entreprit de souligner ce qui n'allait pas.) La prochaine fois, je ne commettrai pas les mêmes erreurs.

— Espérons qu'il n'y aura pas de prochaine fois ! s'écriat-elle.

— Je croyais pourtant que ça t'avait plu ? » dit-il, déçu.

Il se détourna d'elle, allant chercher ailleurs les encouragements que Harriet lui refusait. Il les reçut sur-le-champ, tout le monde se bousculant pour le féliciter.

Elle chercha Nikko des yeux, mais il avait repris du service auprès de sa femme. La pièce était divisée en deux groupes : l'un constitué autour de Bella, l'autre autour de Sophie.

Bella, se croyant toujours reine de Troie, s'était organisé une petite cour, avec les étudiants assis à ses pieds, Nikko sur l'un des accoudoirs de son fauteuil, et Yakimov sur l'autre. Mais c'était ce dernier qui était le vrai centre d'attraction du groupe. Chaque fois qu'il ouvrait la bouche, les étudiants s'esclaffaient.

Dubedat, mordant dans un toast au caviar, demanda en faisant la grimace :

« Qu'est-ce que c'est que ce truc ?

— De la confiture de poisson, cher garçon », répondit Yakimov.

Les jeunes gens se roulèrent par terre de rire. Encouragé, le prince se mit à parler. Harriet n'entendait pas ce qu'il disait mais elle vit Bella lui donner une petite claque, comme s'il avait proféré quelque énormité.

Quant à Sophie, qui avait troqué la tunique de Cressida contre une robe du soir en velours noir tout en conservant son maquillage de scène, elle avait tous les hommes de la légation à ses pieds — dont Clarence, nota Harriet avec quelque jalousie.

Guy, David et Inchcape se tenaient ensemble entre ces

deux groupes. Quand Inchcape vit que Harriet était seule, il traversa la pièce pour la rejoindre et l'emmena sur la terrasse. Accoudés à la balustrade, ils pouvaient distinguer le chemin en contrebas : des gens se promenaient en silence dans le parc obscur.

« La situation est grave, bien sûr, mais nous n'avons pas trop de souci à nous faire. Les Allemands sont trop occupés pour s'attaquer à nous. Je pense que nous avons de la chance d'être ici », dit-il. Avant que Harriet tentât d'ébranler son optimisme, il revint à la représentation, lui demandant son avis sur chaque acteur. Elle paya leur dû à Yakimov, Sophie, Guy, David et Dimancescu. Inchcape attendait la suite.

« Dubedat aussi était bon, ajouta-t-elle.

— Remarquable. Il sait fort bien tirer parti de son caractère naturellement déplaisant. »

Il attendait toujours. Harriet compris soudain ce qu'elle avait oublié.

« Et, bien sûr, votre Ulysse était merveilleusement subtil. Ce ton légèrement acerbe teinté d'humour... la tolérance née de l'expérience. Tout le monde était très impressionné.

— Ah bon ? Pourtant, je n'ai pas eu beaucoup de temps pour répéter », précisa-t-il d'un ton faussement modeste.

Pauli vint dire au maître de maison que Sir Montagu était arrivé. Inchcape grogna et adressa à Harriet un sourire dont l'ironie dissimulait mal la satisfaction : « Alors, le vieux charmeur s'est pointé, finalement ? »

Il rentra. Harriet le suivit. Sir Montagu se tenait au milieu de la pièce, appuyé sur sa canne. Il était encore beau, avec un visage spirituel et deux sillons profonds de chaque côté d'une bouche sensuelle. Il ressemblait à un vieil acteur distingué. Il souriait à la ronde, aux filles en particulier.

Fitzsimon, assis sur un fauteuil qu'il partageait avec Sophie, le bras passé autour des épaules de celle-ci, bondit brusquement sur ses pieds en voyant son chef. Déséquilibrée, la jeune femme se retrouva par terre. Comprenant assez vite pourquoi Troïlus l'avait traitée de façon aussi cavalière, elle se releva et se frotta les fesses avec un sourire piteux.

« Bonsoir, monsieur. Trop bon d'avoir assisté au spectacle, monsieur, dit Fitzsimon.

— J'avoue que je me suis bien amusé. (Sir Montagu regarda Sophie et sourit à Fitzsimon.) Jolie petite caille bien dodue. En suis moi-même très friand. Désolé d'être en retard, mais j'ai dû présenter nos condoléances aux Français.

— Et comment avez-vous trouvé les Français, monsieur? s'enquit Dobson.

— Gênés. Se sont excusés. Les Roumains nous ont envoyé leurs condoléances. Ils croient la guerre terminée. Leur ai dit qu'elle venait à peine de commencer. Plus de foutus Alliés accrochés comme des sangsues à notre jugulaire : maintenant, on va pouvoir se battre vraiment. »

Un éclat de rire et des applaudissements accueillirent ces propos. Inchcape s'approcha du ministre, qui lui tendit la main :

« Félicitations, Inchcape. Très belle représentation. Très forts, les gars de votre équipe. Très très forts. Et je dois dire... (il regarda longuement Fitzsimon et Foxy Leverett)... que j'ai admiré les cadeaux bien emballés offerts par la légation.

— Aucun emballage. Tout à moi, assura Fitzsimon avec un petit sourire narquois.

— Non! s'exclama Sir Montagu avec une incrédulité feinte. Bravo! Très enviable, en vérité. »

Inchcape avait ouvert le placard dans lequel il avait enfermé les bouteilles. Il revint avec un gobelet à demi rempli de whisky que l'homme d'État vida en deux gorgées sous le regard respectueux de l'assemblée. Puis ce dernier s'excusa, salua d'un signe de tête et sortit de la pièce en boitillant.

« Je vous raccompagne à votre voiture, monsieur, lui dit Dobson en le suivant.

— Oh, quel chou! » s'écria Sophie alors que le ministre était encore à portée de voix.

Fitzsimon, plein d'entrain, s'assit au piano et commença à jouer un *lambeth-walk* endiablé. Guy et David, debout, jouaient aux échecs sur ledit piano. L'échiquier se mit à trembler et Inchcape, tremblant également pour ses précieuses pièces d'ivoire, rôdait autour d'eux pour prévenir la casse.

Clarence se leva et vint vers Harriet. Il était très soûl, nota-t-elle. La prenant par la taille, il l'entraîna sur la terrasse tandis que Dubedat braillait une version munichoise du *lambeth-walk*.

> *Adolf, je t'assure, c'est un jeu.*
> *Tu peux faire tout ce que tu veux.*
> *Viens chez nous, nous t'accueillerons*
> *Sans te traiter de trublion.*

Sous les bombes qui pleuvront,
De nos abris aux murs épais,
Nous regarderons tes avions
En parlant encore de paix.

Harriet et Clarence, penchés sur la balustrade, regardaient les silhouettes se mouvoir dans l'ombre sur le chemin au-dessous d'eux.

« Vous rendez-vous compte que les gens marchent dans le parc parce qu'ils ont peur de rentrer chez eux ? demanda-t-elle.

— Ce n'est pas une bonne période pour rester seul, dit-il. Moi aussi j'ai besoin de quelqu'un. J'ai besoin de vous. Vous seule pourriez me sauver. »

N'ayant aucune envie de discuter des problèmes personnels de Clarence, elle s'empressa de changer de sujet.

« Contrairement au personnel de la légation, nous ne jouissons pas de l'immunité diplomatique, dit-elle. Qu'allons-nous devenir ?

— D'après mon contrat, le British Council doit me rapatrier en Angleterre.

— Vous avez de la chance.

— Vous pourriez venir avec moi. Venez avec moi. Sauvez-moi, ajouta-t-il en lui prenant le coude.

— Sauvez-vous tout seul, Clarence, dit-elle avec un rire impatient. Vous prétendez que Guy est un imbécile. Mais dans certains cas, cette sorte d'imbécillité est supérieure à votre pseudo-sagesse qui consiste à ne croire en rien. Vous n'avez rien à offrir. Vous êtes comme Yakimov. Un fossile.

— Peut-être, mais quelle importance ? De toute façon, nous sommes cuits. Où irons-nous, si nous perdons l'Angleterre ?

— Nous ne perdrons pas l'Angleterre. Et nous finirons par rentrer chez nous.

— Mais vous ne voyez pas que nous sommes coincés ici, du mauvais côté de l'Europe ? Nous ne recevrons plus nos salaires. Nous deviendrons des indigents pour qui personne ne se souciera de créer un fonds de secours. Nous... »

Clarence s'interrompit. Dans le salon, le tapage devenait infernal. Une voix se mit à hurler, avec une rage proche de l'hystérie : « *Liniste ! Liniste !* Silence ! »

Se libérant de l'étreinte de Clarence, Harriet rentra dans le salon et vit une petite femme en robe de chambre, des rouleaux sur la tête, qui apostrophait dans leur langue les invités d'Inchcape : « Quoi faire vous, Anglais, ici encore ? Vous avoir perdu la guerre, vous avoir perdu Empire, vous avoir tout perdu. Pourtant, vous comporter vous comme maîtres du monde : vous tenir toute la maison éveillée. »

Un moment démontés par cette attaque, les ex-maîtres du monde restèrent sans voix. Puis quelqu'un finit par dire : « Nous n'avons encore rien perdu. Et nous gagnerons la guerre, vous verrez. »

La voix de Bella s'éleva, indignée mais encore courtoise : « Les Anglais n'ont jamais perdu une bataille !

— Faux. Nous perdons des batailles mais ne perdons jamais la guerre », rectifia David d'un ton amusé.

« Nous ne perdons jamais la guerre ! Nous ne perdons jamais la guerre ! » reprirent tous les autres en chœur.

La femme, déconcertée, recula d'un pas, puis battit en retraite — une habitude roumaine avant les combats.

« Et maintenant, le *Rule Britannia* », ordonna Fitzsimon en se remettant au piano.

La fête continua jusqu'au petit jour. Un certain nombre d'invités avaient déjà quitté les lieux. Les autres, encouragés par Inchcape, s'apprêtaient à faire de même. Yakimov, qui avait glissé de son fauteuil, gisait par terre, inconscient. Inchcape acceptant de le garder jusqu'à son réveil, les Pringle partirent avec David.

Ils s'arrêtèrent devant la vitrine du bureau allemand de propagande pour examiner la carte de France. Une croix gammée semblable à une grosse araignée noire oblitérait Paris.

Ils restèrent un moment à la regarder en silence. Puis Guy, soudain tout à fait dégrisé, demanda à Boyd :

« Que va-t-il se passer dans ce pays-ci ? Quelles sont nos chances, à ton avis ?

— Comme le dit Klein, ça va être très intéressant ! ricana David. Les Roumains espéraient faire ce qu'ils ont fait la dernière fois : garder un pied dans chaque camp. Mais les Allemands ont pris des mesures : ils sont en train d'organiser le pays en une gigantesque cinquième colonne. Le roi espérait un soutien populaire pour assurer la défense du pays, mais il est trop tard. Il a perdu la confiance de son peuple. Le régime est condamné.

— Tu crois qu'il y aura une révolution ?

— Quelque chose comme ça. En pire, car le pays va s'effondrer. La Roumanie s'est montrée trop faible et trop bête. Elle n'a pas su préserver sa bonne fortune. Quant à nos propres chances... elles dépendent de nos capacités à évaluer le moment précis où il nous faudra partir.

— Nous partirons, ne t'inquiète pas », dit Guy en serrant le bras de Harriet.

Se détournant de l'araignée qui avait tissé sa toile sur la France, ils rentrèrent chez eux par les rues désertes.

LIVRE II

LES DÉPOUILLES

« Une ville vénale toute prête à changer
de main — si on trouve preneur. »

SALLUSTE,
parlant de Rome dans *Jugurtha*.

PREMIÈRE PARTIE

Le tremblement de terre

1

Une carte des Iles Britanniques remplaça la carte de France dans la vitrine du bureau allemand de propagande. Les gens se détendirent. La prochaine victime était désignée. Tout en regrettant que ce fût un de leurs anciens alliés, ils étaient soulagés que ce ne fût pas eux.

Le mois de juin amena la canicule à Bucarest. L'herbe jaunit dans les jardins publics. En haut de la Chaussée, les feuilles des tilleuls et des châtaigniers, éventées par un souffle brûlant, commençaient à tomber comme si l'automne était venu. Dès le matin, une lumière blanche et cruelle filtrait à travers les volets. Quand on prenait son petit déjeuner sur le balcon, il y avait déjà une odeur de chaleur dans l'air. À midi, le lingot de soleil se dissolvait dans le ciel comme dans une cuve de métal en fusion. Le goudron fondu des rues et des routes miroitait de mirages. La réverbération blessait les yeux. Lorsque les bureaux fermaient, à l'heure du déjeuner, les employés se bousculaient pour prendre d'assaut les tramways, pressés de regagner leurs chambres aux volets clos pour la sieste. À cinq heures, dans une atmosphère encore semblable à du feutre, les bureaux rouvraient, mais les riches et les chômeurs restaient inactifs jusqu'au soir.

Ce fut précisément le soir que se répandit la rumeur de l'ultimatum, quand les rues furent à nouveau pleines de passants flânant aux premières lueurs du couchant.

Les gens, qui gardaient toujours un œil sur la vitrine du bureau allemand de propagande, spéculaient sur la durée de la résistance anglaise quand ils eurent vent de l'exigence des Russes. La Grande-Bretagne fut aussitôt oubliée.

Cette demande n'avait bien sûr pas été annoncée officiellement. Les journaux du soir n'en faisaient pas mention. Les
autorités avaient essayé de la garder secrète, comme tout ce qui
était susceptible de provoquer une panique. Mais à Bucarest,
rien ne pouvait être gardé longtemps secret. À peine le ministre
soviétique l'avait-il formulé que tous les détails de l'ultimatum
étaient livrés à la presse étrangère postée dans le jardin de
l'Athénée-Palace. La Russie exigeait la restitution de la Bessarabie et, pour faire bonne mesure, une partie de la Bucovine, sur
laquelle elle n'avait aucun droit réel. L'ultimatum expirait le
lendemain à minuit.

Quelques minutes après l'hôtel, cette nouvelle gagna la rue
et se répandit dans les restaurants et les cafés, réactivant une
fièvre qui, depuis un certain temps déjà, existait à l'état endé-
mique dans la capitale.

Ce soir-là, les Pringle buvaient un verre chez *Mavrodaphné*.
Quelqu'un entra et cria quelque chose. Aussitôt ce fut l'émeute
dans le café. Les consommateurs bondirent sur leurs pieds et,
soudain unis par la peur, se mirent à brailler, dénonçant leurs
ennemis communs : les juifs, les communistes, les Alliés vaincus, Mme Lupescu, la maîtresse du roi, le roi, et Urdureanu, son
chambellan honni du peuple.

Harriet n'avait pas compris quelle était exactement la
teneur de la nouvelle : « Les Allemands ont envahi la Roumanie. Nous sommes pris au piège », dit-elle à Guy. Celui-ci tenta
de se renseigner à la table voisine. Mais à peine eut-il ouvert la
bouche que l'homme auquel il s'adressait lui dit en anglais d'un
ton hargneux :

« C'est de la faute de Sir Stafford Cripps.

— Pourquoi ?

— C'est lui qui a poussé les Russes à nous prendre la Bessarabie, et à voler notre Bucovine avec ses belles forêts de
hêtres. »

Guy lui fit gentiment remarquer que Cripps, arrivé le matin
même à Moscou, n'avait pas vraiment eu le temps de pousser
qui que ce fût au crime. Mais l'homme ne voulait rien entendre.
Il se détourna avec impatience.

« Je ne comprends pas pourquoi les Roumains ont l'air
aussi surpris de ce qui leur arrive puisqu'ils ont toujours craint
davantage les Russes que les Allemands », fit remarquer Harriet
à Guy. En les entendant parler anglais on se mit, aux tables voi-

sines, à leur jeter des regards peu amènes. Un homme âgé se leva. « Maintenant que la Roumanie est menacée, que vont faire les Anglais, hein ? Rien. Rien du tout ! » leur cria-t-il en agitant furieusement son ombrelle de tussor dans leur direction.

Se lever et partir eût été un aveu de faiblesse. Pas très à l'aise, ils se forcèrent donc à rester où ils étaient. Un homme se leva alors et, sur un ton raisonnable, tint aux consommateurs le petit discours suivant : « Il est vrai que les Britanniques ne peuvent plus rien pour nous. Mais Hitler ? Le roi n'a-t-il pas récemment changé d'allégeance ? Il peut donc maintenant demander son aide à l'Allemagne. Quand le Führer sera au courant de cet ultimatum, il forcera Staline à le retirer. »

Les vociférations cessèrent aussitôt. Les gens hochaient la tête, reprenant confiance. Tout n'était pas perdu. Hitler allait les protéger. Leur roi si décrié, dont la duplicité avait si souvent été dénoncée par son peuple, s'était pour une fois montré habile : en se déclarant pour l'Axe, il devenait le sauveur de son pays.

La foule étant arrivée partout ailleurs à la même conclusion, une certaine euphorie remplaça la panique préalable, et les Pringle rentrèrent chez eux par des rues moins hostiles.

Mais, le lendemain matin, les voitures de réfugiés commencèrent à affluer. Grises de poussière et surchargées de bagages, elles ressemblaient beaucoup aux voitures polonaises arrivées dix mois plus tôt. Elles ramenaient les propriétaires fonciers allemands de Bessarabie qui, prévenus par la légation allemande, avaient fui non par peur des Russes, mais de leurs propres paysans, dont ils étaient haïs. Leur vue déclencha une nouvelle vague d'anxiété, car si quelqu'un était au courant des intentions de Hitler, ce ne pouvaient être que les occupants de ces véhicules. Toute la matinée, les habitants de la capitale investirent la grand-place en silence, le regard fixé sur le palais. De son balcon, Harriet constata qu'ils y étaient encore l'après-midi, attendant sous un soleil torride la confirmation officielle de l'ultimatum. Elle ne vint pas, mais on apprit que le roi avait convoqué les conseillers de la Couronne. On vit arriver les ministres, reconnaissables à leurs uniformes blancs.

À cinq heures, il y eut quelques mouvements de foule quand les employés reprirent le travail. Puis les vendeurs de journaux annoncèrent une édition spéciale et tout le monde se rua sur eux. Harriet, descendue en hâte, joua des coudes pour en obtenir une. Devant elle, un homme qui avait anxieusement feuilleté le journal jusqu'à la dernière page le jeta avec rage et le piétina. Elle se dit que la Bessarabie était perdue. Mais quand elle eut le sien, elle vit quel était l'événement qui faisait les gros titres de la une : le jeune prince avait passé son bachot avec la note brillante de 98,9 sur 100. Le roi, bien que pâle et manifestement inquiet, avait quitté le conseil des ministres pour venir le féliciter. « *Bacalaureat* », « *printul* », « *regele* », entendait-on les gens proférer avec une colère teintée de dérision : il n'y avait en effet pas un mot de l'ultimatum dans le journal.

Quand Guy rentra de l'université, ils dînèrent rapidement et sortirent, Harriet ayant décrété que la rue était le seul lieu où ils recueilleraient des informations. Ils apprirent que le roi avait lancé un appel à Hitler, qui avait promis de lui envoyer un message personnel avant l'expiration de l'ultimatum. L'espoir régnait de nouveau. Le roi et les ministres étaient toujours au palais : ils attendaient le message. Carol était censé avoir dit : « Nous *devons* nous tourner vers le Führer, car lui au moins ne nous abandonnera pas dans l'adversité. »

La nuit tombait. Une sonnerie de clairon retentit dans la cour du palais. Sur la grand-place, ce fut perçu par certains comme un appel aux armes : un homme entonna l'hymne national. D'autres rares voix se joignirent à la sienne, mais elles moururent vite, étouffées par le doute. Les lumières s'allumèrent au palais. Il y eut quelques cris : « Le roi au balcon ! » non suivis d'effet.

La lune se leva. Pleine et pâle, elle flottait sur la ville. Des gens entraient et sortaient du palais. On entendait claquer des portières. Un des arrivants était une femme. On murmura immédiatement que c'était Mme Lupescu venue chercher refuge auprès du roi après avoir échappé de justesse à un attentat dans sa propriété d'Alea Vulpache.

Il y eut un nouveau frémissement dans la foule à l'arrivée du général Antonescu, homme fier tombé en disgrâce pour avoir soutenu Codreanu, le chef de la Garde de Fer. On chuchota que, devant l'urgence de la situation, il avait ravalé son orgueil et demandé au roi une audience qu'il avait obtenue. Il y eut une bousculade : quelque chose d'important allait se passer. Mais rien ne se passa, et Antonescu repartit comme il était venu.

Tandis qu'ils repassaient devant l'Athénée-Palace, Guy dit

à Harriet : « Entrons boire un verre. Nous en apprendrons peut-être davantage. » Nombre de voitures bessarabiennes étaient garées devant l'hôtel, chargées de malles, de tapis roulés et de petits meubles de valeur. Dans le hall étaient empilés d'autres bagages et objets précieux.

Le couple se trouva nez à nez avec le baron Steinfeld. Quoique passant plus de temps à Bucarest que sur son domaine de Bessarabie, il faisait partie des réfugiés. Les Pringle ne l'avaient rencontré qu'une fois, mais ils l'avaient trouvé aimable. Ils furent forcés de constater qu'il ne l'était plus du tout. Il les accosta en hurlant, le visage tordu de fureur :

« J'ai tout perdu ! Tout ! Mon domaine, ma maison, mes vergers, mon argenterie, ma collection de Meissen, mes Aubusson. Vous voyez ces objets ? ajouta-t-il en désignant le marché aux puces qu'était devenu le hall, eh bien, seuls les veinards ont pu les ramener. Mais moi, qui me trouvais à Bucarest, j'ai tout perdu. Et vous, les Anglais, pourquoi faites-vous la guerre à l'Allemagne, hein ? C'est aux bolcheviks que vous devriez la faire. Vous *devez* vous unir aux Allemands, dont la cause est juste, contre ces porcs de Russes qui m'ont tout volé.

— La Bessarabie n'est pas encore perdue... » hasarda Harriet.

Elle s'arrêta, déconcertée, car le baron éclata en sanglots : « J'ai même perdu mon petit chien, hoqueta-t-il.

— Je suis désolée », lui dit-elle.

Mais le baron l'arrêta d'un geste. Il ne voulait pas de pitié. Ce qu'il voulait, c'était de l'action : « Ne soyez pas idiots. Joignez-vous à nous pour écraser les Russes avant qu'il ne soit trop tard. » Et, poussant la porte à tambour, il fit une sortie théâtrale.

Le hall et les salons étaient vides : tout le monde était sur la grand-place pour suivre les événements. Même le concierge avait déserté son poste. Mais ils entendirent des gens parler anglais dans la pièce à côté.

« Les journalistes sont de retour à l'*English Bar* ! » s'exclama Guy.

Galpin, employé par une agence de presse, était un des rares correspondants permanents à Bucarest. Il se trouvait présentement en compagnie de nombreux autres journalistes accourus des capitales voisines pour couvrir la crise bessarabienne. Voyant entrer les Pringle, il se jeta sur eux pour leur raconter comment il avait repris possession du lieu; dès qu'on avait appris l'ultimatum russe, il avait traversé la pièce d'un pas martial, écarté les Allemands de son chemin et dit au barman : « Vodka, *tovarich*. »

Que ce fût vrai ou non, il était depuis repassé au whisky. Il laissa Guy lui en payer un, puis, fixant les Allemands qui s'étaient regroupés, penauds, dans un coin de la pièce, il leva son verre pour porter un toast : « A la déculottée de ces foutus Boches », proféra-t-il très haut. Visiblement, il assimilait l'ultimatum russe à une victoire anglaise. Pourtant, pensa Harriet, les Alliés s'étaient fait ridiculiser. En 1920, ils avaient permis le plébiscite qui avait annexé la province russe à la Roumanie. Maintenant, en 1940, ils payaient leur faiblesse : les Russes en exigeaient la restitution. Elle tenta de le dire au vieux Mortimer Tufton, qui lui coupa aussitôt la parole : « La Conférence de Paris n'a jamais entériné l'annexion de la Bessarabie », assura-t-il.

Tufton, dont une rue de Zagreb portait le nom, était célèbre dans tous les Balkans. Très informé, mordant, volontairement intimidant, il avait les manières d'un homme habitué à inspirer le respect. Mais Harriet n'était pas femme à se laisser impressionner : « Vous voulez dire que la Bessarabie n'a jamais fait partie de la Grande Roumanie? » lui rétorqua-t-elle. Son culot irrita Tufton : « C'est à peu près ça », répondit-il avec désinvolture avant de lui tourner le dos.

Incrédule, mais dépourvue des connaissances politiques suffisantes pour lui tenir tête, elle chercha le soutien de Guy. « Les Soviets n'ont jamais reconnu la Bessarabie comme roumaine. Leur volonté de la récupérer est tout à fait justifiée », lui expliqua-t-il.

Désireux, comme toujours, de défendre le pays qui incarnait ses idéaux, il ajouta :

« Tu vas voir. La Russie va gagner la guerre pour nous.

— Elle va peut-être gagner la guerre, mais pas pour nous », railla Tufton.

C'en était trop pour les autres journalistes. L'idée que la Russie pût gagner une guerre leur semblait ridicule. L'un d'entre eux, qui se trouvait à Helsinki quand les Danois damaient encore le pion aux « bolchos », leur raconta en détail le « fiasco russe » en Finlande. Galpin en rajouta en affirmant que la force supposée des blindés soviétiques n'était qu'un bluff : durant la guerre d'Espagne, un de ses amis était rentré dans un tank russe qui avait cédé comme du carton, affirma-t-il.

« Cette idée grotesque est propagée par des journalistes minables qui n'ont rien de mieux à écrire », dit Guy, irrité qu'on attaque ses chers Soviets.

Mortimer Tufton intervint avec un rappel historique des relations russo-roumaines, soutenant, preuves à l'appui, que sans l'influence des Alliés, la Russie aurait dévoré les Balkans depuis longtemps. La Roumanie avait été envahie huit fois, et elle avait subi de surcroît un certain nombre d'« occupations amicales » qu'elle n'était pas près d'oublier.

« De fait, conclut-il, l'amitié de la Russie a été plus désastreuse pour la Roumanie que l'inimitié du reste du monde.

— Vous parlez de la Russie tzariste, précisa Guy. Les Soviets sont une tout autre affaire.

— Ouais, mais le même peuple. Leur opportunisme lors de la signature du pacte germano-soviétique en témoigne. »

Harriet, décidée à amadouer le journaliste, lui demanda :

« À qui attribueriez-vous la Bessarabie si vous en aviez le pouvoir ?

— La Russie, la Turquie et la Roumanie se sont disputé cette province durant cinq cents ans. Les Russes ont fini par l'obtenir en 1812 et l'ont gardée jusqu'en 1920. Plus longtemps que n'importe qui d'autre. Tout bien réfléchi, je suis donc enclin à la leur céder.

— Oui, et les Russkofs sortent la tête de leur coquille pour la réclamer juste au moment où Carol se déclare en faveur de l'Axe ? ricana Galpin.

— J'imagine que c'est la déclaration publique du roi qui les a incités à le faire. Ils poussent leurs pions avant que les Allemands aient fait totalement main basse sur la Roumanie, dit Guy.

— Si les Allemands attaquent les Russes, je ne donne pas dix jours aux seconds », grommela Galpin.

Tandis qu'ils discutaient du potentiel militaire soviétique, en qui seul Guy avait foi, entra dans le bar l'informateur de presse de Galpin—le petit homme gris souris doté d'un flair certain qui gagnait sa vie en partageant équitablement ses informations entre l'Athénée-Palace et le Minerva. Il chuchota quelque chose à l'oreille de l'Anglais, qui, sortant une liasse de billets crasseux, lui tendit le modique équivalent de six pence. L'homme prit l'argent avec une gratitude respectueuse.

« Mon correspondant me dit que le message attendu par la Couronne est arrivé. Hitler a demandé à Carol de céder la Bessarabie sans conflit.

— Aha ! aboya Tufton. Je m'y attendais ! Hitler n'a aucune intention d'entrer en guerre contre la Russie. Du moins, pas pour la Bessarabie. »

Les journalistes finirent tranquillement leurs verres avant d'aller téléphoner. Ils n'étaient pas pressés. La Roumanie se soumettrait sans combattre, or la soumission exhalait un fumet moins grisant que le bellicisme.

En quittant l'hôtel, les Pringle furent surpris du calme qui régnait dans les rues. Pourtant, tout le monde devait maintenant être au courant de l'ordre donné à Carol par le Führer. L'acceptation de l'ultimatum russe semblait soulager les habitants de Bucarest. Ils pourraient continuer à vivre comme avant ; on ne leur demandait pas de mourir pour une cause désespérée.

La presse du lendemain tirait le meilleur parti de l'humiliation imposée à la Roumanie qui, sagement, avait accepté de céder la Bessarabie et la Bucovine du Nord contre la promesse de l'Allemagne que ces provinces lui seraient rendues après la guerre. En attendant, en cédant à la volonté du Führer, elle se sacrifiait pour préserver la paix en Europe orientale. Il s'agissait en somme d'une victoire morale et les officiers qui retiraient leurs hommes des territoires cédés pouvaient garder la tête haute.

Les drapeaux n'en étaient pas moins en berne, et on imposa aux cinémas trois jours de fermeture en signe de deuil public. On murmurait que les officiers roumains, fuyant vers le sud devant l'avance russe, avaient abandonné leurs unités, leur matériel militaire, et même leurs familles.

Fin juin, la Bessarabie et la Bucovine du Nord étaient devenues soviétiques.

Harriet s'était imaginé que, le trimestre universitaire fini, Guy et elle seraient libres d'aller où ils voudraient. Elle souhaitait échapper, ne serait-ce que quelques semaines, au malaise qui régnait dans la capitale et, surtout, à la précarité de leur propre situation. Elle espérait même qu'ils quitteraient définitivement la Roumanie. Elle savait qu'un bateau partait de Constanta, sur la mer Noire, pour Istanbul et, de là, pour la Grèce. Elle tenta de convaincre Guy, qui lui dit :

« Impossible en ce moment. Inchcape m'a chargé d'organiser une université d'été. Et d'ailleurs, il pense que, pour l'instant, aucun de nous ne devrait quitter le pays. Cela ferait mauvais effet.

— Mais personne ne passe jamais l'été à Bucarest, objecta-t-elle.

— Cette année, les gens ne bougeront pas. Ils ont peur, s'il se passe quelque chose, de ne pas pouvoir rentrer. De fait, j'ai déjà inscrit deux cents étudiants.

— Des Roumains ?

— Quelques-uns. Mais surtout des juifs. Ils sont fidèles.

— Ils sont surtout désireux de quitter le pays. Savoir l'anglais devient pour eux une nécessité.

— Tu ne peux pas le leur reprocher.

— Je ne le leur reproche pas. (Mais Harriet était si déçue qu'elle cherchait quelqu'un à blâmer. Guy lui-même, probablement.) Je ne crois pas une seconde que ce soit Inchcape qui ait eu l'idée de cette université d'été. Il se désintéresse complètement du département d'anglais. Je suis sûre que c'est toi.

— J'en ai discuté avec lui. Il est d'accord avec moi : on ne peut pas passer l'été à se tourner les pouces quand d'autres se battent.

— Et Inchcape, lui, que va-t-il faire, à part rester assis au bureau d'informations à relire Henry James ?

— Il est vieux.

— Quand les cours commencent-ils ? demanda-t-elle, résignée.

— La semaine prochaine. Ne fais pas cette tête, ajouta Guy en prenant sa femme par les épaules. Nous irons passer une semaine à Predeal avant la fin de l'été.

— Bon », fit-elle en souriant.

Mais après le départ de Guy, en quête d'un réconfort, elle téléphona à Bella qui l'invita à prendre le thé chez elle. Harriet attendit pour y aller que la chaleur fût un peu tombée. Entrant dans l'appartement climatisé de son amie, elle poussa un soupir de soulagement :

« Il fait bon ici. Dehors, c'est intenable.

— Et alors, on est en juillet, non ? » lui rétorqua Bella d'un ton désagréable.

Harriet se rendit compte que quelque chose n'allait pas. La conversation entre elles était contrainte. Elle prit un journal qui traînait sur le canapé et en lut les gros titres.

« Je vois qu'on a fixé la date du procès de Drucker, dit-elle.

— Personnellement, je le laisserais croupir en prison, répondit Bella.

— Je ne l'ai rencontré qu'une fois. Il a le cœur sur la main, et c'est un très bel homme.

— Après sept mois de prison, il ne doit plus être aussi beau. En tout cas, il sera condamné. »

L'affaire Drucker paraissant ennuyer Bella, Harriet changea de sujet :

« Comment va Nikko ? demanda-t-elle.

— Il a été rappelé. L'affaire de Bessarabie a mis les militaires sur les dents, répondit Bella avec mauvaise grâce.

— Où est son régiment, en ce moment ?

— Sur le front hongrois. Sur cette foutue ligne Carol. Tu parles d'une ligne ! Elle sera enfoncée en moins de rien si les Huns décident de faire entrer leurs troupes.

— Mais tu vas arriver à le faire démobiliser, je suppose.

— Oh oui ! Il va simplement falloir que je crache au bassinet. Une fois de plus. »

Bella n'avait manifestement plus rien à dire. Harriet, pour entretenir la conversation, évoqua l'attitude des Roumains à l'égard des Anglais de Bucarest :

« Ils nous traitent comme des ennemis, constata-t-elle.

— Je ne l'ai pas remarqué. Il est vrai que ma situation est différente », dit Bella avec froideur.

Découragée, Harriet déclara qu'elle avait des courses à faire. À la porte, elle tenta une dernière approche :

« Si nous allions demain matin prendre un café chez *Mavrodaphné*? proposa-t-elle.

— C'est un peu délicat », répondit Bella avec réticence.

Elle se lança finalement :

« Tu vois, en tant qu'Anglaise mariée à un Roumain, je dois être prudente. Je dois penser à Nikko. Il vaut mieux qu'on ne nous voie pas ensemble dans les lieux publics. Nous devons même cesser de nous téléphoner : ma ligne est probablement sur écoute.

— Sûrement pas. La compagnie du téléphone est anglaise.

— Mais elle emploie des Roumains. Tu ne sais pas ce que c'est que ce pays. Moi oui. Au moindre prétexte, ils arrêteront Nikko juste pour me soutirer un pot-de-vin en échange de sa démobilisation. Ils sont coutumiers du fait. Je viendrai te voir chez toi, je te le promets. Mais il faut que je sois prudente. Si tu savais comme je regrette d'avoir joué dans *Troïlus et Cressida*... C'était de ma part une sorte de déclaration.

— De quoi? Du fait que tu es Anglaise? C'est de notoriété publique.

— Je n'en suis pas si sûre. Mon roumain est pratiquement parfait. Tout le monde le dit. »

Six ou sept mois plus tôt, Harriet eût méprisé Bella pour son attitude. Maintenant, elle la plaignait. Le temps viendrait bientôt où les Anglais seraient obligés de quitter le pays. Bella, elle, resterait derrière, seule, sans un compatriote. Elle devait se protéger en se préparant à cette éventualité. Harriet lui posa la main sur le bras : « Je comprends. Ne t'en fais pas, tu peux me faire confiance. »

Le visage de Bella s'adoucit. Elle posa sa main sur celle de Harriet : « Je viendrai te voir. Je ne pense pas qu'*ils* le sauront. Après tout, ils ne peuvent pas me priver de mes amis », dit-elle d'un ton de défi.

Ce soir-là, les Pringle, qui devaient retrouver Boyd et Klein au café du lac, rencontrèrent Clarence à l'entrée du Cismigiu. Ils le persuadèrent de se joindre à eux. Chemin faisant, ils évoquèrent l'attitude des habitants de la capitale.

« Ils semblent se féliciter de quelque chose. De quoi? demanda Harriet à Clarence.

— Du fait que le nouveau cabinet a répudié la garantie anglo-française. Le ministre des Affaires étrangères est un ancien dirigeant de la Garde de Fer. Les gens savent maintenant exactement où ils en sont. Ils ont choisi Hitler et lui demandent de les protéger. Ils pensent avoir évité le pire et... ils croient également la guerre finie », ajouta-t-il en désignant le *Bukarester Tageblatt*, affiché dans un kiosque à journaux, qui affirmait en gros titres : FRIEDEN IM HERBST.

Ils s'engageaient sur le ponton pour rejoindre leurs amis. Klein bondit sur ses pieds et vint à leur rencontre, les bras ouverts. Guy, comme un gentil gros ours, serra contre lui le petit homme aux joues roses, sous le regard amusé de David.

« Oh, *doamna* Preen-gal! s'écria Klein quand Guy le libéra de son étreinte. Quelle joie de vous revoir! »

Une fois les nouveaux arrivants assis, Klein attaqua :

« D'abord, il faut que vous sachiez qu'on a remis Antonescu en prison.

— Pour avoir une fois de plus dit ce qu'il pensait? demanda David en souriant.

— Exactement. »

Il semblait exister une entente tacite entre les deux hommes. Harriet ne savait pas exactement quel genre d'activité

David avait à la légation, et Guy s'était bien gardé de le lui dire. Boyd s'absentait souvent de Bucarest, affirmant qu'il allait observer les oiseaux dans le delta du Danube. Inchcape leur avait raconté qu'il l'avait un jour rencontré à Brasov affublé d'une robe de prêtre orthodoxe. « Que diable faites-vous sous ce déguisement ? » s'était-il exclamé, et l'autre lui avait répondu, impassible : « *Procul, o procul este, profani.* » Vraie ou non, cette histoire laissait Harriet songeuse.

« Sous quel prétexte a-t-on arrêté Antonescu ? s'enquit David.

— Vous savez qu'il s'est rendu au palais le soir de l'ultimatum. Urdureanu, le chambellan, ne l'a pas laissé voir le roi. Les deux hommes en sont venus aux coups. Oui, aux coups, dans le palais même. Vous imaginez le scandale ?

— C'est pour cela qu'on l'a arrêté ?

— Pas du tout. Hier, le roi le convoque. Antonescu, qui se méfie de sa propre émotivité, préfère écrire à son souverain pour lui dire que son pays est en train de s'effondrer. Ce que je lui avais moi-même dit, si vous vous souvenez bien : l'héritier prodigue, la fortune dissipée, vous vous rappelez ? Bon, alors Antonescu le supplie de se débarrasser des faux amis qui l'entourent. Le roi le fait arrêter dès qu'il reçoit la lettre. Une grande victoire pour Urdureanu. »

Klein semblait le regretter. Guy lui demanda :

« Quelle importance ? Urdureanu est un escroc, mais Antonescu est un fasciste.

— C'est vrai. Antonescu a jadis soutenu la Garde de Fer. Mais, dans son genre, c'est un vrai patriote. Il souhaite réellement mettre un terme à la corruption. On ignore comment il se comporterait s'il était au pouvoir.

— Comme un dictateur. Un de plus, dit Guy, faisant allusion à Carol lui-même.

— Le roi a ses défauts, mais il n'est pas dépourvu de sensibilité. Il a pleuré la perte de la Bessarabie, objecta Clarence.

— Pleuré sur l'huître qu'il a mangée, ou plutôt, sur celle qu'on l'a obligé à recracher, dit David.

— En tout cas, il est notre seul ami. Quand il partira, nous partirons aussi — en admettant qu'on le puisse encore.

— C'est vrai. Nous pouvons nous féliciter de notre politique. Si nous avions protégé le pays contre le roi au lieu du roi contre le pays, nous n'en serions pas là, conclut David.

— Ne vous avais-je pas prévenus que si vous restiez, vous assisteriez à des choses intéressantes ? demanda Klein. Et vous n'avez encore rien vu. Le nouveau cabinet ordonne encore plus de restrictions en matière de nourriture et d'essence. Puis il répudie la garantie anglo-française. Et puis quoi ? (Il rit.) Après avoir pris ces deux mesures, il décide de faire enfin quelque chose d'important : "Commandons-nous chacun un nouveau bureau, un fauteuil pivotant et un beau tapis", suggère un ministre. "Oui ! Oui !" approuvent les autres avec enthousiasme. Le ministre des Affaires étrangères se lève. Il m'ordonne d'approcher : "Klein, donnez-moi la liste de nos poètes. — Dans quel ordre la voulez-vous ? Selon le mérite littéraire ? Quelque peu naïf et arbitraire, non ? Pourquoi pas selon la taille, le poids, le revenu annuel, ou même l'année du service militaire ? — Oui, c'est ça ! l'année du service militaire", s'écrie le ministre. Je lui propose alors que tous les poètes écrivent un poème à la gloire du grand Codreanu, le chef de la Garde de Fer. "Il est mort, mais il est encore parmi nous par l'esprit. Alors, qu'en pensez-vous ? — Ce que j'en pense, dit le ministre, ce que j'en pense..." Il est embêté, parce que Codreanu s'était violemment opposé au roi. Il me regarde, perplexe, puis me dit : "Au fait, qu'est-ce que j'en pense, Klein ? — Vous pensez que c'est une bonne idée, monsieur le ministre", dis-je. »

Tout le monde rit. La nuit tombait. On alluma des lampions qui se reflétaient sur l'eau du lac. Une barque passa, pleine de paysans qui, entendant parler anglais dans le café au-dessus d'eux et voyant là une occasion de gagner quelques *lei*, exécutèrent à l'intention des étrangers un pathétique mais poétique petit numéro d'équilibristes. Puis la conversation reprit. Guy questionna Klein sur le procès de Drucker. Mais les ennuis du banquier n'intéressaient guère l'économiste marxisant qu'était Klein.

« Il a bien vécu. Maintenant il le paie. Et alors ? Une occasion pour le pouvoir d'essayer de montrer au monde que la Roumanie est un pays libre ; qu'elle n'a pas peur de traîner un riche banquier en justice. Le procès occupera les gens. Il détournera les esprits de la Bessarabie. Et des restrictions. Ah, *doamna* Preen-gal, ne vous avais-je pas dit que si vous restiez vous assisteriez à des choses intéressantes ? Vous voyez, ces soucoupes remplies d'olives et de fromage de chèvre qu'on vous sert avec le vin ? Eh bien, le temps viendra où ce peu sera considéré comme un festin. Restez avec nous et vous assisterez à l'agonie d'un pays. Vous verrez l'histoire en marche, *doamna* Preen-gal.

— Et vous, resterez-vous ? » demanda-t-elle.

Klein rit. Peut-être ce rire était-il la seule réponse à la vie telle qu'il la voyait. Mais il apparut pour la première fois à Harriet que c'était le rire de quelqu'un qui n'était pas complètement sain d'esprit.

« Sérieusement, Klein, insista David, pourrez-vous rester ? Vous croyez-vous en sécurité ici ?

— J'en doute, dit Klein en haussant les épaules. Les ministres du précédent cabinet me disaient en plaisantant : "Klein, vous êtes un gredin de juif. Équilibrez-nous le budget." Mais les nouveaux ne plaisantent plus. Quand je ne leur serai plus utile, que va-t-il m'arriver ?

— Vous avez peur ? demanda Harriet.

— Tout le temps, dit-il en riant. Peut-être *doamna* Preengal ne devrait-elle pas rester trop longtemps », ajouta-t-il en prenant la main de Harriet et en plongeant son regard dans le sien.

Retrouvant sa légèreté, il raconta d'autres anecdotes, pour le plus grand plaisir de ses amis.

« L'autre jour, poursuivit-il, Sa Majesté entre d'un pas martial au conseil des ministres : "J'ai décidé de vendre à mon pays mon palais d'été de la Dobroudja. Ce sera un cadeau que je ferai à la nation puisque j'en demande seulement un million de millions de *lei*. — Mais, s'écrie le Premier ministre, quand la Bulgarie prendra la Dobroudja, elle prendra aussi le palais. — Quoi ? s'écrie le roi. Qu'osez-vous dire, traître ? Jamais, m'entendez-vous, jamais la Bulgarie ne s'emparera de notre Dobroudja. S'il le faut, monté sur mon grand cheval blanc, je mènerai moi-même les Roumains au combat et ils lutteront jusqu'au dernier." Alors tout le monde se lève, l'acclame et chante l'hymne national. Mais quand ils ont fini, les ministres se rendent compte qu'il va leur falloir casquer un million de millions. Autant de moins dans les caisses de l'État. »

Le groupe resta encore une heure à écouter, à parler et à boire sous les étoiles. Quand tous décidèrent qu'il était temps de partir, ils se séparèrent à la grille du parc. Clarence était resté avec Harriet et Guy. Ce dernier marchait un peu en avant quand les deux autres virent un homme l'accoster.

« Encore un de ces canards boiteux, ou un mendiant, dit Clarence.

– Non, ce n'est pas un mendiant », le détrompa Harriet.

L'homme portait un uniforme de conscrit. Il était grand, d'une maigreur squelettique, et se tenait voûté. De loin, elle avait eu l'impression qu'il était jeune, mais en s'approchant, elle fut frappée par une décrépitude de toute sa personne qui évoquait la misère et la vieillesse. Il avait la tête rasée, et les cheveux qui repoussaient étaient gris. Son visage était à la fois pâle et grisâtre, avec des joues creuses et un nez proéminent. Un visage de cadavre, n'eussent été les yeux bien vivants qui se fixèrent sur elle. « Chérie, tu ne le reconnais pas ? C'est Sacha. Sacha Drucker », lui dit Guy.

Elle resta muette d'horreur. Quand elle l'avait rencontré, neuf mois plus tôt, Sacha était le fils bien nourri et élégant d'un homme riche. Maintenant, c'était un vieillard qui sentait la tombe.

« Que lui est-il arrivé ? finit-elle par articuler. Où était-il ?

— En Bessarabie. Quand son père a été arrêté, on l'a obligé à faire son service militaire. On l'a envoyé sur la frontière. Quand les Russes sont entrés, les officiers roumains ont détalé. C'était la débandade, et Sacha a déserté. Depuis, il se cache. Il n'a rien mangé depuis plusieurs jours. Chérie, il faut qu'il vienne chez nous.

— Oui, bien sûr. »

Trop bouleversée pour en dire plus, elle pressa le pas pour rejoindre Clarence. Elle avait besoin de quelqu'un qui n'était pas son mari pour partager cette épreuve.

« S'il vous plaît, montez à l'appartement avec nous, l'implora-t-elle.

— Il n'en est pas question, lui dit-il courageusement.

— Mais qu'allons-nous faire de ce garçon ?

— Mettez-le avec Yakimov », lui suggéra-t-il avec un petit rire. Et il s'éloigna à grands pas.

Il n'y avait rien à manger à la cuisine, à part des œufs et du pain. Par ces chaleurs, et dans un pays où on ne connaissait pratiquement pas l'existence des réfrigérateurs, on devait acheter quotidiennement les produits frais. Tout en confectionnant une omelette, Harriet entendait dans le placard contigu qui leur servait de chambre les ronflements de Despina et de son mari.

Sacha mangea son omelette avec une avidité que, gêné, il tentait de dissimuler. Son visage avait repris un peu de couleurs. Il évoquait à Harriet un jeune arbre abattu par la tempête.

L'enfant chéri et surprotégé d'une grande famille avait aujourd'hui le regard traqué d'une bête aux abois.

Assis en face de lui, Guy le regardait avec une sympathie navrée. On le sentait profondément affecté par l'état du jeune homme. Se tournant vers Harriet, il lui demanda de ce ton persuasif qu'elle connaissait maintenant si bien :

« Nous pouvons le loger, n'est-ce pas ? Il peut rester ?

— Mais où ? » répondit-elle, exaspérée que Guy n'eût pas jugé bon d'en discuter avec elle en privé. Où, en effet, allait-on mettre Sacha ?

Le jeune homme restait muet. En toute autre occasion, il eût détesté l'idée de forcer l'hospitalité de qui que ce fût. Mais aujourd'hui, Harriet était son seul espoir.

« Installe-toi dans le fauteuil. Tu seras mieux, lui proposa Guy.

— Il vaut mieux que je reste assis sur la chaise en bois. Vous voyez, j'ai des... je suis infesté de vermine, avoua-t-il.

— Venez prendre un bain », lui dit Harriet.

Elle lui apporta des serviettes et lui montra la salle de bains, puis revint vers Guy pour tâcher de le raisonner : « Impossible de le garder ici. Notre situation est déjà assez dangereuse sans cela. Que se passerait-il si on était pris à héberger un déserteur, et surtout le fils Drucker ? »

Guy la regarda d'un air peiné :

« Comment pourrions-nous refuser ? Il n'a nulle part où aller.

— Il n'a pas d'autres amis ?

— Personne n'oserait le prendre. Il est sur le carreau. Nous ne pouvons pas le remettre à la rue. Il faut qu'il dorme ici, au moins cette nuit.

— Oui, mais où ?

— Sur le canapé.

— Et Yakimov ? »

Guy eut l'air déconcerté. « Oh, Yaki n'est pas un problème », bredouilla-t-il. Mais il savait fort bien que Yakimov était un problème ; qu'ils ne pouvaient pas lui faire confiance.

« Tu ne vois personne d'autre susceptible de l'héberger ? lui demanda-t-il, l'air malheureux.

— Non. Et toi ? »

Il y eut un long silence. Puis elle lui dit :

« Tu pourrais demander à Yakimov de partir.

— Où irait-il ? Il n'a pas un sou. »

Harriet réfléchit et trouva enfin une solution :

« Il y a une chambre sous les combles. Une seconde chambre de domestique.

— Elle est à nous ?

— Elle nous a été louée avec l'appartement. Mais nous ne pouvons pas nous en servir à l'insu de Despina. Elle y a stocké quelques affaires.

— Chérie ! s'exclama Guy, le visage rayonnant de soulagement. Tu es formidable !

— C'est juste pour une nuit. Demain, il faut que tu lui trouves quelque chose d'autre. Je ne suis pas sûre qu'on puisse faire confiance à Despina.

— Mais voyons, on *peut* lui faire confiance !

— Pourquoi en es-tu si sûr ?

— Parce que c'est quelqu'un de bien.

— Bon, alors réveille-la et demande-lui où est la chambre. Elle le sait, moi pas.

— Non, c'est toi qui y vas.

— Pas question. »

Comme il se dirigeait à contrecœur vers la cuisine, elle eut pitié de lui. Elle faillit lui dire : « Bon, d'accord, j'y vais. » Mais elle se retint. Pour la première fois depuis le début de leur mariage, elle tint bon.

4

Une fois oublié son triomphe dans *Troïlus et Cressida*, Yakimov était sorti de son état de lévitation pour retomber durement sur terre. Il en voulait à Guy, qui l'abandonnait après l'avoir dorloté. Qu'avait-il, lui, Yakimov, récolté de toutes ces heures passées à répéter? Rien du tout.

Il marchait dans la Calea Victoriei en plein milieu de la journée. La chaleur devenait insupportable. Son long visage triste — sa face de chameau, comme disait Inchcape —, était en sueur. Il portait un panama, un costume de tussor, une chemise rose et une cravate jadis parme. Le tout innommable. La paille du chapeau était déchirée et jaunie par l'âge; la veste, en loques, brunie de transpiration aux aisselles et tellement rétrécie qu'elle le sanglait comme un corset.

L'hiver précédent, il sentait la neige par les trous de ses semelles. Maintenant, il sentait les pavés brûlants. Constamment rejeté au bord du trottoir par des passants plus agressifs que lui, il subissait le souffle chaud des voitures qui l'effleuraient. Les klaxons le faisaient bondir, les coups de frein lui donnaient des sueurs froides. Bref, tout cela à une heure où, d'habitude, il dormait dans le havre de sa chambre.

Le matin même, il avait été réveillé par la sonnerie insistante du téléphone. À la lumière, il ne devait pas être plus de dix heures; apparemment, Harriet était déjà sortie. Stoïque, il attendait que la sonnerie s'arrête. Mais elle persistait. Il finit par se traîner hors du lit et découvrit que l'appel était pour lui. C'était Dobbie Dobson.

« Ravi de vous entendre, lui dit Yakimov, prêt à un aimable bout de causette.

— Dites-moi, Yaki, je vous appelle à propos de ces visas de transit, dit Dobson d'un ton indiquant qu'il n'avait pas de temps à perdre.

— Quels visas de transit?

— Enfin, Yakimov! Vous savez fort bien qu'on a ordonné à chaque sujet britannique de garder dans son passeport plusieurs visas de transit valides en cas d'évacuation soudaine. Le consul a vérifié, et il a constaté que vous ne les aviez pas obtenus.

— Mais, cher garçon, je n'ai pas pris cet ordre au sérieux. Il n'y a pas matière à s'affoler, non?

— Un ordre est un ordre. Je vous ai inventé des excuses. Mais si vous ne vous procurez pas ces documents aujourd'hui même, vous serez arrêté et expédié en Égypte.

— Cher garçon! Mais comment vais-je les payer? Je n'ai pas un radis.

— Faites-moi envoyer la facture. Je la déduirai de votre prochain versement. »

Avant de quitter l'appartement, Yakimov se dit que, vu la négligence de Guy à cet égard, il pourrait peut-être trouver de l'argent qui traînait. Il ne l'avait jamais fait auparavant, mais, ulcéré par la désaffection dont il se sentait l'objet, il n'eut pas de mal à se convaincre que le cher garçon lui devait bien une petite compensation. Il fouilla d'abord la chambre des Pringle sans rien trouver. Puis le secrétaire du salon. Il examina les talons de chèques de Guy et vit qu'il avait fait un certain nombre de virements à des banques anglaises au profit de certains juifs roumains. Il considéra un instant la possibilité de faire chanter ceux-ci, puis il y renonça : tout le monde était en infraction avec le contrôle des changes. Les juifs en question lui riraient au nez s'il menaçait de les dénoncer. Puis, trouvant le tiroir caché, il découvrit l'enveloppe marquée « Top secret ». Voilà qui était beaucoup plus excitant. Il n'était pas le seul à Bucarest à soupçonner Guy d'avoir des activités moins innocentes qu'il n'y paraissait. Affable, sympathique, ouvert, Guy, de l'avis de Yakimov, était l'agent idéal.

Le rabat mal collé de l'enveloppe s'ouvrit aussitôt. À l'intérieur, il y avait un diagramme : une coupe d'une section de pipeline, ou d'un puits, avec un étranglement désigné par le mot « détonateur ». En somme, un croquis très simple à l'usage de l'apprenti saboteur. Se rappelant de mystérieuses conversations entre les journalistes, il se dit que ce devait être un puits de pétrole. Une vraie trouvaille. Il referma soigneusement l'enveloppe et la remit en place, mais il glissa le plan dans sa poche. Il ne savait pas encore ce qu'il en ferait. Il pourrait toujours s'en servir pour se faire mousser à l'*English Bar* : « Vous avez vu les risques que prend le pauvre Yaki pour servir son roi et son pays ? » Cette idée le fit jubiler.

Maintenant qu'il était obligé de sillonner la ville à pied pour visiter divers consulats, son euphorie l'avait quitté. Il obtint, au prix fort — ces gens profitaient honteusement de la situation —, des visas pour la Hongrie, la Bulgarie et la Turquie. Il ne lui restait plus qu'à se rendre au consulat de Yougoslavie, le pays qui, dix mois plus tôt, l'avait expulsé après avoir saisi sa voiture pour dettes. Il entra et tendit son passeport. On le fit attendre une demi-heure.

Quand l'employé revint avec le passeport, il lui fit, des deux mains, un geste évoquant un rideau qu'on baisse : « *Zabranjeno* », dit-il.

Yakimov se voyait refuser un visa. Il ne pourrait donc jamais dégager son Hispano-Suiza. Le cœur serré, il décida de faire appel à Dobson. Mais d'abord, il devait aller prendre un verre à l'*English Bar*.

Il n'y était allé que deux fois depuis le début des répétitions de *Troïlus et Cressida*, Guy ayant fait du *Doi Trandafiri* son quartier général. À sa première visite, personne ne s'était intéressé à ses prouesses en tant que Pandarus. À la seconde, il avait trouvé le lieu, empestant le cigare, bourré d'Allemands. Des Allemands dans le fief des Anglais, voilà qui lui avait paru insolite. Il s'était dévissé le cou pour tenter d'apercevoir Galpin ou Screwby, s'avisant en fin de compte qu'il était le seul Anglais présent dans la pièce. Il avait tenté de s'approcher du bar, mais on l'avait poussé du coude avec une hostilité délibérée. « Doucement, cher garçon », avait-il murmuré à un colosse brutal qui s'était contenté de le faire reculer d'un coup d'épaules en lui lançant : « *Verfluchter Engländer !* » Il avait failli en retour le traiter de « sale Boche » mais n'avait pas osé. Il avait alors, par signes, essayé d'attirer l'attention d'Albu, qui avait évité soigneusement son regard. Comprenant qu'il était seul en territoire ennemi, Yakimov allait battre en retraite quand il avait aperçu Hadjimoscos. Soulagé de voir un visage familier, il était venu vers lui :

« Cher garçon, qui sont donc ces gens? Tous ces Allemands vont finir par demander un plébiscite, avait-il ajouté pour tenter d'amuser le Roumain, qui n'avait pas l'air ravi de le voir.

— Il ne vous est pas venu à l'esprit qu'ils avaient autant que vous le droit d'être ici? Plus, même, car eux ne nous ont pas trahis. Personnellement, je les trouve charmants.

— Oh, exquis! J'avais beaucoup d'amis à Berlin en 32. Dites-moi, avez-vous vu la pièce de Shakespeare?

— Ce spectacle de charité qu'on a donné au Théâtre national? On m'a dit que vous y étiez ridicule.

— On m'a obligé à y jouer, cher garçon. Ma petite contribution à l'effort de guerre, voyez-vous? »

Hadjimoscos, lui tournant le dos, s'était mis en quête d'une compagnie plus profitable. Il s'était collé à un groupe d'Allemands qui avaient fini par lui payer un verre. Yakimov l'avait regardé faire avec envie. Il s'était demandé, puisque son père était Russe et sa mère Irlandaise, s'il ne pourrait pas laisser entendre que ses sympathies allaient au Reich. Il y avait renoncé. La légation britannique avait peut-être perdu tout pouvoir à Bucarest, mais pas sur lui.

Aujourd'hui, l'*English Bar* était tel que Yakimov l'avait toujours connu. Les journalistes britanniques y avaient repris leurs quartiers et les Allemands s'étaient repliés au Minerva. Les rares qui restaient adoptaient un profil bas.

Hadjimoscos était là et, cette fois, il accepta la compagnie de Yakimov. Avec quelques réserves cependant. Il ne souhaitait pas se laisser entraîner dans un groupe d'Anglais, ce qui, dans un monde en pleine mutation, eût exprimé de sa part un choix par trop tranché; mais il consentait à aider Yakimov à dépenser son argent — s'il en avait —, à condition de rester dans un *no man's land* prudent en compagnie de ses seuls compatriotes Horvath et Palu. Yakimov s'éclipsa et revint avec un seul verre — pour son usage personnel. Voyant le regard des trois autres fixé sur son whisky, il plaida sa cause en évoquant le coût des visas qu'il avait dû acheter. Hadjimoscos mit la main sur son bras et lui dit avec un sourire perfide : « *Cher prince* *, vous pouvez dépenser votre argent comme bon vous semble tant que vous ne le dépensez que pour vous seul. »

Faute de leur offrir à boire, Yakimov tenta au moins de les divertir :

« Connaissez-vous la dernière ? Quand le gouvernement de Vichy a rappelé le consul de France, la princesse Teodorescu a dit au pauvre vieux : *"Dire adieu, c'est mourir un peu* *."*

— Quel manque de tact ! Cela ne m'étonne pas de la princesse. Mais, plus important, savez-vous ce que mon *cordonnier* * m'a dit ce matin ? Qu'il fallait attendre trois semaines et payer cinq mille *lei* pour une paire de souliers cousus à la main.

— Pareil chez mon *tailleur* *, dit Palu. Les prix du tweed anglais deviennent prohibitifs. Et maintenant, on a instauré des jours sans viande. Que va manger l'homme alors, hein ? » Il fixa Yakimov comme si c'étaient les Anglais et non les Allemands qui pillaient le pays.

« Un peu de poisson, risqua Yakimov. Un rien de gibier en saison. Moi-même, je ne dis jamais non à un soupçon de blanc de dinde.

— Des nourritures efféminées, affirma Hadjimoscos d'un air dégoûté. Comment, sans viande, un homme pourrait-il garder sa virilité ? »

Déconfit, Yakimov se creusait la tête pour regagner, sinon leurs faveurs, du moins quelque intérêt à leurs yeux. Il pensa au plan qu'il avait dans sa poche. Il le sortit et l'étudia ostensiblement, l'inclinant légèrement pour que les autres le voient.

« Que vont-ils encore bien pouvoir me demander ? soupira-t-il, comme s'il se parlait à lui-même.

— Je préfère vous avertir, *mon prince* * : si vous avez quelque chose à cacher, cachez-le », lui dit Hadjimoscos.

Voyant que rien de ce qu'il ferait ou dirait ce jour-là ne pourrait les satisfaire, Yakimov remit le papier dans sa poche. Laissant son regard vagabonder, il se rendit compte qu'un étranger à la mise négligée tentait d'attirer son attention, un sourire crispé sur le visage. Il avait des cheveux blond paille en bataille, une grosse moustache, une veste de tweed et une pipe sur laquelle il tirait furieusement. Malgré ces apparences peu prometteuses, Yakimov vint aimablement vers lui, la main tendue :

« Où nous sommes-nous rencontrés, cher garçon ? demanda-t-il.

— Je m'appelle Lush. Toby Lush, répondit le jeune homme. Je vous ai rencontré une fois en compagnie de Guy Pringle. »

Entre deux jets de postillons, il gargouillait comme un

siphon bouché dans lequel on vient de verser de la soude caus-
tique.

« Oui, je me souviens, mentit Yakimov.

— Laissez-moi vous offrir un verre. Whisky ? »

Quand il revint avec les boissons, il conduisit fermement
Yakimov vers une table tranquille, visiblement décidé à ne lui
tendre son verre qu'une fois qu'il se serait assis. Fermeté qui
surprit Yakimov : « Gentil, mais pas très futé », s'était-il dit en
regardant son pigeon s'éloigner. Il lui fallait reconsidérer le problème : ce garçon avait quelque chose à lui demander.

Après avoir sucé nerveusement sa pipe une éternité qui
dura quelques minutes, Lush finit par lancer :

« Je suis à Bucarest pour un certain temps.

— Vraiment ? Enfin une bonne nouvelle, dit Yakimov.

— Quand les Russkofs sont entrés en Bessarabie, je me
suis dit : "Toby, mon vieux, le moment est venu de te tirer si tu
veux sauver ta peau." C'est toujours dangereux de rester trop
longtemps au même endroit.

— D'où venez-vous ?

— De Cluj, en Transylvanie. Je ne m'y suis jamais senti en
sécurité. Ici non plus, d'ailleurs. »

Yakimov se souvint soudain d'avoir déjà entendu le nom
de Toby Lush. N'était-ce pas ce gars qui avait abandonné son
poste d'enseignant quand avaient commencé à courir des
rumeurs d'une avance russe ? Oui, bien sûr. Mais lui-même
savait trop ce que c'était que la peur pour reprocher à d'autres
d'éprouver ce sentiment. Aussi lui dit-il d'un ton rassurant :

« Oh, vous pouvez être tranquille. Gentille petite sinécure,
Bucarest. Les Allemands obtiennent tout ce qu'ils veulent. Ils ne
viendront pas nous embêter.

— Espérons-le. Mais ils sont un peu trop présents à mon
goût, dit Lush en jetant un coup d'œil circulaire. On n'a pas l'air
de nous aimer beaucoup, ici.

— Et encore, ce n'est rien à côté de la semaine dernière.
J'ai dit à Albu : "Dry Martini", et il m'en a servi trois.

— Vous êtes un blagueur ! dit Lush avec un hennissement
qui lui tenait lieu de rire. Un autre scotch ? »

Quand il revint avec la deuxième tournée, il passa aux
choses sérieuses :

« Vous êtes un ami de Guy Pringle, n'est-ce pas ?

— Un très cher et très vieil ami, acquiesça Yakimov. J'ai
joué Pandarus dans sa pièce. Le saviez-vous ?

— Oui. Votre renommée est arrivée jusqu'à Cluj. Et vous habitez chez les Pringle ?

— Nous partageons un appartement. Petit, mais charmant. Venez prendre un repas avec nous à l'occasion. »

Lush hocha la tête. Mais il voulait davantage.

« Je cherche du travail, dit-il. Pringle dirige le département d'anglais, n'est-ce pas ? Naturellement, je vais lui demander de m'accorder un entretien, mais je pensais que, peut-être, vous pourriez placer un mot en ma faveur, du genre : "J'ai rencontré Toby Lush, aujourd'hui. Un type sympathique."

— Je n'ai qu'un mot à dire pour que, demain, vous ayez du boulot, l'assura Yakimov.

— S'il y en a.

— Ces choses-là s'arrangent toujours.

— Bon, je vous dépose quelque part ? Il faut que j'aille à la légation, dit Lush en se levant.

— Justement, j'y vais aussi. »

Sur les pelouses jaunies de la légation, un groupe assez fourni de costauds en treillis kaki, manifestement anglais, semblait attendre quelque chose. Yakimov n'avait jamais vu ces hommes ; il se demanda qui ils étaient.

Lush fut immédiatement reçu à la chancellerie. Yakimov fut intercepté par la secrétaire de Dobson, une femme mûre qui, comme d'habitude, tenta de le décourager tout en jouant sur lui de ses charmes plutôt défraîchis. Il insista, et finit par être reçu.

Dobson avait l'air fatigué.

« Nous avons eu une semaine éprouvante, avec la crise. Et maintenant, pour couronner le tout, voilà qu'on renvoie les ingénieurs qui travaillent dans les champs pétrolifères.

— Ce sont les types que j'ai vus dehors ?

— Oui. On leur a donné huit heures pour quitter le pays. Un train spécial doit les conduire à Constanta. Les pauvres diables traînent devant la légation dans l'espoir que nous pourrons faire quelque chose. J'en doute fort, car les Roumains les ont expulsés pour complaire aux Allemands. Certains de ces gars sont ici depuis plus de vingt ans ; ils y ont femmes, enfants, voitures, chiens, que sais-je... Du travail en plus pour nous autres.

— Mon pauvre ! (Yakimov s'assit, attendant de pouvoir placer ses propres doléances.) Je regrette de devoir vous ennuyer en un tel moment, mais...

— C'est l'argent, n'est-ce pas ?

— Pas entièrement. Vous vous rappelez mon Hispano-Suiza ? Les Yougos essaient de me la piquer. (Il raconta son histoire.) Cher garçon, plaida-t-il, vous ne pouvez pas les laisser faire. Ce n'est pas une auto, c'est une œuvre d'art. Elle vaut une fortune. Carrossée par Fernandez. Rien que le châssis vaut deux mille livres sterling. C'est tout ce qui me reste de Dollie. Je vous en prie, procurez-moi un visa et prêtez-moi un peu de blé. Quand je l'aurai récupérée, nous irons fêter ça chez *Cina* — champagne et tout. Alors ?

— Les Roumains réquisitionnent les automobiles. Le saviez-vous ?

— Certainement pas celles des Britanniques.

— Non, admit Dobson. Celles des juifs, principalement. Ils n'ont jamais de chance : en l'occurrence, ce sont eux qui possèdent les plus grosses voitures. Ce que je veux dire, c'est que le moment n'est pas indiqué pour vendre. Personne ne voudra acheter une automobile de luxe qui peut à tout moment être réquisitionnée.

— Mais je ne veux pas la vendre, cher garçon ! J'y suis trop attaché. Et puis elle pourrait me servir au cas où nous serions évacués. »

Dobson réfléchit.

« Vous savez quoi ? L'un d'entre nous doit aller à Belgrade la semaine prochaine. Probablement Foxy Leverett. Vous avez bien le certificat de gage et les clés de la voiture ? Je vais lui demander de la ramener. Je suppose qu'elle est en état de marche ?

— Elle l'était quand je l'ai laissée. Impeccable.

— Bon, je vais voir ce que je peux faire. »

Se levant, Dobson congédia Yakimov.

5

Une semaine après la soirée passée avec Klein au café du parc, Harriet, qui était chez elle, entendit résonner un chant martial. Se précipitant au balcon, elle vit une double rangée d'hommes défiler sur la grand-place.

Les défilés étaient assez fréquents à Bucarest. Mais celui auquel elle assistait là ne ressemblait à aucun autre. Il était dépourvu de la solennité qui accompagnait habituellement ce genre de manifestation, mais ceux qui le composaient semblaient animés d'une détermination implacable. Ils portaient des chemises vertes. Leur chant lui était étranger, mais elle perçut le mot *Capitanul* qui revenait à plusieurs reprises.

« Quel capitaine évoquent-ils ? » se demanda-t-elle. Elle les suivit des yeux jusqu'à ce qu'ils disparaissent à un tournant de la Calea Victoriei et resta sur le balcon, n'ayant rien d'autre à faire. L'appartement derrière elle était silencieux. Despina était sortie faire des courses, Yakimov dormait, Sacha était dans sa mansarde sous le toit (le « Juste pour une nuit » de Harriet tenait décidément du vœu pieux) et Guy était à l'université. Débordé, comme toujours, pensa-t-elle avec résignation. L'université d'été, censée être un mi-temps, l'occupait à plein temps : nombre d'étudiants juifs attendant un visa pour les États-Unis, Guy avait dû créer des classes supplémentaires. Il n'avait même plus le temps de faire la sieste.

Le jour où les ingénieurs avaient été chassés des champs pétrolifères de Ploiesti, les Pringle, comme tous les autres sujets britanniques, avaient reçu un premier ordre d'expulsion émanant de la *prefectura*. Guy, qui partait travailler, le tendit à Harriet en lui recommandant :

« Apporte-le à Dobson. Il fera ce qu'il faut.

— Mais suppose qu'on doive quitter le pays dans les huit heures ?

— Jamais de la vie. »

Sa certitude était fondée. Dobson fit annuler leur avis d'expulsion, ainsi que ceux de tous les autres sujets britanniques de Bucarest, excepté les ingénieurs. Ces derniers durent partir avec leurs familles. De Constanta, ils prirent le bateau pour Istanbul. Ils ne souhaitaient pas partir, mais du moins ils seraient en sécurité. Harriet aurait presque voulu être à leur place.

Au moment même où elle se le disait, la terre se mit à trembler. Elle eut l'impression que le balcon descendait d'un cran. Affolée, elle tendit la main pour se tenir à quelque chose, mais tout bougeait avec elle ; il n'y avait plus rien de fixe à quoi se raccrocher. Cela dura un instant, puis ce fut fini.

Rentrant en hâte prendre son sac et ses gants, elle quitta l'appartement. Subir un séisme au neuvième étage d'un immeuble était trop terrifiant. Une fois sur le trottoir, aussi brûlant que le sable du Sahara, elle eut l'impulsion de se baisser pour toucher la terre ferme. Les immeubles de la grand-place étaient intacts, et les gens ne semblaient pas affolés. Remontant la Calea Victoriei, elle se dit que le phénomène était peut-être fréquent à Bucarest, cette ville de l'intérieur à l'ouest de laquelle s'étendait toute la masse de l'Europe. Peu après, elle tomba sur Bella Nicolescu. Oubliant qu'elles ne devaient plus se montrer ensemble en public, elle courut vers elle en s'écriant :

« Bella, tu as senti le tremblement de terre ?

— Et comment ! J'en suis encore malade de peur. Tout le monde ne parle que de ça. Quelqu'un vient juste de dire que ce n'était pas un séisme mais une explosion : les agents britanniques auraient fait sauter les champs pétrolifères de Ploiesti. Du moins, c'est la rumeur qui commence à courir. Espérons que ce n'est pas vrai. Notre situation est déjà assez délicate sans cela. »

Leur émotion un peu calmée, elles allaient se séparer pour ne pas être vues ensemble quand elles entendirent un chant résonner dans le lointain. Harriet reconnut le *Capitanul* du refrain. Les hommes aux chemises vertes revenaient.

« Qui sont-ils ?

— Nos fascistes locaux. Des membres de la Garde de Fer, bien sûr.

— Mais je croyais qu'elle avait été démantelée.

— Qu'ils disent ! »

Harriet vit qu'il s'agissait des mêmes jeunes hommes qu'elle avait vus au printemps errer, désœuvrés, dans les rues de la ville. Ceux qui avaient été entraînés dans les camps de concentration nazis. Elle les avait alors trouvés miteux, visiblement au ban de la société. Maintenant bottés et vêtus de neuf, ils manifestaient une confiance en eux agressive qui forçait les voitures à se ranger le long du trottoir pour les laisser passer.

Les deux femmes regardaient passer la colonne, assourdies par ses beuglements. Elle était plus longue qu'à l'aller. En queue, défilaient des chômeurs dépenaillés, sans doute convertis au gardisme le matin même, qui avaient du mal à suivre le pas. Ils trébuchaient fréquemment, jetant aux passants des regards en coin assortis de sourires furtifs, et leur seule contribution sonore était le tonitruant *Capitanul* du refrain. C'en fut trop pour les spectateurs roumains. Leur sens de l'humour l'emportant sur leur inquiétude, ils se mirent à ricaner, éclatant parfois d'un franc éclat de rire.

« Non mais, regarde-moi ça ! dit Bella.

— Qui est ce *Capitanul* ?

— Codreanu, le chef de la Garde de Fer. Celui qui a été tué, certainement sur les ordres de Carol, en tentant de s'enfuir. Nombre de ses copains ont été tués avec lui. D'autres sont partis pour l'Allemagne, ou ont été mis hors d'état de nuire. Du moins nous l'a-t-on assuré. Pour qu'ils osent refaire ainsi surface, il faut que le pouvoir du roi se soit drôlement affaibli. »

Une opinion partagée par la foule, à en juger par ses commentaires.

« Oh, au fait ! reprit Bella, la dernière fois qu'on s'est vues, tu m'as parlé de Drucker. Eh bien, deux jours après, j'ai reçu une lettre de Nikko me disant qu'on avait obligé Sacha à faire son service militaire. Apparemment, le garçon a déserté et il a la police militaire aux trousses. Sans doute à cause de la fortune déposée à son nom en Suisse. Ils veulent qu'il leur cède l'argent par écrit.

— Supposons qu'il refuse ?

— Il n'oserait pas. On peut le fusiller pour désertion.

— Pourtant la Roumanie n'est pas en guerre.

— Non, mais le gouvernement a décrété l'état d'urgence et la mobilisation. D'ailleurs, ils sont bien décidés à l'avoir. Quand ce sera fait, je parie qu'il disparaîtra pour de bon. Je compte aller à Sinaia, poursuivit-elle, répudiant Sacha et ses ennuis d'un geste de la main. J'en ai assez de traîner ici par ces chaleurs à attendre qu'il se passe quelque chose. Il ne se passera rien, à mon avis. Tu devrais convaincre Guy de t'amener à la montagne.

— Nous ne pouvons pas partir. Il a démarré l'université d'été, et les étudiants sont nombreux.

— Des juifs, je suppose.

— Oui, pour la plupart. »

Bella fit la moue : « À ta place, je ne l'encouragerais pas dans cette voie. Si la Garde de Fer se déchaîne encore, Dieu sait ce qui peut arriver. La dernière fois, ils ont sauvagement battu les étudiants juifs. Ils sont non seulement antisémites mais anti-Anglais. Bon, je te quitte, j'ai rendez-vous chez mon coiffeur. »

Agitant la main en signe d'adieu, elle disparut en direction de la grand-place, laissant Harriet supputer les dangers que Guy et elle couraient. C'était très risqué de garder sous le même toit Sacha et Yakimov, qu'elle voyait comme un délateur potentiel ; elle ignorait quelle était la peine encourue pour cacher un déserteur, mais elle imaginait déjà Guy dans la prison dépeinte par Klein entre deux rires. Et il y avait aussi le risque plus immédiat des gardistes.

Son instinct lui dictait de courir à la faculté et de supplier Guy d'interrompre ses cours. Mais elle savait qu'il n'accepterait jamais. Ne lui avait-il pas retiré le rôle de Cressida « parce qu'un homme ne peut pas faire du bon travail avec sa femme dans les parages » ? Elle se sentait désarmée. Passant devant le bureau d'informations britannique, elle eut une idée : pourquoi ne pas demander à Inchcape de fermer l'université d'été ? Si quelqu'un le pouvait, c'était lui. Elle hésita. Elle avait déjà sollicité une fois l'intervention du directeur du département d'anglais à l'insu de Guy, et ce dernier lui en avait voulu longtemps. Mais d'autre part, elle avait tiré son mari d'un mauvais pas. Pourquoi ne pas recommencer ? Elle poussa la porte.

La secrétaire d'Inchcape tricotait derrière sa machine à écrire.

« *Domnul Director* est trop occupé pour recevoir, dit-elle.

— Je ne le retiendrai pas longtemps. »

Harriet était dans l'escalier. La porte du bureau d'Inchcape était ouverte. Il était allongé sur un canapé, plongé dans un volume de *À la recherche du temps perdu*, les autres éparpillés autour de lui. Il était en bras de chemise. Quand il vit Harriet, il se leva et enfila sa veste.

« Hello, Mrs P., lui dit-il avec un sourire qui cachait mal sa contrariété d'être dérangé. Qu'est-ce qui vous amène ?

— La Garde de Fer.

— Vous voulez parler de cette poignée de névrosés et de minables impuissants qui traînaient il y a cinq minutes sous mes fenêtres ? Ne me dites pas qu'ils vous ont fait peur.

— Les nazis, eux aussi, n'étaient au début qu'une poignée de névrosés et de minables impuissants.

— Peut-être, concéda-t-il en feignant de croire qu'elle plaisantait. Mais en Roumanie, le fascisme n'est qu'un jeu.

— Ce n'était pas un jeu, en 1938, quand les étudiants juifs ont été jetés par les fenêtres de la faculté. Je suis inquiète pour Guy. Il est seul là-bas, à l'exception des trois vieilles dames qui l'assistent.

— Il y a Dubedat.

— Si les gardistes forcent l'entrée, je ne vois pas ce que Dubedat pourrait faire.

— Et moi, alors ? Sauf quand Clarence fait de rares apparitions, je suis également seul. Je ne m'en fais pas un monde. »

Harriet faillit répondre que le bureau d'informations britannique était une trop piètre cible. Elle se retint de justesse : « L'université d'été est une provocation. Tous les étudiants sont juifs. »

Tout en restant affable, Inchcape commençait à pincer les lèvres. « Guy est assez grand pour se protéger tout seul », dit-il en examinant ses boutons de manchette en argent ornés de grenats.

Son visage sec, napoléonien, avait revêtu une expression lointaine destinée à cacher son irritation. Harriet se tut. Elle était venue ici, convaincue que l'idée d'ouvrir une université d'été venait de Guy. Elle comprenait maintenant que c'était celle d'Inchcape. Il était un homme de pouvoir au sein de l'organisation où son mari entendait faire carrière, et elle le connaissait trop peu pour être sûre de ses réactions. Elle le savait vaniteux : n'allait-il pas maintenant rédiger et envoyer en Angleterre de mauvais rapports sur Guy ?

Elle se souvenait avoir critiqué Inchcape auparavant : « Il est d'une avarice bizarre : il économise sur la nourriture et les

boissons et il dépense une fortune en bibelots pour impressionner ses hôtes », avait-elle dit à Guy. Celui-ci lui avait alors expliqué que, pour Inchcape, posséder était une façon de se défendre
contre le vide émotionnel de sa vie. Une forme d'auto-
glorification. Elle se rendait compte que l'université d'été avait
la même fonction.

Sachant qu'elle n'arriverait à rien en l'affrontant, elle
décida de l'amadouer : « J'imagine qu'il est important de la
maintenir », dit-elle.

Il eut l'air content et changea immédiatement de ton :

« C'est capital. C'est le signe que nous ne sommes pas battus ; que nous avons gardé le moral. Et nous ferons encore
mieux... J'ai de grands projets pour l'avenir.

— Vous croyez que nous avons un avenir ?

— Bien sûr, que nous en avons un. Je suis confiant. Je suis
tellement confiant que je suis en train d'essayer d'arranger un
vol de Londres pour un vieil ami à moi, le professeur Lord Pinkrose. Il a accepté de donner la conférence Cantacuzène. »

Rencontrant le regard ahuri de Harriet, il eut un sourire
satisfait.

« C'est le moment de maintenir les traditions, dit-il. Ces
conférences sont généralement destinées à faire connaître la littérature anglaise ; à montrer aux Roumains qu'elle est une des
meilleures du monde. C'est aussi un événement mondain de
grande importance : la dernière fois, nous avions huit princesses
assises au premier rang. Cela exige bien sûr pas mal d'organisation, ajouta-t-il en entraînant Harriet vers la porte. Je dois trouver une salle et retenir une chambre d'hôtel pour Pinkrose.
J'ignore encore s'il viendra seul.

— Il pourrait venir avec sa femme ?

— Seigneur Dieu, il n'en a pas ! dit-il comme si le mariage
était une coutume tribale. Mais il n'est plus si jeune : il peut souhaiter amener un compagnon. »

La poussant doucement dehors, il conclut : « Ma chère
enfant, nous devons garder notre équilibre. Ce n'est pas si
facile, je le sais, par ces chaleurs, quand notre corps semble
fondre à l'intérieur de nos vêtements. Eh bien, au revoir. »

Harriet se retrouva dans la rue avec l'impression d'avoir
donné un coup d'épée dans l'eau.

Peu avant le défilé gardiste, Sophie Oresanu était venue
trouver Guy dans son bureau — l'ancien bureau d'Inchcape,

encore rempli de ses livres et de ses papiers. Elle s'était inscrite à l'université d'été avec enthousiasme. Maintenant, penchée sur l'accoudoir d'un fauteuil de cuir, elle décrétait : « Je ne peux pas travailler par cette chaleur. La ville est invivable à cette époque de l'année. »

Guy la regardait en souriant se tortiller sur son fauteuil pour lui présenter ses fesses sous l'angle le plus aguichant. « Pauvre fille, pensa-t-il. Elle est orpheline, elle n'a pas de dot, et sa liberté la dévalue aux yeux de la bonne société roumaine. Il faut absolument qu'elle se trouve un mari. Quelqu'un qui puisse lui offrir un passeport britannique. » Lui-même s'en était bien gardé, mais il aurait été ravi de la refiler à un de ses amis. Il avait pensé à Clarence, qui lui avait répondu : « Tu plaisantes ! Moi, épouser cette insupportable poseuse ? » Et elle, de son côté, disait de Clarence : « Ce doit être terrible pour un homme d'avoir aussi peu de succès auprès des femmes. » Sur ce front-là, il y avait donc peu d'espoir.

« Vous serez plus en sécurité en ville cet été, dit-il.

— Ce genre de raisonnement est caduc. Les Russes ont obtenu ce qu'ils voulaient. Maintenant ils nous laisseront tranquilles. Tout le monde le dit. En plus, la vie est trop chère à Bucarest. D'habitude, je loue mon appartement et pars m'installer dans un petit village à la montagne. Je l'aurais aussi fait cette année si je n'avais pas déjà dépensé tout mon argent. »

Elle le regardait, l'air malheureux, attendant la question habituelle : « Combien vous faut-il ? » Mais Guy ne la posa pas.

Il lui dit à la place :

« Alors attendez d'avoir reçu votre allocation du mois prochain.

— Mon médecin me dit que rester ici est mauvais pour ma santé. Vous ne voulez pas que je tombe malade, quand même ? J'ai travaillé dur pour la pièce, et ça m'a épuisée. J'ai perdu un kilo. Peut-être aimez-vous les femmes maigres. Pas les Roumains. »

Guy sourit, embarrassé. Ainsi, c'était ça ? Elle voulait un dédommagement pour services rendus. Harriet avait raison au sujet de Sophie. Elle voyait clairement la faille chez les autres. Pas lui. « Ce n'est pas un hasard si je suis myope, se dit-il. Je vois les gens flous, elle les voit en détail. » Il aurait pu ajouter que, trop souvent, elle n'aimait pas ce qu'elle voyait.

« Je n'ai besoin que de cinquante mille *lei* », poursuivit Sophie.

Guy se félicitait de ne pas les avoir sur lui, tout en se disant charitablement que toutes ces petites manigances n'étaient que le comportement d'une enfant effrayée.

« Maintenant, c'est Harriet qui s'occupe de nos finances. Quand quelqu'un me demande un prêt, je dois la consulter », répondit-il.

L'expression de Sophie changea du tout au tout. Fini, les petites mines. Elle semblait furieuse. Elle allait répondre quand éclata un bruit de bottes rythmé par un chant de marche où revenait le mot *Capitanul*.

« Mais c'est un chant interdit ! » s'exclama-t-elle.

Ils se précipitèrent tous deux à la fenêtre sous laquelle défilaient les chemises vertes. Sophie retenait son souffle. Guy était moins surpris qu'elle pour avoir discuté avec les informateurs de David de la résurgence des gardistes. Il s'attendait, de la part de la jeune fille, à une réaction de terreur qu'elle n'eut pas. Elle dit sobrement :

« Nous allons encore avoir des ennuis.

— Vous étiez à l'université lors des pogroms de 1938 ? lui demanda-t-il.

— Oui. C'était terrible. Mais personnellement, j'ai été protégée par mon nom bien roumain. »

Se rappelant qu'elle en voulait à Guy, elle quitta la pièce. Lui se rassit à son bureau, songeur. Il avait compris la menace et savait exactement ce qu'il risquait.

Quand il avait discuté de l'organisation de l'université d'été avec Inchcape, il avait déclaré à celui-ci :

« J'ai une seule réserve concernant ce projet : il donnera lieu à une concentration d'étudiants juifs qui pourrait être dangereuse pour eux du fait de la nouvelle politique antisémite du gouvernement.

— La politique roumaine a toujours été antisémite, ricana Inchcape. Ce qui n'empêche nullement les juifs de s'enrichir. »

Guy, dans ces conditions, jugea inutile de discuter. Il ne réussirait qu'à donner à Inchcape l'impression que c'était lui, Pringle, qui craignait pour lui-même. Le directeur en titre du département d'anglais voulait une université d'été pour justifier de la présence en Roumanie de son organisation ? Soit. Il l'aurait. Il n'était qu'un vieux célibataire sans rien d'autre dans la vie que l'autorité que lui conférait sa position. De plus, existait une rivalité entre le British Council et la légation. Inchcape lui avait dit un jour, parlant du ministre plénipotentiaire britannique : « Puisque le vieux charmeur n'est pas effrayé de rester, pourquoi le serais-je ? » Guy avait objecté que Sir Montagu, contrairement à Inchcape et à ses hommes, jouissait de l'immunité diplomatique. « Oh, tant que la légation est présente à Bucarest, nous sommes protégés », avait répondu Inchcape.

Les pensées de Guy dérivèrent vers Harriet. Il avait, sur son bureau, une photo d'elle prise par un photographe de rue de la Calea Victoriei. Son visage ovale aux yeux expressifs avait une expression triste qui contrastait avec sa vivacité habituelle. Sur ce cliché, elle semblait bien plus vieille que son âge, avec cet air insatisfait de ceux qui n'ont pas la chance d'avoir une cause à laquelle se vouer. Il avait bien essayé, au début, de faire son éducation politique, mais elle s'était rebiffée : « Je déteste le prêt-à-penser », avait-elle déclaré d'un ton péremptoire.

Avant leur mariage, elle travaillait dans une galerie d'art. Tous ses amis étaient des artistes, pauvres et méconnus pour la plupart. Il lui avait fait remarquer que s'ils avaient travaillé en Union soviétique, ils auraient été couverts d'honneurs. « Oui, à condition de se conformer », avait-elle rétorqué. Il avait alors essayé de la convaincre que, partout au monde, chacun devait plus ou moins se conformer. « Non, les artistes doivent rester une communauté privilégiée s'ils veulent produire une œuvre de quelque importance. Ils ne peuvent pas être aux ordres. Ils doivent penser par eux-mêmes. C'est pourquoi les pays totalitaires ne peuvent pas se permettre d'en avoir qui soient dignes de ce nom », avait-elle répondu.

Guy était obligé de reconnaître que les idées reçues n'étaient pas la tasse de thé de Harriet. Féminine et intolérante sur les détails, elle n'en était pas moins capable d'avoir une vue d'ensemble des choses. Issue d'une bourgeoisie à l'esprit étroit, elle avait réussi à se « déclasser ». Malheureusement, au lieu d'adhérer au credo marxiste, elle était tombée dans un anarchisme doublé d'un mysticisme puéril. Elle refusait obstinément de se laisser influencer.

Comment pouvait-il l'aider ? Et que voulait-elle au juste ? Guy avait du mal à répondre à cette dernière question car il ne voulait rien pour lui-même. L'idée de possession lui était insupportable – une insulte à sa famille, démunie comme elle l'était.

Tout en faisant ses études, il avait travaillé à mi-temps comme professeur. Sa mère travaillait également. C'était leur travail conjugué qui leur avait permis à tous de boucler les fins de mois.

Il n'avait jamais envié personne, sauf ceux, exempts de responsabilités familiales, qui s'étaient sentis libres de partir se battre en Espagne. Les hommes des brigades internationales avaient été ses héros. Et ses ennemis, les « chemises noires » qui avaient défilé dans sa ville natale et battu presque à mort son ami Simon. Le défilé des chemises vertes auquel il venait d'assister lui remettait cet épisode en mémoire : ce jour-là, Guy avait su que le temps viendrait où lui aussi devrait payer pour son engagement politique.

À l'époque, personne ne croyait encore vraiment à la sauvagerie fasciste. Il s'agissait d'une nouveauté pour le monde civilisé. Quand il avait vu le visage tuméfié de Simon qui, tout seul, avait tenté une contre-manifestation, alors que ses camarades, assis par terre en signe de protestation non violente, avaient déjà été emmenés de force, Guy avait su ce qui l'attendait. Il n'avait jamais douté qu'un jour ce serait son tour.

Assis à son bureau, il se posait le problème du courage physique, de sa propre capacité à résister sous la torture, quand la porte s'ouvrit très lentement. Une tête ébouriffée passa par l'entrebâillement.

« Salut, vieux. Vous voyez, je suis de retour », lui dit Toby Lush.

Harriet rentra chez elle prête à l'action. Si elle était impuissante à neutraliser l'un des dangers qui les menaçaient, elle pouvait agir sur l'autre, à savoir la présence simultanée de Sacha et de Yakimov dans leur appartement. L'un d'eux devait partir. À Guy, qui les avait tous les deux mis là, de décider lequel.

En entrant dans le salon, elle trouva Yakimov vautré sur le fauteuil, la bouteille de *tuică* à portée de main. Il attendait le déjeuner. Elle décida de décider elle-même : c'était Sacha qui avait besoin d'aide et de protection.

Elle était sur le point de demander à Yakimov de faire ses bagages, mais ne savait comment le lui dire. Elle s'assit près de lui et aperçut, par le bâillement de sa semelle, le bout de son orteil qui traversait une chaussette de soie parme en loques – un vivant reproche à la triste condition de son propriétaire. Harriet se tut.

Sentant que quelque chose n'allait pas, il tenta maladroitement de faire la conversation :

« Qu'y a-t-il au menu aujourd'hui ?

— C'est un jour sans viande. Despina a acheté un poisson de rivière dont j'ignore le nom. »

Il soupira. « Ce matin, j'ai rêvé de blinis. Il y en avait une grosse pile. Je tartinais l'un de caviar, l'autre de crème aigre, l'autre de caviar, et ainsi de suite. Puis je coupais dans la pile. Divin ! »

Ne sachant que répondre, Harriet regarda la pendule.

« Le cher garçon est en retard. Qu'est-ce qu'il fabrique, ces temps-ci ? demanda Yakimov.

— Il a ouvert une université d'été. J'imagine que les répétitions vous manquent ?

— C'était amusant, bien sûr, mais Guy nous a fait marner. Et qu'en est-il sorti, en fin de compte ?

— Qu'aurait-il pu en sortir, si loin de chez nous et en temps de guerre ? Vous n'avez quand même pas imaginé que vous pourriez faire une carrière théâtrale ?

— Une carrière ? Grands dieux, ça ne m'est jamais venu à l'esprit. »

Il semblait tellement surpris qu'elle comprit qu'il n'avait probablement rien escompté d'autre que manger et boire à l'œil le reste de sa vie.

« Que faisiez-vous, avant la guerre ? Aviez-vous un travail ? » lui demanda-t-elle.

La question — le mot — le choqua. « J'avais le versement de ma vieille maman », protesta-t-il.

Puis, conscient de sa réprobation, il ajouta ·

« Je faisais des petits boulots par-ci, par-là... je veux dire, quand j'étais à court de pognon.

— Quelle sorte de boulots ? »

Cet interrogatoire le mettait mal à l'aise. Il s'agita nerveusement sur son fauteuil.

« Vendu des voitures pendant quelque temps. Seulement les meilleures, bien sûr : Rolls-Royces, Bentleys... Ma chère vieille Dollie, elle, avait une Hispano-Suiza. La plus belle voiture du monde. Quand je l'aurai récupérée, je vous emmènerai faire un tour dedans.

— Et quoi d'autre ?

— Fait un peu de brocante. Vendu des tableaux.

— Vraiment ? dit Harriet, intéressée. Vous vous y connaissez en peinture ?

— Je ne prétends pas être un professionnel, chère fille. Je donnais à l'occasion un coup de main à un de mes amis. J'avais un petit appartement près de Jermyn Street. Accrochais un tableau ou deux, disposais à la ronde un peu de bric-à-brac, puis ramassais un pigeon plein aux as en lui laissant entendre que j'étais vendeur : "Votre pauvre Yaki doit se séparer de ses trésors de famille." Vous voyez le genre... Pas vraiment du boulot, en fait. Juste un petit à-côté. »

Ils furent tous les deux soulagés quand ils entendirent la clé de Guy tourner dans la serrure. Il avait amené quelqu'un :

« Tu te souviens de Toby Lush, n'est-ce pas ? demanda-t-il joyeusement à Harriet, comme s'il lui faisait un cadeau.

— C'est merveilleux de vous revoir ! Merveilleux ! » s'exclama celui-ci, avec un enthousiasme tel que les yeux lui sortaient de la tête.

Harriet l'avait rencontré une fois mais il ne lui avait pas fait grande impression : elle se souvenait à peine de lui. « Convulsif », s'était-elle dit. Il avait dans les vingt-cinq ans, une ossature lourde, des gestes extraordinairement maladroits, une peau grêlée et des traits accusés qui, paradoxalement, semblaient mous.

Suçant frénétiquement sa pipe, il se tourna vers Guy d'un mouvement saccadé et lui dit :

« Vous savez ce que votre femme m'évoque ? Ce vers de Tennyson : "*She walks in beauty like the night of starless climes and something skies...*"

— Byron, corrigea Guy.

— Oh zut ! Ça m'arrive tous le temps, répondit Lush en se tapant le front avec une contrition exagérée. Non par ignorance, mais par oubli. »

Remarquant soudain Yakimov, il se précipita vers lui comme une marionnette qu'on vient de remonter, la main tendue : « Hello, hello, hello ! » s'exclama-t-il.

Harriet alla annoncer à Despina qu'ils avaient un invité. Quand elle revint, Toby Lush, ponctuant ses propos de gros rires et autres bruits parasites, discourait sur la situation dans la capitale transylvaine dont il s'était prudemment évacué lui-même.

Cluj était sous domination roumaine depuis vingt ans, mais c'était toujours une ville hongroise. Ses habitants attendaient seulement la fin d'un régime méprisé.

« Ce n'est pas qu'ils soient proallemands, disait-il. Ils veulent juste le retour des Hongrois. Ils ne veulent pas comprendre que si les *"Hunks"* reviennent, les Huns suivront. J'étais le seul Anglais du lot, et j'aime mieux vous dire qu'il me fallait être drôlement vigilant. Peu avant mon départ, ils ont nommé un Gauleiter — un certain comte Frederich von Flügel. "Tire-toi quand il en est encore temps", me suis-je dit.

— Non ! Freddie von Flügel ! s'exclama Yakimov sur un ton de surprise ravie. Mais c'est un vieil ami. Un ami très cher. Quand j'aurai l'Hispano, allons tous là-bas lui rendre visite. Je suis sûr qu'il nous recevra comme des rois. »

Toby, bouche bée, regarda Yakimov. Puis, les épaules secouées d'un rire muet et parodique, il lui lança : « Vous êtes un farceur ! » L'autre, bien que surpris, choisit de prendre cela comme un compliment.

Au cours du déjeuner, Harriet demanda à Lush :

« Comptez-vous rester à Bucarest ?

— Oui, si j'arrive à dégotter des heures de cours. Je suis un travailleur indépendant, moi. Je n'ai pas d'organisation pour me soutenir. Je suis venu seul d'Angleterre en voiture — mon camion, comme j'appelle ma vieille Humber. L'aventure, en quelque sorte. Ma situation est simple : si je ne travaille pas je ne mange pas. (Se tournant vers Guy, il lui adressa un regard inter-rogateur et suppliant.) Quand j'ai appris que vous étiez à court de professeurs, je suis venu vous trouver. »

La question de son emploi éventuel avait manifestement été abordée car Guy se contenta de hocher la tête en disant : « Je dois demander son avis à Inchcape avant d'engager qui que ce soit. S'il est d'accord, je pourrais vous donner vingt heures par semaine. Ça devrait suffire à vous maintenir à flot. »

Lush, avec enthousiasme, plongea presque dans son assiette pour manifester son approbation.

« Et les conférences ? demanda-t-il.

— Je n'ai besoin de vous qu'en tant qu'enseignant, répon-dit Guy.

— Pourtant j'en donnais, à Cluj. Sur la littérature anglaise moderne. Je dois dire que j'aime ça. »

Avec sa grosse moustache et ses yeux en partie cachés par ses cheveux hirsutes, il regardait Guy comme un bon toutou qui attend que son maître veuille bien le sortir. Il fit de la peine à Harriet, la seule à savoir que Guy, malgré toute sa gentillesse, pouvait se montrer inflexible : même s'il avait besoin d'un conférencier, il ne ferait jamais appel à quelqu'un qui confondait Tennyson et Byron.

Une fois le déjeuner fini et Yakimov retiré dans sa chambre, Harriet alla dans la sienne et appela Guy : « Je voudrais te parler. » Elle referma la porte. « C'est trop dangereux de garder Sacha ici avec Yakimov. Tu dois dire à Yakimov de partir. »

Il y eut un silence.

« Tu as sans doute raison, finit par admettre Guy. Mais c'est toi qui vas lui parler. C'est délicat pour moi : il a travaillé dur pour la pièce et je lui dois quelque chose. Pour toi, c'est différent. Tu peux te permettre d'être ferme avec lui.

— En somme, c'est à moi de me taper toutes les corvées ?

— Écoute, chérie, j'ai des choses plus importantes en tête ! Ou tu t'en charges, ou on laisse tomber. Le risque n'est pas si grand, à mon avis. Maintenant, il faut que j'aille discuter avec Toby. »

Harriet resta enfermée dans sa chambre jusqu'à l'heure du thé. Yakimov était reparu, vêtu de sa vieille robe de chambre de brocart. Toutes ses appréhensions oubliées, il faisait honneur aux sandwiches et gâteaux que Guy et Toby, pressés de partir voir Inchcape, avaient laissés. C'était le moment pour Harriet de lui dire : « Écoutez, on vous a assez vu. Maintenant, allez faire vos bagages et partez. » Il prendrait alors son air le plus pitoyable et dirait : « Et où irait le pauvre Yaki ? » Question qui était restée sans réponse quatre mois auparavant et qui le resterait à jamais. En effet, où irait le pauvre Yaki qui avait épuisé son crédit à Bucarest et dont personne ne voulait ? La seule solution pour Harriet était de fourrer elle-même ses affaires dans ses valises et de le mettre dehors. Mais il resterait problement assis sur les marches où Guy le trouverait en rentrant. Il était plus que certain qu'il le ramènerait. Le problème était insoluble.

Une fois repu, Yakimov se leva et dit avec un soupir d'aise : « Je crois que je vais aller prendre un bain. » Harriet n'avait pas parlé. Il n'y avait plus qu'une solution : demander à Sacha s'il ne voyait pas un ami, juif peut-être, susceptible de le prendre chez lui. Elle entreprit de grimper l'échelle qui menait au toit.

Elle trouva le jeune garçon assis à l'extérieur de la cabane qui lui tenait lieu de chambre. Quand il vit Harriet, il se leva précipitamment.

« Alors, comment ça se passe ? Despina s'occupe bien de
toi ? demanda Harriet.

— Oh oui ! »

Et en effet, Despina l'avait adopté. Elle le faisait même descendre à la cuisine où, parfois, Harriet les entendait rire. Affolée, elle avait exhorté à la prudence la domestique qui lui avait
dit qu'en cas d'alerte, elle ferait passer le jeune homme pour un
de ses parents. Le fait que sa présence représentait un danger
pour les Pringle n'avait pas effleuré Sacha.

Tout en parlant, Harriet regardait, derrière lui, l'intérieur
de la hutte qui lui servait de chambre : glaciale en hiver et torride en été, pas de fenêtre, un trou dans la porte pour toute ventilation ; une paillasse par terre, une couverture, quelques livres
et une bougie que Guy avait dû monter lui-même. Auparavant,
elle n'aurait jamais cru possible qu'on pût vivre dans un pareil
endroit. Depuis, elle avait découvert qu'en Roumanie, un tel
abri eût été un luxe pour des millions de gens.

Sacha n'était là que depuis quelques jours, mais il avait
déjà repris du poids. « Asseyons-nous sur le parapet », proposa
Harriet. De là, ils pouvaient voir s'étendre presque toute la ville
dont les toits luisaient à travers une brume de chaleur qui
commençait à se dorer au soleil couchant. Elle lui demanda ce
que Despina avait dit aux domestiques qui dormaient sur le toit
pour expliquer sa présence. « Elle a prétendu que j'étais de son
village », répondit-il.

Il n'avait pas l'air d'un paysan. Mais Despina avait affirmé
à Harriet que les quartiers des domestiques de Bucarest abritaient des milliers de déserteurs, et que personne ne s'intéresserait particulièrement à la présence du jeune homme.

« Depuis combien de temps étais-tu à Bucarest quand on
t'a rencontré devant le Cismigiu ? lui demanda-t-elle.

— Deux nuits. »

Il lui raconta qu'il avait quitté sa compagnie à Tchernovtsy
et voyagé clandestinement dans un train de marchandises qui
l'avait ramené dans la capitale. La nuit de son arrivée, il avait
dormi sous un éventaire du marché de la gare ; mais à minuit, il
en avait été chassé par des mendiants dont c'était la « chambre »
attitrée. La nuit suivante, il avait essayé de dormir dans le parc,
mais avait été dérangé par plusieurs rondes de police qui
l'avaient obligé à changer sans cesse de cachette.

Il ne savait pas où était passée sa famille. De Bessarabie, il avait écrit à ses tantes mais n'avait pas reçu de réponse. Dès son arrivée, il était passé devant chez lui et avait regardé les fenêtres de leur appartement ; il avait constaté qu'on avait changé les rideaux. Dans la rue, il avait vu de loin des gens qu'il connaissait mais ne leur avait pas parlé de peur d'être dénoncé. Guy était le seul qu'il eût osé aborder.

« Sais-tu que ta famille a quitté la Roumanie ? lui demanda Harriet.

— Guy me l'a dit.

— Mais ta belle-mère est restée. Ne pourrait-elle pas te prendre chez elle ?

— Oh non, murmura-t-il, horrifié par cette suggestion.

— Elle ne te dénoncerait pas, quand même ?

— Je vous en prie, ne lui dites pas que je suis ici.

— N'y a-t-il personne d'autre à Bucarest susceptible de te procurer un abri plus sûr que celui-ci ? »

Il lui expliqua que, pour avoir été pensionnaire en Angleterre, il n'avait pratiquement pas de camarades de lycée à Bucarest, et pas encore de vrais amis à l'université, où il était depuis trop peu de temps. Il ne voyait personne à qui il pouvait imposer sa présence. Les juifs avaient d'ailleurs du mal à se faire des amis. Il leur fallait être prudents dans une société aussi antisémite. Après l'arrestation de son père, sa famille n'avait pas eu d'autre choix que de fuir. Si elle avait hésité à le faire, elle serait aujourd'hui en danger, affirma-t-il.

« Quelqu'un vit avec nous dans l'appartement, lui dit Harriet : un certain prince Yakimov. Nous sommes obligés de le garder pour le moment car il n'a pas d'autre endroit où aller. Mais je ne lui fais pas confiance. Nous devons être très prudents : surtout, qu'il ne te voie pas. Si par chance il s'en va, tu pourras prendre sa chambre. »

Sacha lui sourit, reconnaissant.

Le lendemain, seul *Timpul* mentionna le défilé des chemises vertes ; il le fit sur un ton sarcastique, parlant de « la maigre racaille qui a fait s'esclaffer le public dans la Calea Victoriei ». Mais le soir, dans les autres journaux, le ton était tout autre : le défilé y était mentionné avec désapprobation car le roi venait de déclarer que s'il se reproduisait, il ferait donner la troupe.

Les gardistes retombèrent dans la clandestinité — non, disait-on, à cause de la menace du roi, mais sur ordre de leur chef, Horia Sima, récemment rentré d'Allemagne. Celui-ci avait conseillé à ses hommes de quitter leurs chemises vertes et de ne chanter le *Capitanul* que dans leur cœur, le temps de l'action n'étant pas encore venu.

Ils recommencèrent donc à hanter les rues, désœuvrés, minables et malveillants, attendant l'appel. Maintenant tous les habitants de Bucarest étaient conscients de leur présence sinistre, qui réveillait des appréhensions vagues chez les citoyens ordinaires, et des terreurs bien précises chez les juifs.

DEUXIÈME PARTIE

Le Capitaine

6

Harriet avait dîné seule. Tout en mangeant, elle avait essayé de lire jusqu'au bout l'éditorial de *Independenta Românà* consacré à la Transylvanie (« le Berceau de la Nation », « le Cœur de la Patrie »). Le Premier ministre hongrois venait d'obtenir une audience du Führer : que pouvaient donc bien mijoter les Hongrois ? Bien que n'évoquant explicitement à aucun moment la revendication territoriale ancestrale dont cette province avait fait l'objet de la part des Magyars, l'article se demandait si le peuple roumain n'avait pas déjà assez souffert dans le seul but de préserver la paix dans les Balkans, et si on allait exiger de lui un nouveau sacrifice. Il concluait sur une note ferme, affirmant qu'il n'en était pas question ; si des rumeurs couraient à ce sujet, on devait sur-le-champ y mettre un terme.

La date du procès Drucker, nouvelle éclipsée par la précédente, figurait également dans le journal, que Harriet décida d'apporter à Sacha, ainsi qu'une coupe d'abricots.

Il était assis sur le parapet, silhouette solitaire appliquée à gribouiller quelque chose. Elle le vit lever la tête et regarder attentivement la cathédrale qui dominait la ville, ses coupoles dorées embrasées par le couchant. Entendant un pas, il tourna brusquement la tête et son visage s'éclaira en la voyant.

Il lui fit de la peine. Elle posa les abricots près de lui. Despina lui avait trouvé un morceau de charbon qu'il utilisait comme fusain. Il avait fait un croquis de la cathédrale.

« Pas mal du tout, approuva-t-elle en jetant un bref coup d'œil.

— Vous trouvez ?

— Oui. C'est très bien », dit-elle en regardant plus attentivement.

Il sourit de plaisir. « Si vous aimez ceci, alors vous auriez adoré certains trucs que j'ai vus en Bessarabie. Ils étaient formidables. »

Elle se hissa à côté de lui sur le parapet. « Où étais-tu en Bessarabie ? » demanda-t-elle.

Il lui raconta qu'il était sur la frontière, dans une forteresse aussi glaciale que moyenâgeuse. Dans les environs, il n'y avait qu'un village ou plutôt deux rangées de masures désolées de chaque côté d'un chemin boueux rempli d'ornières. La région avait été si souvent le siège de combats divers qu'elle ressemblait aux abords d'un volcan. Seuls les plus désespérés pouvaient continuer à y vivre. En hiver, elle était balayée par les vents et les tempêtes ; au printemps, à la fonte des neiges, elle se transformait en bourbier.

« Le village n'était habité que par des juifs, précisa-t-il.

— Pourquoi vivaient-ils là ?

— Peut-être parce qu'on les avait chassés d'ailleurs ?

— Et ces choses dont tu me parles, qu'étaient-elles ? Des dessins ?

— Non, des peintures. Plus exactement, des enseignes peintes. »

Il entreprit de lui décrire les habitants du village : les hommes, des spectres émaciés dans leurs caftans en loques, les femmes au crâne rasé coiffées de perruques de laine noire. Sacha, qui n'avait connu que des juifs riches et influents, avait été stupéfait de découvrir qu'il en existait d'aussi misérables.

« Ils ne savaient même pas lire. Mais ils savaient faire ces choses dont je vous parle, dit-il.

— Qu'est-ce que ça représentait ?

— Des personnages et des animaux fantastiques, des objets. Les couleurs étaient magnifiques. Chaque fois que je le pouvais, j'allais les admirer.

— Tu t'es fait des amis dans l'armée ?

— Non. Mais j'ai essayé de m'en faire un dans le village. Le fils du cabaretier chez qui les soldats allaient boire la *tuică*. En fait de cabaret, c'était une simple pièce, sordide, d'une pauvreté à peine croyable ; pourtant ils disaient tous que l'homme était une crapule pleine aux as. Son fils était un garçon maigre à la peau très blanche qui portait des culottes au genou, des bottes enfilées sur de longs bas noirs et une calotte noire. Il avait de drôles de boucles rousses qui pendaient devant ses oreilles. Je n'ai jamais vu quelqu'un aussi bizarrement accoutré.

— Tous les juifs orthodoxes sont ainsi, dit Harriet. Tu dois le savoir : il te suffit d'aller à la Dîmbovita. »

Mais Sacha n'était jamais allé dans le ghetto. Ses tantes le lui avaient interdit.

« Parlais-tu souvent avec ce garçon ? demanda Harriet.

— Non. C'était difficile : il ne parlait que le yiddish et l'ukrainien, et il était très timide. Parfois il s'enfuyait quand il me voyait arriver.

— Et parmi les soldats, tu ne t'es pas fait d'amis ?

— Eh bien... (Sacha fit une longue pause. Il déglutit. Les yeux baissés, il essuya ses mains tachées de charbon sur le crépi du mur.) J'avais un ami. Il était juif comme moi. Il s'appelait Marcovitch.

— Il s'est enfui avec toi ? »

Sacha secoua la tête.

« Il est mort.

— Comment est-il mort ? voulut savoir Harriet. Dis-moi ce qui est arrivé », le pressa-t-elle avec douceur, sentant, à ses réticences, que le jeune homme avait dû vivre une expérience qui avait détruit son innocence. Une expérience qu'il préférait ne pas évoquer.

« Vous savez comment c'est, ici : chaque fois que quelque chose ne va pas, ils disent que c'est la faute aux juifs. Eh bien, dans l'armée c'est pareil. Ils nous en veulent à cause de la Bessarabie. Ils disaient que nous avions fait appel aux Russes à cause des mesures édictées contre nous. Comme si nous l'avions pu ! Quelle sottise ! » dit-il en riant.

Il essayait de paraître blasé, mais Harriet vit à quel point il était jeune et naïf.

« T'ont-ils maltraité ?

— Pas vraiment. Certains étaient même assez gentils. C'était horrible pour nous tous, d'être conscrits ; nous étions dévorés par les punaises. Au début, j'ai été tellement piqué qu'on aurait dit que j'avais la rougeole. Et on ne nous donnait pas grand-chose à manger : du maïs et des haricots, mais en petite quantité. Il y avait de l'argent pour la nourriture, mais les officiers le gardaient pour eux.

— C'est pour cela que tu t'es enfui ?

— Non. C'est à cause de Marcovitch.

— Quand est-il mort ?

— Après notre départ de Bessarabie. Dans le train, il a disparu. J'ai demandé à tout le monde si on ne l'avait pas vu, mais on me répondait que non. À Tchernovtsy, où, parqués sur le quai pendant plus de trois jours, on attendait un autre train, ils ont dit qu'on avait trouvé sur la voie un corps à demi dévoré par les loups. Un des hommes m'a dit : "Tu as vu ce qui est arrivé à ton ami Marcovitch ? Prends garde, car ça pourrait bien t'arriver. Toi aussi, tu es juif." J'ai su alors qu'ils l'avaient poussé du train. J'avais peur : la prochaine fois, ce serait moi. Aussi la nuit, quand ils dormaient tous, j'ai sauté dans un train de marchandises qui m'a ramené à Bucarest. »

Tandis qu'ils parlaient ils entendirent, grêle et clair, sonner le dernier appel dans la cour du palais. Les nuages du crépuscule avaient eu le temps de s'étirer, de s'amincir et de se dissiper, laissant un zénith couleur de turquoise pâle où apparaissaient déjà quelques étoiles. La grand-place, neuf étages en dessous d'eux, brillait sous la lueur des réverbères combinée aux reflets du ciel.

Harriet se dit qu'elle avait suffisamment fait parler Sacha. De plus, Guy devait être rentré. « Je dois redescendre, mais je reviendrai te voir », lui dit-elle. Avant de partir, elle lui tendit le journal.

« Il paraît que le procès de ton père commencera le 14 août. Le plus tôt sera le mieux. Il sera peut-être acquitté, après tout, ajouta-t-elle sans conviction.

— Peut-être », lui répondit Sacha par pure politesse.

Il savait comme elle que, légalement, il fallait faire condamner Drucker pour que la Couronne pût confisquer ses avoirs pétroliers. Pourquoi dans ces conditions évoquer un acquittement ?

Comme elle s'engageait sur l'échelle pour redescendre, elle vit que Sacha était rentré dans sa hutte et avait allumé sa bougie. Agenouillé par terre, il était en train de lire le journal qu'il avait étalé devant lui.

7

Yakimov vit de loin le superbe cabriolet jaune garé devant la légation. La capote était baissée et repliée dans le compartiment aménagé à cet effet, de sorte que rien ne venait briser sa ligne longue et élégante. Ses yeux se remplirent de larmes. « La chère vieille en personne », murmura-t-il. « Je t'aime », ajouta-t-il, ne sachant pas exactement s'il s'adressait à son Hispano-Suiza, ou à Dollie qui la lui avait offerte.

L'auto avait déjà sept ans, mais il en avait pris soin comme il ne l'avait jamais fait de lui-même. Soulevant le capot, il inspecta le moteur. Puis il referma le capot, tapotant la cigogne qui déployait mollement ses ailes sur le bouchon du radiateur. Il fit le tour de la voiture, constatant que la carrosserie, quoique poussiéreuse, n'avait pas souffert, et que les sièges de cuir étaient impeccables. « Dieu bénisse ces chers Yougos, pensa-t-il. Ils ne l'ont pas trop maltraitée. »

Il passa tant de temps à rôder autour, en extase, que Foxy Leverett finit par le voir de la fenêtre de son bureau et sortit pour lui donner les clés.

« Chouette machine, hein ? dit-il. Elle a volé comme un oiseau. Les pires routes d'Europe, mais j'ai roulé tout le temps à soixante. Si je n'avais pas ma De Dion-Bouton, je vous aurais fait une offre.

— Je ne la vendrai pas pour tout l'or du monde, cher garçon. »

Et, oublieux soudain de la canicule, il se mit à vanter les beautés cachées de sa « chère vieille » à un Foxy quasi apoplectique dont le poil et le teint, naturellement orangés, tiraient maintenant sur le pivoine, et dont les yeux bleu faïence commençaient à s'injecter.

« J'ai mis deux cents litres d'essence dans le réservoir. Il en reste encore beaucoup, l'interrompit Foxy pour couper court à cette éloquence intempestive.

— Merci, cher garçon. Vous rembourserai dès qu'arrivera mon prochain versement, dit Yakimov sur un ton moins enthousiaste.

— Oh, ça va. »

Sa nonchalance poussa Yakimov à tenter sa chance : « Je voudrais la faire laver. Me demande si vous pourriez me prêter quelques fifrelins. »

La moustache de Leverett frémit mais son propriétaire, coincé, fut beau joueur ; sortant quelques billets de sa poche, il en tendit un à Yakimov.

« Cher garçon ! Vous savez, si vous m'obteniez une plaque CD, nous pourrions nous lancer dans l'import-export. Je pensais à la poudre de corne de rhinocéros — un aphrodisiaque, voyez-vous —, on la ramènerait de Turquie. Et du haschisch... »

Pour toute réponse, Foxy partit d'un gros rire. Tournant les talons, il rentra à la chancellerie.

Yakimov monta dans la voiture et la fit démarrer. L'Hispano était une folie : malgré sa taille et sa puissance, elle n'était conçue que pour deux passagers. Le regard fixé au loin — sur l'extrémité du capot —, il se félicitait d'avoir retrouvé sa gloire passée. Il n'avait pas conduit depuis onze mois. Il décida d'aller s'exercer sur la Chaussée.

Tout d'abord un peu déstabilisé par les furieux coups de klaxon des voitures qui le dépassaient, il retrouva son assurance ; après avoir fait le tour de la fontaine pour revenir vers la ville, il entreprit de laisser ces malades sur place. Il appuya sur le champignon et vit avec satisfaction qu'il frôlait le quatre-vingt-dix. Une fois en ville, l'agressivité des conducteurs ne le gênait plus. Après avoir fait avec maestria le tour de la grand-place, il s'arrêta devant l'immeuble des Pringle. N'ayant pas encore pris son thé, il avait un petit creux.

Restauré et rafraîchi, il mit ce qui lui restait de vêtements décents. Il avait remarqué le matin même qu'on préparait les salons de l'Athénée-Palace pour une réception.

Ces jours-ci, les Roumains étaient plus optimistes car, apparemment, les ministres hongrois avaient quitté Munich sans rien avoir obtenu de concret. D'après Hadjimoscos, qui répétait le mot autour de lui, le Führer aurait dit : « "N'oubliez pas que je suis également le père de la Roumanie." Très gratifiant, n'est-ce pas ? commentait Hadjimoscos. Le baron Steinfeld m'a confié que, grâce à nos superbes gars de la Garde de Fer, nous sommes remontés dans l'estime des Allemands. »

Pour Yakimov, les gardistes n'étaient que les assassins de Calinescu. Cela l'amusait de les entendre proclamer que Codreanu, de la tombe où il était depuis deux ans, était toujours leur chef. Il avait demandé à Hadjimoscos : « Faites-vous référence aux membres non existants du parti totalement anéanti dirigé par un fantôme ? » et l'autre lui avait répondu : « Ces railleries ne sont pas *de rigueur* *, ces temps-ci. Elles sont même dangereuses », ajouta-t-il pour lui faire peur.

Yakimov s'était habitué aux changements d'humeur du Roumain. Il l'avait écouté en silence discuter avec ses amis des préparatifs de la réception qui aurait lieu le soir même, un peu surpris tout de même du respect avec lequel ils l'évoquaient alors qu'aucun d'entre eux n'y était invité. C'était, disaient-ils, une réception donnée en l'honneur de la Garde de Fer. Un défi lancé au roi. Une reconnaissance implicite du pouvoir croissant du parti fasciste. « Il n'est pas étonnant que nous autres, les membres de la vieille aristocratie, ne soyons pas *officiellement* invités. Mais je suis sûr qu'on nous indiquera d'une façon ou d'une autre que notre présence est souhaitée. »

Yakimov s'était dit : « Hadji est futé. Hadji sent d'où vient le vent. » Toutefois, bien que n'étant pas non plus invité, lui aussi comptait bien assister à cette réception.

L'hôtel n'était situé qu'à une centaine de mètres de chez les Pringle, mais il prit l'Hispano — son visa pour des temps meilleurs. Il se garait devant l'Athénée-Palace quand il vit arriver la princesse Teodorescu et le baron Steinfeld, tous deux en tenue de soirée. Yakimov fut content de voir avec quel intérêt le baron regardait l'automobile.

La princesse, qui n'avait pas une seule fois salué Yakimov depuis la fameuse soirée à laquelle il avait assisté, l'appela en soulevant la queue d'un de ses renards qu'elle lui agita espièglement sous le nez : « Ah, *cher prince* *, où vous étiez-vous caché durant tout ce temps ? » Yakimov baisa une main gantée de rose. La princesse, on le savait, ne tournait jamais autour du pot : « *Cher prince* *, je veux des tickets pour le procès Drucker. »

Dans la lumière déclinante, son beau visage hagard était raviné de rigoles pleines de ce qui ressemblait à de l'encre. Ses yeux charbonneux étaient avidement fixés sur Yakimov tandis qu'elle lui expliquait son problème : « Naturellement, j'ai reçu mes trois tickets valables pour deux personnes, mais mes amis ne cessent de m'en redemander. Comment pourrais-je en avoir davantage ? Mais vous, *mon prince* *, vous êtes journaliste. Vous pouvez en avoir autant que vous le voulez. Pourriez-vous m'en procurer d'autres ? »

Les tickets pour le procès avaient été attribués aux seules personnalités qui les vendaient maintenant pour des sommes astronomiques à des gens de moindre importance. Yakimov, inutile de le dire, n'en avait pas reçu. Mais il répondit avec un sourire ravi :

« Chère fille, je ferai tout mon possible. Malheureusement, j'ai déjà donné le mien. Mais je vais tâcher d'en avoir d'autres. Comptez sur Yaki.

— Comme c'est aimable à vous ! » s'exclama-t-elle avec reconnaissance.

Et elle lui fit l'insigne l'honneur de décharger ses fourrures dans des bras hâtivement tendus pour les recevoir. Charmé d'être le dépositaire de ce fardeau lourd et chaud, il lui dit : « Ceci mérite les meilleures places, chère fille. » Elle sourit.

Comme ils se dirigeaient tous les trois vers l'entrée de l'hôtel, le baron dit : « C'est curieux, n'est-ce pas, que les Allemands n'aient pas encore envahi les Iles Britanniques ? » Son ton suggérait que ce fait était non seulement curieux, mais regrettable. Yakimov se taisant, le baron poursuivit : « En tout cas, de graves nouvelles nous parviennent d'Angleterre. On dit que vos compatriotes ne font plus courir leurs chevaux sous la bannière du Jockey-Club. Cela indique un grave malaise. Vraiment, il serait temps de mettre un terme à ces dissensions ridicules entre nos deux grandes nations. Vous qui êtes un prince de la vieille Russie, ne pouvez-vous pas convaincre nos amis anglais de retourner leurs blindés contre les Soviets ? »

Yakimov prit la mine de quelqu'un qui le pouvait, mais ne se sentait pas autorisé à le faire. « Il serait peu judicieux d'aggraver la situation, à mon sens. » Comme ils s'engageaient sur le tapis rouge de l'hôtel, il s'empressa de changer de sujet :

« Oh, mais on dirait que c'est un grand tralala !

— Une réception donnée par les chefs de la Garde de Fer,

précisa Steinfeld. L'occasion est d'importance : Horia Sima sera présent. »

Le hall croulait sous les œillets, les tubéreuses et les fougères. Un avis informait le public que seuls les possesseurs de cartons d'invitation seraient admis dans le salon d'honneur qui, par la porte vitrée, semblait déjà presque plein. Voulant se montrer à la hauteur de la situation, Yakimov dit :

« J'ai appris que mon vieil ami Freddie von Flügel vient d'être nommé Gauleiter à Cluj. M'y a invité.

— Gauleiter, vraiment ? Une position de pouvoir », remarqua Steinfeld.

Mais la princesse était moins impressionnée : « Vous êtes Anglais, non ? Est-ce correct, en temps de guerre, de visiter l'ennemi ? »

Le baron écarta cette question inopportune : « Les gens comme nous peuvent se dispenser des *convenances* * », déclarat-il d'un ton péremptoire. Yakimov l'approuva.

Ils approchaient de l'entrée du salon. Yakimov, qui serrait ses compagnons de près, conservait l'espoir d'y entrer sous leurs auspices, mais la princesse n'avait aucune intention de lui faire cette faveur. Elle lui avait suffisamment exprimé sa gratitude. Elle s'arrêta et lui dit : « Bon, eh bien, *by-y-ye*, comme on dit chez vous. N'oubliez pas mes tickets. » Et elle lui reprit ses fourrures qu'elle confia cette fois à Steinfeld. Yakimov sut qu'on le congédiait.

S'attardant pour les regarder entrer, il vit qu'on leur demandait leur carton. Il vit aussi que c'était un gala sans buffet, et qu'on offrait seulement du vin. Se disant que le grand tralala n'était qu'un raout minable, il se dirigea vers l'*English Bar*.

Au même moment, les Pringle, qui traversaient la grandplace en voiture, entendirent klaxonner avec insistance derrière eux. Ils se rangèrent contre le trottoir. Le klaxon continua à hurler. Pensant qu'ils faisaient les frais d'une sorte de manifestation antibritannique, ils décidèrent de ne pas se retourner. On murmurait que les Anglais essayaient de vendre leurs actions pétrolières à la Russie, et le cabinet roumain avait déclaré qu'il prendrait des mesures pour empêcher une telle perfidie. Le sentiment antianglais gagnait du terrain.

Le hurlement du klaxon se rapprochant, ils se retournèrent et virent une vieille guimbarde qui les talonnait. C'était celle de

Toby Lush. Il passa par la portière une tête blond paille hirsute au visage radieux : Inchcape avait accepté sa nomination et il avait commencé à travailler à l'université.

« Coucou ! leur cria-t-il.

— Ah c'était vous ? » dit Guy.

Dubedat était assis à côté de Lush. Entre les deux maîtres-assistants était née une de ces amitiés spontanées et improbables que seuls les protagonistes auraient pu expliquer. Harriet en était assez contrariée, car si elle était prête à tolérer Lush dans son cercle d'amis, elle n'était pas prête à le faire pour Dubedat.

Ce dernier, enfoncé dans son siège, ne salua pas les Pringle. Il regardait droit devant lui, son profil au petit nez en bec d'aigle et au menton fuyant aussi peu avenant que d'habitude.

Les Pringle devaient retrouver David Boyd à l'*English Bar*. Il était évident que les deux autres se joindraient à eux. Elle regarda Dubedat — un sourire s'attardait autour de sa bouche, « comme une trace de crasse autour de la baignoire », pensa-t-elle — et fut sûre qu'il était conscient de son irritation. Ce qui augmenta son irritation. L'apparence du professeur s'était améliorée, ces derniers temps. Cela faisait près d'un mois qu'il enseignait à l'université, et il avait renoncé à ce qu'il nommait sa « simplicité de mise », un euphémisme pour qualifier son exhibitionnisme révoltant, ses cuisses à l'air et sa peau de mouton puante. Il portait maintenant un costume de sergé kaki, au demeurant fort sale. Il n'habitait plus la Dîmbovita, ayant loué au centre de la ville un appartement moderne qu'il partageait avec Lush. Il avait désormais une salle de bains, mais il sembla à Harriet qu'il sentait toujours aussi mauvais. Elle se demandait si cette odeur n'était pas une émanation hallucinatoire de son antipathie pour lui.

Lush, pour sa part, portait toujours sa vieille veste de tweed avec des ronds de cuir aux coudes. Dégingandé, une épaule plus haute que l'autre, les poings enfoncés dans ses poches déformées, il sautillait devant avec Guy, éclatant tous les trois pas d'un rire nerveux. Elle l'entendit lui dire :

« Je ne tiens pas à jouer les lampistes toute ma vie.

— Même en ce moment, nous attendons d'un prof de fac qu'il ait les diplômes requis », répondit Guy.

Dubedat renifla de dégoût devant cette conception bourgeoise de l'enseignement.

Ils étaient arrivés devant l'hôtel. On avait installé un dais de toile rayée, déroulé le tapis rouge, et un gigantesque drapeau roumain flottait sur la façade. Les badauds se pressaient dans l'espoir de voir entrer quelqu'un d'important. Un camion arriva. En sautèrent une douzaine de jeunes hommes vêtus de noir qui entreprirent de repousser la foule en formant un cordon de six de chaque côté du trottoir. Avant que les gens aient le temps de s'interroger, arriva une Mercedes dont descendit un homme petit et mince au physique frappant. Les hommes en noir lui firent le salut fasciste — une chose inhabituelle en Roumanie. L'autre répondit en gardant théâtralement la pose, tête rejetée en arrière, pour que tout le monde pût admirer son visage pâle aux joues creuses et ses cheveux noirs et raides.

« Je crois que c'est Horia Sima », murmura Guy.

Cet homme, quel qu'il fût, était visiblement un intellectuel et un fanatique. Quelqu'un qui se démarquait totalement des petits mâles autosatisfaits mais débonnaires qui déambulaient dans la Calea Victoriei. Baissant enfin le bras, il se dirigea vers la porte. Il la poussa comme s'il s'agissait d'un obstacle mineur à vaincre aisément. Mais la porte résista. Dans un grincement, elle pivota à sa vitesse habituelle, et l'homme fut obligé, en piétinant d'impatience dans le tambour, de s'adapter à la lenteur de son rythme. Ses sbires ne firent pas mieux.

David était dans le hall.

« Était-ce Horia Sima ? lui demanda Guy.

— Oui. Il fait partie du cabinet. C'est l'excuse donnée pour cette réception, bien sûr. Mais en réalité, il s'agit d'un geste de défi. Je me demande comment Sa Majesté va le prendre. »

David salua sèchement Dubedat et fixa Lush d'un œil froid. Il ne l'avait jamais vu.

Guy les présenta, ajoutant : « Toby vient de Cluj. Je pensais que cela t'intéresserait de l'entendre raconter son expérience. » Mais David ne semblait pas intéressé. Toby, en revanche, semblait fasciné par Boyd, qu'il ne quitta pas d'une semelle une fois au bar.

« C'est vrai qu'ils ont installé des camps de concentration dans les Carpates ? lui demanda-t-il.

— Je ne les ai pas vus de mes yeux », répondit David.

Lush continua à le presser de questions relatives à la situation dans le pays et ses dangers, mais il ne reçut que des réponses brèves et décourageantes. Dubedat, qui se tenait près d'eux en silence, semblait furieux. Dès qu'il en eut l'occasion, il prit Lush par le bras et l'entraîna à l'écart en lui sifflant quelque chose entre ses dents. Il ressemblait à un rat en colère. « Qu'y a-t-il, vieille branche ? Qu'est-ce que j'ai fait ? » crachouilla l'autre, éperdu, tout en suivant son ami.

Enfin débarrassé des importuns, David se laissa aller.

« Où as-tu ramassé ce guignol ? demanda-t-il à Guy.

— Il travaille pour moi. Ce n'est pas un mauvais bougre. »

Guy paraissait surpris de la sévérité du jugement de Boyd.

« J'avais quelque chose de confidentiel à te dire : Klein a disparu.

— Il a quitté le pays ?

— Personne n'en sait rien. Il peut avoir été arrêté, mais je ne le crois pas. Je crois plutôt qu'il a franchi la frontière bessarabienne. Des milliers de gens le font en ce moment : des passeurs leur font traverser clandestinement le Prut. En tout cas, je ne pense pas que nous le reverrons. »

Guy hocha tristement la tête. Quant à Harriet, elle se souvenait des paroles de Klein : « Attendez et vous verrez l'histoire en marche : révolution, ruine du pays, occupation, famine » — toutes choses « tellement intéressantes », selon son expression. Mais lui-même n'avait pas attendu. Le désespoir envahit Harriet : elle avait l'impression d'avoir perdu un allié.

Tandis que Guy et David parlaient, elle vit Yakimov au bar en compagnie de ses amis roumains. Elle évita soigneusement son regard. Plus loin, Clarence était assis seul à une table. Il ne l'avait plus appelée depuis leur soirée dans le parc. Elle le regarda mais il détourna les yeux. Quelque chose dans son attitude lui fit penser à ces jeunes garçons que Klein évoquait, ceux qui, ayant été violés en prison, avaient par la suite acquis le goût de l'indignité et s'offraient à tous. Clarence aussi avait été violé. La violence physique exercée contre lui l'avait brisé spirituellement. Harriet fit un pas vers lui et vit sur son visage une expression furtive et défensive, comme si elle le menaçait d'un châtiment à la fois craint et désiré. Elle renonça à l'approcher en voyant entrer Galpin, Wanda sur ses talons. Ainsi, ils s'étaient remis ensemble ? L'air content de soi du journaliste signifiait qu'il apportait des nouvelles. Harriet se joignit au groupe qui se forma autour de lui.

Il faisait très chaud dans le bar. Les Roumains, qui ne se seraient jamais montrés en public en bras de chemise, s'autorisaient pourtant au cœur de l'été à porter leur veste jetée sur les épaules. Dans le groupe de Hadjimoscos, seul Yakimov se permettait une telle désinvolture, offrant à ses voisins le spectacle d'une chemise de soie jaune foncé putréfiée par la sueur aux aisselles. Il portait un foulard de velours lie de vin nonchalamment noué autour du cou. Détail d'une hardiesse que Hadjimoscos ne tolérait que parce qu'on l'avait assuré que ce chiffon sortait d'une grande maison de Monte-Carlo. Lui-même, hiver comme été, portait un costume noir, de laine dans le premier cas, d'alpaga dans le second.

Le trio Hadjimoscos-Horvath-Palu était morose. En définitive, on ne leur avait pas fait le signe qu'ils attendaient ; personne ne leur avait signifié qu'on souhaitait leur présence à la réception. Yakimov avait dépensé la quasi-totalité de ses mille *lei* à leur payer à boire sans parvenir à les dérider.

« Cette fête ne m'a pas l'air gaie-gaie », dit-il pour les consoler.

Mais Hadjimoscos le snoba, affectant de ne s'adresser qu'aux deux autres : « Il semble, en fin de compte, que les membres de la vieille aristocratie n'aient pas les faveurs de la Garde de Fer. »

Yakimov ne put s'empêcher de mettre son grain de sel : « Oh, mais pas du tout. La princesse est invitée. »

Loin de le réconforter, cette remarque rendit Hadjimoscos furieux : « Vous ne comprenez rien. La princesse n'est là qu'en tant que compagne du baron Steinfeld. Depuis qu'il a tout perdu en Bessarabie, le baron s'est jeté dans les bras des nazis. Résultat : contrairement à nous, les membres de la vieille aristocratie, il est *très bien vu* * par les gardistes. »

Yakimov était déconcerté.

« Réellement, cher garçon, je ne comprends pas pourquoi ça vous tracasse tellement de ne pas avoir été convié au raout de ces morts vivants. Ces gens-là ne sont rien. Le roi les a éliminés. Alors, quelle importance ?

— Croyez-moi, le jour viendra où ceux qui ne feront pas partie des élus feraient mieux d'être morts. »

Impressionné par la solennité de cette déclaration, Yakimov, pour la première fois, consentit à prendre la Garde de Fer au sérieux. Il se souvint de ses dépêches, inspirées par Galpin, qui condamnaient en termes particulièrement violents le meurtre de Calinescu. Le méchant y était désigné par son nom : Horia Sima. Et les dépêches n'avaient pas pu quitter le pays.

Qu'étaient-elles devenues ? L'estomac noué, planté comme les autres avec un verre vide à la main, il se sentit soudain d'humeur aussi sombre qu'eux.

« Eh ! eh ! » Galpin fit par-dessus son épaule un geste du pouce qui désignait les invités : « Si ces gens-là savaient ce que je sais, il n'y aurait pas de réception ce soir. »

Tout le monde le fixait, attendant la suite.

« Les ministres roumains ont été convoqués à Salzbourg. Les Hongrois et les Bulgares aussi. Herr Hitler leur ordonne de régler leurs problèmes frontaliers.

— C'est tout ? fit Harriet.

— Ça ne vous suffit pas ? Que sont les "problèmes frontaliers" de la Roumanie ? Tout simplement les territoires que les autres lui réclament et qu'elle ne veut pas rendre. Attendez et vous verrez : cela risque de mal tourner.

— Quand avez-vous appris cette nouvelle ? demanda David, aussi surpris qu'intéressé.

— Tout à l'heure. Le cabinet a été mandé. J'ai rencontré mon informateur sur la grand-place. Il a un contact au palais. Un scoop potentiel, mais je n'ai même pas essayé de l'envoyer. Les autorités tentent de garder la nouvelle secrète. Regardez-les, ajouta-t-il en désignant, au-delà de la porte ouverte du bar, les invités qui circulaient entre le hall et le salon d'apparat. Ces crétins s'imaginent avoir pris le train en marche. La Nouvelle Aube, nomment-ils leurs rêves de grandeur... Et voilà, une fois de plus, le Führer qui leur demande de se sacrifier pour maintenir la paix dans les Balkans. »

David ricana :

« Peut-être qu'après tout Hitler ne trouve pas si facile la position de dictateur universel. J'imagine que, s'il le pouvait, il garderait tous ces problèmes en suspens jusqu'à la fin de la guerre et les réglerait ensuite à sa façon. Mais les Hongrois et les Bulgares ne l'entendent pas de cette oreille. Ils demandent un paiement immédiat pour leur soutien.

— Et les Roumains ? s'enquit Harriet.

— Ils ne sont pas en position de demander quoi que ce soit. »

Clarence, intrigué par leur surexcitation, vint les rejoindre. À l'annonce de la conférence de Salzbourg, il haussa les épaules. Il s'attendait à pire. Harriet comprenait sa réaction : elle aussi en était venue à penser que, dans un monde aussi dangereux, tout ce qui ne les affectait pas directement était secondaire. Le voyant malheureux, elle fit le premier pas.

« Que se passe-t-il, Clarence ?

— Steffaneski, mon associé... Vous savez, il nous avait accompagnés à l'usine de tricot... Il est parti ce matin. Il tente de rejoindre l'Angleterre pour se battre. C'était mon ami.

— Vous avez d'autres amis », dit-elle.

Il réagit immédiatement à ce témoignage de sympathie :

« Pourquoi n'irions-nous pas dîner ensemble ? Ces deux-là vont passer toute la nuit ici à discuter, dit-il en désignant Guy et Boyd.

— Je ne peux pas. David nous a invités à dîner. Je suis désolée.

— Oh, ne vous excusez pas. Si vous ne voulez pas venir, quelqu'un d'autre le voudra.

— Qui, par exemple ? » demanda Harriet en riant.

Il se taisait, un petit sourire suffisant sur le visage. Il attendait visiblement qu'elle lui repose la question. Comprenant qu'il avait un atout caché dans sa manche, elle se garda bien de lui faire ce plaisir et le planta là. Curieusement, elle était vexée. Fuyant la peste pour trouver le choléra, elle se retrouva plantée près de Dubedat qui, avec une volubilité d'ivrogne, était en train d'exposer ses états d'âme à Toby Lush.

Dubedat parlait de la pauvreté. De *sa* pauvreté. Une condition que, jusqu'alors, il tenait pour une vertu. Mais le discours avait changé, constata-t-elle avec étonnement. « Je *hais* la pauvreté, déclarait-il. C'est une maladie dont on ne peut pas se débarrasser. Une maladie incurable qui vous ronge les tripes, qui vous fait ramper. C'est la plus grande force destructrice du monde. Tous les moyens mis en œuvre pour tenter d'y échapper sont excusables. »

Harriet remarqua le ton impérieux et gouailleur. Voilà, pensa-t-elle, le nouveau Dubedat. Un Dubedat qui avait trouvé l'éloquence.

Le salon d'apparat, surpeuplé, avait dégorgé une partie de ses hôtes dans le hall de l'hôtel. Tout à coup éclata aux oreilles des clients de l'*English Bar* le fameux *Capitanul* que les membres de la Garde de Fer n'étaient censés chanter « que dans leur cœur » et que tous les invités entonnaient maintenant en chœur.

Les Anglais étaient ahuris. Avant qu'ils aient eu le temps de commenter la chose, l'informateur de Galpin apparut à la porte du bar. Il avait eu le plus grand mal à se frayer un passage jusque-là et, une fois entré, il s'arrêta pour remettre de l'ordre dans sa tenue — une veste de coton toute chiffonnée. Puis, furtivement, il s'avança vers le journaliste, qui se pencha pour écouter en roulant des yeux ce que l'homme lui chuchotait. Quand ce fut fini, l'Anglais déclara : « Bon, eh bien voilà une nouvelle qui n'est pas piquée des vers ! Je vous avais avertis que ça allait se gâter, non ? Une voix s'est élevée — une seule et unique voix, mais significative — pour demander l'abdication du roi. »

L'audience de Galpin le regardait avec des yeux ronds. Il poursuivit, expliquant que le peuple, voyant les ministres arriver au palais, s'était rassemblé sur la grand-place. La nouvelle avait commencé à transpirer : les gens avaient compris que l'abandon de la Transylvanie serait à l'ordre du jour. Quelqu'un avait alors crié : « *Abdicati !* »

« Bon Dieu ! s'écria David.

— Que s'est-il passé ensuite ? demanda Guy.

— Rien, dit Galpin. C'est ça qui est extraordinaire. La foule s'est dispersée. Ils ont tous détalé comme des lapins. Ils s'attendaient sans doute à ce que la garde royale leur tire dessus. Pas du tout. Le palais n'a pas réagi. Rien.

— Mais le roi n'abdiquerait jamais, non ? » intervint Wanda d'un ton anxieux.

Curieusement, sa question s'adressait à Clarence. Elle parlait si rarement que tous les regards se braquèrent sur elle. Les communiqués qu'elle envoyait étaient si farfelus qu'elle avait fini par se faire virer du journal du dimanche londonien dont elle était correspondante. Elle avait de nouveau besoin de Galpin : ils s'étaient remis ensemble. Elle portait un tailleur-pantalon noir de Schiaparelli coupé comme un costume d'homme, égayé d'une cravate rose *shocking*. Ses escarpins à talons aiguilles étaient également roses, et si éculés que ses pieds glissaient de côté. Elle avait un bibi miniature enfoncé sur un œil, et ses cheveux de jais lui tombaient jusqu'à la taille. Elle était spectaculairement belle, et toujours aussi cradingue. « Je l'ignore », lui répondit Clarence en la fixant à son tour d'un œil à la fois morne et concupiscent. « Comment font-ils tous pour avoir des femmes et moi non ? » signifiait ce regard.

Wanda se tourna alors vers David, qui, pour se moquer d'elle, lui répondit :

« Qui sait ? J'ai entendu dire que Carol gardait un avion tout prêt dans son arrière-cour, au cas où. Vous ne pouvez pas blâmer ces rois balkaniques d'être prévoyants : ne sachant pas de quoi demain sera fait, ils sont comme l'oiseau sur la branche, toujours prêts à s'envoler.

— Ne te fais pas de souci pour Carol. Lui et sa poule ont mis de l'argent à gauche, de préférence à l'étranger. Mais, à mon avis, les Allemands le maintiendront sur le trône : il faut un escroc pour tenir ce pays, assura Galpin.

— Pas d'accord, objecta David. Les nazis ne sont pas convaincus par sa conversion au totalitarisme. Ils savent qu'elle n'est qu'un expédient. À leur façon, ce sont des idéalistes : ils n'hésiteront pas à le coller devant un peloton d'exécution. »

Les gardistes avaient fini de chanter le *Capitanul*. Ils passèrent au *Horst Wessel*, repris en chœur par la bonne société de Bucarest.

« Allons-nous-en, dit Harriet.

— Entièrement d'accord, approuva David. C'est sinistre. »

Guy regarda autour de lui pour rassembler ses troupes. « Tu viens ? » demanda-t-il à Clarence. Celui-ci les suivit, ainsi que Lush et Dubedat.

Une rangée de dos bloquait la porte du bar. David, se penchant vers l'un, lui dit : « *Scuze, domnule.* » Le dos ne bougea pas. David tapa alors sur l'épaule de l'homme qui, furieux, se retourna et lança :

« *Hier ist nur eine private Gesellschaft. Der Eintritt ist nicht gestattet.*

— *Wir wollen einfach heraus*, répliqua David d'un ton sarcastique mais poli.

— *Verboten* », aboya l'homme, le visage tordu de colère.

David regarda autour de lui.

« Combien sommes-nous ? Six. Parfait. Mettez-vous dos à dos avec ces énergumènes et, à mon signal, commencez à pousser.

— J'ai une meilleure idée », dit Harriet.

Elle défit sa grosse broche d'argent et laissa tomber son bras. Avant qu'aucun pût l'en empêcher, et au grand effroi de Clarence qui murmura un « Harry ! » horrifié, elle planta l'épingle dans le postérieur central. Son propriétaire, émettant un jappement aigu, fit un bond en avant. Harriet, les autres sur les talons, s'engouffra dans la brèche. Les Anglais sortirent, fusillés par des regards peu amènes.

« Eh bien ! dit Clarence une fois dans la rue, on est peut-être toujours en Ruritanie, mais ce n'est plus une plaisanterie. »

Guy se retourna, cherchant vainement Dubedat et Lush. Il finit par les voir devant. Ils étaient déjà au milieu de la grand-place qu'ils traversaient comme s'ils avaient le diable à leurs trousses.

8

Parfois, quand Yakimov faisait une sieste trop longue, il découvrait à son réveil que les Pringle étaient sortis et que Despina, par pure méchanceté, avait débarrassé le plateau du thé. Cet agissement regrettable se reproduisit un après-midi torride de la fin juillet. C'en était trop. Il en aurait pleuré. Fut un temps où il avait tout. Maintenant, il n'avait même plus son thé. Il éprouva le désir ardent de fuir cet appartement étriqué et minable, de fuir cette « ville de la plaine » où on se gelait en hiver et où on grillait vif en été. Où, de surcroît, on commençait à mourir de faim ; on ne trouvait plus que des fruits. Les abricots ! Leur seule vue rendait Yakimov malade.

Le matin même, il avait remarqué une charrette pleine de framboises — une montagne de framboises, avec un paysan endormi au sommet. L'homme avait probablement marché toute la nuit pour venir les vendre en ville, mais le marché était saturé. Trop de fruits (et, hélas, pas assez du reste). Les framboises pourrissaient donc au soleil, et la chemise de l'homme était écarlate de leur jus.

Dans sa jeunesse, passée dans une ville normale d'un pays normal, Yakimov se souvenait avoir déclaré qu'il aurait pu vivre de framboises. Maintenant il ne rêvait que de viande. Pas ces brebis coriaces en bout de course qu'on vous servait ici, ni ces veaux trop jeunes, sans chair et tout en nerfs. Non, de *vraie* viande : un sérieux bifteck, un rosbif, un rôti de porc, et il savait où en trouver.

Quand il avait dit au baron Steinfeld que Freddie von Flügel l'avait invité à Cluj, ce n'était de sa part qu'une « petite plaisanterie ». Il n'avait plus entendu parler de Freddie depuis des lustres. Mais il était vrai que celui-ci avait profité maintes fois de l'hospitalité de Dollie. Pourquoi, dans ce cas, ne rendrait-il pas la politesse au pauvre Yaki, dont la situation présente n'était pas brillante ?

Yakimov était presque décidé à aller en Transylvanie. La seule chose qui le retenait était l'argent. Ayant étudié les cartes, il s'était rendu compte que, depuis Bucarest, le trajet en voiture était extrêmement long. Au moins une nuit de route, et donc beaucoup d'essence. Plus la nourriture. Bref, il devait attendre son prochain versement.

Quand il avait dit à Hadjimoscos qu'il pensait se rendre à Cluj en voiture, le prince ne s'était pas montré très encourageant. Apparemment, du fait d'une fichue conférence à Salzbourg, Cluj était maintenant un territoire en litige susceptible de changer de mains d'un jour à l'autre. Désireux d'en savoir plus, Yakimov avait fait sa petite enquête auprès de Galpin et de Screwby ; il ne tarda pas à arriver à la conclusion qu'il ne se passait rien du tout. Et il avait raison. Même Hadjimoscos finit par admettre que cette conférence allait pourrir jusqu'à la fin de la guerre.

En attendant, Yakimov devait rester dans cet appartement sans confort, ouvertement rejeté par la maîtresse du lieu et ignoré par son maître qui, après l'avoir utilisé, lui adressait à peine la parole. Ses ruminations furent soudain troublées par un rire provenant de la cuisine. Sa curiosité fut aussitôt éveillée.

Ce rire n'était pas celui d'un paysan. Il connaissait le hennissement de Despina, et aussi celui de son mari, un chauffeur de taxi les trois quarts du temps absent. Qui cela pouvait-il bien être ? Il décida d'aller passer la tête par la porte de la cuisine et d'adresser à la domestique quelque plaisanterie de nature à l'adoucir : avec un peu de chance, elle lui servirait son thé.

La porte de la cuisine était vitrée. S'approchant sans bruit, il regarda à l'intérieur. Lui-même caché par le rideau de dentelle, il vit la domestique et un homme assis à la table en train de préparer les légumes du dîner. Un adolescent : quelle coquine, cette Despina ! Ils se parlaient en roumain. Le garçon éclata encore de rire.

Yakimov ouvrit la porte. Le rire du jeune homme mourut dans sa gorge. Yakimov eut l'impression que, sachant qui il était, il avait peur de lui. Surpris, et maîtrisant très mal le roumain, il s'adressa instinctivement à lui en anglais :

« Nous nous sommes déjà rencontrés, cher garçon, non ?

— Je ne le pense pas », bredouilla le jeune homme dans la même langue en se levant d'un bond.

Il était aussi grand et maigre que Yakimov, et indubitablement juif.

« Habitez-vous chez les Pringle ?

— Non. Euh, oui. Je suis venu leur rendre visite », finit-il par dire, encouragé par la courtoisie de Yakimov.

Ce dernier était perplexe, non parce que le jeune homme parlait l'anglais, ce qui était assez fréquent chez les juifs de Bucarest, mais à cause de son accent, très *public school*. D'où venait-il ? Que faisait-il ici ? Sans lui laisser une chance de faire son enquête, Despina lui dit de ce ton agressif qu'elle adoptait toujours avec lui que le garçon était son neveu.

Un juif instruit le neveu de Despina ? Tu parles ! Voilà qui était de nature à éveiller les soupçons de Yakimov. Il regarda attentivement le jeune homme qui, ayant repris quelques couleurs, hocha la tête en signe d'acquiescement.

« Vous parlez extrêmement bien l'anglais, lui dit Yakimov.

— Je l'ai appris en classe.

— Vraiment ? »

Sans plus d'excuses pour s'attarder, Yakimov réclama son thé et se retira. « *Prea tîrziu pentru ceai* », « Trop tard pour le thé », lui cria Despina. À peine avait-il regagné le salon qu'il l'entendit rire. Elle croyait l'avoir dupé, ce qui augmenta ses soupçons.

Il alla se faire couler un bain. Une fois confortablement allongé dans la baignoire, il supputa les causes de la présence de ce jeune homme dans la cuisine. Il se dit qu'il était sans doute un fugitif que Guy cachait. En ces temps dangereux, la chose était plausible. Ressentant quelque jalousie, il se souvint du plan du puits de pétrole qu'il avait trouvé dans le secrétaire. Ce garçon pouvait fort bien être un espion à la solde des Anglais. Sa jalousie se transforma en une réprobation inquiète.

Lui-même avait souvent laissé entendre qu'il se livrait à des activités d'espionnage, mais personne n'y croyait vraiment. Une des « innocentes petites plaisanteries » de Yaki, sans plus. En revanche, ce qui se passait sous ce toit était grave. « Si Guy se fait prendre, les perspectives sont plutôt sombres pour lui », se dit-il. Puis il comprit qu'elles seraient plutôt sombres pour eux tous : « On mettra le pauvre Yaki dans le même panier et il paiera pour l'inconséquence du cher garçon », corrigea-t-il *in petto*.

On fusillait les espions. Si lui-même n'était pas fusillé, il serait expulsé. Et où irait-il? Bucarest n'était pas le paradis, mais c'était quand même l'avant-poste de la gastronomie occidentale. Il ne digérait pas la cuisine levantine; quant à la grecque, elle était servie tiède, ce qu'il détestait.

Pire encore, il n'irait jamais à Cluj et ne reverrait jamais ce cher vieux Freddie. Il n'aurait même plus le refuge de l'appartement des Pringle et, vieillissant et sans le sou, il lui faudrait de nouveau affronter l'hostilité du monde.

Il s'assit, tout le plaisir du bain évanoui, envisageant un instant la possibilité de se protéger en dénonçant Guy. Mais bien sûr, c'était impossible. « Le cher garçon a de la chance que le pauvre Yaki ne soit pas une balance », se murmura-t-il.

La conférence de Salzbourg, loin de traîner jusqu'à la fin de la guerre, tourna court, les différentes parties n'arrivant pas à un accord. Yakimov, comme chacun à Bucarest, décida que c'était la fin de l'affaire.

« Que vous avais-je dit? déclarait-il aux rares personnes prêtes à l'écouter. J'ai été journaliste, voyez-vous. J'ai du flair pour ces choses. » Il était ravi que, l'argent excepté, plus rien ne fît obstacle à sa visite à Freddie.

Une fois oubliée la question transylvaine, il y eut un regain d'intérêt pour le procès Drucker. *Independenta Românà* alla jusqu'à prédire que ce serait l'« événement social le plus important de l'été ».

Chaque fois que Harriet allait dans un café, elle entendait parler de Drucker. Tout le monde discutait de ses origines, de l'origine de sa fortune et de son amour des femmes. Les femmes, précisément, enviaient la situation de sa jeune épouse. Celle-ci avait repris son nom de jeune fille, entamé une liaison avec l'attaché militaire allemand et réclamait, avec quelques chances de les obtenir, cinquante pour cent de la fortune de son mari.

Galpin racontait que Drucker, au début, quand on l'avait jeté dans une cellule avec des « droit commun », avait été violé par eux. On racontait nombre d'autres histoires de cette veine. Harriet comprit que Drucker avait perdu son identité. Personne ne doutait de l'innocence de cet homme sans amis, tout en se gardant bien d'aborder le sujet. Personne ne pouvait l'aider. Il était une victime des temps.

Quant à la guerre, elle était au point mort. Les événements

semblaient s'être assoupis dans la chaleur oppressante du milieu de l'été. On croyait le pire passé. L'euphorie, rémission périodique de cette maladie chronique qu'était la peur, s'empara de la ville. La gaîté revint.

Puis, en un clin d'œil, l'humeur changea. Guy et Harriet, qui se promenaient dans la rue après dîner, virent la foule saisie de panique. Les petits crieurs de journaux annonçaient une édition spéciale. Tous ceux qui ne le savaient pas déjà apprirent que le Führer avait appelé à une nouvelle conférence. Les ministres hongrois et roumains étaient mandés à Rome. Ils étaient sommés de trouver un accord immédiat.

L'indignation était d'autant plus grande que, le matin même, le ministre des Affaires étrangères avait tenu sur les ondes un discours extrêmement optimiste : « En 1918, les Allemands étaient aussi faibles que les Roumains, et aujourd'hui, grâce à leur énergie et à leur détermination, ils mènent le monde », avait-il rappelé, sous-entendant par là que les Roumains pourraient faire de même. Et voilà que maintenant on leur demandait de trouver un accord avec un ennemi dont la seule intention était de les dévorer.

Bafouillant de rage, s'apostrophant l'un l'autre, les gens criaient à la trahison. Les Russes, les Hongrois et les Bulgares allaient dépecer la Roumanie. On offrirait sur un plateau aux Russes la totalité de la Moldavie en échange de leur neutralité. La Dobroudja irait aux Bulgares et la Transylvanie aux Hongrois – ces derniers avaient d'ailleurs déjà commencé à en prendre possession.

Puis le bruit courut que le cabinet était en séance, et que le roi avait mandé d'urgence ses généraux. Immédiatement, le peuple fut certain que la Roumanie se battrait ; les appels aux armes commencèrent à fuser de toute part et la foule, prête à manifester, se dirigea vers la grand-place pour défier le roi. Guy et Harriet se rendirent à l'*English Bar*, où ils trouvèrent Galpin, très excité : son informateur venait de lui apprendre que Maniu, le chef des paysans transylvains, avait prononcé un discours exhortant le roi à défier Hitler et à défendre ce qui restait de la Grande Roumanie. « Cela signifie la guerre ! s'écria Galpin. La guerre ! »

Comme ils rentraient chez eux, Harriet demanda à Guy :
« Tu crois que les Roumains se battront ?
– J'en doute », répondit Guy.

Ils sentaient pourtant autour d'eux une telle violence de sentiments qu'ils allèrent se coucher avec l'arrière-pensée qu'ils se réveilleraient le lendemain dans un pays en guerre.

Mais le lendemain matin, le calme régnait. Guy téléphona à Boyd, qui lui apprit que Maniu avait bien tenu un discours passionné sur la nécessité de se battre pour garder la Transylvanie, mais que tout le monde s'était moqué de lui. Les nouveaux ministres gardistes avaient fait remarquer que tandis que les Roumains défendraient le front de l'ouest, les Russes descendraient par le nord. Ils croyaient fermement que seule une obéissance implicite à Hitler pouvait leur faire espérer une protection contre leur ennemi par excellence, la Russie. En entendant cela, un vieil homme d'État avait fondu en larmes et scandalisé tout le monde en déclarant : « Mieux vaut être unis sous les Soviets que démembrés par l'Axe. »

Toutefois les Roumains, eux-mêmes harcelés, décidèrent de se venger en harcelant à leur tour quelqu'un d'autre. Le surlendemain, comme Guy se préparait à partir assurer ses cours, un messager lui tendit un second ordre de quitter le pays dans les huit heures. Le même scénario se répétait : il n'avait pas le temps.

Harriet repartit donc voir Dobson que, cette fois, elle trouva peu rassurant. La voyant entrer dans son bureau munie du commandement, il passa sa main sur son crâne chauve d'un geste las et lui demanda : « Tenez-vous *vraiment* à rester ? La situation est délicate, voyez-vous. L'infiltration allemande est profonde. Que vous vous en rendiez compte ou non, les nazis sont en train de prendre le pouvoir dans ce pays. Je doute fort que le département d'anglais soit autorisé à rouvrir à la rentrée.

— Nous n'avons pas le droit de partir sans en avoir reçu l'ordre de Londres, objecta Harriet.

— En théorie. Mais si Guy a terminé son travail...

— Il ne le considère pas comme terminé. En ce moment, il dirige l'université d'été, qui l'occupe énormément.

— Bon. Je vais voir ce que je peux faire. Mais n'ayez pas trop d'espoir. »

Elle rentra chez elle pour attendre son coup de fil, prête à l'éventualité d'un départ forcé. Elle s'activa un moment dans l'appartement, faisant le tour de leurs possessions, se demandant que prendre et que laisser, quand elle ouvrit les tiroirs du secrétaire et tomba sur l'enveloppe marquée « Top secret ».

Comme elle la prenait en main, le rabat s'ouvrit et elle vit qu'elle était vide. Il lui fallut un moment pour se rappeler ce qu'elle avait contenu. Le plan! Il avait disparu.

Quand Guy rentra pour déjeuner, elle lui dit : « Quelqu'un a volé le plan du puits de pétrole que Sheppy t'a donné. »

Elle se rappela trop tard qu'elle n'était pas censée savoir ce que l'enveloppe contenait. Mais Guy avait oublié ce détail.

« Qui l'aurait pris, à ton avis?

— Yakimov, peut-être.

— Peu probable.

— Alors qui? Certainement pas Despina, ni Sacha. Quelqu'un qui est entré dans l'appartement quand nous étions sortis. Le propriétaire, peut-être. Despina dit qu'il est gardiste. Et il a probablement conservé une clé. Oh! mon Dieu...

— Il y a une petite chance que ce soit Yakimov, dit Guy pour la calmer.

— Alors, il faut que tu lui parles.

— Non. J'aurais l'air d'accorder trop d'importance à la chose. Il vaut mieux que toi, tu sois gentille avec lui. Que tu lui montres qu'on lui fait confiance.

— Tu crois que cela ferait une différence, dit-elle, exaspérée. Si Yakimov n'est pas reconnaissant maintenant, il ne le sera jamais. En fait, il t'en veut de ne plus t'occuper de lui. Pourquoi ne pas l'avoir laissé se débrouiller tout seul? Tu interviens sans cesse dans la vie des gens, tu leur donnes une fausse idée d'eux-mêmes, une illusion de succès. Si tu pousses quelqu'un à boire, il te le reprochera probablement le lendemain, quand il se réveillera avec la gueule de bois. Pourquoi fais-tu ça? »

Décontenancé par cette attaque, Guy se rebiffa : « Bon sang! Ce plan a peut-être été volé il y a des mois. Nous ne savons pas par qui, mais si on avait voulu nous coincer, voilà longtemps que ce serait fait. »

Elle trouva ce réconfort équivoque. Après le départ de Guy, elle se jeta sur son lit. Tout cela était trop pour elle. Quelques jours auparavant Despina, traitant l'incident comme une farce, lui avait dit que Yakimov avait trouvé Sacha à la cuisine. « Mais j'étais prête. Je lui ai dit que c'était mon neveu et il l'a cru. Quel idiot! » s'était-elle écriée en essuyant des larmes de rire. Harriet, pour sa part, ne croyait pas que Yakimov se fût laissé prendre. Elle espérait qu'il mentionnerait l'incident, de sorte qu'elle aurait pu lui dire que Sacha était un élève de Guy.

Mais il n'avait rien dit, et son silence la troublait davantage que les questions qu'il aurait pu poser.

Une idée lui traversa l'esprit. Elle se releva d'un coup. S'ils étaient obligés de partir, que deviendrait Sacha ? Où irait-il ? Il avait une confiance aveugle en Guy et en elle. Il dépendait totalement d'eux, et elle en était venue à éprouver une grande affection pour lui. Elle ne pouvait pas l'abandonner. Mais comment lui faire quitter le pays sans passeport et sans visas de sortie et de transit ?

Elle faillit se précipiter dans l'escalier et monter sur le toit pour le supplier de chercher encore dans ses relations quelqu'un qui pourrait le cacher, mais elle se retint. Ils avaient fait le tour de la question : il n'y avait personne. Alors à quoi bon l'affoler ?

Le téléphone sonna enfin. Dobson lui dit :

« C'est arrangé. J'ai eu la *prefectura*. Je leur ai dit que Son Excellence requérait la présence de Guy à Bucarest. L'ordre d'expulsion est annulé.

— Ouf, quelle chance ! s'écria-t-elle avec un soulagement qui dut le surprendre.

— Au fait, il faut que vous alliez au consulat. Ils veulent vous voir. Une simple formalité. Rien d'urgent. Passez-y à l'occasion. »

Les Pringle s'y rendirent le lendemain après-midi, Guy n'ayant pas cours ce jour-là.

Le vice-consul, Tavares, les accueillit avec jovialité. « Entrez, entrez ! » leur cria-t-il. Sortant d'un tiroir de son bureau une pile d'imprimés, il les jeta devant Guy et Harriet.

« Chaque citoyen britannique doit remplir ceci. Juste au cas où. Nous voulons quelques informations : religion, plus proche parent à prévenir en cas de décès, lieu où envoyer les effets personnels du défunt, etc. Vous comprendrez certainement.

— Oui », dit Harriet.

Quand les Pringle eurent rempli les imprimés, Tavares fit remarquer à Guy qu'il n'avait pas indiqué sa religion.

« Je n'en ai pas.

— D'accord, admit l'autre en riant. Mais dans quelle foi avez-vous été baptisé ?

— Je n'ai pas été baptisé.

— Il faut que vous écriviez quelque chose. N'importe quoi. Pourquoi ne pas mettre : "Baptiste" ? Les baptistes ne sont pas baptisés. »

Guy finit par écrire : « Congrégationaliste ». Il avait entendu dire que c'était ce que faisaient les vieux soldats qui voulaient échapper *post mortem* à la cérémonie religieuse.

Sur le chemin du retour, Harriet demanda à Guy :

« Pourquoi ne m'as-tu jamais dit que tu n'étais pas baptisé ?

– Je n'y ai pas pensé. De toute façon, tu sais que je suis un rationaliste.

– Mais personne ne *naît* rationaliste !

– Moi oui, en un sens, car mon père en était un.

– Ce qui signifie qu'une fois morts, nous serons séparés. Toi, tu seras dans les limbes.

– Ne t'inquiète pas, répondit Guy en riant. Nous serons ensemble. Dans cent ans, nous serons exactement où nous étions cent ans auparavant, c'est-à-dire nulle part. »

Mais Harriet n'était pas satisfaite. Leur probable séparation dans l'au-delà la tracassa pendant tout le thé. Dès que Yakimov sortit du salon pour aller prendre un bain, elle prit la théière et en vida le contenu refroidi sur la tête de Guy. Celui-ci, habitué aux excentricités de sa femme, se laissa faire sans protester. « Je te baptise au nom du Père, du Fils et du Saint-Esprit », dit-elle. C'était tout ce qu'elle connaissait du rite.

9

Harriet n'avait jamais entendu le mot « *abdica* » avant la réception gardiste. Maintenant, elle l'entendait partout. Le roi avait déjà été déposé une fois pour ses méfaits. Le concept de déposition n'était pas neuf, pourtant les gens s'en étaient emparés comme s'il s'agissait d'une solution magique à tous leurs problèmes. Pendant toute la conférence de Rome, dont ils redoutaient tellement l'issue, ils n'avaient que ce mot à la bouche.

Le roi avait toujours eu des ennemis — quand, par extraordinaire, il sortait du palais, c'était toujours dans une voiture blindée —, mais, pour la plupart de ses sujets, il n'était qu'un coquin parmi d'autres, un astucieux coquin plutôt divertissant, le héros de la plupart des blagues qui circulaient. Pourtant cette attitude de relative indulgence à son égard changea du jour au lendemain. Non seulement il n'amusait plus, mais il devint la bête noire du pays. On admettait qu'il avait été habile en se déclarant en faveur de l'Axe, mais il l'avait fait trop tard. *Trop tard*. Il avait tenté d'être trop malin. Il avait joué double jeu et avait perdu. De toute façon, Hitler le détestait et s'en méfiait. Tout son peuple payait maintenant pour ses crimes. Il fallait qu'il renonce au trône.

Ce mécontentement parvint aux oreilles du souverain. On lui conseilla de faire un discours en direct sur les ondes, activité dans laquelle il était loin d'exceller. Tandis que les Pringle prenaient leur petit déjeuner sur leur balcon, ils virent arriver les camionnettes de la radio. Une autre, avec un haut-parleur sur le toit, était déjà près de la statue de Carol Ier. On avait annoncé que le roi parlerait à dix heures. Il ne prit le micro que vers midi. Harriet alluma son poste.

Un an plus tôt, elle avait entendu un discours radiodiffusé du roi. À l'époque elle n'avait rien compris, ne parlant pas la langue. Elle craignait cette fois encore de ne pas comprendre grand-chose, le roumain du souverain étant aussi hésitant que le sien. Mais dès qu'il prit la parole, elle se rendit compte qu'il avait été soigneusement préparé à cette occasion. Il articulait chaque mot très distinctement, parlant d'une voix à la fois posée et vibrante d'émotion. Il promit à son peuple que, quelque sacrifice qu'on exigeât de lui, il serait toujours à ses côtés ; que, quelles que fussent ses souffrances, il les partagerait avec lui. Sa voix se brisa quand il fit la promesse solennelle qu'il n'abdiquerait jamais.

Tandis qu'il prononçait ces mots, « *Nu voi abdica niciodatà* », un défilé, débouchant de la Calea Victoriei, arriva sur la place. Des gardistes. Ils portaient des bannières et se mirent à distribuer des tracts. Harriet descendit et, se tenant à une distance prudente d'eux, lut ce qui était écrit sur les calicots qu'ils brandissaient : ils exigeaient l'abdication du roi, l'arrestation de Mme Lupescu, d'Urdureanu, du chef de la police et autres spoliateurs du pays. L'un d'eux promettait qu'une fois le roi chassé, l'Axe rendrait la Bessarabie au peuple roumain. Elle était stupéfaite qu'une telle manifestation pût se dérouler au nez et à la barbe du roi sans qu'il fît donner la garde. Au palais, on se contenta de baisser tous les stores. Un geste qui sembla à Harriet hautement symbolique de la politique de l'autruche menée par Sa Majesté.

Elle s'approcha d'eux pour se faire donner un tract — un manifeste intitulé « Corneliu Zelea Codreanu » —, et remonta le lire chez elle en attendant le retour de Guy. Elle s'attela à la tâche avec un dictionnaire.

En substance, la version gardiste de l'Histoire était la suivante : contrairement à ce qu'on racontait, Codreanu n'avait pas été pris en tentant de s'enfuir ; il avait été assassiné sur ordre du roi. Pourquoi ? Parce que la Garde de Fer, aussi nommée Légion de saint Michel archange, avait gagné soixante-six sièges à l'élection de 1937. Le roi Carol, maladivement jaloux du pouvoir de Codreanu, avait sur-le-champ dissous tous les partis et s'était autoproclamé dictateur. Hitler avait alors déclaré : « Pour moi, il n'existe qu'un seul dictateur en Roumanie, et c'est Codreanu. » Ce dernier avait gagné l'amour et la confiance que le roi, instigateur corrompu d'un régime corrompu, avait perdus. Jeune, noble, saint, de haute taille et d'une beauté divine, Codreanu avait été directement inspiré par l'archange Michel quand il fonda la Garde de Fer. Il possédait une force mystérieuse qui pénétrait tous ceux qui l'approchaient. Quand il apparaissait, tout de blanc vêtu sur son blanc destrier, les paysans reconnaissaient immédiatement en lui l'ange envoyé sur la terre...

Harriet sauta le reste — l'interdiction du parti gardiste, la prétendue « preuve » qui était un faux, et la farce d'un procès à l'issue duquel Codreanu avait été condamné pour haute trahison — pour lire la fin : la froide nuit de novembre où lui et treize de ses camarades furent emmenés pieds et poings liés dans des camions dans la forêt de Ploiesti et étranglés un à un avec un cordon de cuir. À Port Jilava, on versa de l'acide sur leurs corps qu'on brûla et on coula ce qui en restait dans du béton. Mais toutes ces précautions avaient été vaines : Codreanu était immortel. Son esprit inspirerait à jamais ses hommes dans leur combat contre la corruption, concluait le manifeste.

Harriet en avait assez lu. Elle comprenait fort bien comment un mystique comme Codreanu pouvait enflammer des paysans superstitieux à moitié morts de faim. Ce qu'elle avait en revanche du mal à comprendre, c'était pourquoi les citadins de Bucarest pour qui le roi, avec ses magouilles et ses maîtresses, aurait dû offrir un support identificatoire plus probable, avaient fait un accueil si enthousiaste au chef fasciste à son retour d'Espagne, où il était allé se battre du côté des phalangistes. Elle attendait impatiemment Guy pour pouvoir en discuter avec lui.

Quand il rentra, il ne montra pas grand intérêt pour le sujet. Codreanu, dit-il, était un assassin, une brute, un persécuteur de juifs. Ses disciples, des minables, ne voulaient qu'une chose : le pouvoir à tout prix.

« Mais s'ils l'avaient, réussiraient-ils à assainir le pays ?

— Comment le pourraient-ils ? L'incompétence de l'équipe de Carol n'est rien comparée à celle de la bande de voyous de Codreanu. »

Avec un grognement de mépris, Guy prit son journal et s'y plongea. Harriet, agacée, lui dit, pour le provoquer :

« Clarence prétend que tu es le fils rebelle d'un père rebelle.

— Clarence est un imbécile. Il est vrai qu'en un sens, je me suis révolté contre mon père. Le pauvre vieux était une sorte de romantique qui s'imaginait que les classes possédantes étaient les dépositaires de la culture. "C'est leur fonction, non ? Si elles ne protégeaient pas les arts, à quoi diable serviraient-elles ?" me disait-il. Mais quand j'ai commencé à fréquenter des gens riches, j'ai été frappé par leur ignorance et leur vulgarité.

– Où les as-tu rencontrés ?

– À l'université — ils étaient les fils des industriels locaux. Pas des aristocrates à proprement parler, mais des riches. Et pas non plus de nouveaux riches. Disons qu'ils appartenaient à la classe des possesseurs de maisons de campagne des Midlands. Ils parlaient toujours avec mépris des " parvenus ", mais même les plus intelligents d'entre eux étaient plus sensibles aux phéno-mènes de mode qu'à l'authenticité. Moi, je sais que ce sont ceux qui sont dotés des plus hautes qualités morales et intellectuelles qui sauvent l'humanité — des gens comme mon père, précisé-ment, qui n'ont ni argent, ni pouvoir, ni sentiment de leur propre importance. »

Sur ces mots, Guy partit retrouver ses étudiants et Harriet monta sur le toit voir Sacha. Maintenant, elle savait où aller après le départ de Guy. Celui-ci lui avait dit un jour que, bien qu'ayant presque vingt-trois ans, elle avait toujours la mentalité d'une adolescente. Eh bien, Sacha aussi était un adolescent. Tous deux se sentaient seuls. Ils parlaient. Elle pouvait lui dire ce qu'elle ne pouvait dire à Guy. Lui-même s'exprimait peu, mais il l'écoutait avec une attention chaleureuse. Loin d'être un matérialiste racorni, il était comme elle : il croyait à l'éternité.

10

Un matin, dans la Calea Victoriei, tandis que la ville vacillait comme un mirage dans la chaleur d'août, Harriet rencontra Bella. Celle-ci lui sourit et se hâta d'entrer dans une boutique. Elle n'était donc pas allée à Sinaia. Prisonnière de l'incertitude et de la peur, elle était restée comme tout le monde dans la capitale.

La conférence de Rome avait échoué. Cette fois, personne ne croyait plus qu'on en resterait là. Il y aurait forcément une autre conférence. Quand elle fut annoncée, la nouvelle fut accueillie sans émoi excessif ni bravade. Le nouveau cabinet était aux ordres du Führer, et le Führer exigeait un règlement pacifique des problèmes frontaliers. Mais pour les Roumains, un accord ne pouvait que signifier la perte partielle ou totale de leur pays, éventualités qu'ils commençaient à accepter avec une résignation teintée d'humour.

Les gardistes, toujours plantés devant le palais avec leurs banderoles, étaient maintenant soutenus par une foule admirative. Quant au roi, depuis le discours dans lequel il avait fermement exprimé son intention de rester sur le trône, il s'était retranché dans le mutisme. Les habitants de Bucarest avaient composé à son intention une petite chanson qui circulait dans les cafés et les bars :

Ils peuvent prendre la Bessarabie. On se fiche du grain.
On sait que l'Aube nouvelle nous tiendra lieu de pain.

Qu'ils prennent aussi la Dobroudja. C'est du nanan.
N'ai-je pas vendu à mon peuple le palais de maman ?

Qui veut de la Transylvanie ? Qu'ils en prennent un gros coin.
Qu'ils prennent tout ce qu'ils veulent. Je n'abdiquerai point.

Ce devint le slogan du moment. Les blagues qu'on racontait tournaient toutes autour de ces trois mots : « *Eu nu abdic.* » La réponse à toutes les devinettes était toujours : « *Eu nu abdic.* » On ne pouvait plus poser une question à quelqu'un sans s'entendre répondre cette incongruité.

Devant la menace qui pesait sur la Transylvanie, on ne pensait guère à la Dobroudja du Sud, mais on murmurait que le vieux ministre qui avait sangloté sur la Bessarabie avait aussi pleuré — probablement par habitude —, quand le cabinet avait accédé à la demande des Bulgares. Il avait rappelé aux autres qu'à sa mort, deux ans auparavant, on avait, selon sa volonté, enterré le cœur de la reine Marie au palais de Balcic, et qu'elle avait toujours pensé que ses sujets le défendraient au péril de leur vie. Il s'était levé en hurlant : « Aux armes ! Aux armes ! » Mais personne — pas même lui — n'avait pris cette exhortation au sérieux. L'honneur, la chevalerie, la loyauté étaient des valeurs désormais caduques.

Le transfert de la Dobroudja du Sud fut annoncé pour le 7 septembre.

« Voilà au moins un problème frontalier résolu pacifiquement » pensa Harriet. Quand elle le dit à Galpin, il la toisa avec une ironie glaciale, comme s'il avait affaire à une demeurée.

Ils s'était rencontrés devant l'Athénée-Palace. Galpin portait une valise.

« Pour ma part, je vais mettre ceci dans le coffre de ma voiture, et j'ai fait le plein d'essence.

— Mais pourquoi ?

— Je trouve bizarre qu'ils se contentent de ce bout de Sud pourri quand ils pourraient s'emparer de toute la côte.

— Vous voulez dire que les Bulgares y songent ?

— Eux et leur acolyte. Je suppose que tout est arrangé depuis des mois. Les Bulgares auront le Sud, et les Russkofs, le Nord. À eux deux, ils se partageront l'ensemble de la plaine côtière. C'est un complot slave. »

Harriet ne semblant pas aussi alarmée qu'elle l'aurait dû, Galpin poursuivit :

« Vous ne comprenez pas ce que cela signifie ? Que la Roumanie sera coupée de la mer. La légation comptait évacuer les ressortissants britanniques par Constanta. Or ils seront pris au piège. Plus personne ne pourra partir. Vous pas plus que les autres.

— Nous pourrons toujours aller à Belgrade.

— Ma chère enfant, quand les Allemands marcheront sur la Roumanie, ils prendront la Yougoslavie au passage.

— Bon. Alors nous pourrons toujours monter dans un avion.

— Quoi? Toute la Bon Dieu de colonie britannique entassée dans un zinc? Je demande à voir ça. Et d'ailleurs, quand les troubles commencent, c'est toujours les transports aériens qui cessent de fonctionner en premier. J'ai vécu ça cent fois. Moi, je ne prends pas de risques. Dès que j'ai vent de l'invasion, je saute dans ma guimbarde et je me sauve.

— Dans ce cas, vous nous emmènerez peut-être avec vous? » lui dit-elle pour plaisanter.

Galpin roula des yeux furibards. « Oh, rien n'est moins sûr! J'ai des bagages. J'ai Wanda. L'Austin est vieille. La route à travers les Balkans est mauvaise. Si je casse un amortisseur, nous sommes fichus. » La regardant comme si elle avait tenté d'abuser de lui, il monta dans sa voiture, claqua la portière et démarra.

Quand elle rentra chez elle, le téléphone sonnait. C'était Inchcape. « Dites à Guy que je passerai chez vous après le déjeuner », cria-t-il avant de raccrocher violemment.

Quand il arriva, les Pringle et Yakimov étaient encore à table. Guy s'était moqué de Galpin et de sa théorie d'un complot slave, affirmant que les Russes ne s'empareraient jamais d'un territoire qu'ils n'avaient pas revendiqué. Et même s'ils occupaient le Nord de la Dobroudja, ils n'empêcheraient pas les sujets britanniques de s'embarquer à Constanta, avait-il ajouté.

Leur visiteur marchait de long en large dans la pièce avec une telle impatience que Yakimov, comprenant que sa présence n'était pas souhaitée, se retira dans sa chambre. Dès qu'il eut fermé la porte, Inchcape tira une chaise, s'assit dessus à califourchon et déclara :

« Ils essaient de nous vider. Ils veulent qu'on parte.

— Qui ça? demanda Guy. La *prefectura* ou la légation?

— La légation. Ils essaient de réduire la colonie britannique. Ils veulent se débarrasser de ceux qu'ils appellent les "gars de la Culture".

— À cause de cette affaire de la Dobroudja ? s'enquit Harriet.

— Entre autres. Dobson a eu le culot de décider que nous ne sommes plus utiles. "Vous devriez comprendre que votre présence ici signifie pour nous un surcroît de travail", m'a-t-il dit. C'est tout ce qui les préoccupe.

— S'agit-il d'un ordre indiscutable ?

— C'est ce qu'ils essaient de nous faire croire. (Inchcape alluma une cigarette, jetant par terre l'allumette qu'il piétina.) Mais ils ne peuvent pas nous expulser sans une bonne raison. La première chose qu'ils feront, c'est de nous amener à fermer le département d'anglais. Cela fait, ils diront que nous n'avons plus rien à faire ici. Or je suis décidé à le maintenir. »

Guy hocha la tête en guise d'approbation. Harriet se demandait si mention avait été faite du bureau d'informations qui, déjà peu actif dans son âge d'or, était maintenant franchement moribond. Avant qu'elle pût poser la question, Inchcape écrasa sa cigarette aux deux tiers non fumée dans une soucoupe et dit :

« Quand j'ai été ce matin convoqué à la légation, j'ai insisté pour voir Sir Montagu.

— Et alors ? » demanda Guy.

Inchcape, les mains tremblantes, alluma une autre cigarette. Oublié, le conflit entre nations ; seule comptait sa petite guerre contre la légation. Il dit :

« Dobson, qui m'avait convoqué sous le prétexte de ces congés dont nous abreuve la *prefectura*, m'a prévenu qu'il serait préférable de fermer l'université d'été. Quand j'ai refusé d'en discuter avec lui, demandant à parler à une huile, il a essayé de me fourguer à Wheeler. En fin de compte, je suis arrivé à voir le vieux charmeur en personne. Et devinez ce qu'il m'a dit ? "L'université d'été ? Quelle université d'été ?" J'ai alors essayé de le persuader que nous ne pouvions pas la fermer avant d'en avoir reçu l'ordre du bureau de Londres, ce qui pourrait prendre un certain temps, personne chez nous n'ayant la moindre idée de ce qui se passe ici.

— Et alors ?...

— Alors, le vieux a un peu fulminé. Je suis resté ferme. Il a fini par dire : "Si vous restez, vous le faites à vos propres risques. Je ne peux pas garantir qu'un seul de vos gars sortira d'ici vivant."

— Et Woolley et les autres hommes d'affaires ?

— Montagu dit qu'ils peuvent se débrouiller. Ils ont tous des voitures. Le temps venu, ils peuvent passer en Bulgarie. Il a ajouté : "Mais vous, les gars sans automobiles, ce sera autrement difficile. Les trains seront remplis de troupes en route pour la frontière. L'aviation civile sera réquisitionnée par l'armée. Il n'y aura même plus un seul bateau si Constanta tombe entre les mains des Russes." Je lui ai dit que nous étions prêts à tenter le coup. »

Inchcape regarda Guy, attendant une confirmation.

« Bien sûr, dit-il.

— Pourquoi ? demanda Harriet.

— Parce que nous avons un travail à faire. Tant que nous sommes utiles ici, nous devons rester.

— Exactement, approuva Inchcape. (Soulagé d'avoir le soutien de Guy, il se rassit.) De plus, il y a la conférence Cantacuzène. Pinkrose a obtenu un vol prioritaire par Le Caire. Ce qui n'est pas un mince privilège. Je compte bien être à Bucarest pour l'accueillir.

— Sir Montagu n'a rien dit d'autre ?

— Il m'a fait remarquer que je ne parlais qu'en mon nom propre, et que je devais consulter mes hommes. Je lui ai dit : "Je les connais suffisamment pour parler en leur nom." Il a insisté : "Il faut qu'ils se réunissent pour discuter de la situation. Dobson les mettra au courant de ce qui les attend." J'ai bien compris que ce vieux salaud pensait que je voulais vous cacher la vérité, aussi j'ai accepté . J'ai dit : "Très bien. Réunion ce soir à six heures à la faculté, dans la salle des professeurs. Tout le monde y sera. Mais je connais mes hommes. Je sais ce qu'ils diront." »

Inchcape, de nouveau, fixa Guy, quêtant une approbation qui, de nouveau, lui fut donnée.

« Puis-je venir ? » demanda Harriet.

Inchcape la regarda, surpris qu'elle se sentît concernée par cette affaire. « Si vous voulez », concéda-t-il. Puis il se retourna vers Guy : « Prévenez les autres : Dubedat, Lush et les vieilles dames. Je pense qu'ils seront tous avec nous. Personne ne veut perdre son boulot. »

À six heures, il n'y avait pas un souffle d'air. Une brume jaunâtre semblable à un nuage de fumée stagnait au-dessus des rues vides. Les magasins, bien qu'ouverts, semblaient assoupis.

Dans la Calea Victoriei, un trottoir jaune miel cuisait au soleil. L'autre, bleu de Prusse, était à l'ombre. Harriet le suivit jusqu'au bureau allemand de propagande. Là, avant de traverser, elle s'arrêta. La carte des Îles Britanniques était toujours en vitrine. Elle l'examina en se disant : « Ils nous bombardent mais ils ne pourront jamais nous envahir », quand elle vit, parmi les villes entourées de flammes, celle où elle était née — une ville qu'elle haïssait. Ses yeux se remplirent de larmes.

De l'autre côté de la rue, les Tziganes vendaient leurs fleurs sur l'escalier de l'université, aspergeant leurs tubéreuses à la senteur lourde et sucrée d'eau contenue dans de vieilles poires à lavement en caoutchouc. En voyant Harriet, elles se levèrent d'un bond et la poursuivirent jusqu'en haut des marches en criant à tue-tête : « *Doamna, doamna!* »

Guy était encore en salle de cours. Harriet s'assit sur la balustrade pour l'attendre en regardant s'éveiller la rue en contrebas. Quand les étudiants sortirent, elle fut surprise de voir combien ils étaient peu nombreux.

« Pourquoi y en a-t-il si peu?

— C'est toujours ainsi. Certains se lassent. Viens vite, la réunion est commencée. »

La précédant, il se hâta le long du couloir, trop étroit pour sa stature, menant à la salle des professeurs. Il ouvrit la porte. Inchcape était en train de dire : « ... toute cette affaire est ridicule. De fait, la légation essaie de faire fermer l'université d'été. Je vous ai convoqués pour qu'on en discute ensemble. Après tout, c'est votre bifteck que vous allez défendre. »

Élégant dans son costume de soie grise, il était assis au bord de la grande table placée au centre de la pièce, un pied chaussé de chevreau blanc posé sur un barreau de chaise.

Clarence, vautré sur le fauteuil provenant du bureau de Guy, coula un regard de côté à Harriet quand elle s'assit près de lui. Les sourcils froncés, il s'enfonça davantage sur son siège, tout occupé à se mordiller l'index. Toby Lush, surprenant le regard de Harriet, lui sourit comme s'il existait entre eux deux une entente secrète. Les trois vieilles dames enveloppèrent Guy d'un regard affectueux. Dubedat, les yeux fixés sur Inchcape, attendait la suite, un instant différée par l'entrée des Pringle. « J'ai une bonne nouvelle à vous annoncer », reprit Inchcape. Il sourit, ménageant ses effets, avant d'ajouter : « Une nouvelle qui pourrait fort bien changer le point de vue de la légation. »

Harriet, saisie d'un espoir fou, se demanda s'il n'allait pas leur annoncer la fin de la guerre. Non, une guerre ne pouvait pas finir tant que l'ennemi n'était pas battu, se raisonna-t-elle.

« On vient tout juste de m'apprendre que la RAF a bombardé Berlin la nuit dernière, laissa enfin tomber Inchcape.

— Magnifique ! » dit Guy.

Un murmure d'approbation courut dans une assemblée néanmoins déçue.

« Vous pouvez le dire ! Cela signifie que nous rendons coup pour coup, dit Inchcape. Les civils allemands ont maintenant un avant-goût de ce qu'est la guerre. Comme nous allons occuper les nazis à l'ouest, ils ne pourront plus garder un front à l'est.

— Le pire peut arriver avant que ce jour vienne, dit Dubedat d'un ton morne.

— Je n'en suis pas aussi sûr », répondit Inchcape.

Les bras croisés, il souriait d'un air qui laissait supposer aux autres que son optimisme était justifié. Mais il n'en dit pas plus, les laissant sur leur faim.

Sentant que le silence devenait pesant, Guy se leva. Les vieilles dames se tournèrent vers lui comme vers un sauveur potentiel.

« L'important pour nous est de rester. Nous ne devons pas fuir : trop de gens ici ont besoin de notre aide, dit-il.

— Je suis d'accord », approuva magnanimement Clarence d'une voix caverneuse.

Juste à ce moment, Dobson entra. Son costume de lin était froissé et mouillé de transpiration entre les omoplates. « Je suis désolé d'être aussi en retard. Ils nous font travailler nuit et jour. » Il chercha son mouchoir. Son visage était écarlate et des gouttes de sueur perlaient sur le rare duvet mousseux qui ornait encore son crâne. Il s'épongea le front et, avec un sourire, s'adressa à l'assistance comme s'il avait affaire à des gens raisonnables. « Je n'ai pas grand-chose à dire. Inutile de préciser que je parle au nom de Son Excellence. Comme vous avez pu le constater, tout commence à aller à vau-l'eau. Même Sa Majesté n'est plus assurée de garder son trône. Personne ne sait ce qui va se passer, mais nous pensons que les Allemands vont prendre le pouvoir dans ce pays. Depuis un certain temps, la vie politique est soumise à un schéma récurrent : mise en place d'une cinquième colonne — ici, c'est la Garde de Fer —, qui crée des troubles, qui eux-mêmes donnent à l'Axe une excuse pour faire entrer ses troupes et "rétablir l'ordre". Si cela se produit, vous aurez peut-être la chance de pouvoir quitter le pays. Mais peut-être pas. Car, même si on a pu vous prévenir qu'il faut partir, vous ne trouverez pas forcément un moyen de transport. Dans tous les cas, vous serez probablement obligés de tout laisser derrière. Cela peut se produire à tout moment : la semaine prochaine, demain, ou même cette nuit... Je ne veux pas vous affoler, mais pourquoi attendre qu'il soit trop tard ? Le département d'anglais a largement contribué à l'effort de guerre. *Troïlus et Cressida* en est une preuve magnifique. La pièce a regonflé le moral de tous juste au moment où il le fallait. J'irai jusqu'à dire (il gloussa) que vous vous êtes accrochés à vos postes comme des Troyens. Pourtant (son ton redevint sobre) votre travail ici est terminé. Vous devez l'admettre. Son Excellence pense que le département d'anglais doit fermer ; quant aux enseignants, ils doivent plier bagage et se retirer en bon ordre. »

Un silence suivit ce petit discours. Miss Turner, la plus âgée des trois dames, finit par dire d'une petite voix plaintive : « Nous savons que les choses vont mal ici, mais maintenant que nos avions ont bombardé Berlin... Je veux dire, cela va sûrement faire une différence, non ? »

Dobson, se penchant courtoisement vers elle, lui expliqua comme à une bonne petite fille : « Nous sommes tous enchantés de cette attaque aérienne, qui est excellente pour notre prestige. Mais la situation ici s'est trop détériorée pour qu'elle ait un effet. En vérité, et nous ne devons pas nous le cacher, la Roumanie est déjà dans des mains ennemies. » La vieille demoiselle se tut, consternée. Guy se leva.

« J'ai tout juste vingt-quatre ans, dit-il. Clarence, Dubedat et Lush sont également d'âge militaire. Tous nos contemporains sont en uniforme. Je ne pense pas que nous soyons plus en danger ici que ceux qui se battent dans le désert. Nous *devons* rester à Bucarest, où nous avons un boulot à faire.

— Bravo ! s'écria Mrs Ramsden.

— Mais avons-nous vraiment un boulot à faire ? objecta Clarence, de nouveau en proie au doute. Nous ne sommes plus que les vestiges d'une puissance discréditée dans un pays virtuellement occupé par l'ennemi.

— Il est sûr que nous avons échoué en Roumanie, admit

Guy. Mais si nous y restons jusqu'au bout, nous pourrons apporter un peu d'espoir à tous ceux qui risquent plus que nous. Nous représentons à leurs yeux le peu qui reste de la culture occidentale et des idéaux démocratiques. Nous ne pouvons pas les laisser tomber.

— Soyez raisonnable, Pringle ! Que nous reste-t-il ici, maintenant ? Une poignée d'étudiants juifs.

— Justement ! Ils nous ont prouvé leur loyauté. Nous nous devons d'être loyaux envers eux. »

Dubedat, le visage sans expression, se curait une dent creuse d'un ongle trop long cerné de crasse. Lush, qui suçait frénétiquement sa pipe derrière lui, se pencha et lui murmura quelque chose. Dubedat fronça les sourcils pour le faire taire.

Inchcape, qui jusque-là s'était tu avec quelque ostentation (« Je ne veux influencer personne »), sortit enfin de sa réserve.

« Nous devons aussi penser à la conférence Cantacuzène. Nous attendons le professeur Lord Pinkrose, qui doit arriver d'Angleterre par avion spécial.

— Qui diable est le professeur Lord Pinkrose ? s'enquit Clarence.

— Dois-je vraiment répondre à cette question ? répondit Inchcape avec un sourire condescendant.

— La priorité absolue, ce sont les étudiants », dit Guy.

Harriet ressentit une bouffée de fierté pour lui — tempérée par un peu de ressentiment de ce que leur sécurité à tous deux ne fût pas « la priorité absolue ». N'eût été Sacha, elle eût tout tenté pour sortir Guy de là avant qu'il ne fût trop tard. Il *fallait* qu'elle règle le problème de Sacha pour que, le temps venu, ils soient libres de partir la conscience en paix.

« Pinkrose est la crème de la crème du monde universitaire. Le genre dont le public roumain se délecte », dit Inchcape.

Le public roumain n'était visiblement pas le seul à être friand de crème. Dobson aussi. Il faisait déjà machine arrière. L'appel de Guy à la loyauté envers les étudiants l'avait peu convaincu, mais la position sociale de Pinkrose et l'événement mondain que constituait la conférence projetée l'impressionnaient : il hocha la tête avec déférence. À la surprise de Harriet, il s'abstint de demander pourquoi le bureau de Londres avait accepté de fourrer l'éminent universitaire dans ce guêpier. Inchcape devait s'être bien gardé de l'informer de la situation réelle — non par perversité, mais par refus de voir les choses en face.

Elle sourit faiblement à l'idée que, grâce à la vanité d'Inchcape, le professeur Lord Pinkrose pouvait bien finir comme eux tous dans un camp de concentration allemand. Dobson se décida à parler :

« J'admets que la conférence est à prendre en compte. Mais je suis sûr, Inchcape, que Son Excellence vous conseillerait d'avertir Pinkrose des risques qu'il court en venant. Il pourrait bien renoncer à son voyage...

— J'en doute fort, dit Inchcape avec affabilité.

— Bon. Eh bien, si vos hommes sont décidés à rester, nous le leur permettrons, du moins temporairement. Mais... (Dobson se tourna vers Mrs Ramsden, Miss Turner et Miss Truslove) il en va autrement pour les dames. Son Excellence dit qu'elle ne peut accepter de responsabilités pour les Anglaises non mariées. Du moins, pour celles qui n'ont pas un compagnon susceptible de veiller sur elles. »

Un gémissement courut dans le rang des vieilles dames. Les plumes du chapeau de Mrs Ramsden frémirent — un effet de son émoi curieusement semblable à un souffle d'air. Horrifiées, toutes trois regardèrent Dobson, qui ordonnait leur exécution avec un sourire si aimable, puis Inchcape, dont elles attendaient l'intervention salvatrice. Mais ce dernier, trop content de la victoire qu'il venait de remporter, était prêt à sacrifier les trois enseignantes.

« Sur ce point, je suis tout à fait d'accord avec Son Excellence, dit-il. Je suis sûr, mesdames, que vous ne voudriez pas vous sentir un fardeau pour nous. D'ailleurs votre tâche touche à sa fin. Nous avons inscrit deux cents étudiants à l'université d'été, or il ne nous en reste que...?

— Soixante, répondit Guy avec réticence. Mais répartis sur cinq classes.

— Oh, cela peut être aisément réorganisé. Vous serez plus en sécurité ailleurs, dit-il aux trois femmes.

— Nous refusons de partir, protesta Mrs Ramsden.

— C'est à vous de décider, naturellement, dit Dobson d'un ton conciliant. Mais quand vous recevrez un nouvel ordre d'expulsion de la *prefectura*, je ne pourrai pas prétendre que votre présence ici est indispensable. Il vaudrait mieux que vous partiez quand vous pouvez encore vous organiser pour le faire.

— Écoutez ! dit Mrs Ramsden avec force, nous avons déjà vécu cette situation quand la guerre a éclaté. Mr Woolley a ordonné aux dames de quitter la Roumanie. Nous l'avons fait et avons dépensé toutes nos économies — pour rien, puisque nous sommes revenues. C'est ici qu'est notre foyer. Nous sommes vieilles, les Allemands ne nous feront pas de mal.

— Je ne peux toucher ma petite pension qu'ici. Si je pars, je serai sans le sou, renchérit en gémissant Miss Turner, dont le teint avait la pâleur bleuâtre du lait écrémé.

— Autant prendre le risque de rester, insista Mrs Ramsden.

— Chère madame, expliqua patiemment Dobson, si les Allemands arrivent, ils ne vous laisseront pas chez vous. Ils vous enverront dans un camp de prisonniers tel que Dachau — un endroit terrible. Vous risquez d'y passer des années. Vous n'y survivrez pas. »

Miss Truslove se tamponnait les yeux avec son gant de coton. Elle réussit à articuler péniblement : « Si je dois partir, j'en mourrai. J'en mourrai... » Sa phrase finit en un sanglot.

Inchcape lui tapota affectueusement l'épaule, refusant toutefois de se laisser attendrir : « En temps de guerre, nous devons tous faire des choses qui nous déplaisent. »

Miss Truslove s'accrocha à sa manche :

« Mais vous avez dit que le bombardement de Berlin...

— Hélas, la guerre n'en est pas finie pour autant », dit-il avec un petit geste signifiant que l'affaire était entendue.

La vieille demoiselle, au bord des larmes, essayait en vain d'enfiler ses gants de coton. « Je n'y arrive pas, je n'y arrive pas », marmottait-elle.

Observant ce spectacle pitoyable, Harriet se dit que Dobson avait raison. Mrs Ramsden avait peut-être une chance de survivre au camp de concentration, mais pas les deux autres, qui étaient de frêles et nerveuses créatures. Elles étaient condamnées d'emblée. Croisant son regard, Mrs Ramsden lui dit :

« Je suis sûre que Mr Pringle souhaite que nous restions. J'aimerais bien lui parler.

— Malheureusement, ce n'est pas lui le responsable du département. C'est le professeur Inchcape. C'est lui qui décide. »

Les trois vieilles dames traversèrent lentement la pièce, le regard fixé sur Guy qui leur tournait le dos. Elles espéraient qu'il les verrait et les sauverait. Mais il ne se retourna pas. Que pouvait-il faire ? Il n'était que trop conscient de leur épreuve et de sa propre impuissance à y mettre un terme. Elles sortirent, la mort dans l'âme.

Derrière Harriet, Toby Lush parlait de Cluj — des périls qu'il avait déjoués là-bas et de la sagesse dont il avait fait peuve en quittant la Transylvanie avant que n'éclate la présente crise. « Un type a le devoir de survivre », disait-il d'un ton pontifiant. Se retournant et regardant son visage informe au menton fuyant, Harriet se dit qu'il pourrait bien y réussir quand le reste d'entre eux y passerait.

Dubedat s'avança soudain vers Dobson, qui parlait avec Guy. Il l'interrompit abruptement pour lui demander, sur le ton d'un homme qui n'a pas de temps à perdre :

« À propos de ce complot slave, avez-vous de bonnes raisons de penser que nous risquons d'être coupés de Constanta ?

— Pour le moment, pas la moindre », répondit Dobson, surpris de cette intrusion.

Il se détourna pour reprendre sa conversation avec Guy : « Hitler se fiche complètement de la politique des Balkans. Seule son économie l'intéresse. Il n'a demandé aux Roumains de résoudre leurs problèmes frontaliers que pour les occuper en attendant que ses troupes soient prêtes à envahir le pays. Ce qui peut se produire à tout moment. »

Dubedat fit un signe de tête à Lush et quitta la pièce. Toby le suivit sans un mot.

Le concierge vint demander à ceux qui restaient s'il pouvait fermer la salle des professeurs. Ils sortirent et restèrent un moment sur la terrasse. L'air était moins lourd et la vie reprenait. C'était l'heure la plus agréable de la journée. Dobson leur proposa de les raccompagner en voiture, mais les Pringle, Clarence et Inchcape préféraient marcher. « Bon, il faut que je me sauve », dit Dobson. Ils le regardèrent descendre les marches d'un pas sautillant et pressé, sa petite bedaine arrondissant le devant de son veston.

Quand il fut hors de portée de voix, Inchcape s'exclama en riant : « C'est gagné ! »

Guy ne semblait pas partager cette euphorie. Son visage soucieux indiquait sa compassion pour les victimes de leur triomphe.

« Nous pourrions peut-être donner à Mrs Ramsden et à ses deux collègues des lettres de recommandation pour notre représentant à Ankara. Ce sont de bons professeurs. Il pourrait les faire travailler.

— Pourquoi pas ? Pourquoi pas ? dit Inchcape, pressé de passer aux choses sérieuses. Bon, maintenant, comment allons-nous bien pouvoir distraire Pinkrose ? J'aime mieux vous prévenir, ce n'est pas franchement un rigolo. »

Harriet, penchée sur la balustrade, regardait les marchandes de fleurs. Comme elle s'y attendait, Clarence vint la rejoindre. « Croyez-vous que nous nous en tirerons ? » lui demanda-t-elle.

Il n'était pas d'humeur compatissante :

« Vous êtes libre de partir à tout moment. Vous n'avez même pas un boulot qui vous retienne ici, dit-il.

— J'ai un mari. Même si je voulais partir sans lui, il n'aurait pas les moyens d'entretenir deux maisonnées.

— Vous pourriez travailler.

— Pas facile dans un pays étranger. De toute façon, tant que Guy reste, je reste. »

Harriet vit Sophie attendre en bas des marches, au milieu des fleurs. Elle portait une robe jaune très décolletée destinée à mettre en valeur sa belle poitrine et sa taille fine. Qui attendait-elle ? Levant les yeux, elle vit Clarence et se mit à chalouper entre les Tziganes, consciente du moindre de ses mouvements. Elle s'arrêta devant un panier de roses, en prit une, la renifla avec extase, puis la contempla en la tenant à bout de bras. Harriet s'attendait à la voir se dresser sur les pointes et faire une pirouette. Sophie se contenta de demander le prix à la vendeuse, qui le lui dit. Avec un petit geste de protestation peinée signifiant que, hélas, même la beauté avait un prix, elle paya sans discuter — au grand amusement de Harriet, qui, en d'autres circonstances, l'avait vue marchander âprement.

Elle regarda Clarence. Clarence regardait Sophie avec un curieux petit sourire.

« Est-ce vous qu'elle attend ? lui demanda Harriet.

— C'est possible, répondit-il d'un ton ironique, sachant qu'il l'avait surprise. Elle semble, pour quelque raison, s'être entichée de moi. Elle m'a dit hier que, quand j'étais soûl, j'avais un regard dangereux.

— Je vous ai déjà vu soûl cent fois, mais dangereux, jamais, déclara Harriet avec un rire agacé.

— Sophie dit que vous êtes une fille sans cœur. Je suis sûr qu'elle se trompe, renifla-t-il, vexé.

— Vous voulez une femme qui a du cœur ? Voilà qui est nouveau...

— Bien sûr que non. J'en veux une intraitable. En fait, c'est vous que je veux.

— Essayez plutôt Sophie. »

Guy appela sa femme, et lui et Inchcape commencèrent à descendre les marches. Harriet et Clarence les suivirent. Quand ils la retrouvèrent en bas de l'escalier, Sophie feignit l'étonnement en voyant Clarence. Mais elle dut le tirer par la manche pour qu'il lui dise bonjour, ce qui gâcha quelque peu ses effets. Il finit par lui demander, l'air gêné, où elle voulait aller dîner.

« Chez *Capsa*. Le jardin est si charmant », roucoula-t-elle.

Clarence regarda les autres, qui, peu soucieux de venir à la rescousse, partaient déjà dans l'autre direction. Il suivit Sophie comme si elle l'amenait à l'abattoir.

11

Le procès Drucker avait déjà été retardé deux fois quand brusquement, fin août, il fut annoncé pour le lendemain.

La consternation régna parmi les possesseurs de tickets, qui avaient moins de vingt-quatre heures pour organiser les déjeuners et les cocktails qui s'imposaient en une telle occasion. La princesse Teodorescu, avec tant d'amis à transporter au palais de justice, fut forcée de venir en personne dans le hall de l'Athénée-Palace pour réquisitionner chaque voiture dont elle connaissait peu ou prou le propriétaire. Yakimov était du nombre. Ravi d'être associé à ces festivités, ne serait-ce qu'en qualité de chauffeur, il dépensa ses derniers mille *lei* à faire laver l'Hispano.

On était en pleine canicule. À midi, le ciel était une fournaise, mais Yakimov n'en était pas spécialement incommodé : il n'avait plus besoin de marcher. Il prenait sa voiture pour aller de chez les Pringle à l'hôtel. Le trajet était si court, et son moteur si puissant, qu'il était déjà rendu avant même d'avoir pu accélérer.

Le matin du procès, il se leva tôt, prit un bain, mit ses meilleurs haillons, puis se présenta dans le hall de l'hôtel.

Galpin était là, qui observait les préparatifs.

« Vous allez au procès ? demanda-t-il.

— Mais oui, cher garçon », dit Yakimov en souriant.

Les journalistes anglais étaient les seuls à n'avoir pas été invités. Galpin dit d'un ton lugubre :

« Une perte de temps, que toute cette farce. Elle ne rapportera pas un sou à Sa Majesté.

— Vous voulez dire que le roi ne parviendra pas à confisquer les avoirs pétroliers ?

— Je veux dire qu'on l'aura flanqué dehors avant. »

Avant que Yakimov eût le temps de ruminer cette troublante prédiction, il fut happé par le baron Steinfeld qui lui ordonna d'escorter les princesses Mimi et Lulie. Celles-ci, à l'évidence, se sentaient déclassées en compagnie de Yakimov, qui espérait que la vue de la rutilante Hispano les consolerait d'une si piètre compagnie. Mimi, en effet, condescendit à lui faire un mince sourire tandis que Lulie, inflexible, détournant son visage maigre et jaunâtre, gardait les yeux fixés au loin. Même quand elles furent entassées à côté de lui sur le siège, elles gardèrent un silence distant. Il appuya sur le démarreur. Le moteur vrombit puis s'arrêta. Il appuya de nouveau. Même chose. Une troisième fois : rien.

Les deux filles, le visage impassible, regardaient droit devant elles.

La jauge d'essence, cassée depuis longtemps, indiquait que le réservoir était à moitié plein. De fait, il était vide. Yakimov, depuis qu'il avait récupéré son auto, vivait sur les deux cents litres mis par Foxy, oubliant complètement qu'il lui faudrait les renouveler.

Lulie ferma ses paupières lasses en murmurant :
« *Quel ennui* * ! »
— On va être obligés de prendre un taxi », dit Mimi en regardant Yakimov.

Mais celui-ci n'avait pas d'argent pour un taxi. Il sauta de la voiture en leur promettant de revenir « en moins de deux », et se précipita à l'*English Bar* pour tenter de taper quelqu'un. Galpin ne se laissait pas taper, par principe. Il semblait avoir fait des émules car Yakimov ressortit les poches vides. Toutes les autres voitures étaient parties et les princesses s'étaient envolées.

Il resta longtemps planté près de son auto, désolé, suppliant quiconque entrait ou sortait de l'hôtel de le dépanner, mais plus personne à Bucarest n'était prêt à le faire. Il dut finalement laisser l'Hispano là où elle était, juste devant l'entrée de l'hôtel. Deux jours plus tard, le directeur le pria de la déplacer.

Il tenta vainement de convaincre Dobson de lui faire une avance sur son prochain versement ; on lui rappela que l'argent en question avait déjà filé, ayant servi à rembourser les visas et à dégager l'Hispano-Suiza des douanes yougoslaves. Yakimov se sentit complètement démoralisé : comment allait-il faire, maintenant, pour aller voir Freddie ?

« Vous ne pouvez pas prêter un petit quelque chose à votre pauvre Yaki ? »

Non, Dobson ne pouvait pas, ou plutôt ne voulait pas. Guy, sollicité, non plus. C'était la fin. Le temps de la splendeur de Yakimov était à jamais révolu. Non seulement il se retrouvait sans le sou, mais il était en haillons. Il ne lui restait plus que deux choses au monde : son Hispano et la pelisse doublée de zibeline que le tzar avait offerte à son père.

Il allait être obligé de vendre l'auto. Une fois sa décision prise, il se sentit ragaillardi : voilà qui allait le renflouer — mieux, qui allait lui en « mettre plein les poches », comme il se le dit élégamment. Il commença à faire le tour des vendeurs de voitures qui lui confirmèrent malheureusement ce que Dobson lui avait dit. Peu de gens pouvaient se permettre d'acheter un véhicule d'un entretien aussi ruineux, et les rares qui le pouvaient étaient des juifs. Mais comme l'armée réquisitionnait leurs voitures, il était peu probable qu'ils achètent l'Hispano.

En fin de compte, un concessionnaire dont le magasin était situé à la jonction de la Calea Victoriei et du boulevard Bràtianu accepta de prendre l'auto en dépôt et de l'exposer en vitrine. Il prêta à Yakimov un bidon d'essence pour qu'il puisse l'amener jusque-là. « *Quelle beauté* *! » s'exclama-t-il en la voyant. Yakimov la lui laissa, la mort dans l'âme.

Personne à l'*English Bar* ne lui manifesta la moindre sympathie pour cette perte cruelle. Hadjimoscos lui dit sèchement :

« Des voitures à vendre, il y en a plein Bucarest. Celles des Anglais qui n'ont pas su nous protéger et partent maintenant pour sauver leur peau.

— Comment ça ? dit Yakimov, surpris. Il est vrai que quelques vieilles dames ont quitté la ville — Mrs Ramsden et consorts, mais...

— Je ne fais pas référence aux vieilles dames. Je parle de vos amis, Mr Dubedat et Mr Lush.

— Vous vous trompez certainement, cher garçon.

— Je ne le crois pas. On les a vus quitter la ville avec une grande quantité de bagages. On dit qu'ils ne sont plus à l'université. »

À table chez les Pringle, Yakimov dit à Guy :

« On raconte que Dubedat et Lush auraient fait leurs bagages et mis les bouts. Je suis sûr que c'est un bobard. »

Guy se tut.

« Ils sont toujours ici, n'est-ce pas ? lui demanda Harriet.

— Non. Ils sont partis.

— Pourquoi ne m'as-tu rien dit ? Quand sont-ils partis ?

— Ils m'ont dit qu'ils s'absentaient pour le week-end. Lundi matin, comme ils n'avaient pas reparu, j'ai fait cours à leur place. Mercredi, même chose ; j'ai donc envoyé le concierge de la faculté chez eux. On lui a dit qu'ils avaient payé leur domestique et emporté leurs affaires. Ce matin, le consulat m'a appris qu'on avait retrouvé la vieille voiture de Toby abandonnée sur un quai de Constanta.

— Ils ont filé ! Ils sont partis pour Istanbul.

— Je ne les blâme pas, dit Guy après un silence.

— Ah non ? Pourquoi ?

— Ils n'appartiennent pas à l'organisation. Leur emploi n'était que ponctuel. Pourquoi attendre d'eux qu'ils prennent de tels risques ?

— Et maintenant, tu n'auras plus personne pour t'aider. Tu seras seul à l'université.

— Je me débrouillerai. »

Les Pringle n'en dirent pas plus devant Yakimov. Quand il se fut retiré, Harriet dit à Guy :

« J'ai l'impression que nous ne sommes plus ici pour très longtemps.

— Je ne sais pas. Les choses peuvent encore s'arranger.

— Et Sacha ? Je m'inquiète à son sujet. »

Préoccupé, Guy demanda :

« Il se sent bien là-haut, non ?

— Oui, il se sent bien. Mais que va-t-il se passer si nous devons partir ?

— Il faut qu'on y réfléchisse. Bella ne pourrait pas le prendre ?

— Bella ? Tu es fou !

— Tu m'as dit que c'était une chic fille. »

Harriet rit, désarmée par sa naïveté.

« En un sens, elle l'est. Mais tu ne peux pas lui demander de recueillir un déserteur juif qu'elle ne connaît pas. Et d'ailleurs, si elle reste en Roumanie après notre départ à tous, elle aura ses propres problèmes. Et parmi tes étudiants ? Il n'y en aurait pas un qui pourrait le cacher ?

— Plusieurs, j'en suis convaincu. Mais ce ne serait pas bien de le leur demander, ajouta-t-il après réflexion. De plus, ils espèrent tous partir. Sacha échangerait tout simplement un refuge temporaire contre un autre.

— Que suggères-tu, alors ?

— Pour le moment, rien. Mais nous réfléchirons au problème de Sacha quand j'aurai le temps. Maintenant que Dubedat et Lush ne sont plus là, il faut que je réorganise complètement les classes, ajouta-t-il, exaspéré par l'insistance de Harriet.

— Très bien », dit-elle tout en se demandant s'il y avait jamais réfléchi auparavant. Qu'éprouvait-il au juste pour le jeune garçon ? Il l'aimait bien quand il avait été son élève. Il était reconnaissant à Emanuel Drucker de l'amitié qu'il lui avait témoignée quand il était seul à Bucarest. Mais qu'était-il prêt à faire pour Sacha dans la situation présente ?

Elle se tut. Son silence poussa Guy à lui dire : « Ne t'inquiète pas. Nous trouverons bien une solution ». Elle se taisait toujours. Se levant et faisant le tour de la table, il lui prit les mains et la tira vers lui : « Tu ne me fais pas assez confiance. »

Elle glissa ses bras autour de son corps musclé et chaud. « Bien sûr, que je te fais confiance », dit-elle. Leur dissension oubliée, ils allèrent dans leur chambre. Mais Guy n'oublia pas l'heure très longtemps. Comme il se rhabillait, elle lui demanda : « Pourquoi ne me charges-tu pas de quelques classes ? »

Il secoua la tête. « Tu n'as aucune expérience de l'enseignement, tu n'es pas qualifiée, et c'est plus difficile que tu ne crois. »

12

Après le départ de Guy, Harriet, désœuvrée à cette heure particulièrement morose de la journée, sortit sur le balcon. La grand-place était déserte, exception faite des gardistes qui l'occupaient toujours avec leurs banderoles et leurs tracts. Il y avait de l'électricité dans l'air ; une atmosphère de révolte pesait sur la ville léthargique comme un orage qui ne se décide pas à éclater. Le palais, avec ses stores blancs baissés, semblait dormir.

Une troisième conférence avait échoué, et la question transylvaine était présentement débattue à Vienne. Les gens recommençaient à croire qu'elle serait résolue en se révélant insoluble. Yakimov, répétant ce qu'il entendait à l'*English Bar*, lui avait dit : « Des mots, des mots, des mots ! Vous verrez, chère fille, ce flot de mots va finir par noyer le poisson. »

Il n'était que cinq heures mais la lumière avait déjà une richesse automnale. Le gros de l'été était passé. Les dahlias flamboyaient dans le Cismigiu. En haut de la Chaussée, les arbres étaient desséchés et leurs rares feuilles pendillaient, tels des restes de papier brûlé, comme Harriet les avait vues à son arrivée à Bucarest.

Elle était mariée depuis un an. Un mariage d'avant-guerre, comme Guy se plaisait à le dire. Avec une nostalgie qui n'était peut-être que le reflet d'une saison finissante, elle se disait que, finalement, cette union ne serait peut-être pas éternelle. Elle pouvait déjà imaginer leur lien se desserrant. Il la laissait trop seule. Si elle cherchait un autre compagnon, il ne pourrait s'en prendre qu'à lui-même.

Elle se rappela brusquement que Sacha lui avait demandé de faire quelque chose pour lui : tâcher de voir son père.

Depuis le début de son procès, on ne reparlait que de Drucker. Le mari de Despina leur avait dit qu'on pouvait voir l'accusé entrer et sortir par une porte dérobée du palais de justice, et la domestique s'était empressée d'annoncer la nouvelle à Sacha. Quand, ce soir-là, Harriet était montée le voir, il l'avait suppliée de le laisser y aller. Il pourrait voir son père sortir du tribunal, peut-être même pourrait-il lui parler.

« C'est hors de question, dit-elle, horrifiée. La police militaire te recherche. C'est trop dangereux. »

Elle fut surprise de son obstination. Il voulait y aller, et elle dut le raisonner comme un enfant.

« Alors allez-y vous-même. Et tâchez de lui parler. Je vous en prie !

— Que voudrais-tu que je lui dise ?

— Que je suis chez vous. Qu'il ne s'inquiète pas pour moi car vous veillez sur moi. »

Cette conversation avait eu lieu la veille. Depuis, Harriet avait découvert que Drucker quittait le palais de justice à midi, y revenait à trois heures et en repartait à six. Elle savait d'ores et déjà qu'elle ne lui parlerait pas. D'abord, les gardes ne le permettraient pas. Ensuite, les Anglais étaient suspects dans le pays. Tout ce qui pouvait dévoiler ses liens avec Drucker était exclu. Enfin, elle n'avait aucune envie d'aller, comme on va au spectacle, regarder sous le nez un homme qui avait souffert pendant neuf mois les rigueurs de la prison. Mais elle finit par se dire qu'elle devait le faire pour Sacha.

Elle partit après le thé. En traversant la grand-place, elle remarqua que celle-ci revenait à la vie. Les gens commençaient à se rassembler devant les grilles du palais. Les crieurs de journaux étaient à leur poste. Elle acheta *Independenta Românà* et lut dans les nouvelles de dernière heure un communiqué de deux lignes : un accord venait d'être conclu à Vienne, accord dont les termes seraient dévoilés prochainement — sans autre précision de date.

Le procès Drucker repassait derechef au second plan. Les jours précédents, les curieux se bousculaient pour voir entrer les porteurs de tickets et les fameux quarante-neuf témoins à charge. Ce soir, il n'y en avait qu'une maigre douzaine devant l'entrée principale ; et seulement six ou sept à la porte située au dos du bâtiment. Tous occupés à discuter de l'accord sur la Transylvanie, ils ne prêtèrent aucune attention à Harriet.

Un fourgon blindé était garé au bord du trottoir, portières ouvertes pour recevoir Drucker dont la sortie était imminente.

La porte du tribunal s'ouvrit à toute volée et deux gardiens sortirent.

Harriet, qui n'avait vu le banquier qu'une seule fois dix mois auparavant, se souvenait de lui comme d'un grand et bel homme, puissamment bâti et élégant, qui l'avait enveloppée d'un regard tendrement admiratif.

Ce fut un squelette qui apparut devant ses yeux, un vieil infirme voûté qui descendait les marches en posant chaque fois le même pied et en traînant l'autre derrière. Il lui fallut entendre son nom murmuré par ceux qui attendaient avec elle pour se rendre compte qu'il s'agissait bien de Drucker. Puis elle reconnut le costume qu'il portait lorsqu'il les avait invités à déjeuner. Parler de costume était une exagération, s'agissant de ce pantalon en loques qui laissait apparaître ses genoux blancs et osseux. Mais, sous la crasse, elle reconnut néanmoins les chevrons du tweed anglais.

Sur la dernière marche, il fit un demi-sourire à son public, comme pour s'excuser de son état pitoyable, puis, voyant Harriet, la seule femme présente, il eut l'air perplexe. Il s'arrêta, et l'un des gardiens lui donna un coup de pied qui l'envoya s'étaler face contre terre sur le trottoir. Comme il se relevait péniblement, émana de lui une terrible odeur de charogne. Le garde lui redonna un coup de pied qui le fit retomber. S'accrochant aux marches de la camionnette, il murmura « *Da, da* » avec une obéissance zélée.

Dès que les portières du fourgon se furent refermées sur lui, Harriet, comme une somnambule, reprit le chemin de la maison. Arrivée au bout de la Calea Victoriei, elle avait pris sa décision. Elle pouvait mentir à Sacha : il ne reverrait jamais son père.

Il y avait maintenant une foule considérable sur la grand-place. En approchant de son immeuble, elle leva la tête et vit Sacha qui l'attendait debout sur le parapet. Elle monta en hâte le rejoindre et lui dit :

« J'ai trouvé ton père très bien.

— Vous l'avez vraiment vu ? (Il s'essuya furtivement les joues du dos de la main, mais elle vit qu'il avait pleuré.) Vous lui avez parlé ? Vous lui avez dit que j'étais chez vous ?

— Naturellement.

— Je suis sûr qu'il était content de l'apprendre.

— Très content. Excuse-moi, mais je dois descendre. Guy amène quelqu'un à dîner », dit-elle pour couper court à d'autres questions.

L'ami en question était David Boyd, rentré d'un week-end passé à « observer les oiseaux » qui s'était tellement prolongé que Guy avait fini par téléphoner à la légation pour avoir de ses nouvelles. La secrétaire de Foxy Leverett, peu loquace, s'était contentée de lui dire : « Nous ne sommes pas inquiets de l'absence prolongée de Mr Boyd. »

Quand David avait appelé le matin même, Harriet s'était sentie soulagée. Elle comprit l'importance qu'il avait prise à ses yeux maintenant que leur petite communauté se clairsemait. Il avait les nerfs solides, ce qui la rassurait. Et c'était le meilleur ami de Guy. Même si les autres désertaient, lui resterait jusqu'au bout.

Les deux hommes arrivaient, Harriet entendit David dire à Guy dans le hall : « ... Exactement ce que Klein a prédit. Tu te souviens de son image de l'homme qui a hérité une fortune ? Eh bien, l'héritage est dissipé jusqu'au dernier sou. Le pays est ruiné. »

Ils entrèrent au salon. Elle fut une fois de plus frappée par leur ressemblance, accentuée par leur hâle : tous deux étaient grands et costauds. Seuls leurs cheveux étaient de couleurs différentes. Ceux de Guy, éclaircis par le soleil, étaient blond-blanc. Ceux de David étaient restés très bruns. Tous deux portaient leur veston roulé sous le bras. Ils étaient venus à pied et leur chemise était trempée. Une odeur de transpiration pénétra avec eux dans la pièce.

« On connaît maintenant les termes de l'accord, lui dit Guy. La Roumanie doit céder tout le Nord de la Transylvanie — la partie la plus riche de la province.

— Une bonne grosse part de gâteau, ironisa David. Deux millions et demi d'habitants, près de quarante-quatre mille kilomètres carrés. Mais surtout, comme ils disent, "le berceau de la race". Il va y avoir une émeute. À mon avis, Carol va trinquer.

— Que se passe-t-il dehors ? demanda Harriet.

— Les rues sont pleines de gens en larmes. »

Harriet, émue, avait également envie de pleurer. Bien que

n'ayant aucune illusion sur le sort de la Transylvanie, elle n'en avait pas moins partagé l'espoir d'un règlement favorable qu'entretenaient la plupart des Roumains.

Tandis qu'ils dînaient, le soleil basculait derrière les nuages livides, massés à l'ouest, qui pesaient avec désolation sur une grand-place dont le bruit leur parvenait étrangement assourdi, comme si la catastrophe avait érodé les capacités d'émotion de la foule. Même la circulation s'était arrêtée. Harriet n'avait pas faim; elle luttait contre l'impulsion de descendre pour se retrouver à ciel ouvert et, comme le jour du tremblement de terre, se baisser pour toucher la terre.

« Mais les Roumains vont-ils accepter cet "accord" qu'on leur impose? demanda-t-elle.

— Que peuvent-ils faire? Les termes en ont été dictés par Ribbentrop et Ciano. Les ministres roumains ont été avertis que s'ils refusaient, leur pays serait immédiatement occupé par les troupes allemandes, hongroises et russes.

— Et s'ils décidaient de se battre?

— Une guerre entre la Roumanie et l'Allemagne évoquerait la vie de l'homme préhistorique : elle serait laide, bestiale et courte, lui répondit David en la regardant avec amusement.

— Mais pourquoi les Roumains sont-ils traités avec cette brutalité?

— C'est une question qu'ils doivent eux-mêmes se poser. Je suppose qu'on leur fait payer leur vieille amitié avec l'Angleterre. On murmure aussi que Carol, tout en jouant à la balle avec Hitler, était en train de conclure un pacte militaire avec Staline.

— Tu y crois? demanda Guy.

— Que j'y croie ou non, suffisamment de gens y croiront. Carol est un homme intelligent qui, du début à la fin, s'est conduit comme un imbécile. Le pire, c'est que cette partition ne résoudra rien du problème transylvain. Hitler se contente de couper le bébé en deux. Mais il s'en fiche. Ce faisant, il calme les Hongrois. Et s'il a un jour besoin de leur aide, il l'obtiendra probablement. »

Ils prirent leur café sur le balcon. La nuit était presque tombée. Au palais, on avait allumé les lustres dans les salons d'apparat. La grand-place était maintenant remplie de monde. L'agitation avait repris. Les Anglais voyaient des ombres se mouvoir en contrebas; une unique voix, une voix de ténor,

entonna l'hymne national, dont les premières paroles
— « *Tràiascà regele* », « Vive le roi ! » — furent aussitôt noyées
par des cris furieux. Le mot « *abdica* », repris çà et là en
contrepoint, finit par dominer le tumulte, comme si l'abdication du roi pouvait mettre un terme aux malheurs d'un peuple
en révolte.

13

La semaine qui suivıt fut éprouvante pour Yakimov. Chaque fois qu'il tentait de traverser la grand-place pour se rendre à l'*English Bar* ou en revenir, il était pris dans une foule qui manifestait pour ou contre le roi — contre, en général. Les gardistes lui fourraient dans les mains des tracts affirmant que Carol était un traître et qu'ils avaient la preuve de son alliance secrète avec la Russie. Sa fourberie lui avait aliéné l'Allemagne, et la décision de l'Axe relative à la Transylvanie n'était que justice : tout un peuple payait maintenant pour les péchés de son souverain.

Pourtant les gardistes étaient bien les seuls à éprouver de la sympathie pour l'Axe. La majorité des Roumains ne souhaitaient nullement pactiser avec Hitler qui, disaient-ils, ne se retournait contre la Roumanie que parce qu'il avait lamentablement échoué à envahir l'Angleterre. Yakimov avait même vu des gens arracher un fanion à croix gammée d'une voiture et le piétiner. Ce spectacle, au lieu de le réconforter, avait accru ses inquiétudes : le chaos menaçait !

Hadjimoscos l'avait effrayé en lui exposant les terribles conséquences qu'aurait pour le pays la déposition du souverain. Ignoré par les gardistes, et n'ayant rien à en attendre, le prince était devenu un fervent royaliste. « Ce sera l'anarchie totale. Et nous, la vieille aristocratie, serons les premiers à souffrir. Quant à vous, en tant que membre de la classe dirigeante anglaise, vous serez arrêté sur-le-champ. Les gardistes sont farouchement antibritanniques. Croyez-moi, nous allons revivre *la Terreur* *. Nous sommes dans le même bateau, *mon prince* *. »

L'Angleterre s'étant déclarée contre la partition de la Transylvanie, les Roumains clamaient maintenant qu'elle gagnerait la guerre, et que ce serait elle qui leur rendrait ce qui leur appartenait.

« Elle le fera peut-être, se disait Yakimov. Mais, hélas, pas à temps pour sauver le pauvre Yaki... »

Le dimanche après-midi était le jour où l'agitation était la pire sur la grand-place. Yakimov, engourdi pas sa sieste et sonné par la chaleur, tentait de la traverser pour se rendre à l'*English Bar*, quand il se trouva pris dans un mouvement de foule. Un orateur juché sur un podium haranguait furieusement ses compatriotes. Yakimov essaya de battre en retraite mais les rangs s'étaient refermés sur lui. Il lui sembla soudain que ses voisins immédiats devenaient fous : ils se mirent à vociférer, à brandir le poing et à taper des pieds, écrasant dans la foulée ceux de Yakimov qui les implorait en vain. Ses « Eh, doucement ! S'il vous plaît, du calme ! » restèrent lettre morte. L'agitation grandit autour de lui et une vague violente le souleva, bras collés au corps, le propulsant en avant. Sa frêle poitrine écrasée, il étouffait, suffoqué par la chaleur et les odeurs d'ail et de sueur émanant de la foule. Au bord de l'asphyxie, il se dit que, n'ayant même plus la force de crier, s'il tombait il serait piétiné. Fou de terreur, il put dégager une main et s'accrocher à l'homme qui était devant lui — un gigantesque prêtre barbu dont le couvre-chef orné de voiles noirs tanguait au-dessus de lui comme la cheminée d'un paquebot pris dans la tempête. Le colosse hurlait comme les autres quelque chose où revenait le mot « Transylvanie » tandis que Yakimov, cramponné à lui, sûr que le carnage allait commencer, le suppliait faiblement : « Pour l'amour de Dieu, sauvez-moi. Sortez-moi de là. »

Il pensait : « C'est la fin pour Yaki », quand il sentit la frénésie qui l'entourait se calmer sensiblement. Du bord externe de la mêlée venait d'éclater le cri « *Politia ! Politia !* » L'orateur sauta de son perchoir pour se fondre dans la masse. En même temps, le mouvement furieux qui animait ce nœud de vipères changea de sens : de centrifuge, il devint centripète, écrasant de plus belle un Yakimov à moitié mort qui, tel un homme qui se noie, s'accrochait encore au prêtre, lesté par son poids, qui résistait aux assauts du courant. Le nœud se desserrait, et Yakimov put voir pourquoi : la police s'apprêtait à braquer des lances à incendie contre les manifestants. Il tenta de fuir avec les autres, mais le colosse auquel il s'accrochait l'empoigna par les bras et le souleva de terre tandis que tous détalaient autour d'eux, les heurtant au passage comme les rochers d'une avalanche. Yakimov, pris sous les jets d'eau, oscillant dans toutes les directions comme un veau pendu à un crochet, avait l'impression que le prêtre allait lui démettre les épaules. Il lui cria de le lâcher, mais l'homme le souleva de plus belle en lui souriant de toutes ses grandes dents chevalines et gâtées.

La grand-place s'était vidée. Ne restaient plus que Yakimov et son sauveur, auquel le premier tentait encore désespérément d'échapper. Tous deux étaient trempés. Le prêtre jugea finalement qu'il pouvait rendre sa liberté à son protégé qu'il reposa au sol. Le gratifiant d'un sourire bienveillant et croyant lui tapoter affectueusement l'épaule, il lui administra une poussée qui le propulsa à trois mètres.

Dégoulinant, tremblant, la démarche titubante, Yakimov partit se réfugier à l'*English Bar* qui, à cette heure de la journée, était bondé de journalistes. Galpin et Screwby s'y trouvaient, en compagnie de Mortimer Tufton et d'autres, accourus des capitales voisines comme chaque fois qu'il y avait de l'orage dans l'air.

Le rescapé n'attendit pas que quelqu'un voulût bien lui offrir un verre. Allant droit au bar, il s'en paya un lui-même. Il mourait d'envie de raconter son calvaire, mais ceux qui l'entouraient étaient trop occupés à discuter des événements pour se soucier de quelqu'un qui les avait vécus. Il avala sa *tuică*, puis, encore très secoué, vint se placer aussi près qu'il l'osait de Galpin.

Celui-ci venait de commander une tournée, et un verre arriva accidentellement devant Yakimov qui l'avala cul sec avant que son destinataire pût le revendiquer. À court d'une boisson, Galpin se retourna pour faire les comptes et, remarquant Yakimov, lui saisit le bras. « Ah, c'est vous ? Justement, je vous cherchais », lui dit-il.

Yakimov s'effondra :

« Ce n'est pas ma faute. Je croyais que c'était pour moi, gémit-il, éperdu.

— Qu'est-ce que vous racontez ? Quittez cet air terrifié. Je ne vais pas vous bouffer ! (Lui tenant toujours le bras, il l'entraîna à l'écart dans le hall de l'hôtel.) Je veux que vous fassiez un petit boulot pour moi, lui dit-il.

— Un boulot ? Quel boulot, cher garçon ?

— Vous en avez fait un pour McCann, vous vous souvenez ? Eh bien, je voudrais que vous me donniez un coup de main. Vous savez sans doute que les Hongrois prennent possession de la Transylvanie le 5. Je devrais aller à Cluj pour couvrir la rétrocession mais je préfère rester au cas où, ici, ça tournerait mal. Je veux donc que vous alliez à Cluj à ma place. »

Yakimov pensa immédiatement à Freddie. Mais il se sentait tellement diminué qu'il n'avait plus vraiment envie de tenter l'aventure.

« Je ne sais pas, cher garçon, dit-il d'un ton hésitant. C'est un long voyage, et avec tout le pays en révolte...

— Vous seriez plus en sécurité là-bas qu'ici, l'assura Galpin. C'est plutôt ici qu'il risque d'y avoir du grabuge, aux abords du palais royal. Cluj, en revanche, est absolument tranquille. C'est une ville charmante, on y mange bien et les gens sont gentils. Voyage peinard. Tous frais payés. Que voulez-vous de plus ?

— Que devrais-je faire ?

— Oh, seulement ouvrir les yeux et les oreilles. Prendre la température de la ville. Regarder autour de vous et me dire ce qui se passe. Je vous ai aidé quand vous aviez besoin d'aide. Vous voulez bien me rendre un service, n'est-ce pas ? insista-t-il devant le manque d'enthousiasme de Yakimov.

— Naturellement, cher garçon.

— Très bien. Vous ne serez absent que deux nuits et viendrez aussitôt me faire votre rapport. Je dois avoir des informations de dernière minute. »

La perspective somme toute plaisante de ce voyage ragaillardit un peu Yakimov :

« Ravi d'y aller, bien sûr. Heureux de pouvoir vous rendre service. J'ai là-bas un ami très important — le comte Freddie von Flügel.

— Bon Dieu ! Le foutu Gauleiter ? (Les yeux de Galpin lui sortirent de la tête.) Il n'est pas question que vous alliez le voir ! C'est à vous de décider, bien entendu, ajouta-t-il précipitamment en voyant le visage de Yakimov s'allonger. Après tout, la situation est un peu particulière puisque c'est un ami à vous. Voyez-le si vous le souhaitez, mais laissez-moi en dehors. (Galpin sortit son portefeuille.) Je vous avance cinq mille pour vos frais. Si ça ne suffit pas, nous ferons les comptes à votre retour. »

Yakimov tendit la main, mais Galpin se ravisa : « Je vous les donnerai le jour de votre départ. Ce sera mercredi. Laissons-les s'échauffer. Le mieux, c'est que vous preniez le train de midi. Je passerai vous prendre à onze heures et demie et vous condui-rai moi-même à la gare. » Il ajouta en prenant le bras de Yaki-mov comme s'il entendait le garder prisonnier jusqu'à son départ : « Maintenant venez. Je vais vous offrir un autre verre. »

14

Le mercredi matin, Yakimov se réveilla de bonne heure. À dix heures, il était prêt, tout frétillant à l'idée d'aller à Cluj. Il n'avait désormais plus qu'un désir : s'y réfugier, et plus qu'une peur : qu'il n'y ait plus de train pour s'y rendre.

Les troubles des derniers jours avaient été très éprouvants pour lui. Une atmosphère d'émeute régnait sur la grand-place. On avait tiré contre le palais. Toutes sortes de rumeurs circulaient : Antonescu aurait été convoqué par le roi qui lui aurait ordonné de former un nouveau gouvernement. Le général aurait répondu qu'il refusait de servir une monarchie non constitutionnelle. On l'aurait alors de nouveau jeté en prison.

Yakimov doutait d'être encore vivant le mercredi. Or on était mercredi et, apparemment, la fin du monde ne s'était toujours pas produite.

Il fit une apparition inhabituellement matinale. Harriet prenait son petit déjeuner. Elle venait d'entendre à la radio que le procès de Drucker s'était terminé tard dans la nuit. Il avait été déclaré coupable de trois infractions successives au contrôle des changes et condamné à une peine cumulée de quarante-sept années de prison. Le tout dans l'indifférence générale. Le verdict avait été prononcé dans un tribunal pratiquement vide. « L'événement social le plus important de l'année » n'avait été qu'une affaire clandestine expédiée sous l'effet combiné de la crise et de la peur de l'invasion.

Harriet fut stupéfaite d'apprendre que Yakimov partait pour Cluj. Elle l'aurait cru tout à fait incapable de s'extraire de chez eux, ne serait-ce que pour deux nuits.

« Pensez-vous que le moment soit bien choisi pour quitter Bucarest ?

— Oh, ça ira. Votre Yaki a une affaire importante à régler. Une sorte de mission à accomplir.

— Quelle sorte de mission ?

— Confidentiel, chère fille. Mais entre nous, disons que je suis censé garder les yeux et les oreilles ouverts.

— Eh bien, j'espère pour vous que vous ne finirez pas à Bistrita.

— N'effrayez pas votre pauvre Yaki », dit-il avec un rire nerveux.

Après avoir avalé un de ces maigres en-cas qui le laissaient toujours sur sa faim et le faisaient rêver de la table de Freddie, il retourna dans sa chambre faire sa valise ; ou plutôt, tasser dans son nécessaire de toilette en crocodile les quelques guenilles mettables d'une garde-robe qui n'était même plus raccommodable. Prenant son passeport dans un tiroir, il vit, plié dedans, le plan du puits de pétrole volé dans le bureau de Guy. Ne sachant qu'en faire, il le mit dans sa poche. De peur d'éveiller les soupçons de Galpin, il était forcé de laisser sa pelisse. S'il en avait besoin, son ami Dobbie pourrait toujours la lui envoyer par la valise diplomatique.

Yakimov fit tout le voyage assis au wagon-restaurant. L'eût-il voulu qu'il n'eût pas trouvé de siège ailleurs. Toutes les voitures étaient pleines, et les couloirs bondés de paysans encombrés de paquets qui bloquaient le passage. Au début, le wagon était fermé à clé. Quelques minutes avant midi, on l'ouvrit et une foule d'hommes visiblement aisés munis de porte-documents se déversa à l'intérieur en jouant des coudes. Yakimov suivit le flot et, à son grand soulagement, trouva une place. Galpin, debout sur le quai, lui dit par la vitre : « Parfait ! Vous allez voyager dans les règles de l'art. »

On servit le déjeuner sur-le-champ — un repas lamentable. Un Hongrois ayant eu l'audace de s'en plaindre, le serveur lui cria : « Quand vos amis allemands vous suivront en Transylvanie, vous verrez ce que vous mangerez ! »

Suivit un café déplorable — sans sucre, devenu une denrée rare depuis que la Roumanie exportait toute sa betterave en Allemagne. Dans le wagon régnait une chaleur que la fumée des cigarettes rendait encore plus suffocante. Il était plus de quinze heures et le train de midi était toujours en gare de Bucarest. Ce retard inexpliqué ne semblait pas gêner les passagers. Être dans un train qui finirait bien par s'ébranler leur suffisait quand, sur le quai, tant d'autres s'agitaient en vain.

Une fois le déjeuner payé et les tables débarrassées, les hommes piquèrent un à un du nez et s'endormirent, le front posé sur leurs bras croisés, sur les tables aux nappes pleines de miettes et tachées de vin. Yakimov fit comme eux. La plupart ne se rendirent pas compte que le train, qui avait fini par partir, se traînait maintenant à travers les Carpates.

Yakimov se réveilla quand les serveurs apportèrent du café et des gâteaux. Il refusa ces gâteries qui n'en étaient pas, et on lui dit qu'il devait alors céder sa place.

Mâchouillant les horribles choses à la farine de soja et avalant le breuvage grisâtre, il contemplait les rochers escarpés et les pins des Alpes de Transylvanie. Le train s'arrêtait à la moindre petite gare. Sur les quais, les gens étaient vêtus chaudement mais, à l'intérieur du wagon-restaurant, l'air non renouvelé était toujours aussi étouffant. Déprimé par la splendeur du paysage, il enfouit son visage dans le rideau de reps rouge et se rendormit.

Le jour déclinait lentement. Toutes les demi-heures, on servait aux passagers un café de plus en plus faible. Yakimov commençait à s'inquiéter car son pactole s'amenuisait. Il savait qu'il aurait dû quitter le wagon-restaurant mais, voyant massés à chacune de ses portes une foule d'hommes prêts à prendre sa place, il restait.

À Brasov, un des passagers descendit. Un de ceux qui attendaient bondit pour le remplacer. Jetant à ses pieds un lourd sac de voyage, il posa sur la table un porte-documents, ôta son feutre gris perle et s'assit. Encore somnolent, Yakimov se dit que c'était un juif, un homme probablement important. Il semblait nerveux, ouvrant et refermant son porte-documents, sortant des papiers, les remettant après y avoir jeté un coup d'œil. Ce manège finit par réveiller complètement Yakimov, qui se redressa en bâillant sur son siège et cligna des yeux. L'homme l'examina d'un regard critique et lui demanda : « *Sie fahren die ganze Strecke, ja ?* » (« Vous allez jusqu'au terminus ? »)

Quand il découvrit que Yakimov était Anglais, ses manières changèrent : il sortit de sa réserve, manifestant à son interlocuteur une confiance que celui-ci trouva excessive. Sortant un passeport roumain, il l'agita sous le nez de Yakimov.

« Vous voyez ça ? C'est à moi depuis deux ans. J'ai payé un million de *lei* pour l'avoir. Et maintenant... (il le frappa avec mépris du dos de la main) ce n'est qu'un vulgaire ticket pour le camp de concentration.

— N'exagérez-vous pas la gravité de la situation ?

— Vous, les Anglais, vous êtes des gens trop simples. Vous ne pouvez pas croire les horreurs qui arrivent aux autres. Vous avez vu à l'œuvre ces fous de la Garde de Fer en 1938 ? Ils ont conduit les juifs à l'abattoir et les ont pendus à des crochets à viande.

— Mais puisque vous allez à Cluj, après la rétrocession vous pourrez obtenir un passeport hongrois.

— Quoi ? s'écria l'homme avec colère. Vous ne croyez tout de même pas que je vais vivre à Cluj ? J'y vais pour fermer ma succursale et je reviens en vitesse. Les Hongrois sont des gens terribles — des bêtes sauvages. Cluj est actuellement un endroit très dangereux.

— Dangereux ? répéta Yakimov, alarmé.

— Qu'est-ce que vous croyez ? Que les Roumains vont céder leur territoire avec une courtoisie d'hommes du monde ? Naturellement, c'est dangereux. On se bat dans les rues. Toutes les vitrines sont barrées de planches. On ne trouve plus rien à manger...

— Vous voulez dire que les restaurants sont fermés ? »

L'homme rit. Tapant sur son sac, il dit : « J'ai là-dedans ma viande et mon pain. »

Voyant l'expression horrifiée de Yakimov, il renchérit sur les viols, les pillages, les meurtres et la famine. Les Roumains avaient instauré une réforme agraire. Sous les Hongrois, les paysans seraient forcés d'abandonner leurs petits arpents de terre, lui expliqua-t-il.

« Alors, poursuivit-il, ils se déchaînent dans les rues, s'attaquant à tout ce qui bouge. Il y a eu des morts, mais les médecins abandonnent leurs hôpitaux et refusent de secourir les blessés. Ils s'en vont. C'est une époque terrible. Vous ne vous êtes pas demandé pourquoi le train est parti avec trois heures de retard ? On craignait qu'il soit attaqué par les émeutiers.

— Mon Dieu ! s'exclama Yakimov, comprenant maintenant que Galpin avait prudemment choisi la meilleure part.

— Venez-vous à Cluj pour affaires ? demanda l'homme.

— Non. Je suis journaliste.

— Et vous ignoriez ce qui s'y passe ? »

L'homme rit et lança à Yakimov un regard de pitié. Dehors, la nuit tombait sur un paysage exempt de tout signe de vie. On servit le dîner le pire que Yakimov eût jamais mangé — et si cher qu'il ne lui restait plus que de quoi payer une nuit d'hôtel.

Quelques faibles ampoules s'allumèrent au plafond crasseux du wagon. Le paysage disparut. Il n'y avait plus rien à regarder, sauf les visages fatigués des autres passagers.

Vers minuit, ceux-ci se réveillèrent, sentant que le voyage tirait à sa fin. On n'avait plus servi de café depuis le dîner, la cuisine était fermée, et pourtant le train se traîna encore pendant deux bonnes heures.

Il arriva enfin à Cluj. Yakimov se leva pour dire au revoir à son compagnon, mais celui-ci, ayant rassemblé ses possessions, se frayait déjà un chemin à travers le wagon-restaurant. Les autres faisaient de même. En quelques minutes, Yakimov se retrouva seul. Quand il descendit sur le quai, celui-ci était obscur et vide de porteurs ou d'employés des chemins de fer. Les bureaux étaient fermés et cadenassés. Un soldat armé posté à l'entrée de la gare réveilla les appréhensions de Yakimov.

Une fois dehors, il comprit pourquoi les passagers étaient si pressés de descendre. Il n'y avait pas de taxis, seulement une douzaine d'antiques *tràsuri* prises d'assaut qui s'éloignaient déjà. Ceux qui n'avaient pu en avoir une devaient marcher. Il y avait étonnamment peu de voyageurs. La plupart avaient dû descendre aux petites gares qui s'étalaient le long de la ligne. Seuls une poignée d'autres se mirent en route pour la ville ; ils s'égaillèrent vite dans d'autres directions, et, au silence qui l'entourait soudain, Yakimov sut qu'il était seul.

Il redoutait de voir une populace déchaînée, mais c'était maintenant le vide de la rue qui lui faisait peur — un long boulevard descendant vers le centre-ville, éclairé par des globes blancs dont la lumière se reflétait sur le macadam luisant. Les trottoirs étaient obscurs. N'importe qui aurait pu se tapir dans l'ombre. Il fut soulagé quand il atteignit les premières habitations. Il se retrouva presque aussitôt sur la place de la cathédrale, dont Galpin lui avait dit qu'elle était au cœur de la ville. C'était là qu'était situé le meilleur hôtel. Galpin avait promis de lui retenir une chambre par téléphone. Voyant de la lumière dans le hall, Yakimov se dit avec gratitude qu'on l'attendait.

Quand il entra et donna son nom, le jeune employé allemand fit un geste d'impuissance : personne ne pouvait avoir téléphoné puisque les équipements téléphoniques avaient été démantelés. Mais de toute façon, un coup de fil n'eût fait aucune différence : l'hôtel était complet depuis des jours. Chaque hôtel de Cluj était complet. Les Roumains affluaient en Transylvanie pour y régler leurs affaires, et les Hongrois déferlaient pour reprendre les affaires dont les Roumains se dessaisissaient. « Avec la rétrocession, il n'y a plus un lit disponible dans toute la ville, dit le jeune homme. Si vous retournez à la gare, vous pourrez toujours dormir sur un banc », ajouta-t-il, visiblement désolé pour Yakimov.

Mais celui-ci avait une meilleure idée. Il demanda le chemin de la demeure du comte Freddie von Flügel. Ravi que ce client éconduit eût un refuge, l'employé vint à la porte avec lui et lui montra une bâtisse du dix-huitième siècle d'aspect rébarbatif qui se dressait à moins de cent mètres de là.

En dépit de la chaleur de la nuit, tous les volets de la maison étaient clos. Sa porte massive cloutée de fer lui donnait une allure de forteresse. Yakimov frappa à coups redoublés pendant plus de cinq minutes. Un judas finit par s'ouvrir et le concierge lui ordonna en allemand de s'en aller. Yakimov n'avait qu'à revenir le lendemain — et encore, si c'était absolument nécessaire ! Yakimov, bloquant de la main la grille du judas pour que l'homme ne la lui referme pas au nez, lui dit : « *Ich bin ein Freund des Gauleiters, ein sehr geschätzter Freund. Er wird entzückt sein, mich zubegrüssen.* » Il répéta plusieurs fois, avec une telle émotion dans le ton, que son « cher vieil ami le Gauleiter » serait « ravi de lui dire bonjour », qu'il finit par arriver à ses fins : la porte s'ouvrit.

Le concierge lui désigna un siège de pierre placé dans un hall de pierre aussi froid qu'une cave. Il s'assit et attendit vingt minutes. Venant de la chaleur de la nuit d'été et vêtu d'un mince costume de tussor, il commença à frissonner et à éternuer. Il n'y avait rien à voir, excepté des photos géantes de Hitler, de Goering, de Goebbels et de Himmler qu'il contemplait avec indifférence, les tenant pour les simples accessoires du fonds de commerce de son ami. Si Freddie s'était acoquiné avec cette clique, alors, tant mieux pour lui — et, par ricochet, tant mieux pour Yaki.

Finalement, une silhouette apparut en haut de l'escalier de pierre. Sautant sur ses pieds, Yakimov s'écria : « Freddie ! »

Le comte, les sourcils froncés de perplexité, descendait lentement. Puis, reconnaissant Yakimov, il ouvrit les bras et dévala le reste des marches, les pans de sa robe de chambre de brocart jaune flottant autour de lui. « Est-ce possible ? s'exclama-t-il. Yaki, *mein Lieber !* »

Des larmes de soulagement montèrent aux yeux de Yakimov. S'avançant d'un pas chancelant, il tomba dans les bras de Freddie. « Cher garçon, sanglota-t-il, tant d'eau a passé sous les ponts depuis notre dernière rencontre ! » Il enlaçait son vieil ami avec ferveur, humant la forte odeur de gardénia qui émanait de sa personne. « Freddie, murmura-t-il. Freddie ! »

Cet instant d'émotion passé, von Flügel recula et contempla Yakimov d'un air inquiet. « Mais est-ce bien raisonnable, *mein Lieber* ? Je te t'apprendrai rien en te disant que nous sommes désormais dans des camps adverses. »

Yakimov écarta cette remarque d'un geste désinvolte.

« Suis dans une situation désespérée, cher garçon. J'arrive juste de Bucarest pour trouver tous les hôtels pleins. Pas un seul lit dans tout Cluj. Pouvais quand même pas dormir dans la rue !

— Certainement pas, acquiesça von Flügel. J'espère seulement que tu n'as pas été suivi. As-tu mangé ?

— Pas une bouchée, cher garçon. Rien depuis douze heures. Le pauvre vieux Yaki défaille de faim et de fatigue. »

Le comte le conduisit à l'étage et, ouvrant une porte, alluma tous les interrupteurs. L'un après l'autre, des lustres vénitiens de cristal illuminèrent une pièce immense.

« Que penses-tu de mon "séjour" ? » Il prononçait le mot comme s'il était plein d'un chic exotique. Yakimov, ayant peu de goût pour l'architecture intérieure, jeta un coup d'œil circulaire à la pièce à dominantes violette et jaune où trônait une énorme parure de cheminée en bronze doré flanquée de part et d'autre de deux Nègres de plâtre peint grandeur nature, nus à l'exception d'un vague pagne espièglement drapé autour de leur énorme postérieur.

« Exquis ! (Yakimov boita jusqu'à un canapé et s'affala au milieu des coussins.) Perclus. Perclus de fatigue, soupira-t-il.

— Je l'ai décoré moi-même.

— ... Et j'ai une faim de loup », jugea-t-il bon de rappeler.

Son hôte continuait à circuler à travers la pièce en tripotant des objets avec une jubilation manifeste. Yakimov, qui avait salement besoin d'un verre, examina Freddie d'un œil plus critique. Comme il était changé ! Ses cheveux, qui lui retombaient jadis sur l'œil comme un blond rideau de soie, étaient coupés en brosse. Ses traits, qui avaient toujours été plutôt banals, étaient maintenant noyés dans une chair violacée. De plus, il s'était laissé pousser une abominable petite moustache qui ombrait sa lèvre supérieure d'une sorte de croûte jaunâtre. Ses fameux yeux bleus n'étaient pas bleus, ils étaient roses. La seule chose qui était inchangée chez lui était sa démarche, restée curieusement fluide. C'était à cela que Yakimov l'avait immédiatement reconnu.

Rencontrant le regard de son ami, Freddie gloussa. Yakimov se rappelait ce gloussement. Ça, et une certaine grâce de mouvements étaient tout ce qui restait de l'enfant chéri de la bonne société prussienne du début des années trente.

« Tu as l'air très en forme, lui dit Yakimov.

— Toi aussi, *mein Lieber*. Tu n'as pas vieilli du tout. »

Satisfait, Yakimov se pencha pour délacer ses souliers. « Ils me tuent. » Il les enleva mais, remarquant que ses chaussettes étaient trouées et noires de sueur, il s'empressa de les remettre. « J'ai une petite faim », dit-il en voyant que l'autre n'avait pas bougé.

Freddie tira un cordon de sonnette brodé. Tandis qu'ils attendaient, les yeux de Yakimov, qui erraient à travers la pièce, tombèrent sur un plateau rempli de bouteilles.

« Me taperais bien un godet, laissa-t-il tomber négligemment.

— Je suis inexcusable ! »

Von Flügel lui servit un large cognac que Yakimov prit comme son dû : Freddie avait suffisamment profité des largesses de Dollie quand il était fauché.

« Et qu'est-ce qui t'amène à Cluj ?

— Ah ! dit Yakimov, toute son attention concentrée sur son verre.

— Je suppose que je ne devrais pas te poser la question ? »

Le sourire de Yakimov confirmait cette supposition.

On frappa d'un coup sec à la porte. Von Flügel se redressa sur son siège et rejeta les épaules en arrière avant de répondre : « *Herein.* »

Un jeune homme athlétique entra d'un pas martial. Son visage était impassible, mais son extrême mécontentement était perceptible. Il déplut immédiatement à Yakimov. Von Flügel, se levant d'un bond, se glissa vers lui en s'écriant : « Axel, *mein Schatz*. » Puis, en gloussant, il lui murmura quelque chose à l'oreille d'un ton persuasif. Le « trésor » hocha la tête et sortit en claquant la porte. « Le pauvre garçon est un peu contrarié. Nous l'avons tiré du lit. Le cuisinier est un Roumain. Il rentre chez lui après dîner, et si j'ai besoin de quelque chose après son départ, je dépends de mes garçons. »

Axel revint avec une assiette de sandwiches qu'il flanqua devant Yakimov avec la même mauvaise grâce que précédemment. Puis il sortit en claquant de nouveau la porte.

Yakimov, délicieusement imbibé de cognac, s'installa devant les sandwiches, assez grossièrement coupés mais généreusement garnis de blanc de dinde froid. Freddie allait s'excuser de la frugalité de cet en-cas mais Yakimov le fit taire « Le pauvre Yaki a l'habitude de vivre à la dure. »

Quand il eut mangé, le comte, qui le regardait d'un air facétieux, se dirigea vers un coin de la pièce dont l'accès était barré par un canapé Récamier placé en travers. « J'ai là quelques curiosités amusantes que je dois absolument te montrer », dit-il.

Yakimov se releva avec peine des coussins dans lesquels il était enfoncé. Von Flügel, après avoir poussé la méridienne, fit signe à son ami de le rejoindre dans le coin et lui tendit une loupe. Sur chacun des murs était accrochée une miniature persane. Yakimov les examina et se crut obligé de s'écrier avec un rire sot : « Eh bien ! cher garçon ! » De fait, il espérait que l'autre n'allait pas passer la nuit à lui casser les pieds avec ses mignardises.

« Viens par ici, lui ordonna Freddie, qui lui fit traverser la pièce et l'amena devant une vitrine munie, à sa base, d'un jeu de tiroirs peu profonds. Il faut que je te montre mes estampes japonaises.

— Ciel ! s'exclama faiblement Yakimov. Il faut être assis pour apprécier ce genre de trucs. »

Il tenta de retourner vers son canapé mais Freddie le retint. Lui infligeant une course d'obstacles entre les fauteuils tendus de soie violet et jaune, il l'amena devant un meuble en laque de Chine qui, dit-il, recelait ses « trésors les plus secrets ».

L'effet du cognac commençant à se dissiper, Yakimov s'ennuyait furieusement. Il sentit la moutarde lui monter au nez. Il avait oublié que Freddie était un tel imbécile.

« Dans ma position, poursuivait l'autre, je suis forcé d'être discret. Mais j'espère un jour pouvoir exposer toutes mes merveilles dans mon séjour.

— "Séjour", railla Yakimov. D'où tiens-tu cet atroce jargon d'agent immobilier?

— Tu me trouves vulgaire? s'enquit von Flügel, que son enthousiasme de collectionneur rendait imperméable à la critique. Je vais maintenant te montrer mes poteries précolombiennes. »

Quand Yakimov eut tout vu, Freddie lui demanda, comme s'il méritait bien une petite récompense pour lui avoir fait les honneurs de ses collections : « Maintenant j'aimerais enfin savoir ce que tu fais à Cluj. »

Yakimov, se laissant voluptueusement tomber sur le canapé, lui dit : « Tout d'abord, cher garçon, j'aimerais que tu m'offres un verre. » Son verre rempli, il le sirota en ayant retrouvé sa bonne humeur. « Me croirais-tu si je te disais que je suis correspondant de guerre ? »

Freddie eut l'air surpris.

« Correspondant de guerre? Dans quelle zone?

— À Bucarest, cher garçon.

— Mais la Roumanie n'est pas en guerre, que je sache ! »

Ces arguties dépassaient un peu Yakimov, qui rectifia :

« Bon, journaliste, si tu préfères.

— Très bien. Continue, l'encouragea von Flügel avec un sourire. (Assis, les mains croisées dans son giron, il semblait aussi bénin qu'une gentille vieille tante, se dit Yakimov avec une candeur qui excluait tout jeu de mots.) Toi et Dollie aviez toujours pensé que Yaki n'était pas un aigle, tu te souviens? Eh bien, c'est moi qui ai couvert pour un journal prestigieux l'affaire Calinescu.

— Non? s'exclama Freddie d'un ton d'incrédulité admirative. Et tu es venu ici pour couvrir la reprise de possession de leur territoire par les Hongrois? »

Yakimov sourit mystérieusement. Ravi de l'effet obtenu, il éprouva le désir de le dramatiser. « Autant te dire que ma mission n'est qu'une couverture. La vraie raison de ma présence ici est... mais je n'ai pas le droit d'en parler. »

Von Flügel l'observait avec une vive attention. Voyant que Yakimov n'en disait pas plus, il lui demanda : « Tu es visiblement devenu quelqu'un d'important. Mais dis-moi, *mein Lieber*, que fais-tu *exactement*? »

Bien en peine de répondre à cette question, Yakimov eut recours à sa tactique habituelle :

« Pas le droit de te le dire, cher garçon.

— Laisse-moi essayer de deviner : tu es attaché à la légation britannique. »

Stupéfait de la justesse de cette supposition, Yakimov marmonna un vague acquiescement.

« Tu travailles sans doute avec ce Mr Leverett ? poursuivit von Flügel.

— Ce bon vieux Foxy ! »

Yakimov regretta aussitôt cette exclamation qui, comprit-il, trahissait son ignorance. L'Allemand sourit et se tut. Yakimov, conscient d'avoir perdu son avantage, fixa un instant son verre vide en se demandant comment il allait pouvoir se redonner de l'importance aux yeux de Freddie. Il tira de sa poche le plan qu'il avait pris dans le secrétaire de Guy. « Voici quelque chose qui pourrait te donner une idée... Pas censé le montrer à tout le monde, mais entre vieux amis... »

Il tendit le papier à von Flügel qui le prit en souriant, y jeta un coup d'œil et cessa de sourire. Le soulevant vers la lumière, il l'examina recto-verso. « Où as-tu eu ça ? » demanda-t-il.

Troublé par ce changement d'attitude, Yakimov tendit la main pour récupérer le plan.

« Pas le droit de le dire.

— Je le garde.

— Mais, cher garçon, ce n'est pas à moi. Il faut que je le rende.

— À qui ? » aboya von Flügel.

Yakimov était consterné. S'il avait oublié que Freddie était un imbécile, il n'avait jamais su qu'il pouvait être une brute. Il dit, avec un accent de dignité blessée : « C'est confidentiel, cher garçon. Je ne peux pas t'en dire plus. Rends-moi ce papier. »

Von Flügel se leva, s'approcha d'un petit meuble à tiroirs, mit le plan dedans et referma le tiroir à clé.

« Je te le rendrai peut-être avant ton départ. Je veux le faire examiner pour savoir si ce n'est pas un faux.

— Bien sûr que ce n'est pas un faux, protesta Yakimov.

— Nous verrons. »

Les manières de Freddie étaient devenues sévères. Il n'avait pas l'air de plaisanter ! Il s'avança vers Yakimov avec un déhanchement félin qui était presque une caricature de sa démarche habituelle, se planta devant lui en croisant ses mains sous le menton et le fixa en silence avec le regard méchant d'un vieux crocodile.

« Que se passe-t-il, cher garçon ? demanda Yakimov d'une voix tremblante.

— Quel jeu joues-tu ? Me prendrais-tu par hasard pour un imbécile ?

— Comment peux-tu croire ça ?

— Est-ce qu'on entre dans la tanière d'un lion en lui disant : "Mange-moi, je suis un steak bien juteux" ? »

Yakimov ne savait plus trop sur quel pied danser. Peut-être Freddie plaisantait-il, après tout. Tout cela allait finir par un éclat de rire. Mais von Flügel devenait maintenant franchement menaçant. Il insista :

« Est-ce qu'on va chez un dignitaire nazi pour lui dire : "Je suis un agent ennemi. Voici mes plans de sabotage. Remettez-moi à la Gestapo" ?

— La *Gestapo*, cher garçon !

— Oui, la *Gestapo* ! glapit Freddie en imitant le ton scandalisé de Yakimov. C'est à elle que je remets les espions anglais.

— Cher garçon ! » plaida Yakimov en un sanglot.

Il était tellement terrifié qu'il craignait de s'évanouir. Plus rien ne restait de sa vieille amitié avec Freddie. Il avait en face de lui un nazi enragé qui allait le livrer à la Gestapo.

« Comment, vous, Anglais, appelez le petit tour que tu es en train de me jouer ? Le double bluff ? J'ai, dans cette maison même, des jeunes hommes capables de te faire parler.

— Oh, Freddie, gémit Yakimov, ne sois pas méchant ! Ce n'était qu'une petite plaisanterie entre amis.

— Ce plan n'est pas une plaisanterie.

— Mais je t'ai dit qu'il n'était pas à moi. Je l'ai piqué et te l'ai apporté pour t'amuser.

— Tu m'as dit que tu travaillais pour l'Intelligence Service.

— Non, cher garçon. Pas vraiment. Imagines-tu ton pauvre Yaki en agent secret ? Soyons sérieux ! »

Rencogné dans le canapé, Yakimov ne quittait pas Freddie de ses yeux exorbités de terreur. Il vit peu à peu le doute s'inscrire sur son visage, puis le mépris. Il avait repris un ton normal quand il lui demanda : « Où as-tu pris ce plan ? »

Yakimov était tellement soulagé qu'il était prêt à en dire largement plus qu'on ne lui en demandait. Il expliqua qu'il partageait l'appartement de Guy Pringle, un Anglais qui enseignait à l'université de Bucarest. Il avait trouvé le plan dans le tiroir d'un secrétaire et l'avait emprunté pour rire. « Je l'ai fait sans malice, ignorant au juste de quoi il s'agissait. N'empêche que j'avais mes soupçons — à cause de ces constantes allées et venues dans l'appartement, je dois dire... De types pas nets. » Il s'étendit un moment sur ce sujet et, se souvenant avec amertume que Guy l'avait laissé tomber, déclara : « Si tu veux mon avis, ce Pringle est un bolcho. »

Von Flügel opina en silence et demanda :

« Qui sont les "types pas nets" en question ?

— Eh bien, un certain David Boyd, par exemple. *Lui* travaille vraiment pour Foxy Leverett, mais personne ne sait au juste ce qu'il fait. Puis il y a ce type suspect que j'ai trouvé un jour à la cuisine. Il prétend être parent avec la bonne mais il parle l'anglais comme un gentleman. Les Pringle le cachent, j'en suis sûr. Il était dans tous ses états quand je l'ai surpris.

— Et toi, que fais-tu dans l'appartement de gens pareils ?

— Ai emménagé en toute innocence, cher garçon. Les trouvais très sympathiques au début.

— Le charme est l'outil de prédilection des espions. Ils s'en servent pour vous faire baisser la garde, dit Freddie d'un ton pontifiant. Je vais te donner un bon conseil : quitte cet appartement au plus tôt. J'irais même plus loin : quitte Bucarest. Je te le dis pour ton bien. »

Yakimov hocha docilement la tête. C'était exactement son intention. Maintenant qu'il avait regagné les faveurs de Freddie, il était prêt à s'installer très douillettement chez celui-ci. Il s'enfonça dans les coussins et ferma les yeux. Il était épuisé, physiquement et émotionnellement. Il se sentit peu à peu devenir léger, léger, comme une plume qui voltige mollement dans le ciel. Il entendit Freddie lui dire : « Viens, je vais te montrer ta chambre », puis il sombra dans le sommeil.

Le lendemain matin, il eut la confirmation que la vie avec Freddie serait conforme à ses vœux. Son bain pris, il le rejoignit sur la terrasse où, encore en robe de chambre, tous deux prirent leur petit déjeuner étendus sur des chaises longues. Le café était du vrai café d'avant-guerre, et le reste était de la même qualité. Freddie était de nouveau lui-même, attentionné et charmant. Dommage qu'il fût entouré de ces horribles jeunes hommes en chemises brunes — encore qu'Axel fût le seul qu'il traitât avec indulgence. Avec les autres, il avait le type de rapports qu'un commandant a avec ses subordonnés.

Yakimov se souvenait avec un certain malaise de ses confessions de la veille. Il n'avait pas été chic avec Guy. Cédant, sur son transat, à une langueur valétudinaire, il jugea cependant inutile de se torturer davantage à ce sujet. Et Guy, lui, avait-il été chic avec le pauvre Yaki?

Leur petit déjeuner terminé, les deux hommes restèrent sur la terrasse pour profiter du soleil matinal et du spectacle de la rue. Une mule tirait une vieille Citroën sur laquelle étaient entassés des meubles et des matelas. Ce fourbi se dirigeait vers la gare. Freddie expliqua à Yakimov qu'il n'y avait plus d'essence. Des pillards, en s'enfuyant, avaient tari les pompes des stations-service que les Roumains refusaient de réapprovisionner. « Un peuple de bons à rien », soupira-t-il. Dans une rue adjacente, ils virent des gens faire la queue devant une boulangerie au rideau baissé. Dans le lointain, ils entendirent des coups. Yakimov fit un vague mouvement censé indiquer une velléité d'action.

« Je devrais m'habiller et aller prendre la température de la ville, déclara-t-il en bâillant.

— Tu es donc vraiment journaliste? s'enquit Freddie.

— En quelque sorte. Une occupation peu aristocratique, j'en ai peur...

— Cette guerre n'a rien d'aristocratique. »

Yakimov se démena un peu pour se mettre en position assise.

« Dois-tu vraiment sortir? Les rues sont dangereuses. Si tu veux savoir ce qui se passe, je peux le demander à mes garçons. (Freddie sonna. Une chemise brune accourut.) Ah, Hans, quelles sont les nouvelles? »

Hans, d'un ton monocorde, se mit à débiter une liste d'exactions : Un homme ressemblant au consul de Hongrie avait été attaqué. Après lui avoir crevé les yeux, on l'avait laissé pour mort sur le pavé. Des gens qui avaient fait la queue toute la journée devant une épicerie y avaient mis le feu, brûlant toute la famille qui habitait au-dessus. Il y avait eu une rixe à l'hôpital quand les médecins hongrois avaient accusé les médecins roumains de déguerpir avec un matériel qu'ils affirmaient être originellement magyar ; on avait jeté un des médecins par la fenêtre et il s'était rompu le cou en tombant.

« Mon Dieu, murmura Yakimov.

— Ne t'en fais pas, lui dit Freddie. Tout cela fait partie des petits inconvénients afférents à la situation : plus de nourriture, plus d'essence, plus de téléphone, plus de transports publics. Les cafés sont fermés. Bientôt, il n'y aura plus d'électricité, plus d'eau et plus de gaz. Mais ici, tout va bien. Nous avons un stock important de nourriture et de boissons, un énorme fourneau à bois dans la cuisine, un puits dans le jardin. Nous pouvons résister à un siège. Tu pourrais peut-être prendre des notes, dit-il en jetant un coup d'œil à Yakimov.

— J'ai oublié mon p'tit carnet. »

Von Flügel ordonna à Hans d'apporter un crayon et du papier. Von Flügel dicta plus ou moins à Yakimov un texte qui expliquait la nécessité pour des Hongrois travailleurs et astucieux de reprendre à des Roumains paresseux et incompétents le contrôle de la Transylvanie. Une heure plus tard Yakimov surmontait ce texte d'un titre qui lui donna un avant-goût des affres de la création : LA RÉTROCESSION DE LA TRANSYLVANIE : UNE BONNE CHOSE.

Cela fait, Freddie dit à son ami :

« Il n'est sûrement pas trop tôt pour prendre l'apéritif?

— Il n'est jamais trop tôt », approuva Yakimov avec enthousiasme.

Il y avait pourtant une ombre au tableau : le problème de son avenir, encore douloureusement incertain. Il déclara à Freddie qu'il était censé prendre le soir même l'Orient-Express pour Bucarest.

« Sans mentir, cher garçon, je n'ai aucune envie d'y retourner. La nourriture est exécrable, et l'atmosphère très survoltée. Tu m'as conseillé de quitter la Roumanie : j'ai donc décidé que c'est ici que j'aimerais vivre.

— Ici? À Cluj? (Von Flügel le regarda avec incrédulité.) C'est hors de question. Quand les Roumains se retireront, ce sera virtuellement un territoire de l'Axe.

— Peut-être, mais tu es en mesure de protéger ton pauvre Yaki. »

L'Allemand en resta coi : cette suggestion le désarçonnait complètement. Se reprenant, il dit d'un ton sévère : « Je ne le pourrais certainement pas. En tant que membre de l'ancien régime, je dois me montrer très prudent. Je ne pourrais pas protéger un étranger ennemi. » Voyant la déception de Yakimov, il ajouta plus gentiment :

« Non, *mein Lieber*, ce n'est pas une bonne idée. Rentre ce soir à Bucarest. Je vais envoyer Axel te retenir un wagon-lit. Dès que tu arrives, mets tes affaires en ordre et repars sur-le-champ te mettre en sécurité.

— Oui, mais où ? demanda Yakimov d'un ton larmoyant.

— C'est à toi d'en décider, j'en ai peur. L'Europe est finie. L'Afrique du Nord va tomber. Reste l'Inde. Il nous faudra un certain temps pour arriver jusque-là. »

Yakimov passa le reste de la journée à manger et à boire — une façon pour lui de faire le deuil de ses rêves d'abondance. Vers le soir, von Flügel lui signifia son congé en lui disant qu'Axel lui avait préparé des sandwiches pour le voyage. Lui-même ne pouvait l'accompagner à la gare car la communauté hongroise donnait un dîner en son honneur.

« Une chose, *mein Lieber*. Tu vois le magasin de tapis situé en face de chez *Mavrodaphné* ? La dernière fois que j'étais à Bucarest, j'ai vu un superbe petit tapis olténien. Le trouvant un peu cher, j'ai bêtement temporisé. Maintenant je le regrette. Pourrais-tu l'acheter pour moi et me le faire livrer à l'ambassade d'Allemagne ?

– Mais certainement, cher garçon.

— Tu ne peux pas te tromper : c'est un petit tapis noir avec un motif de cerises et de roses. Mentionne mon nom, et ils te le sortiront immédiatement. Il coûtait dans les vingt-cinq mille *lei*. Veux-tu l'argent tout de suite ?

— Ce serait aussi bien, cher garçon. »

Von Flügel ouvrit un tiroir rempli de liasses de billets de cinq mille *lei* tout neufs. Il en préleva soigneusement cinq, qu'il tint un instant hors de portée de Yakimov. « Il vaut mieux que tu me donnes ton adresse à Bucarest, au cas où.. »

Yakimov la lui donna avec empressement et les billets changèrent de main.

« Au fait, demanda-t-il, as-tu toujours le plan que je t'ai donné hier ?

— Je te le posterai demain. N'oublie pas le tapis. Un *noir*, avec des cerises et des roses — une petite splendeur. Et ne t'attarde pas à Bucarest. Je te le confie sous le sceau du secret : la Roumanie est la prochaine sur la liste. »

Les deux amis se séparèrent amicalement, Yaki avec regrets, Freddie avec une urbanité un peu cavalière. Pressé de se changer, le second ordonna au chauffeur de conduire Yakimov à la gare et de revenir sans tarder.

Comme la voiture traversait le square, un avion, sur l'aile duquel on pouvait lire l'inscription « *România Mare* » (« Grande Roumanie »), survola la flèche de la cathédrale. Des foules de paysans se pressaient à tous les coins de rues, prêts au combat mais dépourvus du chef pour leur en donner le signal. À la vue de la Mercedes de von Flügel, ils se mirent à vociférer en brandissant le poing.

Le chauffeur, un Saxon, se mit à rire. Il dit à Yakimov que les paysans croyaient que Maniu allait arriver pour les inciter à se révolter contre la sentence de Vienne. Une délégation avait passé la journée à l'attendre à la gare. En vain, car Maniu, venu par la route, s'était rendu directement dans sa maison des environs de Cluj. Les pauvres bougres s'y étaient précipités et l'avait trouvé en train de faire ses valises. Il leur dit qu'il ne pouvait rien faire et leur conseilla de rentrer tranquillement chez eux et d'accepter la situation.

« Alors ils sont déçus, conclut le chauffeur d'un ton suffisant. Et *domnul* Maniu est probablement très triste.

— Je m'en doute », dit Yakimov, triste aussi, mais pour son propre compte.

Le long boulevard qui menait à la gare était bloqué par les citadins et les paysans qui s'y rendaient, leurs possessions empilées dans des charrettes et autres brouettes. La Mercedes se traînait, évitant de justesse les gens qui se jetaient sous ses roues.

« Ah, ces Roumains ! pesta le chauffeur. En 1918, ils ont chassé les Hongrois avec une sauvagerie peu commune. Maintenant, ils ont peur que les autres se vengent. »

L'Orient-Express, dans lequel on avait retenu une place en wagon-lit pour Yakimov, devait être en gare peu après vingt heures, et le chauffeur se félicitait d'être arrivé à temps. Tendant son sac à Yakimov, il le laissa se débrouiller dans l'effrayante bousculade qui sévissait dès l'entrée.

Quand Yakimov put enfin gagner le quai, celui-ci était tellement encombré qu'il eut le plus grand mal à le remonter. Les paysans s'y étaient installés comme chez eux, et certains faisaient cuire du maïs ou des haricots sur des réchauds à alcool posés sur des tables et des commodes. D'autres dormaient parmi des tapis roulés. La plupart semblaient être là depuis de longues heures. Des fonctionnaires déplacés s'étaient provisoirement postés sur leurs chaises dorées et leurs sofas, qu'ils se vendaient l'un l'autre et qui changeaient de séant au gré des marchandages. Yakimov assista à des scènes dramatiques : des Hongroises avaient épousé des Roumains et, comme les jeunes couples attendaient l'heure du départ, les mères se lamentaient comme si elles allaient perdre à jamais leurs filles. Il enjamba deux femmes qui, dans un paroxysme de désespoir, étaient étendues par terre, serrées l'une contre l'autre en sanglotant à fendre l'âme. Se frayant un passage dans la mêlée, il atteignit enfin le haut du quai. Il attendit son train.

Le temps passait et l'express n'arrivait pas. Au bout d'une heure, il tâcha de se renseigner mais en quelque langue qu'il le fît, c'était toujours la mauvaise. On lui répondait « *Beszélj magyaruk* » quand il bafouillait une question en roumain, et « *Vorbeste româneste* » quand il massacrait le hongrois. Quand il s'exprimait en allemand, personne ne lui répondait. Il finit par tomber sur le passager juif qu'il avait rencontré à l'aller au wagon-restaurant, et apprit de sa bouche que le train avait deux heures de retard. Il n'arriverait que vers vingt-deux heures. Yakimov revint en haut du quai et, trouvant une chaise pseudo-Louis XV libre, s'y assit — très inconfortablement — pour manger ses sandwiches.

La nuit était complètement tombée. Deux ou trois réverbères s'allumèrent, laissant des zones d'ombre où luisait faiblement la flamme bleue des réchauds à alcool. Tout d'un coup, par miracle, un train arriva. Un train qui ne comportait que des wagons de troisième classe. Les paysans, retrouvant leur énergie, se lancèrent à l'assaut des portières pour constater qu'elles étaient verrouillées. Ils se mirent aussitôt à casser les vitres. Une fois à l'intérieur, les hommes hissèrent leurs femmes, leurs enfants et leurs bagages en hurlant des menaces aux employés des chemins de fer qui auraient tenté de les en empêcher. L'air résonnait de cris et du craquement sinistre des menuiseries qui cédaient.

Yakimov assista à la scène avec consternation. Il savait que le train en question ne pouvait être l'Orient-Express, mais il anticipait avec inquiétude ce qui se passerait quand celui-ci entrerait en gare.

Le train omnibus se remplit en un clin d'œil. Les paysans qui n'avaient pas trouvé de place à l'intérieur sautèrent sur le toit ; ils entreprirent ensuite d'y tirer leurs familles. Le tumulte qui régnait couvrit le bruit du sifflet, et le train s'ébranla tandis que des femmes et des enfants, dépourvus de la force musculaire voulue pour effectuer un rétablissement, n'avaient pu se hisser. Pendus par les bras et par les jambes ils poussaient des cris perçants qui couvraient les clameurs et les imprécations des laissés-pour-compte courant après le train. Des coups de feu tirés d'une passerelle figèrent ces derniers sur place et firent taire tout le monde. Le train parti, ceux qui étaient tombés sur la voie grimpèrent sur le quai, apparemment indemnes malgré leurs plaintes, et s'y installèrent pour attendre le train suivant.

Une horloge sonna dans le lointain. Il était vingt-trois heures. Yakimov se leva, sûr que l'express n'allait pas tarder. Une demi-heure plus tard, il se rassit, franchement inquiet. Un second train omnibus arriva, qui se remplit de la même façon que le précédent. Il était encore à quai quand, sur la voie contiguë, arriva un autre train caché par le premier. Quelques cris éclatèrent dans la foule : « C'est l'express ! »

Yakimov, tremblant d'anxiété, attendait que l'omnibus démarre. Il ne bougeait pas. Puis quelqu'un cria : « L'express s'en va ! » Des gens se mirent à courir dans tous les sens le long du premier train, qui cachait l'autre. Yakimov fit de même. Il descendit sur la voie et, trébuchant sur les traverses et les rails, il contourna la locomotive de l'omnibus — un monstre qui crachait du feu — pour atteindre l'express, dont on avait détaché la propre locomotive et dont ne restaient que les voitures. Repérant le wagon-lit, il monta sur le marchepied et tenta d'ouvrir la portière : elle était verrouillée. Il pouvait voir des gens debout dans le couloir. Tapant frénétiquement à la vitre il cria : « *Lassen Sie mich herein* », mais personne ne bougea. Soudain le wagon-lit s'ébranla. Toujours sur le marchepied, accroché à la poignée, son nécessaire de toilette coincé entre les jambes, Yakimov fila avec lui dans la nuit. Puis la voiture s'arrêta avec une secousse qui faillit lui faire lâcher prise. Ils étaient en rase campagne, un lieu désolé et venteux. Sachant que s'il descendait il n'avait aucune chance de remonter plus tard dans ce fichu train, il s'accrocha de plus belle à la poignée en sanglotant de terreur, tandis que la voiture, comme galvanisée par un choc électrique, s'ébranlait et repartait en marche arrière. Quand elle fut rentrée en gare, elle s'arrêta. Yakimov sauta sur la voie entre les deux trains au moment même où l'omnibus partait. La plate-forme de sa locomotive l'effleura, et il fut environné d'une pluie d'étincelles. Il hurla, croyant sa dernière heure venue. Pendant ce temps, l'express s'était reformé. Yakimov courut en queue, où il voyait briller de la lumière : une portière devait être ouverte, pensa-t-il. Elle l'était. Grimpant sur le marchepied, il jeta son sac à l'intérieur, tremblant d'être refoulé. Mais il n'y avait personne pour le faire. La voiture à l'arrière de laquelle il était monté était le wagon-restaurant. Il regarda dans la cuisine. Le cuisinier, un petit homme au teint jaune et aux cheveux hérissés qui ressemblait à une poupée de chiffon, découpait une pièce de viande. Assommé, rempli de l'humilité de qui vient d'échapper de justesse à la mort, Yakimov lui sourit. La viande était sombre, elle semblait dure et nerveuse mais l'homme travaillait avec la concentration d'un artiste. Gentiment, presque affectueusement, Yakimov lui demanda la permission de traverser la cuisine. L'autre, sans même lui jeter un regard, lui fit de la main un geste signifiant : « Allez-y. »

Dans le wagon-restaurant proprement dit, les stores étaient baissés. Il restait des places. Les clients — tous de sexe masculin cette fois encore — bavardaient, indifférents à l'agitation qui régnait dehors. Le serveur expliquait à l'un d'eux pourquoi le train était verrouillé : l'express du matin avait été pris d'assaut par des paysans qui n'avaient pas de quoi payer leur billet. Ils avaient refusé de descendre et on avait dû les transporter jusqu'à Brasov. Cela ne devait plus se reproduire.

Une fois assis, Yakimov remonta son store pour regarder ce qui se passait dehors. Un voyageur resté à quai avec les autres rencontra son regard et tapa à la vitre en le suppliant de lui ouvrir. Yakimov, partageant maintenant l'indifférence de ceux qui étaient confortablement installés à l'intérieur, l'ignora. Qu'eût-il pu faire d'autre ?

On entendit encore des coups de feu, des pleurs et une furieuse cavalcade. Des visages se pressaient fugitivement contre la vitre, telles des feuilles mortes mouillées plaquées par le vent. Puis le train se mit en route, accompagné par une meute gesticulante qui hurlait désormais en silence ; on voyait des bouches s'ouvrir pour former des mots qu'on n'entendait plus. Ces gens savaient qu'ils n'avaient plus aucune chance. Quelque chose — probablement une pierre — vint frapper la vitre près de laquelle était assis Yakimov. Il baissa le store et passa sa commande au garçon. Une fois son dîner fini, il se leva dans l'intention de gagner sa couchette, mais la porte donnant accès à la voiture suivante était verrouillée. Le garçon déclara qu'il n'avait pas le droit de l'ouvrir. Yakimov retourna s'asseoir et, posant sa tête sur ses bras croisés sur la table, il s'endormit.

TROISIÈME PARTIE

La révolution

15

L'Orient-Express, qui devait être à Bucarest le lendemain matin, n'y arriva que le lendemain soir. En gare de Bucarest il n'y avait ni porteurs ni contrôleurs. L'endroit était désert, à l'exception des compagnons de voyage de Yakimov, tous groupés aux portes de la gare, chuchotant entre eux comme s'ils hésitaient à sortir. Yakimov jeta un coup d'œil dehors : tout était calme. Le fait qu'il n'y eût aucun éclairage ni aucun passant le surprit, mais il décida qu'il n'y avait aucune raison d'avoir peur — le pire étant encore l'absence totale de taxis ou de *tràsuri*. Une longue marche de plus en perspective ! Il s'attarda un moment sur le seuil, espérant que les autres finiraient par lui expliquer leurs réticences, mais personne ne lui adressa la parole. Il se lança. Seul.

Les éventaires de la Calea Grivitei étaient fermés, et comme abandonnés. Les trottoirs étaient vides. Il aperçut çà et là quelques silhouettes tapies sous des porches mais elles s'éclipsèrent à son passage, comme absorbées par les murs. La ville était anormalement silencieuse. Il n'avait jamais vu les rues de Bucarest aussi désertes.

Enfin arrivé au carrefour de la Calea Victoriei, il tomba sur un groupe d'agents de la police militaire, revolver au poing. « Stop », cria l'un d'eux à Yakimov. Laissant tomber son sac, il mit les mains en l'air. Un officier s'avança et, d'un ton peu avenant, lui demanda ce qu'il faisait dehors. Cette question l'effraya : il comprit que ses compagnons de voyage savaient quelque chose que lui-même ignorait. Il se mit à expliquer en allemand — la langue la plus sûre, ces temps-ci — qu'il venait d'arriver par l'Orient-Express et rentrait chez lui. Que se passait-il ? Sans lui répondre, on lui demanda de présenter son permis de séjour. Il le tendit, ainsi que son passeport. L'officier partit les examiner à la lumière, discutant longuement avec ses subordonnés tandis que Yakimov, persuadé qu'on allait l'arrêter ou le tuer sur place, attendait, un revolver braqué sur lui. On finit par lui rendre ses papiers. On l'autorisait à poursuivre son chemin mais on lui interdisait de traverser la grand-place.

En fin d'après-midi Guy avait rejoint Harriet sur le balcon, en rentrant de l'université. Les employés de bureau s'étaient joints à la populace. Il y avait eu des acclamations soudaines. Harriet, qui avait une bonne vue, avait distingué sur les marches du palais un homme en uniforme qui saluait, une main levée. Ce devait être lui qui déclenchait cette flambée d'enthousiasme.

Les premiers jours de septembre, la rumeur montant d'une grand-place comble était devenue aussi familière aux oreilles de Harriet que les bruits de la circulation. Elle avait entendu un matin des bruits de verre brisé. « Le peuple se soulève enfin », avait-elle pensé. Elle avait couru au balcon et avait vu la police se préparer une fois de plus à utiliser les lances à incendie. Leur effet dissuasif avait été immédiat : la foule avait cessé de vociférer, sans pour autant se disperser. On l'empêchait de hurler sa révolte, mais du moins l'exprimerait-elle en restant plantée devant le palais du spoliateur.

Quand ils avaient emménagé, Harriet avait dit à Guy : « Ici, nous sommes au centre vital de la ville. » Maintenant, à l'évidence, ils étaient au centre de la cible.

« Je me demande si c'est le roi, dit Harriet. Aurait-il fait quelque chose qui plaise enfin à son peuple ? »

Guy en doutait. Despina accourut pour leur annoncer une nouvelle qui, manifestement, la ravissait : Carol venait pour la troisième fois de sortir Antonescu de prison, et pour la troisième fois, de lui proposer la fonction de Premier ministre. Le général avait accepté et exigé la démission immédiate d'Urdureanu.

« Maintenant le pays sera enfin bien gouverné », s'écria Despina avec jubilation.

Ce semblait être l'opinion générale. Antonescu était traité en héros. Sa voiture, assaillie par ses admirateurs, eut le plus grand mal à franchir les portes du palais. Quand elle eut disparu dans le boulevard Elisabeta, la foule se dispersa. Elle avait eu son content d'émotions pour la journée.

La démission d'Urdureanu fut annoncée en début de soirée. Les Pringle, qui devaient dîner avec David chez *Cina*, sentirent en s'y rendant un net changement d'atmosphère. La colère de la rue avait fait place à une quasi-allégresse : Antonescu saurait bien persuader le roi d'abdiquer, se félicitaient les passants.

Le jardin du restaurant était bondé, mais ils réussirent à obtenir une table en bordure de terrasse, sous les tilleuls séculaires d'où ils pouvaient voir la grand-place. De la multitude précédente ne restait qu'un maigre résidu — une trentaine de personnes groupées autour de la statue équestre de Carol Ier. Elles se mirent soudain à courir vers le palais. Les clients du restaurant furent aussitôt sur le qui-vive, quêtant auprès des garçons des nouvelles que ceux-ci étaient bien incapables de leur donner. Mécontents, soupçonnant de la part du personnel une quelconque rétention d'information, ils appelèrent alors le maître d'hôtel, un vieil homme qui savait tout et connaissait le Tout-Bucarest. « Un décret, un simple décret », déclara-t-il d'un ton d'apaisement. Il fit un petit exposé aux garçons qui le retransmirent de table en table.

Le décret en question avait aboli la dictature du roi, ne laissant à celui-ci que ses décorations et le privilège d'en distribuer à la ronde. Il s'était mis dans une rage folle, accusant Antonescu de haute trahison, mais il avait fini par signer. Il n'avait pas le choix.

« Pauvre petit Carol le Grand ! dit David. Il devient un simple homme de paille. Quant à Antonescu, il ne peut pas gouverner seul. Il va être obligé de faire appel à la Garde de Fer, ou à une armée qu'il connaît trop bien pour lui faire confiance.

— Alors, c'est parti pour une dictature fasciste ? demanda Guy.

— Je ne vois pas d'alternative », dit David en haussant les épaules.

« Notre situation est plus précaire que jamais », pensa Harriet. Les temps avaient changé, pour le pire. L'automne précédent, ils étaient encore séparés des Allemands par deux frontières. Cet automne-ci, quand la neige commencerait à bloquer les cols, ils seraient pris au piège dans un pays infesté d'Allemands secondés par une Garde de Fer à leurs ordres.

Le lendemain matin, tout était calme. Despina, entrant avec le plateau du petit déjeuner, ne tarissait pas d'éloges sur

son héros Antonescu, le seul qui avait eu le courage de s'opposer au roi. En fin de compte, il avait gagné. Lui, au moins,
c'était un chef, tandis que Carol n'était qu'un zéro !

« Zéro ou pas, pensa Harriet, Carol est l'allié et le protecteur de la communauté anglaise. Heureusement qu'on ne l'a pas
détrôné. » Opinion plus ou moins partagée par Guy qui, bien
que n'ayant pour lui aucune sympathie, en avait encore moins
pour Antonescu dont on avait fait un symbole de rectitude uni-
quement par comparaison. À son avis, le peuple ne tarderait pas
à payer cher ses illusions.

La journée s'écoula sans incident. On croyait le problème
réglé. Ce fut donc à la surprise générale que, le soir même, la
police investit les rues en ordonnant aux passants de rentrer
chez eux.

Les Pringle, qui traversaient la grand-place pour se rendre
à l'*English Bar*, se retrouvèrent encerclés. Ils se mirent à courir
pour pouvoir au moins arriver jusqu'à l'hôtel, mais la porte de
celui-ci était verrouillée. Ils tentèrent d'entrer par la boutique
contiguë — celle du coiffeur —, même chose. Parmi les clients du
bar massés aux fenêtres, ils virent les visages de Galpin, de
Screwby et de Clarence pressés contre la vitre. Harriet, par
signes, demanda à Clarence de les aider à entrer. D'un air
désolé, il lui répondit de la même façon qu'il ne pouvait rien
faire pour eux. Au même moment, le concierge s'interposa et
baissa les stores.

Les Pringle étaient les seuls civils encore dehors. Un officier de police leur cria de rentrer chez eux.

« Mais pourquoi ? demanda Guy.

— Loi martiale. On s'attend à une attaque du palais.

— Une attaque de qui ? »

L'officier l'ignorait. Des camions arrivaient avec un renfort de troupes. Un char d'assaut, curieusement peint en bleu
layette, vint se placer devant l'Athénée-Palace. On installait des
mitrailleuses partout où on pouvait les dissimuler. D'un camion
militaire garé devant l'immeuble des Pringle quelqu'un muni
d'un porte-voix exhortait la population à rester chez elle, à évacuer les balcons, à éteindre la lumière et à baisser les stores.
Toute personne trouvée dans la rue après dix-huit heures trente
serait arrêtée.

Remontant à leur appartement un quart d'heure après
l'avoir quitté, les Pringle furent ravis d'y trouver David. Posté à
la fenêtre du salon, il essayait de voir ce qui se passait dehors.

« Qu'est-ce qui se prépare ? lui demanda Harriet.

— Un coup d'État, je crois. Fomenté par Antonescu. Grâce à lui, le roi est nu. Mais Urdureanu et la Lupescu sont toujours au palais ; ils tentent de gagner du temps. De fait, ce décret n'est qu'une plaisanterie. Le roi n'attend qu'une occasion pour reprendre le pouvoir. D'où cette attaque supposée contre le palais. Un coup monté qui pourrait s'avérer payant.

— Une révolution ?

— Une sorte de révolution. En prenant quelques précautions, nous allons y assister en direct. »

Après avoir descendu une petite rue perpendiculaire au boulevard Bràtianu et fait un détour de plus de huit cents mètres, Yakimov atteignit enfin l'immeuble des Pringle. Le hall était obscur. Le concierge, rappelé sous les drapeaux depuis un certain temps, n'avait jamais été remplacé. Une fois dans l'ascenseur, Yakimov fut persuadé que l'invasion avait commencé. La ville ne *semblait* pas vide : elle *était* vide. Tous ses habitants avaient fui, les Pringle avec.

À la pensée de se retrouver tout seul dans un pays occupé par les Allemands, il s'évanouit presque. Et dire que, s'il était resté dans l'Orient-Express, le pauvre Yaki aurait pu gagner un havre de paix où il serait en sécurité ! L'idée d'une occasion si bêtement manquée le rendait malade.

Pas un seul bruit ne montait jusqu'au balcon des Pringle. La circulation s'était arrêtée. La nuit tombait et rien ne se produisait. Les deux hommes, allongés par terre, scrutaient la grand-place par l'espacement entre les balustres tandis que Harriet, debout, se pressait contre le montant de la porte-fenêtre. Dehors, il n'y avait pas le moindre signe de vie. Policiers et militaires étaient cachés dans l'ombre. La statue du cavalier monté sur son cheval géant trônait dans une parfaite solitude. De vagues lumières miroitaient sur une surface noire et polie comme l'ébène.

Harriet, lasse d'attendre en vain dans cette position qui commençait à lui donner des crampes, alla à la cuisine préparer des sandwiches. Les domestiques étaient tous sur le toit dans l'attente des événements. Elle rapporta les sandwiches et tous trois, assis en tailleur, pique-niquèrent sur le balcon. Quand Harriet reprit sa position à la porte-fenêtre, elle dit : « J'entends un chant dans le lointain. » Le chant en question n'était encore qu'une simple vibration dans l'air. Ils tendirent l'oreille. Le chant était maintenant parfaitement audible, accompagné d'un bruit de bottes. Le chant s'interrompit, remplacé par des cris de menace qui se rapprochaient. « À mort, le roi ! » entendit-on distinctement. Soudain, les ombres sur la place s'animèrent. Quelqu'un gueula un ordre et des soldats armés de fusils vinrent se poster, prêts à tirer, à l'angle de la Calea Victoriei et du boulevard Elisabeta.

Yakimov tremblait tellement qu'il eut le plus grand mal à introduire sa clé dans la serrure. L'appartement était sombre, mais il entendait parler à voix basse dans l'autre pièce. Immédiatement rassuré, il alluma l'interrupteur du salon.

« Éteignez immédiatement, pauvre crétin », lui chuchota une voix sur le balcon.

Yakimov éteignit, mais il avait eu le temps de voir Harriet, debout contre le montant de la porte-fenêtre, Guy et David Boyd, couchés à plat ventre, qui observaient quelque chose par l'intervalle séparant les balustres de pierre du balcon. C'était David qui lui avait parlé si aimablement.

Traversant la pièce sur la pointe des pieds, Yakimov lui demanda :

« Que se passe-t-il, cher garçon ?

— Taisez-vous, lui intima Boyd. Vous voulez vraiment qu'on nous tire dessus ? »

Yakimov s'accroupit de l'autre côté de la fenêtre où se tenait Harriet et scruta la nuit pour tâcher de voir ce que les autres regardaient.

La colonne approchait. Elle déboucha sur la place. Un second ordre retentit et les soldats tirèrent en l'air. Il y eut un moment de silence puis un traînement de pieds annonçant que la colonne battait en retraite — non sans reprendre, avec défi et à pleine gorge, une antienne que les Anglais reconnurent enfin : c'était le *Capitanul*.

Les soldats restaient en position mais aucun autre ordre ne retentit. Le *Capitanul* ne fut de nouveau qu'une simple vibration dans l'air avant de s'éteindre tout à fait.

Après un silence qui lui parut durer des heures, Yakimov chuchota à Harriet :

« Chère fille, dites-moi ce qui se passe !

— Le roi a fait appel à l'armée. On s'attend à une attaque du palais. Regardez par là (elle désigna le début de la Calea Victoriei), vous voyez la mitrailleuse ? Il y a des soldats partout.

— Qui s'apprête à attaquer le palais ? demanda-t-il.

— On n'en est pas sûr, mais on pense que c'est la Garde de Fer.

— Ce n'est pas la révolution, n'est-ce pas ? J'espère que le roi ne va pas abdiquer.

— Tout peut arriver », intervint David, qui avait entendu les questions angoissées de Yakimov.

Ce dernier ramassa son nécessaire de toilette et alla dans sa chambre. Il se jeta sur son lit, épuisé mais incapable de dormir. Les prédictions de Hadjimoscos — anarchie et guillotine — le travaillaient déjà. Mais le mot « révolution » l'acheva. C'était la révolution qui avait mis un terme, ô combien violent, à la bonne fortune de sa famille. C'était elle qui avait jeté son pauvre papa sur les routes de l'exil. Il se rappelait les histoires horribles que son père lui avait racontées : la chute de la monarchie russe, la fin terrible de la famille royale... À tout moment, les travailleurs pouvaient abandonner leurs postes dans les chemins de fer, les compagnies aériennes, les compagnies maritimes... Et les Anglais seraient tous coincés ici.

Freddie lui avait conseillé de ne pas s'attarder à Bucarest car la Roumanie était la prochaine victime désignée. Freddie avait raison : le moindre trouble dans ce pays, et les Allemands l'occuperaient aussitôt. Lui, Yakimov, avait jeté le soupçon sur Guy — c'était moche, s'avoua-t-il, mais il était trop tard pour les remords —, et ce faisant, il s'était bêtement compromis lui-même. Il faisait partie d'une maisonnée dangereusement discréditée et, si le pire arrivait, il risquait de ne pas avoir le temps de prouver son innocence.

Il pensa à l'Orient-Express qu'il venait de quitter et qui restait toujours au moins une heure en gare de Bucarest. Pourquoi ne pas courir le reprendre, puisqu'il s'était refait avec l'argent de Freddie ?

« C'est maintenant ou jamais, cher garçon », se dit-il en sautant du lit. Ramassant le reste de ses affaires, il les jeta dans sa valise. Il s'activait en silence, non par peur d'être retenu par les Pringle, mais par honte de laisser tomber Guy après l'avoir trahi. Lui-même se trahirait, c'était sûr, si on lui demandait d'expliquer son départ.

Sa fenêtre donnait sur le balcon. Comme il se glissait hors de sa chambre, il entendit la conversation.

« Allons boire un verre, proposa Guy en sautant sur ses pieds.

— En fait de révolution, c'était plutôt minable, constata Harriet.

— C'était suffisant, dit David. Maintenant, Antonescu peut dire au roi : "Vous courez un grave danger. Je ne peux plus vous protéger. Il faut abdiquer." »

Guy leur servit de la *tuicà* et David leva son verre pour porter un toast au monarque. « Disons-lui adieu. Demain matin, il sera parti. »

Prenant sa pelisse accrochée derrière la porte et ramassant ses bagages, Yakimov quitta à pas de loup l'appartement des Pringle. Il remonta tout le boulevard Bràtianu en courant et arriva sain et sauf à la gare.

L'Orient-Express était toujours là, attendant des passagers qui, curieusement, n'arrivaient pas. Apparemment satisfait d'avoir acquis au moins Yakimov, le train partit presque aussitôt pour la Bulgarie, son étape suivante.

À la frontière, il y eut un léger incident du fait que Yakimov n'avait pas le visa de sortie exigé, mais mille *lei* suffirent à régler l'affaire. Il obtint aisément une couchette dans la voiture-lit presque vide.

Il se réveilla le lendemain à Istanbul. Il était sauvé.

16

Le lendemain matin, alors qu'elle était encore au lit, Harriet entendit les rumeurs d'une grand-place manifestement en liesse. La ville célébrait l'abdication de Carol.

Pendant le petit déjeuner, Despina les abreuva d'« informations » échangées d'un balcon à l'autre par les domestiques : le roi aurait refusé toute la nuit de signer l'ordre d'abdication. Il ne l'aurait fait qu'à quatre heures du matin, après avoir chicané sur le montant de la pension qu'on lui verserait. On l'aurait alors expédié à Constanta dans une voiture diplomatique allemande et on l'aurait fait monter à bord de son yacht. Ida Lupescu et Urdureanu l'accompagnaient, mais son fils était resté au palais : le jeune, beau et bon prince Michel était désormais le nouveau roi de Roumanie. Il allait gouverner avec bienveillance, comme un souverain anglais.

Guy partit travailler — il était bien le seul à le faire ce jour-là. Encore à table, Harriet entendit de nouveau retentir le *Capitanul*. Sa tasse de café à la main, elle courut au balcon et vit les hommes en chemises vertes traverser la place par centaines pour venir se placer en bon ordre devant le palais. La garde du palais qui, hier soir, avait tiré en l'air au-dessus de leurs têtes leur faisait maintenant le salut fasciste.

Les gens se précipitaient pour venir leur baiser les mains. « De quoi se réjouissent-ils ? se demanda Harriet. Le nouveau régime ne peut rien faire concernant les provinces perdues, et le pays devra encore répondre aux exigences sans fin de son vorace allié. »

Elle fut rappelée à l'intérieur par Despina qui venait de rentrer du marché : « *Conità !* » (« Madame ! ») cria-t-elle d'un ton triomphant en lui présentant un rosbif.

On était samedi, un jour sans viande. « Une faveur spéciale pour fêter l'abdication. Du bœuf, en plus. Pas du veau ! s'émerveilla la domestique, car ils n'en avaient pas mangé depuis le début du printemps. Maintenant que le roi est parti, on mangera du rosbif à tous les repas. Il n'y aura plus de jour sans viande », affirma-t-elle. Bien sûr, un paysan, un Roumain, avait plus tard refusé de la servir parce qu'elle était Hongroise, mais elle lui avait renversé son panier de tomates et personne n'avait bronché. Personne non plus ne se lamentait sur le départ du roi.

« Ce débauché, ce voleur, allait quitter le palais avec Ida Lupescu, des coffrets débordants de bijoux et des sacs pleins d'or, quand Horia Sima l'a surpris et l'a fourré dans un avion à destination de Berlin. Le Führer va régler de vieux comptes avec lui, vous allez voir ! *O sà-le-taie gîtul.* (Joignant le geste à la parole, elle fit mine de se trancher la gorge.)

— Non, c'est vrai ? demanda Harriet, incrédule.

— Bien sûr que c'est vrai, puisque tout le monde le dit. »

Une salve d'applaudissements monta de la place. Harriet courut de nouveau voir ce qui se passait, Despina sur les talons. Le jeune roi entouré de ses ministres venait de paraître au balcon principal du palais. Il était grand, vêtu de l'uniforme militaire, et saluait, main levée, une foule qui hurlait son enthousiasme.

Harriet décida de sortir se mêler à la foule. Au moment même où elle allait le faire, on sonna. C'était Bella.

Depuis leur dernière rencontre dans la Calea Victoriei, Harriet n'avait plus eu de ses nouvelles. Maintenant, les bras pleins de roses, elle témoignait à son amie plus de chaleur qu'elle ne l'avait fait depuis longtemps. Lui tendant le bouquet, elle lui dit : « C'est magnifique ! Magnifique ! » Voyant Harriet prête, son sac et ses gants à la main, elle ajouta :

« Il n'est pas question que tu sortes. Tu risques d'être agressée. Comme Carol était probritannique, les Anglais sont terriblement impopulaires. Ça leur passera, mais pour le moment, tu es plus en sécurité chez toi.

— Mais toi ? Tu ne t'es pas fait agresser, que je sache.

— Oh moi, c'est différent. J'ai des papiers roumains et mon allemand est si parfait que les commerçants se bousculent pour me servir. »

Harriet la conduisit sur le balcon où elle s'installa sur une chaise longue. « Pourquoi sortir quand tu es ici aux premières loges ? » demanda-t-elle.

Son teint était doré comme un brugnon, et ses cheveux, éclaircis par le soleil, encore plus blonds. Elle était très belle, et son animation lui seyait.

« C'est merveilleux d'avoir un homme fort à la tête du pays. Tout le monde dit que la Roumanie va récupérer ses territoires.

— Ah ? Et qu'est-ce qui le leur fait penser ?

— Le fait qu'Antonescu soit un *vrai* dictateur. Lui saura négocier avec Hitler et Musso. Il est leur pair. Je parie qu'en moins de trois mois le pays sera de nouveau sur pied.

— Et la Garde de Fer ? Elle peut occasionner des troubles...

— J'en doute fort. Le général ne supportera aucun écart de la part de cette racaille. Les chefs gardistes sont tous morts. Les gens disent qu'ils sont comme les pommes de terre : les meilleurs sont au moins un pied sous terre. »

L'optimisme de Bella était communicatif. Harriet se dit que, finalement, elle avait peut-être dramatisé la situation. Elle était aussi ravie d'avoir retrouvé sa camaraderie avec Bella, quelqu'un avec qui se promener dans une ville où une femme ne sortait pas sans chaperon.

« Quand tout sera fini, nous pourrons recommencer à aller prendre le thé chez *Mavrodaphné*, dit-elle.

— Oui », acquiesça gaiement Bella.

Il y eut une nouvelle flambée d'enthousiasme sur la place. Un homme quittait le palais à pied. Bella se leva. « Grands dieux, c'est Antonescu en personne ! Les gens sont fous d'excitation. Je descends pour ne pas manquer les réjouissances », dit-elle. Comme Harriet s'apprêtait à la suivre, Bella la fit rasseoir, une main posée sur son épaule. « Non. Tu restes ici, lui ordonna-t-elle. On garde le contact. Je te téléphonerai tous les jours pour te donner des nouvelles. »

Dès que Bella fut dans l'ascenseur, Harriet descendit en courant par l'escalier pour aller rejoindre Guy à la faculté. Pour éviter la grand-place — Bella lui avait fait peur —, elle tourna tout de suite à droite dans le boulevard Elisabeta. Elle s'imaginait que les magasins seraient fermés, mais, à part une effervescence un peu plus marquée, la vie suivait son cours habituel. Les paysans vendaient leurs produits sur des charrettes des quatre saisons, les restaurants étaient ouverts et, sur les terrasses, les clients buvaient leur café du matin sous les parasols de toile rayée.

En entrant dans le hall de la faculté, elle comprit tout de suite qu'il n'y avait personne, ou presque. Le concierge avait probablement pris un jour de congé. Elle se dirigea vers l'amphi : vide.

Elle trouva Guy dans son bureau. Il semblait absorbé dans un livre d'exercices, mais il leva brusquement la tête quand elle entra. Espérant voir un étudiant, il sembla surpris que ce fût elle.

« Ils ont tous pris des vacances, dit-il.

— Pourquoi ne pas être rentré à la maison ?

— Parce que quelqu'un aurait quand même pu décider d'assister au cours.

— Les gardistes sont sortis en force, aujourd'hui. Ils sont partout.

— Je les ai entendus. Tu t'inquiétais pour moi, n'est-ce pas ? (Il lui prit affectueusement la main.) Tu n'as pas de souci à te faire. Les fascistes sont forcés de se tenir à carreau en ce moment. Ils ne veulent pas gâcher leurs chances d'arriver au pouvoir.

— Bon, mais maintenant tu es libre de partir. Allons faire un tour dans le parc. »

Guy se leva, puis il regarda sa montre.

« La dernière heure de cours est à peine entamée. Je dois attendre encore un peu, au cas où quelqu'un arriverait *in extremis*.

— Personne ne viendra. Le risque est trop grand. »

Mais Guy n'abandonnait pas tout espoir. Il tournait en rond dans la pièce en chantonnant. Souffrant pour lui, elle lui dit : « Je vais t'attendre sur la terrasse. »

Guy s'attarda quelques minutes. Il finit par sortir en lui proposant d'un ton enjoué : « Allez, viens ! Allons nous balader dans le Cismigiu. »

Ils traversèrent le petit pont en direction du café, où ils s'assirent à leur place habituelle, près de la balustrade. Tandis qu'ils attendaient le vin qu'ils avaient commandé, Guy entreprit de corriger quelques copies. Harriet, résignée, sortit de son sac *Capitanul*, la feuille d'informations que les gardistes lui avaient mise entre les mains Calea Victoriei. L'éditorial chantait les louanges d'Antonescu. Celui-ci, appelé comme témoin au procès de Codreanu, avait dû répondre à la question : « Considérez-vous Codreanu comme un traître ? » Il avait alors traversé le prétoire et serré la main de Codreanu en disant : « Le général Antonescu serrerait-il la main d'un traître ? » Depuis, les gardistes le considéraient comme un des leurs.

Une fois parcourue la haineuse feuille de chou, elle regarda Guy travailler. Elle n'avait nulle envie de l'interrompre ou de récriminer. Elle commençait à soupçonner que, tandis qu'Inchcape ignorait la vérité, Guy préférait faire semblant de l'ignorer. Peut-être était-ce pour elle qu'il refusait d'admettre qu'ils n'avaient pas d'avenir dans ce pays. Tant qu'ils y resteraient, il se croirait obligé de prétendre avoir un travail à faire. Il lui fallait absolument se convaincre qu'on avait besoin de lui.

Détournant les yeux, elle regarda l'eau sale qui stagnait en contrebas. La Roumanie avait été un pays de cocagne. Même dans ce modeste café, on vous apportait du fromage et des olives quand on commandait un verre de vin. Maintenant, comme l'avait prédit Klein, ces petites gâteries étaient devenues un luxe. Sur l'eau du lac, qu'elle trouvait jadis — l'année précédente — claire comme du cristal, flottaient maintenant des papiers gras, des peaux d'orange et des bouteilles. Le café, qui lui avait semblé délicieusement sans façons, lui paraissait maintenant sordide, à l'image de tout un pays.

Elle soupira. Guy, croyant qu'elle s'ennuyait, lui dit : « J'ai presque fini. » Mais elle ne s'ennuyait pas. Elle apprenait tout simplement à garder ses pensées pour elle.

Quand il posa son stylo, Guy reprit le pamphlet que Harriet avait laissé sur la table et lui fit remarquer le nom de son rédacteur en chef : Corneliu Zelea Codreanu. Suivait une liste de noms du comité de rédaction.

« Tous morts. Chaque réunion commence par l'appel de ces noms et quelqu'un répond "Présent". Pas étonnant que la Garde de Fer soit surnommée la "Légion fantôme".

— Furieusement romantique, dit Harriet, impressionnée.

— Oh, furieusement ! répéta Guy, sarcastique. Quand ils prendront le pouvoir, ce sera au nom d'un idéal romantique qu'ils commettront les pires atrocités. »

Quittant le café, ils retraversèrent le pont sur le lac et arrivèrent à la grille arrière du parc, là où était la statue du politicien en disgrâce. Ils remarquèrent qu'on lui avait enlevé le sac qu'il avait sur la tête. On voyait maintenant son visage : un vague tubercule en guise de nez, des traits sommairement assemblés qui évoquaient une botte de radis. Il n'y avait pas son nom sur le socle.

Juste derrière les grilles s'élevait l'immeuble Drucker. Il appartenait désormais à la Couronne comme tous les biens saisis du banquier.

Carol avait expédié le procès Drucker juste à temps. Il avait immédiatement vendu les avoirs pétroliers aux Allemands sans que personne s'en soucie. Toute l'affaire était oubliée. En voyant Harriet les yeux fixés sur l'appartement du dernier étage, Guy lui dit :

« J'ai pensé à Sacha. J'ai parlé du problème avec David. La seule solution, à mon avis, est d'emmener Sacha avec nous quand nous partirons.

— Mais comment ferons-nous ? Ils ne le laisseront jamais sortir du pays.

— Il faudra lui procurer un faux passeport. Cela peut s'arranger : Clarence avait toute une équipe de faussaires au bureau qui fabriquaient des faux papiers aux Polonais. Je suis sûr qu'il a gardé des contacts avec certains d'entre eux.

— Chéri, tu es formidable ! s'exclama-t-elle, soulagée. Je ne croyais pas que tu y penserais. (Elle lui prit le bras, saisie d'un regain d'admiration pour lui.) Tu parleras à Clarence ?

— Il vaut mieux que ce soit toi. Il ferait n'importe quoi pour toi. »

Elle ne partageait pas cette certitude, mais la solution évoquée semblait si simple que tout d'un coup, le problème devenait caduc.

Dans la rue régnait encore une allégresse dont ils se sentaient exclus. Bien plus, c'était de la vie même du pays qu'ils se sentaient exclus. Ils n'existaient qu'en marge, en tant que petite communauté menacée. Qu'avaient-ils à faire ici maintenant que le problème de Sacha était résolu ? Elle avait la nostalgie de l'Angleterre, où le danger, pour être probablement plus grand, était du moins commun à tous.

David passa les voir et ils s'assirent sur le balcon. Quelqu'un dans la foule tirait un feu d'artifice. Les camions des gardistes retransmettaient un discours radiodiffusé de Horia Sima, qui décrivait le coup d'État comme une nouvelle « Aube nouvelle ».

« Grands dieux ! dit David. Il semble qu'on ait une aube nouvelle tous les jours... Ce qui, après tout, est dans la nature des choses, nasilla-t-il après réflexion. Vous vous rendez compte qu'en moins de deux mois la Roumanie a perdu plus de cent mille kilomètres carrés de territoire ? Et six millions de sa population ? La chute du revenu national sera de l'ordre de cinq cents millions de livres sterling. Pas vraiment de quoi se réjouir. »

Derrière le palais, le ciel commençait à s'embraser. Mais bientôt, des petites traînées de nuages aussi délicates que la fumée vinrent étouffer ce feu somptueusement automnal. Les lumières s'allumèrent dans l'appartement royal. Le soleil couchant se voila. Le clairon sonna dans la cour du palais. Harriet fut réconfortée par cet appel familier. Les rois se succédaient, les nations tombaient, mais les hommes et les chevaux devaient tout de même se reposer.

17

Le lendemain matin, toute gaîté s'était éteinte, et seuls quelques paysans erraient sur la grand-place.

Bella, comme promis, téléphona à Harriet pour lui donner les nouvelles : durant la nuit, des gardistes, ivres de l'adulation qu'on leur avait prodiguée le jour, avaient défilé à travers le ghetto en hurlant des menaces contre les juifs.

« Nous ne voulons plus de ça ici », dit-elle.

Harriet fut surprise de cette réaction : Bella, jusqu'alors, n'avait pas semblé encline à s'inquiéter pour les juifs. Tout s'expliqua quand Bella précisa qu'elle était inquiète pour elle-même. Dans ce pays de Latins aux cheveux noirs, les juifs, qui ne font jamais rien comme tout le monde, étaient la plupart du temps blonds ou roux. Résultat : Bella la blonde pouvait passer pour juive. Guy aussi, d'ailleurs, ajouta-t-elle ; d'autant plus qu'on connaissait sa prédilection pour le peuple élu.

« C'est inutile de se tuer à expliquer que chez nous, c'est le contraire, s'enferra Bella. "Ils" ne veulent pas vous croire. Ils détestent l'idée que les juifs puissent être bruns. Les Roumains éduqués — ceux que nous fréquentons — le savent, car ils ont voyagé. Mais ces gardistes... Ils ne connaissent rien à rien. Ils sont d'une ignorance crasse.

— Et Antonescu ? Il est roux, non ?

— Oui. Il a du sang tartare. Mais tout le monde le sait. Il ne risque pas qu'on se trompe à son sujet. Mais moi... tu comprends que je me fasse du souci. En 1938, quand les fascistes ont fait ce que tu sais, je n'osais plus sortir de chez moi seule. Tu ferais bien d'être prudente.

— Mais je suis brune !

« — Alors pense à Guy. Garde-le à l'intérieur. »

Avant que Bella raccroche, Harriet lui proposa d'aller prendre un café quelque part. « Pas aujourd'hui. Pas si tôt après les événements. Laissons les choses se tasser un peu », répondit-elle. Elle voulait bien venir voir Harriet, mais non être vue en sa compagnie.

Harriet sortit faire les courses. Le dimanche matin était jour de marché, mais elle sentit que quelque chose n'allait pas. Les étals de viande étaient vides. Quelqu'un lui dit que les stocks de la semaine à venir avaient été vendus la veille pour marquer le coup — aux deux sens du terme. Maintenant, les réjouissances étaient finies et les stocks épuisés. Quand y aurait-il à nouveau de la viande ? Impossible à dire. Qu'allaient manger les gens ? On l'ignorait.

Les clients, frustrés et mécontents, commençaient à grommeler qu'on avait simplement échangé un dictateur contre un autre et que c'était toujours la même musique. De plus, on venait de décréter une semaine de deuil national, commençant ce dimanche-ci. Bucarest devait se repentir pour le massacre de Codreanu et de ses camarades ; pour son passé probritannique ; pour sa frivolité. En conséquence, les cinémas, les cafés et les restaurants étaient fermés — et même l'*English Bar*. Pire encore, tout le monde, où que ce soit — même dans la rue —, était censé à onze heures du matin s'agenouiller et prier pour les martyrs gardistes. Des processions de prêtres en noir, tête baissée, traînaient dans une ville morte par une chaleur poisseuse.

Le reste de la journée fut moins morne pour les Pringle. Galpin téléphona chez eux, demandant à parler à Yakimov Celui-ci n'était pas dans sa chambre.

« Où est-il ? » demanda Galpin avec colère.

Harriet l'ignorait. Il lui vint pour la première fois à l'esprit qu'elle ne l'avait pas vu depuis vendredi soir.

« N'était-il pas au bar, hier ? demanda-t-elle.

— Non. Écoutez, dit-il d'un ton accusateur, je lui ai donné cinq mille *lei* de ma poche et en plus, je lui ai payé son billet de train pour Cluj.

— Avec cinq mille *lei*, il n'ira pas très loin.

— Il a intérêt à ne pas essayer de se tirer ! » menaça Galpin en raccrochant violemment.

Harriet alla demander à Despina, dont c'était le jour de repos mais qui était dans son réduit, quand elle avait vu Yakimov pour la dernière fois. La domestique était sur le toit quand Yakimov était rentré de Cluj ; elle ne l'avait pas revu depuis son départ pour la Transylvanie. Mais elle avait remarqué que, depuis, son lit n'avait pas été défait.

Harriet commençait à se demander si elle n'avait pas rêvé avoir vu Yakimov entrer dans le salon le soir de la « révolution ». Elle fit part de ses doutes — puis de ses soupçons — à Guy, qui ne s'inquiéta pas outre mesure :

« Yaki ne serait jamais parti sans nous le dire, affirma-t-il d'un ton confiant.

— Mais alors où est-il ? »

Avant que Guy pût répondre, Galpin se présenta en personne chez les Pringle, aussi furieux que si le couple cachait intentionnellement le fugitif. « Il a empoché mon argent. Maintenant je veux mes informations », tempêta-t-il. Filant dans la chambre de Yakimov, il inspecta les placards. Vides, à l'exception de quelques hardes tout justes bonnes à faire des chiffons. Même la pelisse avait disparu.

« S'il l'a prise, c'est qu'il ne comptait pas revenir, lui dit Harriet.

— Le salaud ! Il a fiché le camp. Si jamais je le rencontre, je l'étrangle ! » hurla le journaliste.

Galpin partit, Guy dit à Harriet, croyant la consoler :

« Il reviendra.

— Pas ici, en tout cas. Je veux donner cette chambre à Sacha. C'est beaucoup plus sûr pour nous tous de l'avoir ici plutôt que sur le toit. »

Guy acquiesça. Soudain enthousiaste, il déclara :

« C'est évident. Il ne peut pas passer l'hiver là-haut. Que fait-il toute la journée ? Je n'ai pas eu le temps de m'en occuper, dernièrement. Travaille-t-il toujours ?

— Il lit et il dessine. Mais il est paresseux. Ici, tu pourras garder un œil sur lui. Et il aura la radio. Il adore la musique.

— Il jouait du saxo. Nous devons faire quelque chose pour lui. Ce serait bien de pouvoir emprunter un phonographe. »

Soudain assailli par l'urgence du cas de Sacha, Guy ajouta : « Je vais le chercher tout de suite. »

Sacha semblait moins heureux que son protecteur de ce déménagement. Harriet comprit qu'il se souciait peu de ses conditions d'hébergement dans le mesure où quelqu'un s'interposait entre lui et la cruauté du monde extérieur. « C'est super d'avoir un vrai lit », dit-il poliment.

Comme il disposait son bloc à dessin et ses crayons sur la table, elle remarqua qu'il avait descendu son uniforme militaire.

« As-tu des papiers ? Je veux dire, un passeport ou un *permis de séjour* * ?

— J'ai ça », dit-il en sortant de sa vareuse sa carte d'identité militaire.

Harriet vit que le document comportait ce qu'elle voulait : une photo. Le reste, il fallait s'en débarrasser. « C'est très dangereux de garder ça. Je vais la détruire », dit-elle. Ce qu'elle fit, après avoir récupéré la photo d'identité qu'elle glissa dans son sac.

Ce soir-là, n'ayant plus à redouter la présence de Yakimov, Sacha dîna avec eux. Tout en mangeant, ils écoutèrent les informations — ou plutôt ce que, ces derniers temps, on présentait pour telles. D'obscures allégories assimilant Carol à une boîte de Pandore dont surgissait le Mal. Fort heureusement, l'Espoir était tapi au fond de la boîte. Il prenait la forme du général Antonescu, qui allait d'ailleurs s'adresser au peuple.

Antonescu prit aussitôt le micro. Sur un ton de prédicateur, avec des mots simples, il dit que le pays devait expier ses péchés afin de redevenir grand. Les habitants de la Roumanie n'avaient rien à craindre, promit-il. Le nouveau régime ne provoquerait aucun bain de sang. Il n'y aurait pas de règlements de comptes. Chaque membre utile de la société, sans distinctions de race ou de croyance, serait protégé.

« Tu crois que nous pouvons compter là-dessus ? demanda Harriet.

— Pourquoi pas ? répondit Guy. Nous n'avons pas encore perdu la guerre. Peut-être même ne la perdrons-nous pas. La capacité de survie des Britanniques est légendaire. Antonescu ne veut pas nous offenser, et tant que nous aurons ici une légation, notre communauté sera officiellement reconnue. »

Le lundi matin, les étudiants de Guy, rassurés par le discours d'Antonescu, revinrent en force à la faculté, mais la tristesse de la veille était encore dans l'air. Les cinémas et les théâtres devaient rester fermés jusqu'à la fin de la semaine, tant que dureraient les cérémonies d'expiation. On avait ordonné aux gens de reprendre le travail, mais beaucoup ne l'avaient pas fait.

Bella avait téléphoné à Harriet le matin même, triomphant d'avoir vu juste au sujet de Carol. Celui-ci n'avait pas quitté le pays immédiatement après son abdication. Il était resté encore vingt-quatre heures au palais, puis, en compagnie d'Ida Lupescu et d'Urdureanu, était parti en train après avoir fait bourrer les wagons de tous les objets de valeur possibles.

« Il a même emporté les trois tableaux du Greco, dit Bella d'un ton scandalisé.

— Mais son père ne les avait-il pas achetés lui-même ?

— Oui. Avec les deniers publics. »

Harriet montrant quelque compassion pour l'ex-souverain, dépossédé de son trône et forcé d'entendre pendant vingt-quatre heures les cris de liesse de la populace, Bella lui dit : « Oh, ne t'inquiète pas. Lui et sa clique pourront vivre dans le luxe avec l'argent qu'ils ont mis à gauche. Nikko dit que c'est une erreur de les avoir laissés partir. Ils auraient dû être arrêtés, jugés, et forcés de rendre ce qu'ils avaient volé. La Garde de Fer aurait eu besoin d'une diversion. Que va-t-elle faire, maintenant ? »

Contrairement à Nikko, Bella ne croyait pas que le nouveau gouvernement exclurait les fascistes du pouvoir.

« Qui y a-t-il d'autre ? demanda-t-elle. Maniu est probritannique et Bràtianu antiallemand. Hitler exigera certainement qu'on les écarte. De plus, nous avons ces fichus réfugiés qui arrivent par vagues à Bucarest, remplissent les hôtels et les cafés et font monter les prix.

— Que va-t-il leur arriver ? demanda Harriet.

— Dieu seul le sait », répondit Bella.

Quand les nouvelles de la révolution gagnèrent la Transylvanie, les trains cessèrent de rouler pendant deux jours. La plupart des réfugiés commençaient seulement à pouvoir gagner la capitale. Ceux qui remplissaient les hôtels et les cafés étaient une minorité privilégiée. La majorité était constituée de paysans déshérités qui avaient trouvé refuge sous les arbres du Cismigiu et ceux du haut de la Chaussée. Comme ils étaient arrivés durant un interrègne, on avait moins de sollicitude pour eux que pour les Polonais. Personne n'était habilité à gérer leur situation. Ils passaient leurs journées postés devant les bâtiments officiels à attendre que les titulaires du pouvoir veuillent bien s'occuper d'eux. Ils étaient prêts à attendre ainsi des jours et des semaines. Et de la patience, il leur en fallait : le nouveau cabinet n'avait pas encore été formé et la *prefectura* et les ministères étaient dépourvus de gens en position de prendre des responsabilités. Les hauts fonctionnaires avaient déserté leurs postes pour défiler avec les prêtres et les pénitents dans les rues de la ville.

Harriet décida d'aller voir Clarence. Elle prit une *tràsurà* et monta la Chaussée jusqu'à la fontaine qui marquait le bout de la ville. Il vivait dans un immeuble situé sur un boulevard encore en chantier. Elle eut beaucoup de mal à trouver l'immeuble en question. Elle aurait pu lui téléphoner pour lui donner rendez-vous à l'*English Bar*, mais, compte tenu de ce qu'elle avait à lui demander, elle comptait sur l'effet de surprise.

« *Domnul* Lawson est sur le balcon. Il est toujours sur le balcon », lui dit la cuisinière, une souillon aux manières sournoises. Harriet trouva Clarence étendu sur une chaise longue, emmitouflé dans un gros pull-over, la dernière édition du *Bukarester Tageblatt* posée à ses pieds. Il avait les yeux fermés. Il ne les ouvrit, en sursautant, que quand elle lui dit : « Hello, Clarence. » La présence inattendue de la jeune femme le mit aussitôt sur la défensive. « Je suis censé me reposer. Les matinées deviennent fraîches. Comme je suis faible des bronches, je dois faire attention », crut-il bon de lui expliquer d'un ton plaintif.

Le balcon était à l'ombre, mais il donnait sur une campagne encore écrasée de chaleur d'où ne montait qu'une faible brise. Ravalant un commentaire moqueur, Harriet sourit gentiment en lui disant : « Je m'en veux de vous déranger. »

Il lui jeta un regard soupçonneux. Jugeant qu'elle était sincère, il lui annonça : « Je suppose que vous êtes au courant. Le Blitz sur Londres vient de commencer. »

Ce matin-là, elle n'avait pas écouté les nouvelles. Posant les yeux sur le journal allemand elle demanda :

« Que dit-il ?

— À en croire ce torchon, toute la ville est en flammes. Ils disent que les pompiers sont dépassés, que les dégâts sont énormes et qu'il y a des milliers de morts et de blessés. Mensonges, sans doute, mais qui sait ?

— Si nous rentrons un jour chez nous, peut-être qu'il n'y aura plus rien... »

Il haussa les épaules et se décida enfin à s'extraire de sa chaise longue. « Quelque chose à boire ? » proposa-t-il.

Tandis qu'il rentrait pour appeler la domestique, Harriet resta sur le balcon, encore sous le choc de ce qu'elle venait d'entendre. De l'autre côté de la route, il y avait un champ de blé – une repousse d'un vert tendre à peine haute d'une trentaine de centimètres après la deuxième ou la troisième moisson. Des coquelicots donnaient à ce tableau un aspect printanier mais on voyait les montagnes dans le lointain — un signe que la brume estivale s'était dissipée et que l'automne avait commencé. On voyait même briller la neige sur le plus haut sommet.

Clarence l'appela. Elle examina la pièce aux meubles sombres et sculptés, ornée de coussins brodés au point de croix bleu et rouge et d'assiettes peintes.

« J'ai racheté ce bric-à-brac pour quelques milliers de *lei* au locataire précédent. Un paysan. J'ai aussi repris sa bonne. Elle dort dans la cuisine avec son mari et ses trois enfants. Un arrangement qui est loin d'être idéal ; mais si je les mettais dehors, ils n'auraient nulle part où dormir.

— Des paysans peuvent donc avoir d'aussi jolis meubles ?

— Certains. Mais tous, même les plus prospères, ont un régime de famine. »

Il lui tendit un verre de *tuicà*. Harriet regardait autour d'elle, pensant que dans cette petite pièce trop encombrée, semblable à une bulle de verre du fait de la baie vitrée, elle souffrirait simultanément de claustrophobie et d'agoraphobie. Clarence, pour sa part, semblait content de son logis.

« Cet appartement me convient, dit-il. Je vis, mange et dors dans une seule pièce mais ça m'est égal. J'aime avoir tout sous la main. Je vais pourtant m'en débarrasser car je pars. Je ne l'ai encore dit à personne.

— Vous quittez la Roumanie ?

— Oui.

— Vous pensez qu'on est en danger ?

— Non. Ce n'est pas ça. Je me sens tout simplement inutile.

— Et votre travail au bureau d'informations ?

— Vous savez aussi bien que moi qu'il n'est qu'une farce.

— Quand partez-vous ?

— Oh, j'ai tout le temps.

— Et où irez-vous ? demanda-t-elle, soulagée que son départ ne fût pas immédiat.

— Peut-être en Égypte. Brenda y est. Elle m'a envoyé un télégramme la semaine dernière. Elle est entrée dans les unités féminines de la marine et part pour Alexandrie. Elle voudrait qu'on s'y retrouve et qu'on se marie.

— Pourquoi pas?

— Pourquoi pas, en effet?

— Mais maintenant vous avez Sophie. Qu'allez-vous en faire?

— Qu'elle aille au diable. Vous voulez me condamner aux travaux forcés à perpétuité? Brenda, elle, aura au moins du respect pour moi. »

Harriet sourit : « À quel titre? » demanda-t-elle d'un ton moqueur.

Satisfait d'avoir réussi à provoquer ses sarcasmes, il s'étendit de nouveau sur sa chaise longue. Harriet décida qu'il était temps de lui dire ce qu'elle attendait de lui. Cinq minutes de plus, et ils allaient se disputer. Changeant de ton, elle décida de faire directement appel à sa générosité :

« Je suis venue vous demander de l'aide. Avant de partir, il faut absolument que vous fassiez quelque chose pour nous.

— Quoi?

— Nous devons tenter de faire sortir quelqu'un du pays.

— Pas Yakimov, j'espère?

— Yakimov est parti.

— Ah bon? Il n'a jamais remboursé les dix mille *lei* que lui a avancés le fonds de secours polonais.

— Il ne rembourse jamais rien. Non, c'est Sacha Drucker au sujet duquel nous sommes inquiets. Si nous partons, que lui arrivera-t-il?

— Vous êtes tous deux complètement fous de l'avoir pris chez vous, répliqua-t-il d'un ton sec. Passe encore que Guy n'ait pu s'empêcher de jouer les Don Quichotte. Mais qu'il vous ait mêlée à cette histoire est inadmissible.

— Nous ne pouvons pas l'abandonner ici. Nous pensions que si vous parveniez à lui procurer un passeport, il pourrait partir avec nous. Guy dit que vous connaissez quelqu'un qui a fait des faux papiers aux Polonais. »

Voyant enfin où elle voulait en venir, Clarence eut un petit sourire. « Ces passeports étaient faits par des Polonais pour des Polonais. » Pivotant sur sa chaise longue, il fit passer une jambe sur le bras du siège et lui expliqua d'un ton patient et légèrement supérieur : « Tout cela était organisé à l'intérieur même de l'armée polonaise, avec la complicité du gouvernement roumain. À cette époque, la Roumanie était notre alliée et les Polonais fuyaient pour rejoindre les forces alliées en France. Les

Roumains se sont fait beaucoup d'argent au passage — ils prenaient une commission pour chaque fuyard. Mais ce garçon que
vous protégez, c'est différent. C'est un déserteur, et toutes les
polices des frontières seront sur les dents pour le retrouver.

— Avez-vous gardé des contacts avec cette équipe de faussaires ? »

Clarence fit un geste indiquant que même si c'était le cas, il
ne prendrait pas ce risque.

« Clarence, je vous en supplie, aidez-nous. Si vous pouviez
procurer un passeport à Sacha et lui faire passer en voiture la
frontière bulgare... »

Il l'interrompit avec un rire irrité :

« Ma chère enfant, vous rendez-vous compte de ce que
vous me demandez ? Si j'étais pris avec ce type dans ma voiture,
j'aurais toutes les chances de finir mes jours dans une prison
roumaine.

— Alors procurez-moi au moins le passeport, plaida-t-elle
avec douceur.

— Vous pouvez être très charmante quand vous voulez
quelque chose.

— Je ne veux rien pour moi. Je veux simplement aider ce
pauvre garçon.

— Pourquoi ? Que peut bien vous faire le sort de Sacha
Drucker ? » lui demanda-t-il avec un regard de ressentiment tel
qu'elle comprit qu'il était jaloux.

Elle aurait dû laisser faire Guy. Elle se leva.

« Nous l'avons pris chez nous. Nous éprouvons pour lui les
mêmes sentiments que pour un enfant à qui on dénie le droit de
vivre normalement. C'est tout. »

Prenant dans son sac la photographie de Sacha, elle la posa
sur la table :

« Promettez-moi d'y réfléchir, le supplia-t-elle une dernière
fois.

— Réfléchir à quoi ? rétorqua-t-il sur un ton exaspéré.
Vous me demandez l'impossible. Je ne peux rien faire. »

Elle partit en laissant la photo sur la table, pensant qu'elle
serait un meilleur argument que des mots.

Elle fit à pied les trois kilomètres qui la séparaient du
centre-ville. Pendant presque tout le trajet, elle se sentit vidée
par la déception. Puis la peur la reprit. Qu'allaient-ils faire ?
Après le déjeuner, quand elle eut Guy pour elle seule, elle lui

raconta que Clarence refusait de leur procurer le passeport. Cherchant une explication qui ne blessât pas trop sa propre vanité, elle dit :

« On aurait cru qu'il était jaloux de ce gosse.

— Il l'est, probablement, dit Guy en riant. Il m'a toujours été très attaché, m'investissant des qualités dont il manque.

— Tu veux dire qu'il est jaloux de l'aide que tu apportes à Sacha ?

— Quoi d'autre ? »

Surprise de ce manque de clairvoyance mais préférant en rester là, Harriet dit :

« Tu as sans doute raison. Mais maintenant, qu'allons-nous faire ?

— Il n'y a pas que Clarence, Dieu merci. Nous allons essayer quelqu'un d'autre.

— Qui ?

— Je n'en sais rien. Je vais demander à David. Laisse-moi faire et cesse de t'inquiéter. »

Vers la fin de la semaine, les Pringle allaient entrer à l'Athénée-Palace quand ils croisèrent la princesse Teodorescu et le baron Steinfeld qui en sortaient. Une cohorte de chasseurs chargés de bagages se dirigeait vers le coffre de leur Mercedes. La princesse jeta aux Pringle un regard furieux, comme si leur présence était pour elle le dernier outrage d'une journée fertile en désagréments. Le baron, en revanche, les salua en leur disant, comme s'il se sentait obligé de justifier leur départ : « Nous allons à la montagne. Nous nous y prenons très tard dans la saison, mais il fait tellement chaud que si nous restons ici, nous allons fondre. »

« *Hör doch auf* », l'interrompit la princesse en le poussant vers la voiture.

Les Pringle, surpris non tant par ce départ tardif que par l'agitation qui l'accompagnait, en parlèrent à Galpin une fois au bar.

« Ils fuient la chaleur, hein ? » Galpin tordit les lèvres en un sourire ironique. « Je parie qu'ils ne sont pas les seuls. » Il leur expliqua que les gardistes, s'étant introduits dans la maison de la Lupescu après son départ précipité, y avaient trouvé le matin même une boîte pleine de lettres très compromettantes pour nombre de ceux dotés des plus grands noms du pays. « Ils prétendent tous être des gardistes de la première heure et traitent la

Lupescu derrière son dos de "sale juive", mais elle leur a joué un bon tour : en partant, elle a laissé le coffret de lettres par terre, au beau milieu du parquet de sa chambre. Elles sont de la main de gens comme la Teodorescu et commencent par : "*Ma Souveraine**", ou "Votre Majesté", clamant toutes leur impatience de la voir proclamée reine. Drôle, non ? Mais la Garde de Fer n'a aucun sens de l'humour. C'est pourquoi je parie qu'une bonne partie du "gratin" doit à l'heure qu'il est se hâter de quitter la ville pour fuir la chaleur. »

Les journaux annoncèrent que l'expiation se terminerait le dimanche suivant, jour où Hélène, la reine mère, devait rentrer d'exil pour revenir vivre à Bucarest auprès de son fils Michel.

La fête commença par un cliquetis de sabots. Le régiment de la reine, en défaveur depuis son départ, traversait la grand-place au galop pour aller l'accueillir à la gare. Les cavaliers étaient vêtus d'uniformes à brandebourgs, coiffés de bonnets à poil, et leurs fanions flottaient au-dessus de leurs têtes. La ville entière était dans la rue pour les acclamer. La reine, injustement traitée, était devenue le symbole d'une morale indûment répudiée.

Le bruit tira Despina de sa cuisine. Elle courut rejoindre Guy et Harriet au balcon en poussant des cris de plaisir à la vue des beaux hussards et de leurs étendards qui claquaient au vent. L' « Aube nouvelle » annoncée était là ! Elle pointait ! Mais la poussière soulevée par les cavaliers n'était pas encore retombée que le sinistre et désormais familier *Capitanul* retentissait déjà.

Les gardistes avaient gardé un profil bas durant la semaine d'expiation. Tout le monde croyait que, Antonescu ne comptant nullement faire appel à eux, ils finiraient par se décourager. Or ils réapparaissaient en affichant un surprenant triomphalisme. Aussitôt après le *Capitanul*, ils entonnèrent l'hymne national, comme s'ils se sentaient autorisés à mêler patriotisme et subversion.

« C'est la première fois que je les entends chanter l'hymne national, dit Harriet.

— Je n'aime pas du tout ça », renchérit Guy, quittant le balcon.

Un coup de canon annonça l'arrivée de la reine. Aussitôt, toutes les cloches de la ville se mirent à sonner. « Viens vite voir. C'est la reine ! » cria Harriet à Guy en passant la tête à l'intérieur. Elle vit qu'il était au téléphone. Dès qu'il eut raccroché, il lui annonça :

« Je viens d'appeler la légation. La Garde de Fer est au pouvoir.

— Ce qui signifie que les ministres sont tous des gardistes ?

— Oui, à l'exception d'une poignée de militaires ou d'experts. On a nommé un gardiste à la tête de tous les ministères importants.

— À quoi faut-il s'attendre, dans ce cas ?

— Au chaos. »

Voyant son air soucieux, elle en profita pour lui dire : « Tu dois fermer l'université d'été. »

Il allait répondre quand éclatèrent des vivats qui les poussèrent à retourner sur le balcon. La reine et son fils, escortés par les hussards, arrivaient dans un carrosse doré couvert de roses qui se dirigeait vers la cathédrale. Le silence se fit, puis, de la foule, monta un murmure sifflant retransmis par les haut-parleurs. Tels des épis de blé ployés par le vent, les gens, rangée par rangée, se mettaient à genoux. Harriet vit des femmes sortir leur mouchoir et pleurer, tandis qu'un *Capitanul* monocorde et lancinant vibrait encore dans le lointain.

18

Hôtel Splendide Suleiman Bey, Istanbul

Cher garçon,

La « chère vieille » est-elle vendue ? Si oui, dites à Dobbie d'envoyer l'argent par la valise diplomatique. Votre Yaki est dans la dèche. Nourriture ici très médiocre : kebabs et kif-kif, autant dire ke-dalle. Colonie anglaise : drôles de zigs ; quand je leur dis que je suis un transfuge des champs pétrolifères, personne ne semble me croire.

Agissez sans délai,
Aboulez les lei.

Votre pauvre Yaki nécessiteux.

En traversant à l'angle du boulevard Bràtianu, Harriet vit l'Hispano en vitrine. Elle semblait y être à vie, comme une pièce de musée. Harriet entra pour demander si quelqu'un s'y intéressait. Le vendeur secoua tristement la tête.

Dans chacune de ses vitrines était exposé un portrait de Codreanu. Le même vous fixait des vitrines d'en face, désormais vides — celles de *Dragomir*, la plus grande épicerie de luxe d'Europe. Une queue s'était quand même formée, le peu qui restait à acheter semblant encore enviable.

Les vitrines se mirent à trembler quand un escadron de motocyclistes traversa la grand-place à cent à l'heure. C'étaient des gardistes qui fonçaient vers le boulevard Carol. Les hommes les plus riches de Roumanie y avaient été placés en résidence surveillée en attendant le résultat de l'enquête initiée par Horia

Sima sur l'origine de leur fortune personnelle. Rien ne devait sortir de chez eux. Un garde armé était posté à chaque grille.

Les suicides étaient quotidiens. L'un des premiers fut celui du chef du Mouvement de la jeunesse, décoré en juin précédent par Hitler. Incapable de justifier la disparition d'une somme de douze millions de *lei*, il s'était tiré une balle dans la tête. La police avait fait grève, clamant que son travail devenait trop dangereux : ceux qui, la veille, étaient au pouvoir se retrouvaient le lendemain en prison, et vice versa. C'étaient donc les gardistes qui faisaient maintenant le travail de la police, et ils patrouillaient les rues revolver à la ceinture.

Les regardant passer dans un bruit d'enfer devant son magasin, le vendeur de voitures haussa un sourcil et désigna la superbe automobile en un geste qui signifiait : « Qui, ces jours-ci, oserait exhiber un symbole de luxe aussi criant ? »

Bella, qui lui avait téléphoné le matin même, avait dit à Harriet : « Cette police gardiste est pire que pas de police du tout. Tout ce qu'ils savent faire, c'est le tour des bureaux pour collecter des fonds pour leur parti. Et ils ne se contentent pas de pomper les juifs ; tout argent est bon à leurs yeux. Ils appellent ça assainir la vie publique, mais même si tu trouves un cambrioleur chez toi, tu ne peux obtenir d'un gardiste qu'il vienne l'arrêter. J'espère que tu restes chez toi. Les choses vont certainement s'arranger mais, à ta place, je ne sortirais pas pendant quelque temps. »

Si Harriet l'avait écoutée, elle aurait été prisonnière dans sa propre maison, comme les financiers et les deux chefs de la police — l'officielle et la secrète — de Carol. Elle sortait donc, errant au hasard dans les rues. Mais surtout, elle allait tous les jours chercher Guy à la faculté. Elle s'imaginait qu'on serait moins enclin à l'attaquer s'il était avec une femme.

On murmurait que des centaines de gens avaient été arrêtés, et des milliers exécutés. Ceux qui fuyaient le pays étaient parfois arrêtés. Parfois, ils étaient simplement dépouillés de leurs objets précieux et autorisés à poursuivre leur route.

« Ce Ionescu est parti, dit Bella. L'ancien ministre de l'Information. Il a essayé de manger à tous les râteliers, c'est ça qui l'a perdu. Il est devenu gardiste, mais il savait que, de toute façon, il était cuit. Il a fui avec ses enfants, affublés de petites moufles de fourrure — des moufles à cette époque de l'année, tu vois le genre ! Cela a éveillé les soupçons des douaniers. Ils ont ôté les moufles aux enfants et défait les coutures : elles étaient bourrées de bijoux et d'or. Et dire que je croyais cet homme intelligent ! »

La maîtresse de Ionescu, la chanteuse Florica, était également partie. Mais elle était revenue. On disait qu'arrivée à Trieste, elle avait rebroussé chemin en déclarant : « J'ai pensé à mon pays et j'ai su qu'en un pareil moment je ne pouvais pas l'abandonner. »

Commentaire de Bella : « Ce n'est pas une vraie Roumaine. C'est une Tzigane, ce qui explique ce genre d'excentricités. »

En se promenant dans la chaleur poisseuse de ce début d'automne, Harriet n'assista à aucune scène de persécution — pas même dans le ghetto de la Dîmbovita. Les chefs gardistes étaient trop occupés à déterrer leurs martyrs et à leur organiser des funérailles grandioses auxquelles se faisaient un devoir d'assister tous ceux qui espéraient maintenir leur position dans la vie publique.

Au marché aux poulets, là où on avait exposé les corps des assassins de Calinescu, Harriet vit qu'on célébrait une messe de souvenir en leur honneur. Le vieux paysan qui lui vendit un chou lui dit que « les plus grands hommes du monde » assistaient à la cérémonie.

« Qui, par exemple ? demanda-t-elle.

— Hitler, Mussolini, le comte Ciano et l'empereur du Japon. »

Harriet raconta cette anecdote à Bella qui lui dit : « Qu'est-ce que ça va être quand ils vont déterrer les restes de Codreanu à Port Jilava ! Ils ne pourront jamais attendre le mois de novembre, date anniversaire de sa mort. Nikko dit que c'est à ce moment-là que les troubles vont vraiment commencer. »

Les journaux annoncèrent que les recrues de la Garde de Fer étaient tellement nombreuses que le parti avait dû clore la liste.

Parmi ceux qui paradaient en uniforme gardiste figurait le propriétaire des Pringle. Auparavant, quand il croisait Harriet sur le palier, il la saluait courtoisement. Maintenant, il l'ignorait, le regard fixé sur une ligne d'horizon imaginaire. Avec sa chemise verte, sa culotte militaire et sa moustache sévèrement gominée, il commençait à lui faire peur. Il avait probablement gardé une clé de leur appartement, et elle se rappelait la disparition mystérieuse du plan du puits de pétrole. Il était le numéro un sur sa liste de suspects. S'il entrait chez eux en leur absence, il découvrirait presque certainement Sacha. De plus, ces derniers temps, elle avait l'impression d'être épiée par un homme qui disparaissait dès qu'elle sortait de chez elle. Elle en parla à Guy, qui lui dit qu'il pouvait s'agir de quelqu'un à la solde du propriétaire, celui-ci cherchant sans doute un prétexte pour se débarrasser de locataires anglais plutôt compromettants. Elle recommanda à Despina, s'il sonnait chez eux, de ne pas le laisser entrer. Celle-ci, manifestant une perspicacité surprenante quant aux risques encourus par ses employeurs, déclara :

« Non, *conità*, il n'entrera pas. Comptez sur moi. Si quelqu'un sonne, je fais comme ça... (Elle entrouvrit la porte d'entrée et passa son nez dehors.) Si c'est le propriétaire, pouf ! je fais comme ça... (Elle claqua la porte.) C'est un méchant homme. Il bat sa cuisinière », ajouta-t-elle, dissipant toute ambiguïté sur sa perspicacité supposée.

Les jours sans viande se multipliaient — quatre par semaine désormais. Quant aux jours « avec », ils étaient le plus souvent « sans », car cette denrée était devenue rare. Despina faisait quotidiennement deux ou trois heures de queue aux éventaires pour revenir souvent avec un panier vide, qu'elle désignait d'un geste dramatique. « Au marché aujourd'hui, pas de sucre, pas de café, pas de viande, pas de poisson, pas d'œufs. Rien de rien ! »

Forcée de regarder passer les processions, spectatrice involontaire de commémorations incessantes alors que le pays allait à vau-l'eau, Harriet avait l'impression que les Roumains avaient perdu la tête pour accepter sans résistance cette autocratie proprement démente.

« Pourquoi les gens ne résistent-ils pas ? demanda-t-elle à Guy.

— Toute opposition *active* est impossible, dit-il. Tous ceux qui auraient l'envergure morale pour se révolter sont en prison. Les communistes, mais pas seulement eux : les démocrates libéraux aussi. Tous en prison.

— Et Maniu ?

— Que peut-il faire ? De toute façon, à en juger par ce que j'ai vu, il n'est qu'une potiche. Les Roumains l'exhibent pour se donner bonne conscience. Il était le chef des paysans transylvains, or la Transylvanie est perdue. Il faut que tu comprennes que la nouvelle dictature est bien plus dure que la précédente. Il n'y a plus seulement des prisons, maintenant il y a aussi des camps de concentration. Et ces gardistes entraînés à Dachau n'attendent qu'une chose : pouvoir se déchaîner impunément. Pourtant il reste une vague forme d'opposition, typiquement roumaine : la satire — intéressante, parce que très difficile à réprimer. »

Il lui raconta qu'au *Doi Trandafiri*, le café des intellectuels, il avait presque constamment des preuves de la santé mentale et du libéralisme fondamentaux des Roumains. Leur peur ne leur avait pas fait perdre leur sens de l'humour. Ils avaient trouvé un surnom français pour la Garde de Fer : « *le régime des pompes funèbres* ». Ils racontaient beaucoup d'histoires drôles sur Horia Sima et ses « visions ».

« Paradoxalement, poursuivit Guy, existe également un autre type d'opposition, autrement plus influente : celle de Fabricius, le ministre plénipotentiaire allemand. Il en a assez de tous ces défilés et de ces *Capitanul*. Il veut que le pays se remette au travail. Plusieurs grosses firmes industrielles ont dû fermer parce que les directeurs sont en prison et les ouvriers, tous dans la Garde de Fer. La situation financière est catastrophique. Carol a placé la richesse nationale dans les banques étrangères à son propre nom. Les avoirs sont gelés. De plus, les gardistes brûlent de persécuter les juifs sur une grande échelle.

— Avec l'encouragement des Allemands, non ?

— Non. La pureté raciale des Roumains est le cadet de leurs soucis. Ce pays n'est pour eux qu'un réservoir de matières premières. Fabricius a dit à Horia Sima : "Les persécutions, c'est parfait en Allemagne où il y a dix Allemands efficaces pour un juif efficace. Mais ici, vous n'avez pas même un Roumain efficace pour dix juifs efficaces. Si nous arrivons à rétablir la loi et l'ordre dans ce pays, ce sera probablement nous, les Allemands, que vous devrez remercier." »

19

Maintenant qu'il le voyait tous les jours, Guy se sentait beaucoup plus responsable de Sacha. Il n'avait pas trouvé de phonographe mais il lui avait rapporté un harmonica, que Sacha reçut avec plus d'enthousiasme qu'il n'en avait manifesté quand les Pringle lui avaient donné la chambre. « Génial ! » s'écria-t-il en partant s'enfermer avec l'instrument.

Il gardait sa chambre propre et faisait lui-même son lit. Il avait punaisé ses dessins au mur et soigneusement aligné sur sa table les livres qu'il avait empruntés. Devant, il avait disposé ses maigres possessions : un peigne, une brosse, des crayons, du papier et une boîte d'aquarelle. Le désordre sévissait peut-être à l'extérieur, mais lui vivait dans une harmonie qui le rendait heureux.

Assis au bord de son lit, il jouait une chanson qu'il avait entendue à la radio et qui, pensa Harriet, s'appliquait tristement à leur cas personnel :

> *Cours, lapin, cours, cours, cours,*
> *Sinon c'est la cass'role, role, role.*

Une fois qu'ils furent seuls, Guy dit à Harriet :

« J'ai parlé à David. Il pense que Foxy Leverett peut nous aider à propos de Sacha.

— Comment ça ?

— Apparemment, il adore faire franchir clandestinement la frontière aux persécutés. Mais ce sera peut-être inutile si la situation évolue dans le sens que je crois : les Soviets pourraient se décider avant les Allemands à envahir la Roumanie.

— Et tu penses que les Russes protégeraient le fils d'un

banquier qui a travaillé pour l'Allemagne et amassé une fortune placée en Suisse ?

— Non. Mais sa situation ne serait pas pire que celle de la majorité des Roumains. Il pourrait se fondre dans la masse. »

Harriet commençait à craindre que l'anonymat fût le seul recours possible pour Sacha. Elle ne voyait pas d'alternative à lui proposer.

Le lendemain matin, elle reçut le coup de fil habituel de Bella :

« Tu n'as pas écouté la propagande allemande hier soir à la radio ? demanda celle-ci.

— Nous n'écoutons jamais la radio allemande, répondit Harriet.

— Nous non plus. »

Elle fit une pause. Manifestement, elle avait quelque chose de désagréable à annoncer à Harriet, et elle réfléchissait à la façon de le faire avec tact — tant pour ménager la sensibilité de son amie que pour pouvoir ensuite se féliciter de sa propre délicatesse.

« Je ne veux pas t'affoler, mais...

— Mais quoi ? l'interrompit nerveusement Harriet.

— Eh bien, des amis à nous, les Pavlovici... eux, ils écoutent la propagande allemande, juste pour être *vraiment* informés, tu vois. Elle m'a téléphoné pour me dire que le speaker a lu une liste de noms d'Anglais résidant à Bucarest que les Allemands soupçonnent de se livrer à des activités subversives. Il a ajouté ensuite que ces hommes devraient rendre des comptes à la Gestapo.

— Des gens qu'on connaît dans cette liste ?

— Oui. Foxy Leverett et David Boyd. Mais eux, ils ne risquent rien : ils jouissent de l'immunité diplomatique.

— Qui d'autre ?

— Inchcape et Clarence Lawson.

— Et Guy ?

— Guy aussi. *Doamna* Pavlovici dit avoir entendu son nom. C'est même pour cela qu'elle m'a téléphoné. Mais elle est tellement écervelée qu'elle a pu se tromper. »

Harriet, la gorge serrée, ne tenta même pas de répondre. Bella, consciente de l'avoir bouleversée, s'empressa d'ajouter :

« Je ne pouvais pas ne pas te le dire. De toute façon, tu l'aurais appris. Je pensais que tu pourrais faire la leçon à Guy. Il est un peu imprudent, tu sais. Il fréquente le *Doi Trandafiri*, un lieu très dangereux plein de rouges et d'artistes où la police peut à tout moment faire une rafle. Et cette université d'été à fréquentation exclusivement juive ! Je n'ai pas besoin de te dire ce que cela implique...

— Ils ne sont plus si nombreux, maintenant.

— Ça ne m'étonne pas », dit Bella comme si le fait était sinistrement significatif.

Il y eut un nouveau silence — à l'évidence, Harriet était trop secouée pour parler —, que Bella rompit pour lui apprendre qu'elle avait une fois de plus racheté l'exemption de Nikko et qu'ils avaient décidé de passer les premiers jours de septembre à Sinaia : « Nous en avons assez du *Capitanul* et de tout le reste. Nous avons besoin de nous évader. Je te dis au revoir, chérie, au cas où tu ne serais plus là quand nous reviendrons. »

Dès que Bella eut raccroché, Harriet appela Inchcape au bureau. Écouter la propagande allemande faisait partie de son métier, et il admit avoir entendu mentionner la veille au soir les noms de Guy, de Clarence et le sien propre.

« Parmi nombre d'autres, ajouta-t-il. En particulier, tous ceux des ingénieurs qui ont travaillé dans les champs pétrolifères. Ils ont aussi dit quelque chose à propos de la Gestapo. Des menaces vides de sens : la Gestapo n'est pas ici, et je doute qu'elle y soit jamais.

— Mais les gardistes y sont. Et ils ne seront que trop heureux de faire le travail de la Gestapo. Il faut fermer l'université d'été. Il ne reste plus qu'une demi-douzaine d'étudiants. Guy passe ses journées là-bas. Presque seul. Il est une cible facile. Tout ça pour rien.

— Pas d'accord sur ce dernier point. Si nous fermons, nous faisons leur jeu. Ils essaient de nous faire peur. La bonne vieille guerre des nerfs. Ils veulent nous voir tourner les talons ? Eh bien nous ne leur ferons pas ce plaisir. Je dois vous quitter. J'ai des problèmes plus urgents à régler. Je viens d'apprendre que Pinkrose peut nous tomber dessus à tout moment, ajouta-t-il comme si l'arrivée du professeur était une inexcusable provocation.

— Mais ne l'attendiez-vous pas ?

— À vrai dire, j'avais complètement oublié ce vieux fossile, répondit-il avec un rire exaspéré. J'ai trop de choses en tête.

— Il pourrait difficilement tomber plus mal, dit sombrement Harriet.

— Pourquoi ce pessimisme ? Les querelles internes des Roumains ne nous concernent pas. Je vous trouve bien nerveuse, mon enfant. Le roi Michel ramènerait-il sa mère ici s'il y avait le moindre danger ? »

Inchcape raccrocha avant que Harriet pût répondre. Elle alla dans sa chambre pour s'habiller. Il faisait moins chaud, et on pouvait désormais porter quelque chose de plus lourd que la soie ou le coton. Pour la première fois depuis le début du printemps, elle mit un tailleur de lin bleu qu'elle avait apporté d'Angleterre. Sacha, en la voyant dedans, posa en souriant une main sur sa manche et lui dit, avec un regard d'adoration qu'il était trop ingénu pour cacher : « Ma mère avait un tailleur exactement comme le vôtre. »

Harriet partit à pied chercher Guy. Elle voulait s'assurer que l'émission de la veille n'avait pas porté ses fruits néfastes, et que la Garde de Fer ne concoctait pas un coup de force contre l'université. Arrivée devant la faculté, elle constata que les portes étaient ouvertes. Le concierge, une fois de plus, n'était pas à son poste. Décidément, on entre ici comme dans un moulin, se dit-elle, furieuse. Il aurait pu au moins servir à donner l'alerte, au cas où. Elle s'assit sur son banc pour attendre Guy. De là, elle pouvait voir la rue. Les Tziganes, comme d'habitude, vendaient leurs fleurs. Ils étaient aussi menacés que les juifs, mais ils ne le savaient pas.

Elle entendait la voix de Guy, dont la porte de la salle de cours était entrebâillée, sans doute pour créer un courant d'air. Elle entendit aussi, quelque part dans la rue, chanter le *Capitanul*. Le chant se rapprochait, les fascistes se dirigeaient vers l'université ! Que faire si celle-ci était l'objectif de quelque expédition punitive ? Elle bondirait vers la porte et tirerait les verrous, décida-t-elle. Elle se demanda en un éclair si la légation lui permettrait de porter un revolver. Elle était littéralement obsédée par l'idée de protéger Guy et Sacha. Combien d'étudiants pouvait-il y avoir avec Guy dans la salle de cours ? Elle ne pouvait s'empêcher de leur en vouloir pour les risques qu'ils faisaient courir à son mari. Elle se leva et se dirigea à pas de loup vers la salle de cours. Appuyée contre le mur, elle pouvait voir ce qui se passait à l'intérieur. Il y avait trois étudiants — deux filles et un garçon — qui, le visage levé et attentif, écoutaient leur professeur.

Harriet se déplaça légèrement pour voir Guy. Son pied glissa silencieusement sur le linoléum ; elle ne fit pas plus de bruit qu'une souris. Aussitôt, un frisson parcourut la salle. Quatre têtes se tournèrent. La voix de Guy se fit plus lente. Sans s'arrêter de parler, il regarda la porte. Harriet se figea, respirant à peine. Le cours continua.

Elle regagna son banc sur la pointe des pieds, soulagée de constater que, sous ses apparences insouciantes, Guy était aussi conscient qu'elle des dangers qu'il courait.

20

Le lendemain matin, Inchcape passa chez les Pringle pour dire à Guy que le ministre de l'Intérieur avait ordonné la fermeture immédiate de l'université d'été et du bureau d'informations.

« Pour l'université d'été, j'ai été forcé d'accepter. Je n'avais pas le choix. Mais le bureau, lui, fait partie de la légation. Je suis donc allé trouver Son Excellence pour lui rappeler que tant que la légation était présente dans ce pays, nous avions le droit d'y garder le bureau ouvert. Je dois dire que le vieux a été plutôt aimable. De fait, je l'ai trouvé pitoyable. Il semblait effondré par la tournure prise par les événements. "D'accord, Inchcape. Si vous voulez garder votre boutique ouverte, je suis d'accord. Je vais voir ce que je peux faire à cet effet. Mais vous devez fermer l'université d'été."

— Pourquoi? demanda Guy. S'ils se laissent fléchir à propos du bureau, je ne vois pas pourquoi ils ne se laisseraient pas fléchir à propos de l'université.

— Non. Quelque chose se prépare. On dit qu'une mission militaire allemande est en route pour enquêter. Le ministre gardiste a été inflexible. Ils pensent tous — et d'ailleurs, on les comprend — que maintenir ce type d'enseignement accéléré et pragmatique de l'anglais est une provocation, compte tenu de la situation. »

Harriet, qui commençait à connaître Inchcape, se dit qu'il avait probablement troqué le bureau d'informations contre l'université d'été : « Laissez-moi en garder un ouvert et vous pourrez fermer l'autre. » Quel que fût le sacrifice, il lui fallait absolument maintenir une position officielle. Ce marché lui convenait tout à fait : elle cesserait d'avoir peur pour Guy.

« Alors rien ne nous retient plus ici, dit-elle. Nous pourrions prendre des vacances. Aller en Grèce, par exemple...

— Nous irons peut-être à Predeal, mais pas plus loin, répondit Guy sans enthousiasme. Je dois préparer mes cours de la rentrée.

— Mais puisqu'on ferme le département d'anglais...

— Il n'a jamais été question de fermer le département d'anglais, l'interrompit Inchcape. Seule l'université d'été est visée.

— Ce n'est pas logique. Ils entendent certainement fermer aussi le département d'anglais. Hier, Guy n'avait que trois étudiants. Comment garder ouvert un département sans étudiants ?

— Oh, ne vous inquiétez pas. À la rentrée, ils reviendront. Et en masse : ils se sentiront plus en sécurité en nombre. Nous passerons l'hiver ici. »

Harriet ne tenta plus de discuter. « Quand irons-nous à Predeal ? » demanda-t-elle.

Avant que Guy pût répondre, Inchcape dit :

« Pas la semaine prochaine, en tout cas. Notre distingué visiteur va arriver. C'est moi, bien entendu, qui irai le chercher à Baneasa, mais j'attends de mes hommes qu'ils soient à leur poste. Nous devrons donner une réception. Mais nous ne pouvons rien organiser tant que nous ne connaissons pas la date exacte de son arrivée.

— Pour quand est prévue la conférence Cantacuzène ? » s'informa Harriet.

Inchcape regarda Guy.

« Elle a lieu tous les deux ans. Quand était-ce, la dernière fois ? Vous vous souvenez ?

— Début octobre 1938. Conférence inaugurale de mon premier trimestre à Bucarest.

— Bien, dit Inchcape. Mais le vieux fossile est déjà au Caire. Le problème, c'est de savoir s'il y sera bloqué pour de bon ou s'il peut nous tomber dessus à tout moment. Nous devons être prêts à cette dernière éventualité. »

Le mercredi suivant, tôt le matin, Despina vint réveiller Guy pour lui dire qu'Inchcape le demandait au téléphone.

« Le vieil imbécile arrive aujourd'hui, cria-t-il d'un ton vindicatif. Levez-vous tout de suite et partez pour l'aéroport. Je ne peux pas y aller.

— À quelle heure est-il attendu ?

— C'est justement ça, l'ennui. Son câble me dit : "Mercredi matin", sans plus de précision. Il faut être prêt à passer toute la matinée là-bas. Je n'ai pas le temps, car je dois organiser cette fichue réception. Pauli, lui, va s'occuper de déposer les invitations directement chez les gens. Il nous faut absolument une ou deux princesses. »

L'imminence du Pinkrose de chair et d'os semblait perturber Inchcape. Dans son exaspération, il se laissa aller à la confidence : « À vrai dire, je ne croyais pas qu'il arriverait jusqu'ici. Je pensais qu'il allait traîner au Caire pendant des semaines. Il a dû obtenir de l'organisation qu'on lui affrète un avion. C'est dégoûtant de gaspiller ainsi l'argent du contribuable. Et où va-t-il bien pouvoir donner cette conférence, hein, je vous le demande ? ajouta Inchcape comme si Guy était à blâmer pour cet imprévu. La dernière fois, nous avions retenu les salles de réception du café *Napoléon*. Mais on l'a démoli. Le grand amphithéâtre de l'université n'est pas assez grand. Tous les bâtiments officiels de quelque prestige sont devenus des sièges divisionnaires de la Garde de Fer. Peut-être pourrons-nous avoir un des salons de l'Athénée-Palace ? L'acoustique est mauvaise, mais aucune importance. Pinkrose ne casse rien, comme orateur. Bon, maintenant, enfilez vos frusques en vitesse et courez le chercher. Emmenez Harriet. Faites un peu de cinéma. Ce vieux salaud se prend tellement au sérieux que c'est ce qu'il attend. »

Avant d'aller à l'aéroport, les Pringle s'arrêtèrent à l'Athénée-Palace pour confirmer la réservation de Pinkrose.

Ce matin-là, le ciel était nuageux — une indication du changement de saison —, et un vent léger s'était levé. Pour la première fois depuis le printemps, on pouvait de nouveau croire possible le retour du froid sibérien, la transformation du paysage en un négatif photographique décoloré par la neige qui recouvrirait tout.

« Tu crois que nous passerons un nouvel hiver ici ? demanda Harriet à Guy.

— Impossible à dire », répondit Guy, renonçant à afficher un optimisme qu'il ne ressentait pas.

Deux jours plus tôt, les précurseurs de la mission militaire allemande étaient arrivés au débotté à Bucarest, suivis le lendemain par une délégation commerciale allemande. Les abords de l'Athénée-Palace étaient pleins de voitures et de camions militaires déployant des fanions rouges à croix gammée.

On racontait que Fabricius avait ordonné à la Roumanie de démobiliser. « Renvoyez vos hommes aux champs. C'est de nourriture que l'Allemagne a besoin », aurait-il dit à Antonescu. Celui-ci, atterré, lui aurait répondu : « Et moi qui rêvais du jour où mon pays se battrait épaule contre épaule avec son noble allié... » Il avait fini par accepter que l'Allemagne prenne en main la réorganisation militaire et économique de la Roumanie.

Comme les Pringle s'engageaient dans la porte à tambour de l'hôtel, Guy dit à Harriet : « Peut-être est-ce là l'alternative à une complète occupation. Cela fait, ils nous laisseront peut-être tranquilles. »

Inchcape avait mollement réservé une chambre pour Pinkrose sans préciser la date. Or maintenant l'hôtel était bondé d'Allemands. En se dirigeant vers le comptoir de la réception, Guy était sûr que Pinkrose ne pourrait être logé. Mais l'hôtel avait réussi à maintenir ses traditions. L'établissement préféré des Anglais n'était pas ingrat : il était resté anglophile. On reçut Guy courtoisement. Une chambre était disponible pour le professeur Lord Pinkrose.

L'aéroport était situé aux abords sud de la ville. Le ciel opalescent jetait une pâleur laiteuse sur la plaine verte qui s'étendait, sur plus d'une soixantaine de kilomètres, jusqu'au Danube. Le vent soufflant des Balkans ressemblait au vent de la mer.

Le terrain d'aviation ne comportait rien d'autre qu'un petit bâtiment de douane. Les Pringle s'assirent sur un banc placé dehors, prêts à une longue attente. Depuis qu'il n'allait plus à l'université, Guy était nerveux, démoralisé par son désœuvrement forcé. On lui avait de surcroît interdit la bibliothèque : il fallait maintenant une autorisation expresse pour la fréquenter. Il allait parfois au bureau d'informations pour lire les livres d'Inchcape et cogiter sur les sujets qu'il comptait aborder avec ses étudiants le trimestre suivant. Présentement, tandis qu'ils attendaient Pinkrose, il sortit de sa poche un roman de Conrad et deux recueils de poèmes de Walter de la Mare tandis que Harriet lisait *L'Arc-en-ciel* de Lawrence.

Ils n'étaient pas là depuis une heure lorsque atterrit un petit avion de ligne roumain en provenance de Sofia. Harriet posa son livre pour regarder les passagers en descendre. Derrière l'habituel contingent d'hommes d'affaires vêtus de costumes gris et munis de serviettes de cuir taupe, elle distingua une silhouette, probablement masculine, affublée d'un couvre-chef, d'un lourd pardessus et de multiples cache-nez. L'homme descendait lentement l'échelle, dos rond et mains dans les poches, en regardant prudemment où il mettait les pieds.

« Se peut-il que ce soit Pinkrose ? demanda Harriet.

— Je vais voir, dit Guy. Mais ça m'étonnerait qu'il ait voyagé sur un vol régulier. »

Il se leva et partit à la rencontre de l'homme. Ils revinrent ensemble. Guy excusait Inchcape de ne pas être venu attendre son ami, expliquant qu'il était trop occupé à organiser une réception en son honneur.

Pinkrose accepta ces explications avec un bref hochement de tête accompagné d'un grognement, attendant visiblement d'en savoir plus pour articuler un commentaire digne de ce nom.

C'était un petit homme replet, étriqué d'épaules et large de hanches. De la tête aux pieds — du bord rabattu du chapeau mou à l'ourlet du pardessus —, sa silhouette s'épaississait en triangle. Il avait un nez informe et grisâtre mal caché par les écharpes, et des yeux couleur d'eau sale, alertes et soupçonneux — des yeux de caméléon. Il les darda sur Harriet puis, les faisant pivoter brusquement dans leurs orbites, il les posa sur le livre qu'elle lisait, puis sur le banc où elle était assise, puis sur les porteurs qui s'agitaient au-delà.

Quand Guy le présenta à Harriet, il émit un son étouffé par un cache-nez et détourna légèrement le visage, comme s'il jugeait inconvenant de la regarder en face.

Les porteurs le suivaient avec ses bagages : plusieurs valises et un sac de toile rempli de livres, apparemment fort lourd. Une fois les bagages chargés dans le taxi, Pinkrose sortit de sa poche une main gantée de tricot noir sur la paume de laquelle il bloquait du pouce une pièce de trois pence. Puis il sortit l'autre, pareillement gantée, produisant cette fois une pièce de six pence. Il les regardait alternativement, ne sachant quelle pièce choisir. Guy résolut son dilemme en donnant un billet de cent *lei* à chaque porteur.

Durant le trajet vers la ville, Pinkrose, assis au bord de son siège, regardait défiler les taudis de la banlieue en tournant d'un côté à l'autre la patate qui lui tenait lieu de nez. Dès qu'apparurent les premières barres de béton, il se lassa de regarder et se détendit.

Guy se mit à le questionner sur les conditions de vie en Angleterre.

« Absolument intolérables », dit-il. Sa voix, que Harriet entendait pour la première fois, était fluette et distincte. Il avait répondu à Guy sans le regarder. Il se tut un moment et ajouta : « J'étais heureux de m'en aller. »

Harriet aurait aimé pouvoir l'interroger sur son voyage mais elle n'osa pas. Il lui sembla que toute question le concernant peu ou prou serait tenue pour une impertinence. Guy aussi avait dû le sentir, car ils roulèrent le reste du chemin en silence. Arrivé sur la grand-place, le taxi fut bloqué par un interminable défilé de gardistes venus du palais.

Pinkrose contemplait ce spectacle avec ahurissement. De nouveau assis au bord du siège, il regardait autour de lui — non seulement les hommes qui défilaient, mais aussi les passants, pensant voir s'inscrire sur leurs visages la même surprise que la sienne. Mais le public réagissait avec indifférence, ces processions devenues familières ne lui inspirant au pire que de l'ennui. L'air résonnait pourtant de vivats diffusés par les haut-parleurs disposés tout autour de la place.

Pinkrose retint son souffle quand, aux gardistes, succédèrent une batterie antiaérienne et deux chars, le tout décoré de croix gammées peintes et de fanions nazis.

« Qu'est-ce que c'est que ça ? » éclata-t-il, les yeux hors de la tête.

Guy lui expliqua qu'il s'agissait d'un des nombreux défilés de la Garde de Fer.

« Je pense que celui-ci est destiné à commémorer les dix ans de pacte entre l'Allemagne et la Roumanie, dit-il.

— Miséricorde ! Mais je croyais la Roumanie un pays neutre ?

— En théorie, elle l'est. »

Un autre choc attendait Pinkrose quand le taxi s'arrêta devant l'Athénée-Palace. Un gigantesque drapeau nazi flottait sur la façade. Pinkrose le fixait, bouche bée.

« Qu'est-ce que c'est que ce bâtiment ? demanda-t-il quand il put enfin refermer sa bouche de lézard.

— Le plus grand hôtel de Bucarest », répondit Guy.

Ils entrèrent. Le hall était plein de gens qui, à cette heure, remplissaient d'ordinaire les cafés. Il y avait surtout des femmes, mises sur leur trente et un, venues voir les beaux officiers allemands. Tout ce monde chuchotait d'une excitation contenue.

Hadjimoscos, Horvath et Cici Palu, au lieu d'être au bar comme à l'ordinaire, étaient tous trois assis côte à côte sur un canapé situé en face du grand escalier. Comme tous les autres, ils buvaient du café et mangeaient des pâtisseries dont le raffinement apparent cachait la pauvreté des ingrédients : farine de soja et fausse crème.

Les employés, débordés, ignorèrent Pinkrose. Guy dut porter lui-même ses valises dans le hall, et il lui dit : « Je vous abandonne un moment. Je vais téléphoner à Inchcape. »

Soudain toutes les têtes se tournèrent vers l'escalier. Une demi-douzaine d'officiers venaient d'apparaître sur le palier du premier étage – tous beaux et élégants, l'un d'entre eux portant monocle. Ils descendirent les marches avec une dignité guindée, apparemment indifférents à l'intérêt qu'ils suscitaient.

Les femmes s'étaient figées, certaines feignant une gracieuse désinvolture, d'autres carrément fascinées par ces conquérants d'autant plus désirables à leurs yeux qu'ils étaient des ennemis jusqu'à une période récente. Dès qu'ils furent passés, leurs têtes se rapprochèrent et, les yeux brillants, elles échangèrent à mi-voix des confidences extatiques.

Pinkrose, citoyen d'un pays en guerre, n'avait encore jamais vu l'ennemi. Son teint gris avait viré au jaune, et il était si secoué qu'il regarda Harriet en face pour lui demander :

« Ce sont des Allemands, si je ne m'abuse ?

– Il y en a beaucoup à Bucarest. Vous finirez par vous y habituer », répondit-elle.

Guy revint, assez agité, en leur disant qu'il n'avait pas pu téléphoner. Toutes les cabines étaient prises d'assaut par les journalistes qui transmettaient quelque histoire à leurs correspondants en Suisse. « J'ignore ce dont il s'agit. Cela a probablement quelque chose à voir avec la mission militaire allemande. Il va nous falloir attendre. Allons nous asseoir », dit-il en entraînant Pinkrose et Harriet.

Juste comme ils passaient devant les cabines téléphoniques, ils virent Galpin sortir de l'une d'entre elles. Guy, lui prenant le bras, le présenta à Pinkrose puis lui demanda :

« Pourquoi cette effervescence ?

— Comment, vous n'êtes pas au courant ? Foxy Leverett a été trouvé mort ce matin. Il gisait sur le trottoir à cent mètres de la légation. Comme s'il était tombé par la fenêtre, mais l'immeuble d'où il serait tombé est inhabité, et ses fenêtres, barrées de planches. On a quand même arrêté le propriétaire de l'immeuble en question. Mon hypothèse, c'est qu'ils l'ont jeté d'une voiture après l'avoir battu à mort. Dobson dit qu'on ne reconnaissait Foxy qu'à sa moustache rousse.

— Qui a trouvé le corps ?

— Des manœuvres. Au point du jour. Et ce n'est pas tout : un des pivots de la technologie de Ploiesti, un certain McGinty, a disparu. Il n'était pas parti avec les ingénieurs expulsés des champs pétrolifères. Il est évident que ces salauds de fascistes ne vont pas se contenter de rançonner les firmes juives. Ils veulent du sang. »

Voyant le regard de Pinkrose fixé sur lui, Galpin demanda brusquement : « Comment ce petit type s'est-il débrouillé pour venir à Bucarest ? »

Sur un ton invitant au respect, Guy lui répondit :

« Le professeur Lord Pinkrose est venu donner une conférence. La fameuse conférence Cantacuzène.

— La quoi ? »

Guy lui expliqua que cette conférence, donnée en anglais tous les deux ans, entrait dans le cadre de la propagande culturelle de son organisation.

Galpin, rejetant la tête en arrière, partit d'un énorme éclat de rire. « On croit rêver ! » commenta-t-il en se dirigeant vers la sortie.

Pinkrose, très raide, se retourna vers Guy pour quêter une explication, sinon une excuse. Mais Guy était trop bouleversé par ce qu'il venait d'apprendre pour fournir l'une ou l'autre. Conduisant le professeur vers un canapé, il lui demanda s'il désirait boire un cognac.

« Je ne bois jamais d'alcool, répondit Pinkrose d'un ton réprobateur. Mais mon petit déjeuner est déjà loin. J'aimerais bien un sandwich. »

Guy, après lui avoir commandé des sandwiches et un café, repartit essayer de téléphoner. La température s'étant un soupçon rafraîchie, la direction avait fait allumer le chauffage central. Il faisait une chaleur suffocante. Pinkrose, toujours emmitouflé jusqu'aux oreilles, entreprit de se déshabiller. Il dénoua une écharpe ou deux puis ôta son chapeau, dénudant un front gris et ridé exempt de sourcils et entouré d'une frange de cheveux d'un marron bizarre évoquant le poil d'un chien. Cette couleur et cette texture incongrues fascinaient Harriet qui dut faire de son mieux pour regarder ailleurs.

Au bout d'un moment, le pardessus tomba aussi, venant grossir le tas de vêtements déployés autour de lui, et dévoilant un costume à chevrons gris foncé à la coupe démodée, un col cassé et une étroite cravate tricotée. Pinkrose jeta sur Harriet un ou deux regards circonspects avant de lui adresser de nouveau la parole. Il se décida enfin :

« Que disait cet homme tout à l'heure à propos d'un cadavre ?

— Le mort est un attaché de la légation. Nous pensons qu'il a quelque chose à voir avec les services secrets.

— Ah ! (Pinkrose hocha la tête d'un air entendu.) Je me suis laissé dire que ces types finissaient souvent mal. »

Il était suffisamment rassuré pour attaquer les sandwiches qu'on venait de lui apporter.

Harriet, pour sa part, était très inquiète. Ce qui était arrivé à Foxy pouvait arriver à Guy ou à n'importe qui d'entre eux. Foxy était un garçon charmant qui, de plus, n'hésitait pas à se mouiller pour faire franchir clandestinement les frontières à qui avait des ennuis. Il aurait pu les aider pour Sacha. À qui allaient-ils bien pouvoir s'adresser maintenant ? Dobson semblait exclu — l'activisme d'un Leverett n'était pas son genre —, et les Pringle ne connaissaient personne d'autre à la légation.

Pinkrose émit une exclamation désapprobatrice qui la rappela à ses responsabilités immédiates. Il examinait l'intérieur de son sandwich. Avec des mines dégoûtées, il le mit de côté sur son assiette en le déclarant « immangeable », avant de boire une gorgée de café. Grimaçant comme s'il avait avalé de la ciguë, il dit : « Tout bien réfléchi, je prendrais bien un petit verre de sherry. »

Guy revenait. Il semblait s'être repris. Surprenant ces derniers mots, il demanda d'un ton enjoué à l'universitaire :

« Pourquoi pas une *tuică* ? C'est notre tord-boyaux national.

— Jamais de la vie. Mais si le sherry est buvable, je ne dis pas non », dit l'autre avec un haussement d'épaules irrité.

Avec une imperturbable bonne humeur, Guy commanda le sherry puis s'assit sur le pardessus de Pinkrose. « Le professeur Inchcape arrive », l'informa-t-il.

Tirant par à-coups son pardessus pour le dégager, Pinkrose, manifestement très contrarié, laissa échapper un « Ah ! » impliquant que ce n'était pas trop tôt.

Guy l'interrogea sur le sujet de sa conférence. Pinkrose, réarrangeant les pans de son vêtement autour de lui, lui répondit de mauvaise grâce et sans le regarder qu'il avait prévu de faire un tour d'horizon de la poésie anglaise, de Chaucer à Tennyson. « Une idée admirable », approuva Guy. Pinkrose accueillit ce commentaire avec un haussement de sourcils. Il devenait clair pour Harriet que l'attitude spontanément amicale de Guy envers le professeur ne serait accueillie que par un mécontentement soupçonneux.

Elle en fut d'abord surprise, puis indignée. C'était surtout à Guy qu'elle en voulait : d'abord, comment pouvait-il souscrire avec autant d'enthousiasme à un projet somme toute assez timoré ? Ensuite, son manque de perspicacité était confondant. Elle hésitait à mettre au compte d'une supposée innocence ce qui n'était peut-être qu'une simple répugnance à admettre qu'on ne l'aimait pas. Tandis que Guy parlait, Pinkrose l'observait avec aversion.

Regardant son mari d'un œil neuf, Harriet nota que ses cheveux étaient ébouriffés, que sa cravate était tachée de vin, que le revers de sa veste portait la trace de l'œuf qu'il avait mangé au petit déjeuner, et que la monture de ses lunettes était réparée avec du sparadrap.

Elle était si habituée à son apparence qu'elle n'avait pas pensé à inspecter sa tenue avant de partir.

Elle fut soulagée de voir arriver Inchcape. Ils pourraient se décharger sur lui de ce fardeau qu'était Pinkrose. Surprenant le regard de la jeune femme, Inchcape lui adressa un sourire de complicité qu'elle ne trouva pas du meilleur goût.

« Alors, te voilà ! » dit-il à Pinkrose.

Celui-ci sursauta, et une ombre de couleur monta à ses joues grises. La vue de son ami l'apaisait, et il se montra enfin aimable. « Eh oui ! Me voici ! » Souriant pour la première fois depuis son arrivée, il ressemblait à un vieil écolier.

« Et quel voyage ! ajouta-t-il.

— Tu vas nous raconter ça, lui dit Inchcape avec condescendance. Mais laisse-moi d'abord boire quelque chose. Une *tuică* », ordonna-t-il au garçon.

S'asseyant en face de Pinkrose, il lui demanda d'un ton railleur : « Alors, comment diable s'est-on débrouillé pour arriver jusqu'ici ? »

Ce ton, de la part d'un homme qui avait engagé un ami dans un périple de près de huit mille kilomètres, sembla scandaleux à Harriet. Mais Pinkrose ne parut pas s'en offusquer. Il expliqua qu'il avait réussi à trouver un vol prioritaire pour Malte.

« Comment as-tu fait ?

— Un ami haut placé, dit Pinkrose, impliquant que la diplomatie était une forme de conspiration. Puis, crois-le ou non, j'ai voyagé dans la soute de l'avion avec les bombes. Le pilote m'a dit : "Feriez bien de dire vos prières. Si on est canardés, z'êtes un macchab."

— Qu'est-ce qu'un macchab ? » demanda Inchcape avec une naïveté feinte.

Pinkrose gloussa avant de poursuivre :

« Au Caire, j'ai rencontré des difficultés. Personne n'avait entendu parler de moi. J'ai dû porter l'affaire devant le consul. Et même après son intervention, ils ont refusé de m'emmener plus loin qu'Athènes. Mais, à mon grand soulagement, j'ai découvert qu'il y avait des vols réguliers entre Athènes et Bucarest. Voilà ! »

Pinkrose avait conté son anecdote d'un ton plutôt léger. Mais il était clair qu'il avait fait preuve de la plus grande détermination pour arriver jusque-là. Avec une agitation manifeste, il poursuivit :

« Par les temps qui courent, l'Angleterre est un endroit extrêmement inconfortable. C'est lassant de n'entendre parler que de cette imminente et maudite invasion — qui se fait singulièrement attendre, entre parenthèses. Même à la table des professeurs, il n'est question que de cela. Et plus aucune liberté : règles, règlements, restrictions mesquines, black-out, queues. Invivable ! Tu as été bien avisé de t'en aller, mon cher Inchcape. Tu ne peux pas savoir à quel point nos conditions de vie se sont détériorées. Ce ne serait pas pire sous les nazis — pour des gens tels que nous, je veux dire. Après tout Goering ne viendrait pas me chercher querelle : j'ai toujours été un honnête citoyen.

— Ah ! s'exclama Inchcape d'un ton pince-sans-rire. Alors

je ne te troublerai pas trop en t'apprenant qu'ici, nous ne tarderons pas à être sous la botte nazie. »

Pinkrose gloussa de nouveau. Inchcape, à bout de patience, avala d'un trait le reste de sa *tuicà*. « Allons déjeuner », dit-il.

Pinkrose sauta joyeusement sur ses pieds. En rassemblant son manteau, son chapeau et ses écharpes, il déclara :

« Tu ne peux pas savoir à quel point je me réjouis à la perspective d'un bon repas. Des amis voyageurs m'ont dit que la cuisine roumaine était une des meilleures du monde.

— Leur information date un peu, répondit Inchcape.

— Tu me fais toujours marcher ! » dit Pinkrose avec un énième gloussement.

La salle à manger était encore vide quand ils entrèrent. Trois grandes tables réservées pour les officiers de la Reichswehr étaient dressées devant la baie vitrée. Les autres étaient manifestement libres, ce qui n'empêcha pas un garçon de conduire Inchcape dans un coin sombre. Il accepta la mauvaise table avec un haussement d'épaules amusé. Passant la carte à Pinkrose, il lui expliqua : « C'est un jour sans viande. Les steaks et les rôtis qui figurent sur le menu sont comme le papier-monnaie local : ils ne sont pas garantis par une devise forte. Mais tu peux choisir n'importe lequel des trois plats du bas de la liste. Je te recommande le pilaf de poisson. »

Il fallut un certain temps à Pinkrose pour se convaincre que ce n'était pas un canular.

« Mais pourquoi ne commandons-nous pas du caviar ? insista-t-il. Je me suis laissé dire que c'était un produit roumain.

— Toute la production va en Allemagne. »

Le visage de Pinkrose s'allongea.

« Dire que mes collègues m'enviaient de partir.

— Ce soir, dit Inchcape pour le consoler, tu vas rencontrer tout ce que Bucarest compte d'esprit et de beauté. J'ai invité plusieurs princesses connues pour leur sens de l'hospitalité. Chez elles, je peux t'assurer qu'il n'y a pas de jours sans viande. Elles t'inviteront et te recevront royalement. En attendant, prends le pilaf de poisson ! »

Il regarda Guy et Harriet en souriant de la déconfiture de son ami, puis aborda avec eux le sujet de la mort de Foxy Leverett.

« Ces jeunes attachés cherchent toujours les ennuis, dit-il.

Ils se lancent dans les entreprises les plus folles en croyant jouir d'une totale immunité. Mais rien ne peut vous protéger d'un couteau planté dans le dos. On m'a dit que Foxy était soûl l'autre nuit. Il était à l'*Amalfi* avec une tablée d'amis qu'il a fait hurler de rire avec ses imitations de Horia Sima. Pas des choses à faire, voyez-vous! On doit respecter le régime existant, aussi imparfait soit-il. Et on doit apprendre à vivre avec.

— Et la Garde de Fer? Pensez-vous qu'on doive apprendre à vivre avec? demanda Harriet.

— Pourquoi pas? Tout est une question de tempérament. Si on sait s'adapter, on peut vivre avec n'importe qui et n'importe quoi. Ce sont ceux qui ne peuvent pas s'adapter qui ont des ennuis.

— Tout à fait d'accord, dit Pinkrose en opinant vigoureusement du chef. De plus, quand la vie reprend son cours, que le monde soit dominé par l'un ou par l'autre ne fait pas une grande différence. »

Inchcape ne badinait plus. Il échangea avec son ami un regard de complicité. « L'important, c'est de survivre », affirma-t-il.

Juste au moment où il disait ces mots, les officiers allemands entrèrent. Avec un aplomb de conquérants, ils traversèrent la salle à manger pour venir s'asseoir aux tables réservées.

Ni Inchcape ni Pinkrose ne firent le moindre commentaire. Apparemment, tous deux s'étaient adaptés à la cohabitation avec l'ennemi.

Le déjeuner fini, Inchcape suggéra à Pinkrose d'aller se reposer avant la réception qui, à l'en croire, serait brillante.

« À propos, demain soir je ne suis pas libre. Je dîne avec un jeune ami qui doit me raconter ses ennuis. Mais je suppose que tu es capable de te distraire tout seul? ajouta-t-il d'un ton narquois.

— Peut-être le professeur Pinkrose accepterait-il de dîner chez nous? Nous pourrions aller ensuite à l'opéra écouter le concert de Brahms, suggéra Guy.

— Excellente idée », répondit Inchcape sans consulter Pinkrose.

Ce dernier semblait contrarié mais Guy, dans son ardeur à plaire, ne remarqua rien. Sautant sur ses pieds, il dit qu'il allait de ce pas retenir des places. Harriet, avec une compassion mêlée de rage, le suivit des yeux tandis qu'il quittait la salle en se prenant les pieds dans le tapis.

Inchcape avait ordonné à Guy de venir chercher Pinkrose à l'hôtel pour l'amener à la réception qui avait lieu chez lui. « Et, pour l'amour du ciel, venez tôt. Je ne supporte pas ces sauteries quand elles s'éternisent. » Résultat : les Pringle arrivèrent trop tôt. Pinkrose n'étant pas prêt, ils durent l'attendre une bonne vingtaine de minutes. Il finit par descendre l'escalier vêtu d'un antique smoking trop court dénudant ses poignets et ses chevilles, et étriqué au point que l'unique bouton qui le fermait menaçait à tout instant de sauter. Il semblait presque enjoué.

« Je dois dire que je brûle de rencontrer ces belles dames cultivées dont on dit qu'elles reçoivent si somptueusement, déclara-t-il avec un semblant de jovialité.

— Je vous présenterai aux mères de certains de mes étudiants, *doamna* Blum, par exemple, ou *doamna* Teitelbaum. Cultivées, elles le sont extrêmement. Et elles seront ravies de faire votre connaissance...

— Non, non, l'interrompit impatiemment Pinkrose. Je ne veux pas parler de *ce genre* de personnes. On m'a dit que c'est la fameuse princesse Teodorescu dont je dois faire la connaissance. »

Guy lui apprit que la princesse avait quitté Bucarest, ajoutant avec quelque désinvolture : « Mais les princesses ne valent pas tripette dans ce pays. Ce n'est qu'un titre de courtoisie sans signification particulière. Ce soir, vous en rencontrerez probablement une demi-douzaine. »

Le ciel au-dessus de la grand-place était zébré d'or et d'argent, mais les couleurs étaient brouillées et soufflait un vent frais, automnal, chargé de l'humidité du parc et de l'odeur des feuilles mortes qu'on brûlait.

La ville semblait étrangement déserte à Harriet. Les gens s'étaient repliés chez eux : non tant, pensa-t-elle, par soumission au cycle des saisons que par peur. Ils avaient renoncé à leur promenade du soir, alors que cet exercice se poursuivait d'habitude jusqu'à la fin du mois d'octobre. Les juifs, bien évidemment, avaient peur de sortir. Mais ils n'étaient pas les seuls à croire qu'on était plus en sécurité chez soi. Le vieux Codreanu était le premier à le dire.

Elle fut soulagée de se retrouver dans le salon d'Inchcape, où les abat-jour diffusaient une lumière dorée. Le maître de maison n'était pas encore là. Clarence, arrivé le premier, était pour le moment le seul invité présent.

Harriet ne l'avait pas revu depuis la visite qu'elle lui avait faite. Lui aussi était manifestement dans une phase de repli. Guy lui avait téléphoné plusieurs fois pour qu'ils se voient, mais Clarence s'était excusé en lui disant qu'il n'était pas bien. Pourtant il semblait aujourd'hui assez en forme, quoique peu communicatif.

Quand Guy le présenta à Pinkrose, il se leva et marmonna quelque chose. Pinkrose marmonna en retour une vague formule de politesse, et les deux hommes, dès qu'ils le purent sans se montrer incivils, s'éloignèrent l'un de l'autre sans faire aucune autre tentative pour se parler.

Inchcape entra, d'excellente humeur. Pauli le suivait en portant une bouteille de champagne débouchée, un torchon entortillé autour de l'étiquette d'origine. Il les servit, tandis qu'Inchcape, riant sous cape, montrait à la ronde sa dernière acquisition : un cœur de velours écarlate dans lequel étaient plantés trois lys de porcelaine, le tout sous globe. « Amusant, non ? Je l'ai acheté au marché aux puces de Lipscani. »

Pinkrose se pencha pour examiner l'objet et dit avec une ombre de sourire : « Je concède qu'il a un certain charme macabre. »

Regardant le visage de ces deux hommes vieillissants, Harriet fut soudain frappée par leur ressemblance ; ils étaient faits pour s'entendre.

« Je t'amènerai à la Dîmbovita. Tu y trouveras le plus grisant des bric-à-brac. Des icônes, par exemple. J'en ai toute une collection dans ma chambre. »

Le temps passait et les autres invités n'arrivaient pas. On finit par sonner à la porte, mais ce n'étaient que Dobson et David Boyd.

Dobson, dont la vivacité faisait ordinairement un invité agréable, semblait très affecté par la mort de son ami Leverett. Il s'excusa de ne pouvoir rester longtemps. Il n'était venu que pour faire la connaissance de Lord Pinkrose.

« La légation est aux cent coups : on vient de trouver McGinty. Ici, à Bucarest, dans une allée derrière les courts de tennis. Il est dans un sale état, leur annonça-t-il.

— Vous voulez dire qu'on l'a maltraité ? demanda Inchcape.

— On l'a torturé. À tout le moins, on l'a pendu par les poignets et sauvagement battu. Son dos n'est plus qu'une plaie. Je dois dire que Son Excellence a été très bien. Il a foncé chez le ministre de l'Intérieur pour exiger une enquête immédiate sur ces exactions. Il a dit qu'il n'aurait pas de repos tant que les coupables ne seraient pas traduits en justice. On se serait cru revenu aux beaux temps de Palmerston et de Stratford-Canning. Et le ministre de l'Intérieur roumain a pleuré. Bien que censément gardiste, il a déclaré : "Vous, les Anglais, êtes un grand peuple. Nous vous avons toujours aimés. Certains d'entre nous croient que vous pouvez encore gagner la guerre. Mais que pouvons-nous faire contre ces jeunes excités ? Ils sont trop nombreux ; ils échappent à notre contrôle."

— Mais pourquoi s'en sont-ils pris à McGinty ? Qu'a-t-il fait ?

— Rien. Mais son nom figurait sur la liste... »

Dobson se tut. Comprenant qu'il en avait déjà trop dit pour ne pas aller jusqu'au bout, il reprit :

« Avant la guerre, l'Angleterre, la France et la Roumanie avaient établi une liste d'ingénieurs sur lesquels on pourrait compter pour détruire les puits de pétrole en cas d'invasion allemande. Le gouvernement de Vichy a donné cette liste aux nazis. De son plein gré, je dois dire. Les hommes qu'on a kidnappés y figuraient.

— Vous voulez dire qu'on en a enlevé d'autres ? » demanda Clarence d'un ton acerbe.

Dobson regarda nerveusement autour de lui.

« Écoutez, dit-il, gardez ceci pour vous. Il serait inopportun de déclencher une panique. Ces hommes étaient tous des spécialistes. Ils savaient ce qu'ils risquaient. Ils auraient pu partir avec les autres, mais ils ont choisi de rester.

— Combien en a-t-on kidnappé ? insista Clarence.

— Quatre en comptant McGinty. La Garde de Fer s'est mis en tête qu'il existe quelque complot pour faire sauter les puits. Comme ce sont des imbéciles, ils s'imaginent pouvoir obtenir des informations en battant nos gars à mort.

— A-t-on des nouvelles des trois autres ? demanda Guy.

— Pas encore. »

Dobson enleva ses lunettes et, se tournant vers Pinkrose avec son sourire le plus officiel, entreprit de lui délivrer un petit discours de bienvenue au nom d'un Sir Montagu malheureusement « lié à son bureau ». « J'ai bien peur que nous vivions des temps difficiles », ajouta-t-il.

Pinkrose, légèrement surpris, acquiesça :

« Un peu troublés, oui. Un peu troublés...

— Un peu, oui. Un peu. Mais son Excellence pense que nous devons rester ici aussi longtemps que nous le pourrons. Pour leur montrer que nous ne sommes pas encore vaincus.

— Je l'approuve de tout cœur », dit Inchcape.

Dobson parti, David et Guy allèrent sur la terrasse pour parler tranquillement. Inchcape, qui semblait s'être résigné à la présence de Pinkrose, se mit à l'interroger assez aimablement sur leurs amis de Cambridge. Harriet resta un moment dans le salon pour voir si Clarence se déciderait à lui parler. Il ne le fit pas, et elle sortit rejoindre les deux hommes sur la terrasse. Boyd nasillait d'un ton ravi :

« Les récents événements ont beaucoup secoué le pauvre vieux Sir Montagu. Il paraît qu'on l'a même entendu dire, à en croire Dobson : "Ainsi le jeune David Boyd avait raison. Nous sommes tombés exactement sur le genre de bec qu'il avait prédit." C'est chic de sa part de l'admettre, non ? Malheureusement, il pense toujours qu'on peut en fin de compte sauver les meubles.

— On le peut, dit Guy. Si les Soviets occupent la Roumanie. Une solution qui, j'en suis sûr, déplairait beaucoup à Sir Montagu.

— C'est un euphémisme ! Mais il y a peu d'espoir que les Russes le fassent. Ils se sentent trop vulnérables pour prendre le risque d'étendre une frontière qu'ils auraient à défendre. »

Harriet profita du silence qui suivit pour aborder le sujet qui lui tenait le plus à cœur.

« Maintenant que Foxy est mort, qu'allons-nous faire de Sacha Drucker ?

— Je ne m'inquiéterais pas trop, à votre place. Quand une légation s'en va, elle bourre le train diplomatique d'étrangers qui lui sont tout dévoués. Procédure habituelle. Personne ne pose de questions.

— Vous pourriez emmener Sacha ? Ce serait formidable. Mais supposez que nous devions partir avant la légation : comment ferions-nous, alors ? »

Guy lui prit le bras. « Nous nous pencherons sur le problème en temps voulu », lui dit-il en retournant avec elle au salon.

Aucun autre invité ne s'était présenté et l'ambiance était

sinistre. Inchcape s'ennuyait ouvertement et Clarence, vautré dans un fauteuil, ne desserrait pas les lèvres. On sonna à la porte. Le regard de Pinkrose s'anima un peu, pensant qu'il s'agissait d'une de ces belles princesses dont on lui avait tant vanté l'hospitalité. Ce n'était que Woolley. Il était lugubre, et sa conversation ne fit rien pour alléger l'atmosphère. Comme Inchcape, il tendait à blâmer Foxy de s'être fait assassiner. En revanche, il tenait le traitement qu'avait reçu McGinty pour un signe prémonitoire de ce qui les attendait tous. Il ne fit aucune allusion aux autres ingénieurs mais déclara : « Tout ça sent mauvais. Ça ne me plaît pas du tout. Les gens quittent le pays et je ne les en blâme pas. Les Rettison sont partis pour le Levant. Ils étaient ici depuis trois générations. Toute cette agitation est catastrophique pour les affaires. D'un jour à l'autre, on ne sait plus où on en est. » Tête baissée, il rumina un moment puis, s'apercevant soudain de la présence de sa vieille ennemie Harriet Pringle, il ajouta :

« Ma femme est également partie. Elle a le sens des convenances, *elle*. Son Excellence ne veut pas que nous soyons encombrés de nos femmes. D'ailleurs, pas plus tard qu'hier, il m'a dit : "Si je dois évacuer la colonie anglaise, je n'emmènerai que les jeunes hommes d'âge militaire."

— Si Son Excellence croit qu'il peut emmener mon mari et me laisser derrière, il est né de la dernière pluie ! lança Harriet d'un ton acerbe.

— Nous verrons, lui répondit Woolley en la fusillant du regard.

— Oui, c'est ça. Nous verrons ! »

Il y eut un silence gêné. Puis Pinkrose, se prenant le front en un geste d'homme accablé, demanda :

« Que veut dire tout ceci, Inchcape ? Évacuer la colonie britannique... N'emmener que les hommes d'âge militaire... Que se passe-t-il donc ici ?

— Comme tu l'as fort justement noté toi-même, mon cher ami, nous vivons des temps un peu troublés. Après tout, il y a eu une révolution dans ce pays. Tu en as peut-être entendu parler ?

— Vaguement. Le *Times* a mentionné la déposition du roi Carol. Mais ce genre de choses arrive tout le temps dans les Balkans. Personne n'a suggéré qu'il y avait le moindre danger.

— Comment ? Mais où les hauts fonctionnaires londoniens ont-ils la tête ? Sont-ils à ce point absorbés par le futile bavardage de l'administration pour être aussi peu informés de la situation en Europe centrale? »

Inchcape avait haussé le ton. Il finit sa phrase presque en glapissant, feignant l'indignation devant l'ignorance dans laquelle on avait tenu son ami. Mais Pinkrose ne se laissa pas prendre à cette fielleuse sympathie : « Tu aurais dû me mettre en garde, Inchcape. Je suis mécontent. Très mécontent. »

Inchcape adopta alors la tactique du bâton, toujours payante quand elle est suivie de la carotte : « Mais bon sang! s'exclama-t-il. Ne sommes-nous pas en danger partout ces temps-ci? N'étais-tu pas en danger à Londres? Un danger très *réel*, si tu veux mon avis, avec une forte probabilité d'invasion nazie. Alors qu'ici, nous nous contentons d'une guerre des nerfs. Personnellement, je pense que les choses vont s'arranger. Le jeune roi et sa mère sont très populaires. Hier, on les a vus aller acheter des gâteaux chez *Capsa*. Eh oui, ils y sont allés à pied, comme notre propre famille royale. Un pays où une telle chose est possible ne peut être foncièrement mauvais! »

Pinkrose semblait un peu apaisé. Il n'en poursuivit pas moins : « Je maintiens que tu m'as mal renseigné. Quand tu m'as écrit au printemps, tu as évoqué à propos de la Roumanie l'exquise nourriture, l'atmosphère féodale, l'antique lignage, les fêtes somptueuses et toutes les commodités de la vie — comme au bon vieux temps. Et qu'est-ce que je trouve ici après avoir fait la plus grande partie du trajet dans une soute à bombes? Un menu sans viande. "L'esprit et la beauté" absents de Bucarest. Et une "réception" rétrécie comme une peau de chagrin. »

Inchcape ouvrit la bouche pour répondre mais se tut. Harriet l'observait avec intérêt. C'était la première fois qu'elle le voyait pris de court. Il finit par dire :

« Les Anglais sont en défaveur en ce moment. Je crois qu'on donne une réception à l'Athénée-Palace pour les officiers allemands. J'ai bien peur que nos invités roumains soient allés distraire nos ennemis.

— Ah! » se contenta de dire Pinkrose, radouci par l'humilité d'Inchcape.

Woolley, qui, tout à son propre mécontentement, était resté en dehors de cette passe d'armes, lança soudain : « Il faut que j'y aille. » Reposant brutalement son verre, il se leva et partit sans un mot de plus.

Clarence eut un petit rire sot. Il buvait sans arrêt depuis

qu'il était arrivé, et il était manifestement ivre. « J'ai entendu dire qu'après le départ de sa femme, Woolley s'est trouvé une petite amie roumaine, éructa-t-il. Hé! Pauli, cria-t-il en tendant son verre à bout de bras, remplis-moi ça. » Pauli vint vers lui en souriant, l'ivrognerie des Anglais étant un inépuisable sujet de plaisanterie à Bucarest.

Pinkrose, qui avait également bien levé le coude, chuchota quelque chose à Inchcape. « Par ici », dit celui-ci en s'éclipsant avec son invité. Quand il revint, seul, il adressa aux Pringle et à Clarence un regard de conspirateur : « Écoutez, il faut absolument que vous me donniez un coup de main : dans la situation présente, nous n'arriverons jamais à remplir une salle pour la conférence de cet imbécile. Je voudrais que vous le prépariez à l'idée d'y renoncer. Que vous fassiez allusion à un possible lynchage. Que vous lui fassiez suffisamment peur pour qu'il fasse lui-même machine arrière. Mais avec tact. Vous comprenez? » Il s'arrêta brusquement en entendant des pas. Pinkrose revenait.

« Bon, maintenant, il est temps de faire des plans pour les réjouissances à venir, poursuivit jovialement Inchcape. Malheureusement, ce week-end-ci je suis pris : je vais à Sinaia où ma chambre est retenue depuis des semaines. Je dois absolument prendre deux jours de repos avant que le temps change. Mais je suis sûr que nos amis ici présents se feront un plaisir de... Au fait, quels sont vos programmes respectifs?

— Nous allons à Predeal, dit Guy. Peut-être le professeur Pinkrose aimerait-il se joindre à nous? » ajouta-t-il pour obliger Inchcape.

Il jeta un coup d'œil à Harriet, quêtant sa coopération.

« Je suis persuadée que le professeur Pinkrose préfère aller à Sinaia avec le professeur Inchcape, répondit-elle fermement.

— Quelle bonne idée! dit Inchcape, visiblement furieux.

— Moi aussi je pars », dit Clarence d'une voix sépulcrale.

Il était tellement descendu sur son siège que ses fesses n'étaient pratiquement plus posées dessus. Tout le monde le regarda.

« Je pars pour de bon. Vous entendez, Inch, vieille autruche de mes deux? Je pars le plus loin possible de votre foutue organisation. De ce que vous appelez votre sphère d'influence. Je vais vers des contrées plus riantes et plus chaudes. Et vous ne pouvez pas m'en empêcher, puisque mon affectation au bureau d'informations n'était que provisoire. C'est du British Council que je dépends ! »

Inchcape se rendit compte que, délivrée d'une voix pâteuse, cette nouvelle était néanmoins d'importance. « Quoi ? Qu'avez-vous dit ? » Clarence répéta mot pour mot sa petite oraison.

« Vous nous quittez ? explosa Inchcape. En un pareil moment ! Et sans m'avoir prévenu !

— Je vous ai prévenu. Je vous ai dit, voilà déjà plusieurs semaines, que j'en avais assez de traîner ici à ne rien faire. Je ne restais que pour vous être agréable. Il vous faut votre petite cour. Vous devez justifier votre position en prétendant que vous avez du personnel. Mais j'en ai assez. J'ai envoyé un télé-gramme au Caire. Je m'en irai dès que j'aurai reçu mes ordres. »

Inchcape dit à la cantonade : « Un homme doit rester à son poste quel que soit le danger, voilà ce que je pense. »

Clarence eut un rire moqueur. « Vous n'êtes pas en danger, et votre poste n'est qu'une plaisanterie », dit-il.

Inchcape devint vert de rage :

« Peut-être ! Mais je ne déserte pas, moi. Et en fait de dan-ger, je vous rappelle que j'ai assisté aux funérailles de Calinescu.

— Tout Bucarest y a assisté ! »

Pinkrose avait suivi cette joute verbale assis tout droit sur son siège, tournant alternativement la tête vers l'un ou l'autre des adversaires comme s'il suivait un match de ping-pong. Pour la première fois depuis son arrivée, il semblait s'amuser.

Guy alla vers le piano et, le visage triste et soucieux, se mit à jouer avec les pièces de l'échiquier chinois d'Inchcape. Un moment, il ressembla au précieux chien Basanji qu'il manipu-lait. Comme Clarence, conscient de son avantage, se levait pour mieux poursuivre son esclandre, Guy lui dit :

« Ça suffit, Clarence !

— Tu as raison », répondit l'autre en lui prenant la main.

Pinkrose observa ce geste affectueux avec des yeux ronds de surprise. « Tu as toujours raison, poursuivit Clarence. Tu es le seul ici dont la présence se justifie. L'université d'été est peut-être une tentative dérisoire, mais au moins elle est un défi... »

Guy retira sa main. « L'université d'été n'existe plus. Elle a été fermée la semaine dernière. »

Clarence poussa un grand soupir et s'effondra de nouveau dans son fauteuil. « Quelle importance, de toute façon ? » mar-monna-t-il.

La porte s'ouvrit et Pauli parut avec deux grand plats — l'un contenant du riz, l'autre une sorte de ragoût. Il remplit des assiettes qu'il tendit à chacun des invités avec force sourires. Un vin du pays accompagnait ce rata qu'ils mangèrent en silence. Quand ils eurent fini, Inchcape se leva pour signifier à ses invités qu'il était temps de rentrer. Ce signal était superflu : tous étaient déjà prêts à lever le camp.

21

Le dîner du lendemain soir chez les Pringle fut une épreuve pour Harriet. L'égotisme forcené de Pinkrose transparaissait constamment sous une sociabilité qui n'était qu'apparente. Il était un invité réticent, qui ne faisait qu'un minimum de concessions aux bonnes manières.

La matinée avait mal commencé. « Rien à acheter au marché. Que des choux », lui annonça Despina. Harriet fut donc obligée d'aller chez *Dragomir*, où, à prix d'or, on pouvait encore se procurer de la nourriture. Aux chefs de famille roumains avait succédé une clientèle d'Allemandes, épouses des attachés d'ambassade qui étaient arrivés en force dans le pays. Ces femmes — qui, aux yeux d'une Harriet fine et brune, étaient autant de Walkyries — jouissaient d'un taux de change extrêmement favorable. Les mains pleines de liasses de billets de mille *lei*, elles étaient des rivales formidables auxquelles elle ne se frottait que lorsqu'elle y était absolument obligée. Elle réussit quand même à obtenir deux petits poulets décharnés. Elle voulait acheter une bouteille de sherry, mais cet alcool avait disparu depuis longtemps des rayons. Elle dut se contenter d'une imitation de madère.

Présentement occupée à servir l'apéritif, elle en proposa à Pinkrose qui regarda la bouteille d'un œil méfiant et finit par accepter : « Juste un demi-verre, pour essayer. » Il le but à petites gorgées et, le trouvant meilleur qu'il l'eût cru, exprima sa satisfaction en remuant son derrière sur son siège. Il la laissa le resservir et dit : « Je ne comprends pas pourquoi Inchcape m'a mis dans cet hôtel. »

Harriet fut surprise.

« L'Athénée-Palace a longtemps été un établissement quasi anglais. Nous le considérons encore tous comme un refuge, et les journalistes britanniques qui y vivent n'en sortent presque jamais.

— Il grouille d'Allemands, grogna Pinkrose.

— L'autre, le Minerva, est bien pire. Il est investi par les diplomates nazis. Les officiers de la mission militaire allemande ne sont à l'Athénée-Palace que parce que le Minerva était plein.

— Je vois. »

Après cette tentative de conversation, Pinkrose se retrancha dans le silence. Ses yeux fureteurs examinaient la pièce, se posant tour à tour sur les tapis usés, les tissus d'ameublement fatigués, etc. « Nous avons loué cet appartement meublé, dit Harriet. Un peu miteux, n'est-ce pas ? »

Pinkrose rougit. D'un ton plus aimable, il dit :

« Mais les livres sont à vous, j'imagine ?

— Ils sont à Guy. Il les a rapportés d'Angleterre, voyage après voyage, dans des sacs de jute. La plupart sont des livres d'occasion. »

Pinkrose hocha la tête pour manifester son approbation. Bien qu'il ne regardât pas Harriet, elle sentait qu'il l'écoutait avec quelque intérêt. En revanche, il détourna carrément la tête quand Guy se mêla à la conversation. Celui-ci, refusant de se laisser décourager, lui montra plusieurs recueils de vers dédicacés par des poètes qu'il avait connus. « Ces garçons ont encore beaucoup à apprendre », décréta Pinkrose, peu acquis à la poésie contemporaine.

Guy vola au secours des poètes de sa génération et, tout en parlant, remplit le verre de Pinkrose. Absorbé par son discours et de surcroît très myope, il continuait à verser alors que le verre était plein, arrosant copieusement de madère les genoux du professeur. Celui-ci eut une exclamation de contrariété. Guy aggrava son cas en entreprenant de frotter le pantalon de Pinkrose avec son mouchoir sans cesser de s'excuser. « Assez ! » s'écria Pinkrose en déplaçant ses jambes pour échapper à cette toilette.

Harriet appela Despina, qui n'aimait rien tant qu'entrer au salon quand il y avait des invités. Elle passa la serpillière sous les pieds de Pinkrose avec un zèle si prolongé que celui-ci dit, d'un ton exaspéré : « Si nous ne dînons pas tout de suite, nous allons manquer le début du concert. »

Le dîner, que Pinkrose avala d'un air de martyr, fut vite expédié.

En entrant dans le grand hall de l'opéra, les Pringle furent surpris par l'opulence de l'assistance. Tout le monde était en tenue de soirée. Les hommes arboraient leurs décorations, et les femmes, en grand décolleté, tous leurs bijoux. Il y avait des fleurs partout et on n'entendait parler qu'allemand. Les Pringle et Pinkrose semblaient être les seuls Anglais présents.

Ce faste était inhabituel, et Harriet commençait à ressentir quelque inquiétude. Pinkrose, en revanche, buvait du petit lait. « Il y a belle lurette qu'on ne voit plus rien de tel chez nous », soupira-t-il.

Harriet remarqua que tous ceux qui leur jetaient un premier coup d'œil leur en jetaient immédiatement un second, incrédule. « Nous ne sommes pas assez habillés, tu ne crois pas ? » demanda-t-elle à Guy, qui trouva ses appréhensions ridicules. Et en effet, il semblait que c'était plus leur nationalité que leur toilette qui attirait l'attention.

Quand ils gagnèrent leurs sièges, toutes les têtes se tournèrent vers eux et on se mit à chuchoter. L'entrée de l'orchestre mit fin à l'attention embarrassante dont ils étaient l'objet. Les musiciens se placèrent, mais sans s'asseoir. Le chef d'orchestre leva les yeux vers la loge d'honneur qui surplombait la scène. Le public avait cessé de s'intéresser aux trois Anglais pour braquer ses regards sur la loge.

« Je crois que le roi arrive », dit Harriet à Pinkrose. Celui-ci remua d'aise sur son fauteuil, rose de plaisir.

La porte de la loge s'ouvrit et on vit briller des plastrons blancs. Le public applaudit longuement. Se détachant d'un groupe qui singeait les manières aristocratiques, un homme très grand et très lourd s'avança vers le bord de la baignoire. Les Pringle reconnurent aussitôt le docteur Fabricius. Les applaudissements se transformèrent en clameurs. Il s'inclina. Une femme — sa femme ? — entortillée dans un machin doré fit de la main un salut qu'elle voulait d'une dignité toute royale.

« Ce ne peut pas être le jeune roi ? dit Pinkrose.

— Non. C'est Fabricius, le ministre plénipotentiaire, répondit Guy.

— Ah ! » Le visage de Pinkrose s'allongea.

Bien que déçu, il était dorénavant prêt à tout accepter.

Tandis qu'entraient les membres de la légation, la loge d'en face se remplissait d'officiers de la mission militaire accompagnés de femmes rutilantes de bijoux. Harriet, ne pouvant s'empêcher de le taquiner, chuchota en souriant à Pinkrose : « Regardez bien : il y a là quelques-unes de ces princesses que vous souhaitiez rencontrer. »

Le chef d'orchestre leva sa baguette. Le public se leva. S'attendant à entendre retentir l'hymne national, les Pringle et Pinkrose firent de même. Il fallut un certain temps aux deux premiers pour se rendre compte qu'ils s'étaient levés pour le *Deutschland über Alles*. Guy retomba lourdement sur son siège. Harriet se rassit aussi, plus discrètement. Seul Pinkrose, que leur comportement grossier semblait gêner, restait au garde-à-vous. À la fin du morceau, l'orchestre embraya sur le *Horst Wessel*.

Perplexe, Guy étudia son programme, sur lequel il n'avait pas encore jeté un coup d'œil. « Bon sang, c'est Walter Gieseking ! » siffla-t-il entre ses dents à Harriet.

Celle-ci comprit ce qui s'était passé. Guy, pressé et myope, avait acheté les billets sans regarder les affiches placées dans le hall de l'opéra. Ils assistaient à un récital organisé par la *PropagandaStaffel*.

Quand Pinkrose se rassit, Harriet entreprit de lui expliquer le quiproquo, mais il la fit taire d'un geste. Il avait compris tout seul. « Maintenant que nous sommes ici, autant profiter de la musique », dit-il.

Le *Cinquième Concerto pour piano* de Beethoven commença.

Harriet était reconnaissante à Pinkrose de ne pas faire un drame de l'affaire. Mais Guy avait l'air de souffrir. Il écouta tout le premier mouvement les bras croisés et la tête baissée. Dès qu'il fut fini, il se leva. « Je m'en vais », chuchota-t-il à Harriet. Pinkrose lui jeta un coup d'œil furieux. Harriet, qui trouvait l'interprétation superbe, tenta de le retenir : « Reste », lui dit-elle. Mais il partait déjà. Sentant qu'elle se devait de le suivre, elle se leva aussi. Pinkrose, s'écriant d'un ton alarmé : « Je ne veux pas rester tout seul ici », fit de même.

Le pianiste, totalement immobile sur son siège, attendait que le silence revienne. Aussi amusé qu'irrité, le public observait les trois intrus qui, dès qu'ils eurent fini d'écraser des pieds, filèrent à toutes jambes.

Une fois dans le hall, Guy, le visage en sueur, s'excusa de

les avoir mis dans cette situation fâcheuse. Il s'excusa aussi de les en avoir sortis. « Je ne pouvais pas rester, leur expliqua-t-il. Je ne pouvais pas m'empêcher de penser aux camps de concentration. »

Trop furieux pour parler, Pinkrose lui tourna le dos et sortit. Les Pringle pressèrent le pas pour le rattraper mais il se débrouilla pour maintenir quelque distance entre eux et lui jusqu'à l'hôtel. Comme il s'engageait dans la porte à tambour, Guy tenta à nouveau de s'excuser mais Pinkrose leva la main pour le faire taire. Il ne voulait plus rien entendre. Il avait suffisamment souffert.

QUATRIÈME PARTIE

Le raid

22

Le train qui gravissait la montagne charriait dans ses wagons l'air lourd de la ville. Cette semaine-là, les habitants de Bucarest avaient de nouveau souffert de la chaleur — probablement la dernière avant la fin de l'été.

À Ploiesti, où il y eut un long arrêt, la vie semblait figée. Une lumière crue plombait une terre aride, violemment réfractée çà et là par le métal des raffineries et des cuves à pétrole. Des wagons-citernes encombraient les voies de garage, leur destination inscrite sur chacun : Francfort, Stuttgart, Dresde, Munich, Hambourg, Berlin.

Dans le compartiment des Pringle régnait un silence presque total, parfois rompu par le bourdonnement d'une mouche captive ou par un raclement de gorge. La peluche bleu marine des banquettes était poisseuse et fétide, et l'appui des fenêtres recouvert de poussière de charbon. Les autres occupants étaient des officiers en route pour la frontière. Leur maintien était rien moins que militaire : affalés sur leur siège, ils somnolaient d'ennui à l'idée d'être envoyés garder un pays spolié de presque tous ses territoires.

Guy était assis en plein soleil, un sac à dos plein de livres entre les genoux. Ses lunettes glissaient sur son nez ruisselant de sueur et il était obligé de les remonter sans cesse. Il préparait ses cours pour la rentrée.

Les journalistes britanniques dépêchés à Bucarest pour couvrir l'abdication étaient retenus dans la capitale, où ils subissaient une avanie après l'autre. On avait appris qu'en tout, c'étaient huit ingénieurs des pétroles que les gardistes avaient kidnappés. On avait retrouvé l'un d'entre eux mort (« crise cardiaque », d'après les journaux) dans une rue mal famée de Ploiesti. Les autres étaient vivants, mais tout juste, compte tenu de ce qu'ils avaient subi. Quant au vieux ministre qui avait déclaré : « Plutôt être unis sous les Soviets que démembrés par l'Axe », on venait de le retrouver assassiné dans les bois de Snagov, les cheveux et la barbe arrachés et fourrés dans la bouche. Le gardisme fanatique qu'il professait depuis peu ne l'avait pas sauvé.

Galpin ne quittait plus l'Athénée-Palace. Jouant les prophètes de malheur — le rôle influant curieusement sur le physique —, il éructait de sombres prédictions. « À qui le tour, maintenant ? » lançait-il à quiconque entrait au bar.

Tous attendaient l'écroulement final qui les anéantirait. Tous sauf Guy, se dit Harriet. Il se débrouillait pour être aussi occupé qu'à l'ordinaire, tandis qu'elle-même restait la plupart du temps à la maison avec Sacha. Tous deux passaient une bonne partie de la journée assis sur le balcon à inventer des amphigouris, à jouer aux papiers découpés et à se raconter des blagues en piquant des fous rires de mômes. Elle se reprochait par moments sa propre irresponsabilité, tout en se disant que le sérieux est futile quand le temps vous est compté. Sacha, quant à lui, semblait croire que ce type de vie en marge de la réalité pouvait durer éternellement.

Elle avait souhaité ardemment quitter la capitale, mais maintenant que le moment était venu de prendre leurs vacances, elle regrettait d'être partie. Tout pouvait arriver en leur absence. Despina avait promis de n'ouvrir la porte à personne, mais Harriet n'en était pas moins inquiète pour Sacha, laissé à la seule garde de la domestique.

Après un arrêt indûment prolongé, le train finit par quitter Ploiesti. Il continua à grimper dans la montagne, traversant un paysage qui changeait à mesure qu'il gagnait de l'altitude : sousbois et sentiers forestiers enjambés par d'antiques mâts de charge datant du temps des pionniers ; puis prairies alpines ; enfin, schiste gris et pins des basses Alpes de Transylvanie.

Quand ils quittèrent leur compartiment confiné, les Pringle furent saisis par la température extérieure qui leur sembla coupante comme du verre. L'air, d'une pureté inodore, était aussi froid que l'éther sur la peau. Ils auraient voulu aller marcher tout de suite, mais ils devaient auparavant aller déclarer leur arrivée à la police. L'officier qui les reçut — un fonctionnaire sale et mal rasé qui puait l'ail — tamponna avec une lenteur extrême un permis de séjour qui ne devait pas excéder une semaine. Ils allèrent ensuite déposer leurs bagages à l'hôtel.

Predeal ressemblait à ces villages de montagne qu'on voit sur les cartes postales en noir et blanc. Il était déjà dans l'ombre mais, en surplomb, on voyait encore la lumière rougeâtre du couchant s'enrouler autour des pics. De minuscules glaciers marbraient de blanc le gris de la roche, et les hêtres formaient des taches flamboyantes, telles des peaux de lion jetées sur la fourrure noire des pins.

Le village même, à la double vocation touristique estivale et hivernale, était un lieu à ce point hors du temps que la salle paroissiale annonçait un film anglais. Un lieu dont le calme extraordinaire énervait légèrement Harriet : elle se dit qu'ils avaient été fous de quitter la capitale en un moment pareil. En cas d'invasion, ils seraient pris complètement au dépourvu. Guy, lui, ne semblait nullement inquiet. Ouvrant tout grands les bras, il aspira à pleins poumons l'air léger et tonique en disant : « J'ai l'impression de voler au-dessus du brouillard. »

Leur chambre était petite et nue, avec un poêle à bois qu'on allumait le soir. La bonne odeur du pin brûlé réconforta Harriet, qui commença à envisager ses vacances sous un jour plus optimiste. Dès qu'ils eurent laissé leurs sacs, ils ressortirent se promener. Le ciel était devenu turquoise, et les quinquets des boutiques de la rue principale donnaient à celle-ci l'aspect d'un ver luisant accroché au flanc de la montagne.

Ils découvrirent que le village était moins avenant le soir, après la fermeture des boutiques. Il faisait froid et venteux, et la seule distraction était le cinéma, où la pellicule cassa une douzaine de fois durant la projection. À chaque cassure, dûment numérotée, le mot « entracte » apparaissait à l'écran. À l'hôtel, qui ne se souciait que de fournir un lit à des sportifs fatigués par l'exercice, il n'y avait strictement rien à faire. Guy sortit ses poèmes et ses romans de Conrad, prêt à passer toutes ses vacances à travailler.

Le lendemain matin, comme il se préparait à partir pour le jardin public les bras chargés de livres, Harriet lui demanda :
« Je croyais que nous allions marcher ?
— Plus tard, lui promit-il. Mais laisse-moi d'abord le temps de débroussailler la tâche. »
Il lui suggéra d'aller faire un tour à la fameuse pâtisserie

dont la réputation était parvenue jusqu'à Bucarest, celle dont le propriétaire avait été assez prévoyant pour faire des stocks de sucre. Les gens accouraient maintenant de partout pour y acheter des gâteaux. Harriet, quoique déçue, fut surprise de constater combien le mot « gâteaux » la faisait saliver.

Laissant Guy dans le petit jardin public, elle traversa un marché où des pommes, des tomates et du raisin noir empilés au sol constituaient l'essentiel des produits offerts à la vente. Certains des fameux Tziganes Laetzi y traînaient — des hommes à l'aspect farouche, à la barbe et aux cheveux hirsutes, qui l'évaluaient des pieds à la tête avec une avidité de cannibales.

La pâtisserie était pleine à craquer. Il n'y avait plus de place à l'intérieur — seules restaient quelques tables dehors, en bordure de la balustrade. Harriet ne tarda pas à comprendre pourquoi personne ne s'y installait : à peine fut-elle assise que trois mendiants — des enfants — se précipitèrent sur elle. Des squelettes d'où pendaient des chiffons. L'un d'eux, une petite fille, avait perdu un œil ; peut-être était-elle née ainsi, car son globe oculaire reposait dans l'orbite, blanc comme une couenne de lard. Un autre était cul-de-jatte. « *Foame, foame* », geignirent-ils en chœur, s'arrêtant par instants pour piquer un fou rire, comme si persécuter une étrangère était hilarant.

Harriet leur tendit quelques pièces, à l'évidence trop peu pour en être débarrassée car ils continuèrent à sautiller autour d'elle en gémissant. Tout en attendant qu'on vînt prendre la commande, elle vit un petit scarabée d'or vert avancer sur l'appui de la balustrade. « S'il arrive jusqu'à moi, les mendiants s'en iront », paria-t-elle. Il rebroussa chemin. Elle fut prise d'une sorte de panique. Elle n'avait plus faim. Elle se contenta de commander une tasse de café, qu'elle attendit en regardant la route. Un paysan menait une charrette. Son cheval, dont les os saillaient horriblement sous le cuir, trébucha sur les pavés. Le paysan brandit son fouet et le frappa à plusieurs reprises sur les yeux avec une sauvagerie délibérée, comme s'il n'avait attendu que cette excuse pour donner libre cours à une rage chronique.

C'en était trop pour Harriet. Elle sauta sur ses pieds, oubliant le café commandé, et courut rejoindre Guy au jardin public. Surpris par son agitation, il lui demanda : « Que se passe-t-il ? »

Elle s'assit, épuisée, en ravalant ses larmes. Elle revoyait le visage des petits mendiants, le visage du paysan, tordu de haine, et elle s'écria : « Je ne supporte plus ce pays. Ces paysans sont de sales brutes. Je les hais ! Partout dans ce pays, des animaux sont martyrisés. Et nous ne pouvons rien faire ! » Elle pressa son visage sur l'épaule de Guy.

Il passa son bras autour d'elle pour la calmer.

« Les paysans sont des brutes parce qu'on les traite comme des brutes. Eux aussi, ils souffrent. Leur comportement leur est dicté par le désespoir.

— Ce n'est pas une excuse.

— Peut-être pas, mais c'est une explication. On doit essayer de comprendre.

— Pourquoi essayer de comprendre la cruauté et la bêtise ?

— Parce que si on les comprend, on peut agir sur elles. »

Il prit entre les siennes une main qui resta inerte. Harriet, une expression lointaine sur le visage, semblait en état de choc. Au bout d'un instant, il reprit ses livres en lui disant :

« Pourquoi ne pas t'offrir de vraies vacances ? Nous pouvons nous le permettre en ce moment : le taux de change nous est favorable. N'aimerais-tu pas prendre le bateau pour Athènes ?

— Tu veux dire avec toi ?

— Tu sais bien que je ne peux pas. Inchcape ne veut pas que je quitte le pays. Mais toi, tu n'es pas obligée de rester. »

Elle secoua la tête. « Si nous y allons, ce sera ensemble », dit-elle.

Après le thé, Guy, jugeant qu'il avait assez travaillé pour la journée, accepta d'aller marcher. Quand ils arrivèrent à la forêt, il s'arrêta, scrutant la haute nef de pins dont le silence évoquait un souffle retenu, et refusa tout net d'y entrer. « Depuis des temps immémoriaux, cette forêt est l'antre des ours. Restons sur la route, c'est plus sûr. » Ce qu'ils firent. Ils arrivèrent, en surplomb de la forêt, sur un plateau rocheux où le froid était vif. Le ciel était pointillé de petites nuées formées de ce qui semblait de minuscules éclats de verre en suspension. Harriet crut tout d'abord que c'était de la cendre provenant d'un feu de camp, mais les particules fondirent sur sa peau. « C'est de la neige ! » s'écria-t-elle. Plus haut, ils virent les premières nappes blanches que celle-ci formait au sol. Harriet se baissa pour appliquer sa main sur la couche encore molle, admirant, quand elle la retira, l'intaille de cristal de sa paume et de ses doigts. Bien plus légère que son mari, et dotée d'un pied beaucoup plus sûr, elle grimpait à toute allure. Elle arriva seule au sommet, où régnait un silence absolu. Elle entendit Guy crier son nom. Se retournant, elle le vit, loin derrière, planté comme un ours malheureux dans la coulée d'éboulis. Elle revint en courant se jeter dans ses bras.

Ils s'apprêtaient à regagner l'hôtel par derrière, en traversant un pré tout ondulé de fleurs des champs. En leur absence, on y avait mené des vaches. Guy hésitait à passer au milieu d'elles, tout animal étant à ses yeux un ennemi potentiel. Il avait la plus grande méfiance pour les chevaux qui tiraient les calèches, et le petit chaton roux de Harriet n'avait jamais été son ami. Lui prenant la main pour le faire avancer, elle l'obligea ensuite à s'arrêter devant la vache la plus proche qui, sans cesser de paître, leva la tête pour les regarder. Guy, fasciné par ces mâchoires géantes qui remuaient d'une façon qu'il trouvait inquiétante, dit : « Ces bêtes sont probablement dangereuses. »

Harriet rit.

« Je les adore.

— Quoi ? Ces horribles créatures ?

— Oui. Et pas seulement elles : tous les animaux.

— Étonnant de pouvoir aimer quelque chose de si différent de soi. »

Elle ne répondit pas. Comment lui expliquer la compassion qu'elle ressentait pour toute bête harcelée, abattue dans des conditions effroyables par des hommes qui s'imaginent avoir le droit de massacrer quand c'est leur intérêt ? Pour Guy, la seule compassion possible dans ce monde cruel était celle que l'homme devait éprouver pour l'homme.

Après le dîner, Guy s'étendit sur son lit, le dos calé par des oreillers, et se replongea dans ses livres. Harriet, somnolente après le bol d'air qu'elle venait de prendre, se blottit au creux de son bras, heureuse dans la chaleur de ce contact. Il interrompit sa lecture pour lui dire :

« Tu n'as pas beaucoup vu Bella, ces temps-ci. Ni Clarence. Tu t'es fait si peu d'amis à Bucarest... Ne ressens-tu pas le besoin de voir des gens ?

— Non, puisque je t'ai. Enfin, parfois.

— Bien assez souvent. Si tu me voyais plus, tu en aurais vite assez de moi. »

Levant les yeux vers lui, elle vit qu'il parlait sérieusement. Esquissant un sourire de dénégation polie qu'il ne vit pas, elle s'endormit sur-le-champ.

Descendant le lendemain prendre leur petit déjeuner, ils virent Dobson assis à une des tables de la salle à manger de leur hôtel. Guy le salua d'une exclamation ravie. Il aurait accueilli avec la même joie n'importe quel visiteur. Ils avaient de la chance que ce fût Dobson, se dit Harriet ; ç'aurait pu être pire. Le diplomate semblait également charmé de les voir. Il était arrivé en voiture la veille au soir pour s'« oxygéner » quarante-huit heures. Il leur suggéra, après le petit déjeuner, d'aller faire une balade à pied.

Harriet s'attendait à ce que Guy refuse, mais il accepta avec un empressement qui la surprit. D'une part, cette invitation le flattait, mais surtout, il ne pouvait pas résister à l'attrait d'une nouvelle compagnie.

En quittant l'hôtel, Dobson leur suggéra d'aller visiter une église russe située à trois kilomètres de là. « Je m'intéresse à leur musique. La dernière fois que j'y suis allé, j'ai eu la chance d'y entendre chanter le *Cantakion* pour les morts. »

Son enthousiasme eut raison de Guy, qui n'hésita qu'imperceptiblement avant de répondre : « Très bien » en regardant Harriet comme si elle pouvait le sauver de cette escapade bigote. Un peu vexée, celle-ci s'empressa d'accepter.

Ils prirent, à l'arrière du village, un chemin qui grimpait abruptement entre des chalets et autres propriétés plus cossues. Siliceux et glissant, il était bordé de châtaigniers séculaires dont le feuillage ocre et rouge formait un dôme de couleurs qui faisaient chatoyer l'ombre. Sous leurs pieds, le sol était jonché de feuilles et de châtaignes écrasées. Ils passèrent devant un jardin où se dressait un sorbier géant couvert de fruits rouge orangé. Les volets de la plupart des maisons étaient fermés, et leurs jardins négligés indiquaient qu'elles n'avaient pas été visitées de tout l'été.

Les dernières habitations passées, le chemin se rétrécit pour déboucher finalement sur un plateau qui s'étendait à perte de vue, relayé à l'horizon par d'autres plus hauts encore. Ils foulaient maintenant une herbe courte, semée de campanules et de scabieuses, qui amortissait le bruit de leurs pas.

La conversation de Dobson était légère et plaisante. Harriet trouvait sa présence rassurante. En tant que diplomate, il courait moins de risques qu'eux ; mais il n'aurait probablement pas quitté la ville en cas de danger imminent. Elle-même ne l'avait quittée que depuis deux jours mais elle se sentait déjà

mieux : comme un patient qu'on vient pour la première fois
d'asseoir dans son lit après une opération.

« Que s'est-il passé à Bucarest après notre départ ?
demanda Guy.

— Eh bien, comme vous le savez sans doute, vendredi était
le jour anniversaire de l'assassinat de Calinescu. Les gardistes
ont marqué le coup en défilant sans fin... »

Il s'interrompit brusquement en voyant les dômes dorés de
l'église russe apparaître dans un creux planté d'arbres, puis dit :
« Ce couvent a été fondé par une princesse russe, une abbesse
venue ici après la révolution avec toute une suite de religieuses.
C'est la reine Marie qui leur a fait cadeau de la terre. Elles y ont
accueilli toute une foule de réfugiés dont certains, d'ailleurs,
sont encore vivants. Cette communauté a inspiré de sombres
récits d'intrigues et de meurtres. Un parfait sujet de roman »,
ajouta-t-il avec un petit rire.

Les Pringle avaient toujours trouvé Dobson un homme
agréable. Quand la *prefectura* les avait sommés de quitter le
pays et que Harriet était allée le trouver, il avait montré un
calme remarquable. Maintenant qu'il sentait qu'on attendait de
lui davantage qu'une vague sérénité, Dobson déployait à leur
endroit un charme actif non dénué d'effet — du moins sur
Harriet.

Il marchait devant elle. Regardant son dos grassouillet, ses
épaules tombantes, sa taille cambrée et son derrière charnu qui
tressautait chaque fois qu'il trébuchait, Harriet se dit qu'elle
avait une occasion inespérée de plaider la cause de Sacha. Mais
quelque chose — elle ignorait quoi — la retenait. Alors qu'elle
avait eu une foi instinctive en Foxy Leverett — un baroudeur
doublé d'un libéral-né —, elle n'avait pas la même confiance en
Dobson : que ferait-il si le code diplomatique exigeait qu'il
dénonçât le jeune homme ? N'ayant aucune certitude à cet
égard, elle préféra se taire, espérant que Guy se tairait aussi. Ce
qu'il fit, probablement parce qu'il avait complètement oublié
Sacha.

Ils descendirent dans le creux où l'atmosphère était humide
et chaude, et où les hautes herbes duveteuses étaient encore
mouillées de rosée. Dobson leur fit traverser un verger de
pommes où on n'entendait que le bourdonnement des guêpes et
le craquement des rameaux qui ployaient sous le poids des
fruits. Ils marchaient sur un compost de pommes pourries.

Au-delà du verger, il y avait un champ plat en bordure duquel coulait une rivière. L'église se dressait au milieu d'un petit bois de bouleaux aux feuilles jaunes comme du bois de citronnier Les coupoles, les bouleaux dont le feuillage mordoré se reflétait dans la rivière : tout, pour Harriet, évoquait la Russie. L'atmosphère, sans être hostile, était dépaysante. « On se sent loin... » murmura-t-elle. Loin de quoi ? Elle n'aurait pu le dire. De chez elle, sans doute, de l'Angleterre.

Passé le pont, prenant le chemin menant au couvent, ils croisèrent quatre femmes en noir aux cheveux dissimulés par des foulards étroitement noués. L'une d'entre elles, très vieille et édentée, fixa les visiteurs avec intérêt. Sur son visage sombre et ridé, un visage qui accusait la souffrance, s'esquissa une expression doucereuse et rusée. Elle leur fit un bref signe de tête et s'engouffra dans l'église.

Guy s'arrêta, sourcils froncés, comme s'il répugnait à entrer dans un lieu de culte, mais Dobson, ignorant ses réticences, poussa les lourdes portes de bois. Harriet, prête à le suivre, se retourna vers Guy. « Fais-moi plaisir, chéri, entre avec moi. Juste un instant », le pressa-t-elle. Elle n'eut que le temps de distinguer, à la lueur des bougies, un prêtre, mains tendues, qui marmonnait des prières. Devant lui, deux petites silhouettes en habit de religieuse étaient aplaties au sol, semblables à des poupées de chiffon démantelées. Guy, laissant échapper une exclamation de révolte, fila en claquant la porte derrière lui. Les vieilles dévotes de la congrégation tournèrent la tête, le prêtre leva les yeux, et même les poupées de chiffon s'agitèrent.

Consternée, Harriet le suivit. Avant qu'elle ait pu ouvrir la bouche pour lui faire des reproches, il l'attaqua : « Comment peux-tu supporter ce cirque ? » lui lança-t-il.

Un instant plus tard, Dobson les rejoignit de sa démarche sautillante. Il avait le visage impassible de quelqu'un que rien — même le pire — ne peut étonner. Mais sur le chemin du retour, il était moins loquace.

Harriet marchait en silence, consciente que Guy, par son attitude, s'était peut-être aliéné la puissante légation. Lui aussi se taisait, ruminant probablement la scène qui l'avait tellement irrité dans l'église.

Ils rentrèrent par un autre chemin, bordé de chalets minables arborant le nom ronflant de « sanatorium privé », ou celui, plus modeste, de « pension de famille ». Le chemin, devenu route, enjambait une rivière dont l'eau claire et peu profonde butait en gazouillant sur des boîtes de conserve rouillées et des vieux matelas. Harriet s'arrêta sur le pont pour regarder en bas et Dobson, sans doute conscient de son malaise, vint s'accouder près d'elle sur le parapet. « Si vous étiez Lady Hester Stanhope, vous vous tiendriez à l'endroit précis où, au début du siècle dernier, passait la frontière entre l'Autriche et l'Empire ottoman », lui dit-il. Comme elle rougissait légèrement, il la rassura d'un sourire tout en l'enveloppant d'un regard admiratif.

Il se joignit à eux pour le déjeuner, puis pour le thé. Ce dernier bu, il leur proposa une promenade en voiture jusqu'à Sinaia.

Il arrêta son automobile devant l'hôtel. Les Pringle reconnurent la De Dion-Bouton de Foxy Leverett : nez carré, longue carrosserie d'un bordeaux rehaussé d'or évasée en tulipe, et somptueuse garniture intérieure de cuir du même bordeaux. Les phares de cuivre et l'énorme klaxon semblable à un tuba étaient superbement astiqués. Dobson contemplait le cabriolet avec un sourire de satisfaction. « Je pense qu'elle grimpera jusqu'à Sinaia, dit-il. Elle est dans une forme époustouflante. »

Pendant le trajet, il fut plus disert que jamais. Leur désignant un groupe de montagnes pelées qui se dressaient devant eux, il leur dit : « Vous voyez, ces montagnes sinistres ? On dirait qu'elles ont quelque chose à cacher, hein ? Elles ont mauvaise réputation auprès des paysans du coin. Quand Foxy et moi sommes venus skier ici l'hiver dernier, nous avons décidé d'essayer leurs pentes. Nous l'avons dit à Ileana, notre cuisinière, qui s'est jetée à nos pieds en nous suppliant d'abandonner cette idée : "Non, non, *domnule* ! Ne faites pas ça. Personne ne va jamais là-haut. C'est un endroit qui porte malheur", gémissait-elle. Foxy a tenté de la raisonner, puis, en désespoir de cause, l'a expédiée à la cuisine nous préparer des sandwiches. Quand elle est revenue, elle nous a baisé les mains comme si elle était sûre de ne jamais nous revoir. Bon, comme vous vous en doutez, nous sommes tout de même partis. L'ascension a été longue, ces montagnes étant plus hautes qu'il n'y paraît. La neige était superbe. Quand nous sommes arrivés au sommet, Foxy a dit : "Quel non-sens d'affirmer que personne ne se risque jusqu'ici ! Il y a forcément des gens, puisque c'est bourré de chiens : regarde toutes ces traces." Brusquement, nous avons compris. Nous avons sauté sur nos skis et sommes redescendus comme si nous avions le diable aux trousses. En rentrant chez nous, nous avons été accueillis par une veillée funèbre : Ileana avait convoqué toutes les cuisinières du quartier pour nous pleurer. En nous voyant, elles se sont mises à hurler comme si nous étions des fantômes. » Tout en leur contant cette anecdote, Dobson avait appuyé sur le champignon. Il leur désigna le compteur : « Quarante », dit-il avec fierté. L'auto trépidait de façon inquiétante.

Il se mit ensuite à évoquer le souvenir de son ami Leverett (« le meilleur garçon du monde ») — un sujet sur lequel il était intarissable. Foxy, le grand sportif, le play-boy, le pitre de la légation. Foxy s'entraînant au tir au pistolet dans son appartement en prenant pour cible une pendule Louis XV. Foxy loupant le lustre du salon et fichant une balle dans le lit de son propriétaire qui dormait à l'étage au-dessus. (« À tout autre que vous, *domnul* Leverett, j'aurais dit : "Ça suffit." ») Foxy à la chasse à l'ours dans les Carpates occidentales. Foxy à la chasse aux canards dans le Delta. Foxy rentrant avec une gibecière bourrée de gélinottes blanches.

« Je déteste la chasse, dit Harriet.

— Moi aussi. Mais c'est bien agréable d'avoir un peu de gibier dans son garde-manger. Quelque chose à grignoter quand on rentre tard. »

Ils passaient justement devant de maigres pâturages où paissaient de non moins maigres vaches. Guy, à la grande fureur de sa femme, rapporta à Dobson :

« Harriet m'a confié hier qu'elle adorait ces bêtes.

— Sur pieds, ou dans son assiette ? plaisanta Dobson.

— Vivantes, bien sûr. Elle a même une théorie à leur sujet.

— Celle de leur innocence, oui, répondit Harriet avec une mauvaise grâce teintée de défi.

— L'innocence des bêtes et la culpabilité des hommes, c'est ça ?

— En quelque sorte. Nous autres humains subsistons au coût de notre humanité. »

Guy lui serra l'épaule : « La culpabilité est une maladie de l'esprit. Ce sont ceux qui ont le pouvoir qui nous l'imposent. Ils ont intérêt à diviser la nature humaine contre elle-même. Cela permet à une minorité de dominer la majorité. »

Dobson n'intervint pas dans cet échange. Le regard fixé sur la route, il affichait le détachement, mais Harriet savait qu'il écoutait avec une vive attention. Craignant que Guy se compromît davantage, elle détourna la conversation.

Ils arrivèrent à Sinaia à la tombée du jour. « Nous devrions manger un morceau en vitesse avant d'aller tenter notre chance », dit Dobson aux Pringle, persuadé que, comme lui, ils brûlaient d'aller flamber.

Le casino était un bâtiment dont les prétentions à la grandeur pâtissaient quelque peu de l'apathie balkanique. De rares ampoules électriques dispensaient une lumière jaune et triste qui s'appliquait surtout à souligner le peu de soin apporté à l'entretien de ses jardins, où l'herbe folle, qui avait tout envahi, rendait humides et glissants les pavés de l'allée.

Le vaste hall d'entrée était désert. Le peu de vie du lieu s'était cantonné dans le salon principal, où une seule table était occupée. Un lustre formé de multiples globes verts pendait en son centre, prodiguant une lumière glauque. Les joueurs, absorbés et silencieux, étaient assis dans la pénombre.

Dobson trouva une chaise libre. Guy se plaça debout derrière lui pour regarder. On jouait à la roulette. Harriet, sur la pointe des pieds, partit se placer au bout de la table, d'où elle pourrait avoir une vue globale de la scène et de ses acteurs. En examinant ceux-ci, elle eut l'impression de regarder un film d'horreur. Ils lui semblaient pousser de leur chaise comme autant de champignons monstrueux. Son regard se posa, incrédule, sur un homme aux épaules inhabituellement larges doté d'un visage lunaire luisant d'une transpiration malsaine, dont le haut du corps n'émergeait que de quarante-cinq centimètres au-dessus de la table. « Où est le reste ? » se demanda-t-elle. À côté de lui, il y avait une vieillarde squelettique dont la bouche de travers, ouverte sur un cri muet, donnait à penser qu'elle avait succombé avant l'arrivée des secours. Plus loin, un homme à la tête anormalement grosse lui parut hydrocéphale. Cette collection d'êtres bizarres était complétée par d'autres, dont le visage sans âge semblait figé à jamais à un stade de désintégration évoquant une brusque et inexplicable interruption du processus.

Dans cette pièce sans fenêtres éclairée jour et nuit à la lumière artificielle, ces gens, d'une pâleur surnaturelle, semblaient survivre dans un monde à part, loin, très loin de la guerre, des changements de gouvernement et des menaces d'invasion. Ils évoquaient à Harriet des chrysalides dans leur cocon. Pour eux, l'événement se réduisait à une petite boule tournoyant dans une cuvette. Même le Jugement dernier n'aurait pu les sortir de leur transe.

La boule tomba dans une case. Un frémissement, presque un soupir, passa parmi les joueurs. Le râteau du croupier apparut dans la lumière, poussant les jetons à la ronde. Personne ne souriait, n'exprimait l'ombre d'un plaisir ou d'une déception. Toutefois, quand, en récupérant sa propre mise, l'un toucha accidentellement la mise d'un autre, éclata entre eux une querelle, brève mais haineuse, semblable à une querelle entre fous.

Le croupier relança la boule. Harriet s'avança d'un pas pour regarder. Aussitôt, l'homme derrière la chaise duquel elle se tenait tourna la tête ; il lui jeta un regard courroucé lui signifiant qu'elle était trop près. Elle s'éloigna sur la pointe des pieds.

Quand elle fut à l'autre bout de la table, elle constata que Guy n'était plus avec Dobson. Explorant du regard les zones d'ombre situées au-delà, elle vit qu'il avait retrouvé des gens qu'il connaissait. S'approchant de lui, elle reconnut ses interlocuteurs : Inchcape et Pinkrose. Guy parlait d'un ton animé, quoique à voix basse, tandis qu'Inchcape, la tête baissée et les mains dans les poches, se balançait sur ses talons. Pinkrose, qui se tenait un pas en arrière, fixait Guy avec une réprobation dénotant qu'il n'avait pas oublié le récital Gieseking. Inchcape leva la tête.

« Ah ! Vous voilà ! Allons boire un verre. » Il partit devant, se retournant pour voir si elle le suivait. Quand Harriet le rattrapa, il lui demanda :

« Alors, comment se passent ces vacances ?

— Très bien. Et les vôtres ?

— Ne m'en parlez pas ! Je n'ai jamais pu encaisser ce vieux casse-pieds.

— Alors, pourquoi l'avoir invité en Roumanie ?

— Qui d'autre aurait accepté de venir en des temps pareils ? Et vous, que pensez-vous de lui ? »

Elle éluda la question en en posant une autre :

« Heu... Pourquoi se méfie-t-il tant de ce pauvre Guy ?

— Ce type se méfierait de l'Agneau de Dieu ! »

Dans le bar, une grande pièce lugubre sans âme qui vive à part le barman, Inchcape leur confessa qu'il avait perdu cinq mille *lei*. « C'est la limite que je m'étais fixée. Quant à ce vieux grigou (il désigna Pinkrose), je n'ai pas réussi à lui faire miser un sou. Hein, vieux grippe-sou ? (Il lui donna une claque sur l'épaule.) Hein ? » insista-t-il en le fixant avec le regard de dégoût narquois d'un homme qui aurait honte de sa femme.

Pinkrose, assis aussi raide qu'un personnage de cire, les jambes serrées, les pieds bien parallèles, ses petites mains croisées sur le ventre, souriait dans le vague. Il semblait prendre les rosseries d'Inchcape pour une forme paradoxale d'admiration — ce qu'elles étaient peut-être.

Le bar était glacial. On l'avait aéré toute la journée sans refermer ensuite les fenêtres. Pinkrose commençait à s'agiter. L'air malheureux, il noua plus étroitement ses cache-nez. Il s'apprêtait à faire une remarque quand le barman vint prendre la commande.

« Il fait froid, je sais, concéda Inchcape avec indulgence. Nous allons boire un grog à la *tuică* pour célébrer l'hiver qui vient. J'aime hiberner. Je consacrerai les six mois qui viennent à Henry James. »

On leur servit les grogs, abondamment sucrés et poivrés, dans des petites théières individuelles. Quand on posa la sienne devant lui, Pinkrose eut un mouvement de recul.

« Non, pas pour moi, merci, dit-il.

— Cesse de faire des histoires et bois ! aboya Inchcape avec une telle exaspération que Pinkrose versa un peu du breuvage dans sa tasse et y trempa ses lèvres.

— Pas mauvais. Réconfortant, même », admit-il.

Dobson entra et s'assit avec eux.

« Alors ? La chance vous a souri ? lui demanda Guy.

— Eh non ! répondit-il gaiement. Mais on ne joue pas pour gagner. On joue pour le plaisir de jouer. (Regardant autour de lui, il épongea son crâne chauve avec son mouchoir de soie.) Dieu du ciel, je donnerais n'importe quoi pour mener de nouveau une vie normale. Je ne suis plus si jeune, mais j'aimerais pouvoir fermer les yeux et, en les rouvrant, me retrouver à un bal de débutantes au Dorchester ou au Claridge ! » ajouta-t-il, commentaire qui tomba dans un silence embarrassé.

Que ce type de délices n'en fût pas un pour les autres ne lui vint même pas à l'idée. Il plia soigneusement son mouchoir et le remit dans sa poche.

« En l'occurrence, demain il faut retourner au turbin. Comptez-vous rester longtemps parmi nous ? demanda-t-il aimablement à Pinkrose en se tournant vers lui.

— Je n'en sais rien », répondit ce dernier, offusqué par cette question déplorablement personnelle.

Inchcape répondit pour lui. « Oh, il ne va pas moisir ici », dit-il en lançant à son ami un regard mauvais. « Je disais que tu n'allais pas moisir ici », répéta-t-il en hurlant comme si l'autre était sourd.

« Mais je viens à peine d'arriver ! s'exclama Pinkrose. On m'a arrangé à grand-peine un vol spécial à l'aller. J'imagine que le retour sera tout aussi difficile à organiser.

— Et qui "arrangera" cela, à ton avis ? » demanda Inchcape.

Ignorant la question, Pinkrose poursuivit :

« Et ma conférence, s'il te plaît ? Il est grand temps que tu fixes une date.

— J'ai bien peur que tu doives y renoncer.

— Quoi ? Tu plaisantes, j'espère ? Alors que je comptais couvrir toute la poésie de Chaucer à Tennyson ? Un sujet qui, de l'avis du bureau central, peut avoir une influence décisive sur la politique roumaine à notre égard... »

Inchcape rit.

« Mon cher ami, même si Chaucer venait ici, il n'aurait aucune influence sur la politique roumaine. Même Byron, même Oscar Wilde n'arriveraient pas à remplir une salle.

— Es-tu en train de me suggérer de repartir sans avoir dit un mot ? De quoi aurais-je l'air auprès de mes collègues ? Je vais passer pour un imbécile !

— Dis-leur que tu es arrivé trop tard. Qu'il aurait fallu que tu viennes six mois plus tôt.

— Six mois plus tôt, je n'étais pas invité. »

Les lèvres de Pinkrose frémirent. Harriet crut un instant qu'il allait fondre en larmes, au lieu de quoi son visage s'épanouit soudain en un sourire : « Je crois que tu me fais marcher, comme on dit vulgairement », ajouta-t-il en quêtant du regard à la ronde un réconfort que personne ne tenta de lui apporter.

Harriet, avec un sens aigu de l'à-propos, dit à Inchcape :

« S'il n'y a personne pour assister à la conférence Cantacuzène, je me demande bien qui viendra assister au cours de Guy.

— C'est différent. Les étudiants n'ont aucun a priori politique : ce sont des êtres jeunes, loyaux, désireux d'apprendre... Cela dit, nous ouvrirons le département d'anglais surtout pour ne pas perdre la face.

— Avec Guy comme seul et unique professeur ?

— Je le déchargerai moi-même d'un séminaire ou deux. »

Il y eut un long silence. Harriet, inquiète pour son mari, regrettait de ne pas avoir poussé son avantage plus loin, mais le grog commençait à faire son effet. Plaisamment engourdie, elle se sentait soudain fataliste. Ils ne vivaient pas dans le meilleur des mondes ? Soit. Le meilleur était peut-être à venir.

Dobson, en bâillant, leur dit qu'il projetait d'aller passer quelques jours à Sofia car, à Bucarest, il était privé du plaisir d'aller à l'opéra. « Pourquoi ne vas-tu pas avec lui ? » suggéra Guy à Harriet. Celle-ci, confuse, rougit.

« Chéri, tu es incroyable ! Qu'est-ce qui te fait croire que Dobbie voudrait m'emmener ? protesta-t-elle.

— J'en serais ravi, l'assura Dobson en se redressant sur sa chaise.

— Je n'en doutais pas un seul instant, dit Guy. La situation ici commence à lui peser un peu, expliqua-t-il au diplomate.

— Je ne l'aurais jamais pensé », répondit celui-ci.

Son sourire sceptique laissait entendre que Guy commettait une ridicule erreur d'appréciation.

Harriet était furieuse. Elle en voulait à son mari de remettre publiquement sur le tapis un problème qu'elle croyait réglé. De plus, elle aussi commençait à douter fortement de ses capacités de jugement.

Pinkrose avait fini sa théière de *tuică*. Les yeux fermés, il commençait à dodeliner de la tête. Se reprenant en un sursaut, il déclara : « Je rentre à l'hôtel. Je tiens à me coucher tôt. »

Inchcape se leva et dit d'un ton brusque : « Oui. Au lit. Que faire d'autre dans ce coin barbare de l'Europe ? »

Dehors soufflait un vent d'une froideur hivernale. Dobson, apprenant qu'Inchcape et Pinkrose rentraient le lendemain à Bucarest, offrit de les y ramener en voiture. Inchcape était tenté d'accepter mais Pinkrose, en voyant la De Dion-Bouton, refusa tout net :

« Seigneur Dieu ! Il n'en est pas question. Je ne pourrai jamais voyager dans une voiture décapotée.

— Oh, avance, vieux croûton ! » lui cria Inchcape.

Hors de lui, il lui appliqua une poussée vigoureuse qui lui fit dévaler, tel un projectile fou, une bonne partie de la pente descendant à leur hôtel.

Le retour à Predeal fut morose. Harriet était gelée, mais

surtout déprimée. Elle se disait qu'à certains égards Guy était insupportable. Celui-ci, une fois dans leur chambre, s'aperçut de son retrait, se méprenant toutefois sur ce qui le motivait. Passant son bras autour des épaules de sa femme, il lui dit :

« Ne t'inquiète pas. Nous nous en sortirons.

— Je ne m'inquiète pas, lui répondit-elle froidement.

— Tu ne regrettes pas d'être venue en Roumanie avec moi, au moins ? »

Elle secoua la tête mais se dégagea de son étreinte.

« Tu ne regrettes pas de m'avoir épousé ? » insista-t-il.

Il cherchait manifestement à être rassuré car, quand elle lui répondit : « Parfois », il eut l'air peiné.

« Tu as l'impression que je ne suis pas l'homme qu'il te faut ?

— Parfois, oui.

— Qui t'aurait mieux convenu : Clarence ?

— Certainement pas ! Non, personne que j'aie déjà rencontré — ou que je rencontrerai jamais, peut-être.

— Tu ne m'aimes plus ?

— Ce n'est pas ce que j'ai voulu dire. Mais c'est toi qui ne tiens pas à être aimé — je veux dire sans réserve. Tu veux toi-même pouvoir te réserver pour d'autres gens, pour autre chose.

— Mais cela fait partie de mon travail, protesta-t-il. Il faut que je sois sociable, que je bouge. Toi aussi, tu sors, tu vas vers les autres...

— Ce qui t'arrange bien. Quand je passe mon temps avec Clarence ou Sacha, tu te sens plus libre. Ce faisant, tu ne prends pas grand risque, car tu te crois irremplaçable. »

Il la regarda, blessé, mais surtout surpris. Elle comprit qu'ils étaient dans des registres différents : le sien était émotionnel, celui de Guy, pragmatique. Elle aurait voulu l'accuser d'égoïsme, lui dire que son désir d'embrasser le monde entier était de l'infidélité et de la complaisance, mais il n'aurait pas compris.

« Tu ne m'as jamais dit que tu n'étais pas heureuse.

— Ah non ? (Elle rit.) La vérité est un luxe qu'on ne peut s'offrir qu'une fois en passant. »

Il rit aussi. Son chagrin aussitôt envolé, il se prépara en sifflotant à se mettre au lit.

Quand ils descendirent le lendemain prendre leur petit déjeuner, Dobson était déjà parti. Le froid de la nuit précédente annonçait un changement de temps. Le ciel était chargé de nuages. Une brume blanche s'enroulait comme de la ouate autour des sommets, créant un paysage morne et délavé animé par de rares traînées d'indigo.

L'hôtel n'était pas gai dans ce contexte. On venait d'allumer le chauffage central qui, pour le moment, n'avait d'autre effet que d'empester le fioul et la rouille. Dans le salon, les meubles en bambou étaient humides au toucher. Une odeur de poussière se dégageait des joncs plantés dans les pots.

Il se mit à bruiner. Personne à Bucarest n'avait envisagé le retour de la pluie, les Pringle pas plus que les autres. Ils n'étaient donc pas équipés. « Je suppose que tu n'as pas envie de te promener, aujourd'hui », dit Guy en s'installant à une table avec ses livres.

« Dommage que nous ne soyons pas rentrés avec Dobson », songeait Harriet. Le retour à Bucarest lui évoquait vaguement une plongée dans un chaudron de sorcière, mais elle avait quelque nostalgie de la chaleur et des loisirs relatifs de la capitale. De plus, elle s'inquiétait pour Sacha.

Regardant Guy préparer des cours pour des étudiants fantômes, Harriet se demandait où, pour lui, commençait et finissait la réalité. Il était prêt à gober tout ce qui présentait une once de vraisemblance, il se laissait duper par les dupes et impressionner par les médiocres — tout cela au nom de la charité. Mais ce genre de charité était-il véritablement charitable ?

Avant, elle s'indignait quand les autres le critiquaient. Maintenant, elle-même ne s'en privait pas. Et, fait encore plus surprenant, elle s'ennuyait avec lui.

Et pourtant, en le voyant assis là, nullement conscient de la dureté du jugement qu'elle portait sur lui, un homme généreux et infiniment accommodant, elle sentait son cœur fondre. Réfléchissant au mariage, elle se dit que la désillusion succédait inévitablement à l'amour ; on y entrait sans méfiance et c'était sans méfiance qu'on s'y trouvait piégé.

23

Ils venaient de rentrer à Bucarest. Il faisait froid, il pleuvait et les rues étaient sinistres. Les parois de verre d'immeubles conçus pour refléter le ciel et la lumière étaient sales, et d'un vilain gris plombé. C'était une de ces journées mélancoliques de fin de saison où, comme le jour des funérailles de Calinescu, planait dans l'air une vague menace.

Dès qu'ils ouvrirent la porte, ils entendirent l'harmonica de Sacha. Il jouait *We're Gonna Hang Out the Washing on the Siegfried Line*. Harriet éprouva simultanément un intense soulagement et un certain agacement. Du soulagement parce qu'il était sain et sauf. De l'agacement parce que, au lieu de travailler, il perdait son temps à des bêtises : « Étendre le linge sur la ligne Siegfried », non mais ! Sacha leva les yeux. Il parut si content de les voir que Harriet oublia aussitôt son irritation. Guy ouvrit son courrier.

Pension du Sérail

Cher garçon,
Je passe ici pour un espion, ou je ne sais quoi, et on veut à tout prix me coller dans un train et m'expédier ailleurs. Où ? Je me le demande. On me dit que Bucarest est pleine de nazis qui dépensent leurs lei comme des malades. Si l'un d'entre eux fait une offre pour l'Hispano, acceptez-la aussitôt.
N'oubliez pas votre pauvre vieux Yaki désespéré.

Le téléphone sonna : c'était Clarence. Il était content qu'ils soient rentrés car il fallait qu'il les voie de toute urgence. Il allait venir.

Quand il entra, Harriet comprit à son expression qu'il avait quelque chose d'important à leur dire. En effet, dès qu'il eut accepté un verre, il déclara :

« Je suis venu vous dire au revoir.

— Comment ? Tu pars si vite ? demanda Guy, ahuri.

— Je prends le train de nuit pour Ankara.

— Pourquoi Ankara ? s'enquit Harriet.

— Pour y rencontrer les représentants du British Council. On parle de me nommer à Srinagar.

— Merveilleux ! Vous avez déjà failli aller au Cachemire. Vous vous souvenez ?

— Cette fois, j'irai peut-être pour de bon. Mais je peux aussi bien finir en Égypte.

— Et retrouver Brenda ? »

Clarence ne répondit pas. Harriet revint prudemment sur un terrain plus neutre : « Eh bien, si vous allez au Cachemire, je vous envie. »

Il la regarda longuement dans les yeux puis lui dit d'un ton détaché :

« Sophie part avec moi.

— C'est pas vrai ! » lâcha-t-elle, stupéfaite.

Satisfait d'avoir marqué un point, Clarence sourit.

« C'est formidable ! s'écria Guy. Il faut fêter ça. (Il remplit de nouveau les verres.) Vous vous mariez, bien sûr ?

— Elle le souhaite », dit-il en haussant les épaules.

Son manque d'enthousiasme était patent. Il jeta à Harriet un rapide regard plein de reproche. Elle pensa : « Il fait cela pour se punir. » Guy, en revanche, exultait.

« C'est ce qui pouvait arriver de mieux à Sophie. Ici, du fait qu'elle est orpheline et à moitié juive, elle n'a aucune chance. Elle n'appartient à aucune communauté. Ailleurs elle s'épanouira. Tu verras, elle fera une splendide épouse. »

Harriet en doutait. Clarence aussi, semblait-il.

« J'ai toujours voulu être utile à quelqu'un. Peut-être pourrai-je l'aider, marmonna-t-il d'un ton funèbre.

— Tu peux l'aider immensément ! » l'assura Guy avec confiance.

Clarence tourna la tête vers Harriet. Elle le vit malheureux. Son regard l'implorait : « Sauvez-moi » — une chose qu'elle ne ferait jamais. Pas elle. Se détournant brusquement, il finit son verre et dit :

« Une chose avant de m'en aller : je dois rapporter ce que j'ai prêté à Guy à l'entrepôt du secours polonais.

— Vous plaisantez ! D'ailleurs, il y a longtemps qu'il n'y a plus de secours polonais, et vous avez vendu les stocks à l'armée roumaine, dit Harriet.

— Les négociations sont toujours en cours. Ces choses-là prennent du temps. Quelqu'un me remplace pour mener la transaction à son terme. Je lui ai fourni une liste, et dorénavant, c'est lui qui sera tenu pour responsable s'il manque quelque chose. »

Guy intervint. Il dit, comme si la demande de Clarence était la plus raisonnable du monde : « Bien sûr que nous allons te rendre ces affaires », tout en regardant Harriet comme si elle seule savait où diable elles étaient passées.

Celle-ci courut dans leur chambre et vida les tiroirs. Les tricots de corps étaient chez la blanchisseuse. Guy avait perdu le passe-montagne depuis longtemps. Elle retourna au salon avec trois chemises.

« C'est tout ce qui reste », déclara-t-elle.

Clarence se leva pour les prendre. Harriet, au lieu de les lui donner, sortit sur le balcon et les jeta par-dessus la balustrade. « Si vous les voulez, descendez les chercher », lui dit-elle. Il l'avait rejointe. Tous deux regardaient les chemises tombées sur les pavés mouillés. Une nuée de mendiants se rua sur cette manne. Encouragés par Harriet, ils nettoyèrent le terrain en un rien de temps.

« Vraiment, Harriet ! s'exclama Clarence, scandalisé.

— Chérie, ce n'était pas une chose à faire », dit mollement Guy, peu convaincu, s'agissant de sa femme, de la vertu des remontrances.

Clarence accusa le coup. Il rentra et se jeta sur le fauteuil. Plongeant la main dans sa poche, il dit : « Comment avez-vous pu me faire ça ? Moi qui vous ai apporté ce que vous m'aviez demandé... » Il sortit quelque chose de plat.

Harriet lui arracha l'objet des mains. C'était un passeport, avec la photo de Sacha.

« Clarence ! » Elle tendit les bras vers lui. Il sourit comme un homme qui n'en attendait pas moins.

Il se leva et dit, comme en s'excusant : « C'est un passeport hongrois, au nom de Gabor. Les Hongrois sont tellement nombreux dans ce pays que la *prefectura* ne peut pas tous les ficher.

Nous avons apposé des visas d'entrée pour la Turquie, la Bulgarie et la Grèce. Le temps venu, Sacha n'aura plus qu'à demander un visa de sortie. »

Harriet comprit que le passeport était à la fois un cadeau d'adieu et un gage de paix. Elle courut vers Clarence et le prit dans ses bras. Il répondit à son étreinte avec une vraie tendresse. La gardant prisonnière un peu trop longtemps, il lui demanda d'un ton sérieux :

« Vous ne m'oublierez pas ?

— Jamais ! Juré, craché, plaisanta-t-elle, incorrigible.

— Tu vas nous manquer, dit Guy.

— Bientôt, nous n'aurons plus personne », ajouta Harriet.

Clarence ramassa son écharpe.

« Nous serons au train pour te voir partir, décida Guy.

— Pas question. Je déteste les adieux sur les quais de gare. »

« Il ne veut pas qu'on le voie avec Sophie », pensa Harriet. À vrai dire, elle-même ne tenait pas non plus à le voir avec Sophie. Ils l'accompagnèrent jusqu'au palier.

« Nous nous reverrons, dit Guy.

— Si vous devez quitter la Roumanie, pourquoi ne pas venir au Cachemire ? Je te trouverai un boulot, Guy. »

Clarence serra longuement la main de son ami. Puis il reprit Harriet dans ses bras et lui donna un baiser nerveux. Il avait les larmes aux yeux, et elle se rendit compte qu'il était loin d'être sobre. Il se détourna et, sans attendre l'arrivée de l'ascenseur, descendit l'escalier comme un fou

24

La rentrée universitaire avait ordinairement lieu les premiers jours d'octobre. Guy ne savait toujours pas si, cet automne-ci, le département d'anglais allait rouvrir. Il ne s'en tenait pas moins prêt à commencer ses cours à tout moment. Deux jours après le départ de Clarence, il décida d'entreprendre une opération de reconnaissance sur son lieu de travail. Peut-être, dans les couloirs, croiserait-il le doyen, ou des étudiants qu'il connaissait ? De toute façon, une fois sur place, il trouverait sûrement quelqu'un susceptible de lui apprendre quelque chose.

Harriet n'était pas très chaude pour cette incursion en zone interdite, mais Guy refusa de se laisser dissuader. Il considérait le personnel de l'université comme autant d'amis. Ayant toujours joui d'une exceptionnelle popularité, il était sûr d'être bien accueilli. Cette visite lèverait ses incertitudes quant à la réouverture. Résignée, elle lui dit qu'elle irait avec lui jusqu'aux portes de la faculté et l'attendrait ensuite dans le Cismigiu. Il la laissa à la grille du parc et elle prit l'allée principale, presque déserte, qui menait au café du lac.

Une brume gris argent donnait à la lumière une douceur fantomatique. Les lointaines montagnes formaient sur l'horizon un lavis d'une transparence nacrée.

Les massifs de fleurs n'étaient plus que désolation. Des pétales de dahlias et de chrysanthèmes tapissaient les chemins. Sur les longues tiges des rosiers, quelques roses s'accrochaient encore, petites et décolorées, trop malmenées pour évoquer une espèce précise.

Les colombiers semblaient vides. Quelque part dans le lointain, lugubre, résonnait le cri aigu des paons blancs.

Les feuilles mortes jonchaient les pelouses et venaient se coller sur l'asphalte humide des chemins. Près du lac, en revanche, le feuillage des arbres était encore très fourni. Ployé sur l'eau, il évoquait de loin de grands oiseaux de proie, ailes repliées, repus et somnolents.

Le café était fermé. Elle le contourna pour aller jusqu'au pont d'où elle pouvait voir la jetée sur laquelle il était construit. Les chaises et les tables, empilées, étaient protégées par une bâche solidement arrimée pour résister aux intempéries de l'hiver à venir. La pensée d'un changement de saison qu'elle ne verrait peut-être pas l'attrista. Dieu seul savait où ils seraient quand le café rouvrirait.

La surface du lac, terne comme l'étain, était froissée ici et là par des courants d'argent et troublée par le sillage des colverts. Derrière elle, la cascade bouillonnait comme un tuyau crevé.

Elle entendit un pas derrière elle. Elle se retourna : c'était Nikko. Il semblait déconcerté de la rencontrer, mais quand elle s'exclama : « Nikko ! Comme je suis contente de vous voir ! Quand êtes-vous rentrés ? » il s'écria : « Harry-ott ! » et s'élança vers elle avec une gaucherie qui trahissait son hésitation. Ses amis anglais, en dépit de tout, étaient encore ses amis, décida-t-il. Ses yeux sombres pétillaient de plaisir, et ses dents étincelaient sous sa moustache noire.

« Nous pensions que vous seriez partis avant notre retour, dit-il. Je suis tellement content de voir qu'il n'en est rien !

— Oui, vous voyez, nous sommes toujours ici. Et Guy croit même que le département d'anglais va rouvrir. Qu'en pensez-vous ?

— Qui sait ? »

Voyant qu'il éludait la question, Harriet changea de sujet. « Comment va Bella ? demanda-t-elle.

— Très bien. Nos vacances l'ont rétablie. L'été fut éprouvant pour elle. Nous le passons d'habitude à la montagne. Ma pauvre Bella ! Elle souffre de mes absences répétées. J'ai une courte permission — de plus en plus difficile à obtenir —, puis je suis rappelé et elle pleure. Notre grand allié (il fit la grimace) exige que nous soyons sur le pied de guerre. Pourquoi, je vous le demande ? Mais où alliez-vous ? »

Elle lui expliqua qu'elle attendait Guy et que, n'ayant rien de spécial à faire, elle serait ravie de l'accompagner jusqu'à la grille arrière du parc.

Ils s'engagèrent ensemble sur le pont. Un gros nuage blanc vint obscurcir le ciel où le soleil n'était jusque-là que voilé d'une brume légère. Le lac devint uniformément gris argent. L'humidité et l'immobilité de l'air amortissaient le bruit de la circulation, leur donnant à tous deux l'impression de se mouvoir dans un capiton de silence.

De l'autre côté du pont, il y avait une promenade plantée de tilleuls dont le feuillage d'un jaune éclatant tranchait sur le gris du ciel. Deux officiers allemands venaient vers eux d'un pas nonchalant, les pans de leurs trench-coats mollement soulevés et les talons de leurs bottes claquant au sol. Ils semblaient s'ennuyer ferme.

Nikko, qui n'était pas en uniforme, les regarda et attendit prudemment qu'ils s'éloignent avant de dire à mi-voix à Harriet : « Ils n'ont pas encore gagné la guerre. Je vous le dis, Harry-ott, nous sommes fatigués des demandes incessantes des Allemands. Ils vont nous dévorer. Tout le monde se rappelle les Anglais, si honnêtes, si dignes, si généreux. Quand on me demande : "Les Alliés peuvent-ils encore gagner la guerre ?" je réponds : "Pourquoi pas ?" car nous sommes en octobre et l'Angleterre n'a toujours pas été envahie. Les Allemands ne cessent de remettre cette invasion. Ils trouvent des prétextes. Ne me citez pas, mais nous savons que, maintenant, il est trop tard. Ils ne *peuvent pas* envahir.

— Ah ? Pourquoi ? demanda Harriet, pleine d'espoir.

— Pourquoi ? Mais à cause du brouillard qui masque vos côtes, bien sûr. Comment pourraient-ils y débarquer ?

— J'ai bien peur que nous ne puissions miser sur le brouillard, répondit-elle avec un rire déçu.

— Alors pourquoi n'envahissent-ils pas ? Drôles de gens, remarquez... Lorsqu'ils ont occupé Bucarest en 1914, j'étais un petit garçon. Nous avions un officier allemand cantonné chez nous. Pas un mauvais bougre, en fait. Comme nous avions peur, nous faisions tout ce que nous pouvions pour lui être agréable. Quand ils ont battu en retraite, emportant avec eux tout ce qu'ils pouvaient rafler, cet homme a tendu un gros paquet à ma mère : "Un cadeau pour vous ; pour vous remercier de votre gentillesse." Après son départ, elle l'a ouvert : c'était un édredon. "C'est curieux, dit ma mère. Il me semble avoir déjà vu cet édredon." Elle alla inspecter son armoire à linge. Savez-vous quoi ? Cet Allemand avait offert à ma mère son propre édredon. Ces gens sont réellement bizarres ! »

Harriet rit. « J'aime l'Angleterre, poursuivit Nikko. Je comptais y travailler — si on m'avait proposé un emploi de tout premier plan correspondant à mes qualifications, s'entend. Je lisais *Punch* et le *Times*, auxquels je suis toujours abonné mais que, naturellement, je ne reçois plus. Et, comme vous pouvez le constater, mon anglais est excellent. Mais la guerre a étouffé dans l'œuf ce bel avenir. »

Harriet rit encore. « La guerre a étouffé dans l'œuf notre bel avenir à tous », dit-elle.

Nikko, échauffé par son enthousiasme pour Albion, affirma :

« Je suis convaincu que le département d'anglais rouvrira. Pourquoi pas ? Tout le monde adore Guy. C'est un homme merveilleux.

— Vous trouvez ? Il l'est peut-être, en un sens...

— Un homme merveilleux, je le maintiens ! Et pourquoi ? Parce qu'il ose être lui-même. Il ne joue pas les petits chefs, contrairement à certains qui s'amènent ici comme en terrain conquis — les "sahibs", les surnommons-nous. Lui, il se comporte comme un être humain, comme un copain, même. Justement, je disais l'autre jour à Bella : "Quel dommage ! Guy va partir sans que j'aie eu l'occasion de le connaître mieux." »

Harriet sourit sans répondre. Cette soudaine approbation de son mari lui semblait pour le moins surprenante.

Sentant qu'elle doutait quelque peu de son indépendance d'esprit, il joua cartes sur table : « Avant votre arrivée, je n'ai guère eu l'opportunité de le fréquenter. Bella et lui ne voyaient pas les choses du même œil. Elle me disait : "Il offre une mauvaise image de l'Angleterre. Je l'ai invité à un cocktail, et il n'est pas venu. Il est mal habillé — ce vieux pardessus qu'il ose arborer l'hiver est révoltant : n'importe quel autre Anglais préférerait mourir plutôt qu'être vu dans un vêtement pareil. Il cultive les juifs et il tient des propos imprudents. Il est mal vu des Anglais importants." Tout cela était peut-être vrai, mais moi, j'avais quand même bonne opinion de lui. Je disais à ma femme : "Invite-le de nouveau. Il est si occupé..."

— Beaucoup trop, commenta Harriet.

— Mais elle ne voulait rien entendre. Puis vous êtes arrivée. Et vous, vous étiez tout à fait sa tasse de thé, comme on dit chez vous. »

Harriet ne savait pas trop si ce compliment lui faisait plaisir.

« Mais moi, j'admirais Guy, poursuivit Nikko. D'ailleurs nous autres Roumains adorons les Anglais.

— J'en doute, dit Harriet. Les Roumains se méfient de nous, et de plus, ils nous en veulent.

— Un petit peu, peut-être, concéda Nikko en s'empressant d'ajouter, pour amortir cette fausse note : Nous pensons que vous nous méprisez, mais nous vous aimons quand même. D'ailleurs, regardez, dit-il en lui désignant un carré de choux clôturé envahi d'herbes folles et de rares fleurs sauvages : voici le jardin anglais. »

Harriet regarda, stupéfaite. Elle s'était souvent demandé pourquoi les jardiniers du parc n'entretenaient jamais cette jungle.

« Oui, reprit Nikko. Nous savons que vous ne concevez la végétation que comme exubérante. Nous respectons vos goûts : nous n'y touchons pas. Ainsi, vous voyez, chez nous vous êtes chez vous. Vous y disposez non seulement d'un bar anglais mais d'un jardin anglais.

— C'est vrai », dit gentiment Harriet.

Ils étaient arrivés à la grille. « Au revoir, Harry-ott. Voyons-nous plus souvent, cet hiver. Persuadez Guy de venir dîner chez nous. »

Elle le lui promit. Nikko semblait content, comme si toute une vie d'amitié les attendait, mais Harriet sentit dans leur séparation une note d'adieu.

Quand elle revint près du lac, elle vit Guy descendre l'allée à grands pas, une expression soucieuse sur le visage. Il lui sembla encore plus échevelé que d'habitude. Il vint vers elle sans un sourire.

« Que s'est-il passé ? s'inquiéta Harriet.

— Je dois absolument voir Inchcape. Tu viens avec moi ? »

En chemin, il lui raconta qu'il avait trouvé la porte du département d'anglais fermée à clé. Même la porte de son propre bureau était verrouillée. En entrant dans le hall de l'université, il avait remarqué que le concierge, dont il était pourtant le chouchou, s'était éclipsé discrètement en le voyant. Guy l'avait suivi et l'avait finalement coincé au sous-sol, dans la chaufferie. Le pauvre homme avait bredouillé :

« Que peut faire un vieil homme, *domnule* ? Notre pays est sous l'emprise du Mal, nos amis sont soustraits à notre affection. Les Ténèbres règnent...

— Il a dit ça ? dit Harriet, admirative.

— Heu, quelque chose comme ça. Il m'a assuré qu'il n'avait pas les clés de mon bureau. C'est le ministre des Affaires étrangères qui les a prises.

— Y as-tu laissé beaucoup de choses ?

— Quelques livres. Presque tous les livres d'Inchcape. Et mon pardessus.

— Ce n'est pas une lourde perte », dit Harriet, secrètement soulagée de cet incident qui mettrait peut-être un terme au don-quichottisme de Guy, mais remplie de pitié pour son désarroi. Crois-tu qu'Inchcape puisse intervenir ?

- Je l'ignore. Nous verrons bien. »

En arrivant Calea Victoriei, à la hauteur du bureau d'informations anglais, ils virent un attroupement sur le trottoir d'en face. Une foule, massée de l'autre côté de la rue, regardait la vitrine. Les rares curieux qui circulaient sur le trottoir longeant le bureau détournaient aussitôt les yeux et s'empressaient de descendre sur la chaussée, ce qui occasionnait un ralentissement de la circulation et un concert frénétique de klaxons.

Les Pringle traversèrent, conscients d'avoir tous les yeux braqués sur eux. Le trottoir devant le bureau était jonché de débris de verre et de cartons déchirés. On avait cassé la vitrine et démoli tout ce qui s'y trouvait. On semblait s'être tout spécialement acharné à coups de marteau sur le modèle réduit de la tête de pont de Dunkerque, œuvre de Pauli. Les affiches vantant les charmes touristiques de la Grande-Bretagne avaient été arrachées et rageusement roulées en boule.

Malgré l'étendue des dégâts, ni la police, ni aucun autre représentant de la loi et de l'ordre n'était sur les lieux.

« Attends-moi ici », conseilla Guy à Harriet en se précipitant à l'intérieur. Bien entendu, elle le suivit. Inchcape était seul dans le bureau du rez-de-chaussée, dont la porte était entrebâillée. Assis sur la chaise de la secrétaire, il pressait un mouchoir plié au coin de ses lèvres. Il accueillit les Pringle avec un sourire forcé : « Ça va. Ils m'ont à peine touché. »

Comme il prononçait ces mots, le sang jaillit du coin de sa bouche et lui ruissela sur le menton. Du sang et de la lymphe, sortant d'une autre blessure qu'il avait à la tête, lui dégoulinaient le long de l'oreille gauche. Son teint naturellement pâle était vert.

« Bon Dieu ! dit Guy. Il faut appeler un médecin. » Il se

dirigeait vers le téléphone mais Inchcape le retint : « Ce n'est rien, croyez-moi. »

On entendit claquer des portières. Galpin entra avec Screwby et trois autres journalistes de l'*English Bar*. Galpin s'approcha d'Inchcape, l'examina d'un œil froidement clinique et sortit son carnet : « Bon. Racontez-moi ce qui s'est passé », dit-il.

Inchcape lui jeta un regard hostile. « Les coups que j'ai reçus ne sont qu'accidentels, dit-il. Ce n'est pas à ma personne qu'ils en voulaient, c'est au matériel ; le but de leur expédition était le sabotage. L'attaque n'a duré que quelques minutes. » Se retournant vers Guy, il lui sourit et, comme s'il était le seul interlocuteur valable, lui précisa : « J'ai d'abord appelé votre appartement. Comme je ne pouvais pas vous joindre, j'ai appelé Dobson. Il arrive. »

Galpin reporta son attention sur les lieux saccagés. « Ils ont fait du beau travail. » Se retournant vers ses compagnons, il leur dit : « C'est mon informateur qui m'a prévenu. Il m'a dit que ces voyous de fascistes étaient en train de massacrer le vieux, de casser les vitres et de tout détruire — en plein jour, dans une rue bondée. Et personne n'a levé le petit doigt. Ces trouillards ont juste pressé le pas en passant devant. Regardez-moi ça, ajouta-t-il en désignant les spectateurs de l'autre côté de la rue, ils pissent dans leur froc tellement ils ont peur. » Il se tourna de nouveau vers Inchcape et, comme s'il parlait à un débile mental, lui expliqua : « Nous voulons une déclaration. Dites-nous, avec vos propres mots, quand c'est arrivé, comment c'est arrivé, et par qui vous pensez avoir été attaqué. »

Inchcape tourna lentement la tête et regarda Galpin dans les yeux. « J'attends Mr Dobson. Je ne ferai aucune déclaration en son absence », dit-il, du même ton bureaucratique que le journaliste.

Déconcerté, Galpin fit un pas en arrière. Ce faisant, il heurta Screwby qui, justement, s'avançait vers Inchcape pour lui déclarer avec effusion : « Je dois dire, monsieur, que j'admire votre cran. »

Inchcape accueillit ce compliment avec une ombre de sourire qui déclencha derechef le saignement de sa lèvre.

Galpin, vexé, murmura aux autres :

« J'espère seulement que quelqu'un a appelé un médecin. Ses blessures sont peut-être plus graves qu'il ne le pense.

— On n'a appelé aucun médecin et je n'en veux aucun. (Il cligna de l'œil à Harriet.) Dieu me garde des médecins roumains. »

Dobson parut. « Juste ciel ! » dit-il en regardant autour de lui. Il eut un moment de désarroi pendant lequel, tirant nerveusement sur ses gants, il semblait ne pas trouver ses mots. Puis il se reprit et demanda d'un ton neutre :

« Les types qui ont fait cela étaient-ils en uniforme ?

— Non.

— Ah, une agression non officielle. Quand nous protesterons, personne ne sera au courant de rien. Si nous insistons, nous obtiendrons peut-être des excuses ; mais l'affaire sera classée. Ils affirmeront naturellement être impuissants.

— Nous sommes tous impuissants, dit Galpin, qui commençait à donner des signes d'impatience. Et la déclaration ? »

Ils attendaient tous. Inchcape, au centre de l'attention, tamponnait toujours sa bouche avec son mouchoir. Retrouvant son sourire ironique habituel, il finit par dire :

« J'étais là-haut dans mon bureau, innocemment occupé à lire Miss Austen, quand j'ai entendu du fracas en bas. Une bande de jeunes hommes a fait irruption et a commencé à tout casser. J'ai entendu ma secrétaire crier. Quand je suis descendu, elle avait filé sans demander son reste. Judicieux de sa part ; d'autant plus que, depuis quelque temps, elle commençait à douter de la justesse de la cause des Alliés. »

Il fit une pause pour se sourire à lui-même avec un détachement philosophique en se rappelant la scène.

« Quand je suis entré dans le bureau, poursuivit-il, un des types a claqué la porte derrière moi et l'a fermée à clé. Ils étaient sept ou huit en tout. Deux ou trois m'ont prodigué leurs attentions, les autres ont continué à se livrer à leur frénésie destructrice. J'ai été frappé à la tête avec le portrait encadré de notre respecté Premier ministre...

— Délibérément ? demanda Galpin.

— Je l'ignore. Le coup m'a propulsé en arrière sur cette chaise. Quand j'ai voulu me relever, quelqu'un m'a saisi par les épaules et m'a obligé à me rasseoir. L'un d'entre eux — le chef, je suppose — a jugé bon de m'interroger.

— Quel genre d'interrogatoire ? Quel genre de questions ? s'enquit Dobson.

— Oh, les questions habituelles. Il voulait savoir qui était à la tête des services secrets britanniques en Roumanie. J'ai dit : "Sir Montagu." Ça leur a coupé le sifflet.

— Vous n'aviez nul besoin de mêler Son Excellence à cette histoire, grogna Dobson, furieux.

— Vous savez comme moi qu'il est intouchable. Et qu'il est sous haute protection, dans le cas improbable où ils voudraient tenter quelque chose. »

Dobson allait répondre vertement mais il referma la bouche devant le changement qui s'opérait peu à peu chez Inchcape. Des bleus commençaient à sortir sur son front et ses joues. Son mouchoir était rouge de sang. Guy lui proposa le sien, qu'il refusa d'un « Ça va, merci. »

Galpin intervint d'un ton accusateur : « Ils ont dû vous flanquer des coups... »

Inchcape, beaucoup plus secoué qu'il ne voulait l'admettre, retint son souffle et répondit avec une brièveté sardonique : « Un ou deux, peut-être. »

Bien qu'il répugnât à admettre ce fait qui blessait sa dignité, les journalistes ne furent pas dupes. L'un d'eux hasarda :

« Ce ne sont pas quelques gentilles petites calottes, "accidentelles", comme vous dites, qui ont pu vous mettre dans cet état.

— Suggérez-vous que je mens? demanda sèchement Inchcape.

— Bon, ça va. Nous ferions mieux de retourner à l'hôtel », dit Galpin en refermant son carnet dont il fit claquer l'élastique.

Boutonnant son veston, il regarda ses confrères avec l'air de quelqu'un qui, ayant obtenu ce qu'il voulait, avait désormais mieux à faire que s'attarder.

Ils sortirent, Guy les suivit pour trouver un taxi. Il voulait ramener Inchcape chez lui. Il entendit Galpin dire aux autres :

« À mon avis, il l'a cherché.

— Pourquoi dites-vous cela? intervint Guy.

— Contre toute raison, il a insisté pour garder ceci ouvert (il désigna le bureau d'un geste du pouce). Mais il doit y avoir un autre motif. Les types qui ont fait ça le connaissaient. *Personnellement*, je veux dire. C'est pour ça qu'il la boucle. Il a toujours été un vieux salaud radin. Ils devaient avoir leurs raisons pour lui casser la figure.

— Quelle ineptie ! s'écria Guy, dégoûté. Il est évident que c'est un acte de violence gardiste. »

Galpin ricana. Il monta dans sa voiture et, en guise d'adieu, porta l'estocade à Guy : « Au cas où vous l'ignoreriez, tout plaisir se paie », lança-t-il en démarrant.

Inchcape se dirigea vers le taxi en affichant une désinvolture stoïque mais peu convaincante. En montant, il s'affaissa, et Guy dut le relever.

Chez lui, Pauli l'accueillit en levant les bras au ciel et en poussant un cri de détresse. Inchcape, le repoussant avec une impatience affectueuse, lui ordonna : « Va plutôt nous faire du thé. »

Tandis qu'ils le buvaient, Inchcape revint avec jubilation sur la présence d'esprit dont il avait fait preuve durant l'« interrogatoire » : « Je leur ai cloué le bec en leur disant que Sir Montagu était à la tête des services secrets. Si vous aviez vu leur tête ! Ils savaient que le vieux charmeur est hors d'atteinte. Du coup, ils n'avaient plus d'autres questions à me poser. »

Juste au moment où les Pringle partaient, Inchcape leur recommanda : « Et surtout, pas un mot de cet incident à Pinkrose. Il s'affolerait. Promettez-le-moi : pas un seul mot. »

Ils le lui promirent.

25

Le lendemain matin, Pauli téléphona à Guy pour lui dire qu'il était inquiet pour son maître. La veille au soir, Inchcape, tout en affirmant aller parfaitement bien, n'avait pu dormir qu'en se bourrant de Véronal. Ce matin, son état avait empiré : toute vie semblait s'être retirée de lui. D'après Pauli, il était très mal et réclamait Guy.

Celui-ci cria à Harriet, qui était dans la salle de bains, qu'il rentrerait pour déjeuner, et partit avant qu'elle pût lui demander où il allait.

Il était soucieux, et pas seulement à cause d'Inchcape. La veille au soir, après avoir raccompagné celui-ci chez lui, il avait salement besoin d'un verre. Il était passé à l'*English Bar* où Galpin lui avait dit avoir obtenu des « informations à la source » : la Gestapo ne tarderait pas à suivre la mission militaire. Les Allemands avaient déjà installé un Gauleiter dont toute la ville parlait. On le disait paralysé à partir de la taille. Allongé sur son lit toute la journée, il ne voyait personne, ses agents exceptés, mais il savait tout sur tout le monde. « L'ensemble de la colonie allemande est terrifiée par ce salaud. Même Fabricius. Sans parler des ministres roumains. On dit qu'une députation de politiciens roumains est allée hier soir demander à Fabricius de supplier le Führer d'envoyer une armée d'occupation. Il a répondu que l'Allemagne n'avait pas encore prévu d'occuper la Roumanie. Tu parles ! Tout indique qu'ils peuvent le faire à tout moment. »

Harriet, qui jouait aux papiers découpés avec Sacha, n'était pas allée à l'Athénée-Palace avec Guy. En revenant, celui-ci s'était bien gardé de lui rapporter ce qu'il avait appris.

Pour la première fois, il avait peur pour elle. Qu'elle fût courageuse, il n'en avait jamais douté. La croyant même plus solide que lui, il ne s'inquiétait nullement à son sujet. Mais maintenant, après cette explication qu'ils avaient eue à Predeal et qui l'avait troublé, il se disait qu'elle avait de l'audace mais pas de nerfs. Ils avaient tous deux une approche différente du danger : lui tendait à l'occulter ; elle, à ne jamais se le cacher pour éviter d'être prise au dépourvu. Elle vivait préparée au pire, ce qui créait chez elle une tension permanente néfaste pour son équilibre. Il se dit qu'il devait la protéger contre sa propre nature, lui éviter les chocs — même si voir Inchcape craquer n'en était pas un majeur pour elle.

Lui-même, sans se l'avouer, avait été fortement secoué en entendant son nom et celui d'Inchcape mentionnés à la radio allemande. Tous deux étaient des proies toutes désignées, non seulement pour la Garde de Fer, mais pour la Gestapo.

Convaincu que le temps d'une rude mise à l'épreuve était venu, il tenta, pour apprivoiser sa peur, de se jouer dans sa tête le scénario d'une possible agression : il ne la verrait pas venir ; des brutes lui tomberaient dessus et le roueraient de coups — sur la tête et sur le visage. Ayant une répulsion particulière pour la violence physique, il ne savait pas quel serait son type de réaction en situation. Il espérait, le temps venu, que son orgueil le soutiendrait comme il avait soutenu Inchcape, mais il ne pouvait s'empêcher de s'avouer que, dans un premier temps, il flanchait toujours sous la douleur. Après, il arrivait en général à se reprendre. Mais dans l'immédiat, il lui fallait affronter un autre péril : la perspicacité de Harriet, à qui cacher son état d'esprit ne serait pas facile.

Pauli vint lui ouvrir la porte. Sans un mot, il lui fit de la main un geste éloquent pour l'avertir du spectacle qui l'attendait. Sur le seuil de la chambre, Guy, persuadé de trouver Inchcape prostré, fut soulagé de le voir assis ; mais son soulagement fut de courte durée. Il fut horrifié par ce qu'il vit quand Inchcape tourna la tête.

« J'étais plus joli avant, hein ? ironisa ce dernier en voyant l'expression de Guy.

— Ce pourrait être pire.

— Pire que Frankenstein ? Vous m'étonnez. »

Cette tentative de plaisanterie fut accompagnée d'une grimace de douleur. Il avait les deux yeux au beurre noir et l'un

d'entre eux était complètement fermé par l'enflure des paupières. Un hématome violet occupait toute une moitié du
visage, tranchant violemment avec la pâleur de l'autre moitié.
Ses lèvres étaient gonflées et ses traits, habituellement fins, si
déformés que, sur la blancheur des draps, il ressemblait à un de
ces masques guerriers africains portés pour effrayer les tribus
ennemies.

Guy avait toujours à l'esprit le visage ensanglanté de son
ami Simon. Mais ce qu'il avait subi était du travail d'amateur
en comparaison de ce qu'il avait maintenant sous les yeux. Il se
dit que, depuis, la brutalité avait fait des progrès.

« À part les bleus, avez-vous d'autres blessures ? demanda
Guy.

— J'ai un peu mal au dos. Prenez un verre. »

Inchcape tendit la main vers la table de nuit pour attraper
la bouteille de cognac qui s'y trouvait, mais il retomba sur ses
oreillers avec un grognement. Il reprit à grand-peine sa respira-
tion, regarda Guy et lui dit enfin, avec une impatience qui
n'était plus que l'ombre de celle qu'il manifestait d'ordinaire :

« Ne restez pas planté là comme une souche. Asseyez-
vous, Bon Dieu.

— Laissez-moi vous en servir un. »

Guy, avant de s'asseoir, lui versa un cognac.

La chambre d'Inchcape était une petite pièce dotée d'une
seule fenêtre obscurcie par le feuillage d'un platane. Les murs
étaient ornés d'icônes si sombres que Guy ne distinguait pas ce
qu'elles représentaient. Il se demanda si ce n'était pas l'atmosphère lugubre de cette pièce qui faisait paraître Inchcape si
malade.

Celui-ci but une gorgée d'alcool et reprit la parole : « J'ai
appelé ce matin Son Excellence pour lui dire que je ne me lais-
serai pas intimider par ces voyous et que j'étais décidé à rouvrir le bureau. Mais apparemment, celui-ci a été officiellement
fermé par les autorités roumaines. Une décision à laquelle je
refuse de me plier. Je me battrai. » Plantant ses coudes dans les
oreillers, il fit un nouvel effort pour se redresser, sans plus de
succès qu'auparavant.

Inchcape était un homme vieillissant qui n'avait jamais
fait son âge. Sa vitalité l'avait gardé jeune. Mais l'état de grâce
qui l'avait préservé était terminé. Le col de son pyjama laissait
apparaître un cou pitoyablement décharné. En une nuit, il

avait pris dix ans. « Dobson m'a téléphoné tout à l'heure, ajouta-t-il. Très aimable comme d'habitude. Il me conseille d'aller en Turquie. Je lui ai dit qu'il n'en était pas question. »

Guy hocha la tête. De fait, il se demandait, maintenant que le département d'anglais et le bureau d'informations étaient fermés, si Inchcape ne ferait pas mieux de partir. Il s'était figuré que la présence de la légation garantissait leur sécurité, mais maintenant, il ne pouvait plus entretenir d'illusions à ce sujet. Son travail n'avait plus de sens. Il avait été agressé. Ne restait que sa détermination à rester dans ce pays aussi longtemps que Sir Montagu y serait.

« Tout de même, dit Guy, je ne vois pas pourquoi vous ne prendriez pas quelques semaines de congé après cette histoire. »

Inchcape le fixa de son seul œil valide. Guy comprit : Inchcape voulait qu'on le persuade de partir. Son défi n'était plus qu'une pose. Or, si Inchcape partait, il pourrait difficilement exiger que les autres restent : Harriet et lui pourraient également quitter le pays. Ils seraient sauvés.

« Dobson, lui, va bien à Sofia... poursuivit Guy.

— C'est vrai. Non que j'approuve ce départ ; je me suis laissé dire que le vieux charmeur en personne avait récemment affrété un avion pour aller passer une semaine à Corfou. En des temps pareils, il aurait dû s'abstenir...

— Je n'en suis pas si sûr. »

Craignant de réactiver l'obstination farouche d'Inchcape, Guy se surprit à manier les clichés : « C'est parfois une bonne chose de prendre un peu de recul par rapport à une situation. On l'analyse mieux. »

Saisissant la balle au bond, Inchcape se permit une certaine mesure d'approbation : « Ces voyages ont probablement un autre but. Qui sait qui Sir Montagu a rencontré là-bas, et de quoi il a discuté ? J'ai moi-même souvent pensé à rencontrer notre agent à Beyrouth, pour le mettre au fait de se qui se passe ici. Contrairement à moi, il est en contact téléphonique direct avec le bureau de Londres ; il faut absolument qu'ils se rendent compte combien les choses ont changé en Roumanie. Le coût de la vie, pas exemple ! Nous ne pouvons pas continuer à toucher des salaires d'avant-guerre. »

Guy n'avait jamais encore entendu parler de cet agent. Mais il était prêt à en admettre l'existence du fait que l'organisation fournissait des hommes à l'université américaine à Beyrouth. « Il y a certainement une liaison aérienne entre Istanbul et Beyrouth », dit-il.

Inchcape hocha la tête en silence. Il sembla à Guy qu'il était prêt à accepter de faire ce voyage. Il allait suggérer que, tandis qu'Inchcape était à Beyrouth, Harriet et lui pourraient aller à Athènes, quand il vit la main d'Inchcape, posée sur le drap blanc, se mettre à trembler. Se disant qu'il harcelait ce vieil homme solitaire pour lui faire quitter le seul endroit au monde où il avait quelque importance, il la prit dans la sienne et la pressa.

À ce contact, les lèvres d'Inchcape frémirent. Une larme coula de ses paupières enflées.

« Nous ne pouvons pas céder, Guy, dit-il. Nous ne pouvons pas fuir. Nous devons garder une représentation dans ce pays.

— Nous ne fuyons pas, l'assura Guy. Vous prenez simplement le congé qui vous est dû. Je serai ici pour vous représenter.

— C'est vrai. »

Admettant sa défaite, Inchcape laissa sa tête retomber sur l'oreiller et se mit à sangloter sans retenue.

Consterné d'assister à l'effondrement d'un homme qui, jusqu'alors, apparaissait comme inflexible, Guy comprit qu'il avait toujours pris Inchcape au mot, acceptant de le considérer comme son chef sans discuter ses ordres. Il n'avait jamais douté qu'une bonne part de sa témérité était basée sur l'aveuglement, mais cela l'épouvantait de le voir flancher à la première épreuve de vérité. L'indignité de ce qu'il avait subi pouvait expliquer ce comportement.

Guy se taisait, impuissant devant ces larmes. Puis, comprenant que c'était maintenant à lui de prendre l'initiative, il dit : « Autre chose : nous devons annoncer au bureau de Londres que la débâcle est imminente. Il faut qu'ils nous donnent des instructions, à savoir : où aller, et quel travail faire ailleurs. Il n'est pas question que nous devenions des réfugiés sans emploi. »

Inchcape hocha de nouveau la tête. Trouvant son mouchoir, il se tamponna doucement les yeux et les narines.

« Vous avez parfaitement raison. Mon départ est plus que souhaitable : il est impératif. Et il doit avoir lieu sans tarder.

— Tout à fait d'accord. Vous devez partir dès que vous vous sentirez capable de voyager.

— Je ne suis pas infirme. Plus tôt je partirai, plus tôt je reviendrai. Je n'emporterai pas grand-chose : un jeu de sous-vêtements de rechange, quelques livres, un seul sac et un cartable. J'aime voyager léger. S'il n'y a pas d'avion pour Beyrouth, il y aura bien un train... Ce sera probablement un voyage très inconfortable, mais intéressant. Si rien de fâcheux ne survient entre-temps, je prendrai l'Orient-Express de dimanche soir.

— Pensez-vous être en état de le faire si tôt?

— Oh, je ne me sens pas si mal, à part ces quelques ecchymoses. »

Et, en effet, maintenant que l'affaire était réglée, Inchcape se sentait beaucoup mieux. Repoussant le couvre-lit, il sortit ses jambes et commença à chercher ses pantoufles. Ne les trouvant pas, il renonça à se lever et retomba sur ses oreillers. Jetant un regard pénétrant à Guy, il lui demanda :

« Vous n'avez pas dit un mot de tout ceci à Pinkrose, n'est-ce pas?

— Non. Je ne l'ai même pas vu.

— Bien. Il ne l'apprendra pas par d'autres puisqu'il met un point d'honneur à "garder ses distances", comme il dit. Il a appelé hier soir ; Pauli lui a dit que j'étais au lit avec de la fièvre. Aucun risque qu'il vienne m'importuner : il aura trop peur d'attraper mes microbes.

— Ne croyez-vous pas qu'il faille lui dire que vous partez?

— Il n'en est pas question. Il serait dans tous ses états. Il en aurait une crise cardiaque. Ou pire, il insisterait pour m'accompagner. Et ça, je ne le supporterais pas. Une épreuve au-dessus de mes forces, dans mon état », ajouta Inchcape en fixant Guy d'un air piteux.

Guy se demanda ce qu'ils allaient faire de Pinkrose après le départ d'Inchcape; mais ne souhaitant pas soulever le moindre problème susceptible de faire obstacle à celui-ci, il dit :

« Très bien.

— Ne le dites à personne. Je serai de retour avant qu'on ait eu le temps de s'apercevoir de mon absence. »

Après avoir quitté Inchcape, Guy, en chemin, se disait

qu'en l'envoyant chercher, il avait envoyé chercher quelqu'un capable de le persuader. Lui-même ne croyait pas avoir fait grand-chose dans ce sens : les gens déterminés étaient en fait plus faibles qu'il n'y paraissait, se dit-il. Il lui vint aussi à l'idée que Harriet, s'il s'y prenait habilement avec elle, se laisserait également convaincre de partir. Non que les conditions fussent exactement semblables : Inchcape s'était effondré au premier coup de la réalité, tandis que Harriet, elle, n'occultait jamais cette réalité. Tout en s'obstinant à rester, elle voyait tout autant que Guy les dangers qu'il y avait à le faire — probablement mieux que lui. Mais c'était compter sans sa propre obstination : quand il avait décidé quelque chose, il pouvait être aussi rusé que n'importe qui pour arriver à ses fins. De plus, il savait ce qui constituait le talon d'Achille de sa femme : lui-même et Sacha. Il pourrait la convaincre d'aller à Athènes pour lui, Guy. Ou, mieux encore, de faire ce voyage pour sauver Sacha.

Il connaissait depuis longtemps son attachement au jeune garçon, et il ne lui en tenait pas rigueur. Il était heureux qu'ils passent de bons moments ensemble. De plus, il n'avait aucune illusion sur lui-même. Il se savait trop sociable, trop occupé, incapable de supporter la moindre contrainte. Tenterait-il de l'accuser de le négliger, elle aurait suffisamment d'arguments pour lui prouver que c'était lui qui la négligeait. Si elle ressentait le besoin d'avoir un ami, mieux valait que ce fût une relation innocente. Quant à Sacha, sa captivité le rendait paresseux, elle l'infantilisait. Il se comportait comme s'il ne souhaitait rien d'autre que de continuer à vivre chez eux comme un animal domestique. Il était encore jeune, mais à son âge, nombre de Roumains étaient mariés. Il fallait le responsabiliser. Lui présenter le voyage à Athènes avec Harriet comme une expérience où les rôles seraient inversés : de protégé, il deviendrait le protecteur.

En arrivant chez lui, Guy raconta à sa femme la visite à Inchcape.

« Il part dimanche pour Beyrouth.

— Pour de bon ? demanda-t-elle.

— En théorie, non. Mais je doute qu'il revienne.

— Alors rien ne nous retient plus ici. Nous pouvons partir pour Athènes avec Sacha, s'écria-t-elle avec enthousiasme.

— Non, pas moi. J'ai promis à Inchcape que je resterai

pour le représenter. Sinon, il n'aurait jamais accepté de partir. De plus, il y a Pinkrose. (Voyant son visage s'assombrir, il lui prit la main.) Écoute, dit-il, je voudrais que tu fasses quelque chose pour moi.

— Quoi?

— Aller à Sofia avec Dobson.

— Il n'en est pas question. Si je vais quelque part, ce sera en Grèce. Et pas sans toi, dit-elle en lui retirant sa main.

— Entendu. Pars pour Athènes avec Sacha. J'irai vous y rejoindre. Écoute, chérie, sois raisonnable. J'ai deux raisons de vouloir que tu y ailles. D'abord Sacha : si vous faites la première partie du voyage jusqu'à Sofia avec Dobson, il sera plus en sécurité. Ils ne lui poseront même pas de questions. Il sera traité comme un passager privilégié. Et s'il y a un problème, on peut compter sur Dobson pour user de son influence.

— Et l'autre raison?

— Si l'avion fait d'abord escale à Ankara avant d'aller à Athènes et si je mets un seul pied en Turquie, on m'enverra au Moyen-Orient. Or je ne déteste rien tant que le sable et la chaleur. Je veux aller en Grèce, tout comme toi, et si tu m'y précèdes, j'aurai la bonne excuse d'aller t'y rejoindre. »

À son expression, il vit que l'idée de mission faisait son chemin. Ébranlée, elle détourna la tête en se mordant la lèvre avec perplexité.

« De plus, poursuivit-il, si les choses s'arrangent ici tu pourras revenir. »

Elle résistait encore : « Cette incertitude peut durer longtemps. Nous n'avons tout simplement pas les moyens matériels... »

Il l'interrompit : « Vas-y au moins pour quelques semaines. Va voir le responsable de l'organisation à Athènes. Dis-lui que je souhaite y travailler. Tu sais que tu peux le faire. Si tu lui es sympathique, il acceptera de m'employer. Si je suis obligé de quitter la Roumanie, j'aurai alors un endroit où aller. »

À demi persuadée, Harriet lui dit encore :

« Si je veux revenir à Bucarest, il n'est pas sûr que je puisse le faire.

— Si tu prends le soin de te procurer un visa de retour avant de partir, ils ne peuvent pas t'en empêcher. »

Elle se laissa convaincre par cet argument. Elle conduirait

Sacha à Athènes, puis elle reviendrait seule si Guy n'était toujours pas venu les rejoindre.

Guy eut le triomphe modeste, mais, secrètement, il exultait : en expédiant Harriet, Sacha et Inchcape, il les mettait en sécurité. Mais qui plus est, il se donnait les coudées franches pour l'action. Pour mener sa propre guerre contre le fascisme. L'engagement ultime était proche. Il pourrait enfin y faire face seul.

26

Harriet ne fit aucun préparatif. Elle ne parla même pas de leur départ probable à Sacha. Elle ne comptait rien faire avant d'avoir obtenu son visa de retour. Quand elle se rendit compte qu'elle ne l'obtiendrait probablement pas, elle en éprouva une morne satisfaction.

Elle dut faire la queue pour obtenir le visa de sortie, mais on le lui accorda sans problème. Pour celui de retour, on lui désigna un guichet derrière lequel il n'y avait personne. Elle fit le pied de grue un moment puis s'impatienta. On lui dit que l'employé viendrait — peut-être — à cinq heures.

Elle retourna en fin d'après-midi à la *prefectura* pour trouver de nouveau le guichet vide. Elle demanda alors à voir le responsable. Il finit par venir et prit son passeport. Il la laissa attendre vingt bonnes minutes avant de revenir lui dire qu'il ne pouvait pas lui accorder un visa sans une lettre de recommandation de la légation.

Découragée, fatiguée, elle partit pour la légation tout en se disant qu'elle ne quitterait pas Bucarest. Elle ne voulait pas laisser Guy.

En traversant la grand-place devant l'Athénée-Palace, elle rencontra Bella. Les deux femmes se retrouvèrent face à face sous le drapeau nazi.

Bella portait un nouveau tailleur de laine et une étole de vison qu'elle laissait négligemment pendre de ses épaules. C'était leur première rencontre depuis le retour de vacances des Nicolescu. « J'allais justement t'appeler. Devine combien j'ai eu au marché noir aujourd'hui ! Six mille *lei* pour une livre sterling ! Et ça monte encore. Chérie, nous sommes riches ! J'achète

tout ce que je peux. On ne sait jamais, n'est-ce pas ? Je viens de
me commander un nouveau manteau de fourrure — de l'astrakan, bien sûr. J'ai choisi moi-même mes peaux. De *minuscules*
petites choses. J'ai écrit mon nom derrière chacune pour qu'il
n'y ait pas de mic-mac. Et j'ai commandé une demi-douzaine de
nouveaux costumes pour Nikko — du meilleur tweed anglais. Il
faut absolument acheter tout ce qui reste. Et des chaussures :
impératif. Une douzaine de paires pour chacun de nous. Pourquoi pas, après tout, puisqu'on peut se le permettre ? »

Trouvant Harriet plutôt réservée, elle ajouta :

« Mais comment allez-vous, toi et Guy ? Que pensez-vous
de la situation ?

— Ça ne te gêne pas ? dit Harriet en désignant la croix
gammée qui se déployait au-dessus de leurs têtes.

— Je ne sais pas, répondit Bella avec un petit rire. En un
sens, cela me rassure. C'est réconfortant de se sentir protégé,
même par les Allemands. Tu sais, les Alliés n'ont pas été chics
avec la Roumanie. Après s'être portés garants de sa sécurité, ils
n'ont pas levé le petit doigt pour elle. Les Anglais ont conspiré
pour faire sauter les puits de pétrole, livré Ploiesti aux intérêts
étrangers, placé leurs propres techniciens. On ne peut blâmer les
Roumains d'avoir souhaité leur départ.

— Quand le dernier sera parti, comment fera la Roumanie ?

— Elle fera appel aux techniciens allemands, sans aucun
doute.

— Et d'autres "intérêts étrangers" contrôleront Ploiesti !
À moins que tu ne considères pas les Allemands comme des
étrangers... ? »

Bella, vexée, fit un mouvement comme pour s'en aller.
Mais, se souvenant de leur amitié passée, elle se ravisa et
demanda à Harriet : « Et toi ? Cela ne te rend pas nerveuse de
rester ici ? Pour moi, c'est différent, car j'ai un passeport roumain. Tu sais, tout le monde me prend pour une Allemande.
J'obtiens tout ce que je veux », ajouta-t-elle en riant.

Harriet comprit alors que le comportement de Bella,
qu'elle avait qualifié d'hystérique en le mettant au compte d'une
peur refoulée, était en réalité froidement opportuniste. « Guy
veut que j'aille passer quelques semaines à Athènes, mais on me
refuse un visa de retour », dit-elle.

Bella éclata de rire. Prenant Harriet par le bras, elle lui

expliqua : « Chérie, ne me dis pas que tu ne connais pas le moyen d'en obtenir un en un clin d'œil ! Il te suffit de glisser un billet de mille *lei* dans ton passeport. Cela dit, pourquoi revenir ? Le bon sens voudrait qu'une fois là-bas, tu y restes.

— Mais je *dois* revenir. Guy n'est pas censé quitter Bucarest avant d'en avoir reçu l'ordre.

— Écoute, téléphone-moi pour me dire comment tu t'es débrouillée pour le visa. Je passerai chez toi te dire au revoir avant ton départ. Bon courage ! »

Harriet retourna à la *prefectura* et, derechef, demanda à voir le responsable. Quand il trouva le billet de banque dans le passeport, il le mit si prestement dans sa poche que Harriet eut à peine le temps de le voir passer. Il lui tamponna le visa de retour.

« *Doamna* est intrépide, lui dit-il en anglais. Ces temps-ci, les Britanniques qui partent ne souhaitent pas revenir. » Avec un petit sourire narquois, il s'inclina et lui rendit son passeport.

Sacha, mis au courant de leur départ, accueillit la nouvelle avec un flegme qui, tout d'abord, la surprit. Puis elle se dit que sa réaction devait être commune à tous les siens : ostracisés, vivant depuis des générations dans l'insécurité, ils redoutaient de devoir fuir mais étaient néanmoins prêts à le faire à tout moment.

« Et Guy ? demanda-t-il.

— Il viendra nous rejoindre plus tard. »

Elle et Guy étaient préparés à prendre matériellement Sacha en charge jusqu'à ce qu'il ait trouvé du travail. Il la surprit en évaluant très justement quelle serait sa situation une fois à l'étranger :

« N'étant plus sous juridiction roumaine, je pourrai retirer l'argent placé à mon nom en Suisse. Je serai riche. Et si vous avez besoin d'argent, je pourrai vous en donner.

— Il faudra que tu puisses prouver ton identité.

— Mes relations m'y aideront. »

Harriet eut un sourire d'acquiescement, mais elle se demandait où étaient passées ces « relations » qu'il évoquait.

Le départ d'Inchcape étant fixé au dimanche, il ne lui restait que quatre jours pour s'y préparer. Il décida de rendre son bail à son propriétaire.

« Je m'installerai dans une pension de famille, expliqua-t-il à Guy. Tôt ou tard, nous aurons à partir, probablement sans préavis. Autant s'y préparer. De plus, vivre à l'hôtel est moins dangereux que de vivre seul. »

Le dimanche soir, quand les Pringle vinrent le chercher, ils trouvèrent un appartement sens dessus dessous, un hall rempli de bagages et un Pauli aux yeux rouges d'avoir pleuré. Il leur dit que suivre le « Professeur » était ce qu'il souhaitait le plus au monde. Mais hélas, il avait une femme et trois enfants, et *domnul* Inchcape, dans sa bonté, l'avait persuadé que son devoir était de rester.

Pauli ne faisait même pas semblant de croire que son maître reviendrait. L'éventualité était trop improbable. À la pensée de leur séparation éternelle, il fut repris d'une crise de larmes. Guy lui tapota l'épaule en lui disant :

« Nous nous reverrons après la guerre.

— Oui, *dupà ràsboiul!* »

À la pensée que la guerre pouvait avoir une fin, il se rasséréna et courut dire à Inchcape que les Pringle étaient là.

« *Dupà ràsboiul!* répéta Harriet. Si cette guerre finit jamais... Et que sera cet "après"? Aurons-nous seulement encore un pays? Et serons-nous encore jeunes, ou même ambitieux? »

Inchcape parut. Ses bleus n'étaient plus bleus mais verts et mauves. Il n'avait pas l'air tellement mieux qu'après l'attaque, mais il avait retrouvé son assurance et son sourire sardonique. Allant vers un petit meuble en laque de chine, il en sortit trois bouteilles dans lesquelles restait un fond de liquide. « Autant finir ceci, dit-il. Que voulez-vous? Cognac? Gin? *Tuicà?* »

Il avait déjà mis son manteau mais ne semblait pas pressé de quitter son appartement. Après avoir servi à boire aux Pringle, il errait dans le salon, tapotant un coussin, redressant un abat-jour, une pièce d'ivoire tombée sur l'échiquier. Observant ses possessions avec satisfaction, il dit : « Pauli emballera tout ceci magnifiquement. Il le placera au garde-meubles et ira de temps à autre jeter un œil dessus. » Il ne semblait pas particulièrement triste de laisser tous ses meubles et objets derrière lui. Étant un homme aisé, il pourrait sans peine les remplacer.

Paul vint leur dire que le taxi les attendait. Planté devant la porte d'entrée ouverte, il reniflait. Devant son chagrin, Inchcape cessa de crâner. Il posa ses mains sur les épaules du jeune homme et resta un moment ainsi, le visage tendu, incapable de parler. Il finit par lui dire : « Adieu, cher Pauli. »

C'en fut trop pour celui-ci. Tombant à genoux, il saisit la main d'Inchcape et la baisa en sanglotant éperdument.

Inchcape sourit, puis il passa la porte, Pauli accroché à lui. D'un mouvement vif mais empreint de gentillesse, il se dégagea et se hâta de descendre les marches, Guy et Harriet sur les talons. Des pleurs à fendre l'âme les poursuivirent jusqu'au taxi.

Ils restèrent silencieux durant le long trajet jusqu'à la gare. Inchcape, tête baissée, était d'humeur sombre. Il leva soudain les yeux pour demander aux Pringle : « Vous n'avez pas soufflé un mot à Pinkrose, n'est-ce pas ? »

Ils ne l'avaient pas fait. Pourtant, ils l'avaient vu, assis seul dans le salon de l'Athénée-Palace, et ils s'étaient sentis coupables de devoir lui mentir. Si Pinkrose s'était levé et était venu vers eux avec ne serait-ce qu'un semblant de jovialité, ils auraient eu beaucoup de mal à lui jouer la comédie. Mais il leur avait facilité la tâche en « gardant ses distances ».

« Retrouver le vieux fossile dans le train aurait été au-dessus de mes forces, s'excusa Inchcape. Demain, vous pourrez lui dire que j'ai été obligé de partir d'urgence pour régler une affaire importante. Dites-lui que je reviendrai. Mais s'il montre la moindre velléité de partir à son tour, encouragez-le à le faire. D'ici, je ne vois pas comment il pourrait organiser son retour. En revanche, s'il va à Athènes, il peut trouver un bateau grec pour Alexandrie.

— Et de là, comment fera-t-il ? demanda Guy.

— Dieu seul le sait, gloussa Inchcape. Laissez-le s'organiser lui-même. Il a montré suffisamment de dynamisme pour venir jusqu'ici, non ? Il n'est pas pair, bien sûr, ajouta-t-il sur un ton de reniement absolu, en souriant. Titre écossais, je présume, bien qu'il n'ait pas une goutte de sang écossais. Son titre n'est que du flan. À sa place, je n'oserais pas m'en parer. De plus, il a hérité très peu d'argent. Même dans sa jeunesse, il était déjà un drôle de lascar. Il a simplement débarqué à Cambridge et n'en est jamais reparti. Cet endroit lui a offert tout ce qu'il a toujours voulu. Il adore d'ailleurs raconter la petite histoire suivante, en l'occurrence très révélatrice : Un professeur d'université de Cambridge a l'honneur insigne de rencontrer Napoléon. On lui demande après l'entrevue ce qu'il pense de l'empereur. "Un homme remarquable, dit-il, mais on voit bien qu'il n'a pas fait Cambridge." »

Inchcape, les épaules secouées d'un rire silencieux, se

complut si longtemps dans son hilarité que Harriet se demanda si, plus que l'anecdote qu'il venait de raconter, ce n'était pas l'idée de partir en laissant Pinkrose se débattre tout seul qui l'amusait tant.

Il ne fallut pas moins de trois porteurs pour les bagages d'Inchcape. Pour quelqu'un qui aimait « voyager léger », il était singulièrement chargé. Voyant Harriet suivre du regard le cortège de valises, il lui dit : « J'ai pris mes vêtements d'été et quelques objets précieux que je préfère mettre en sûreté. Personne n'aime se retrouver nu et cru. »

L'express était en gare mais l'activité qui se déployait autour était réduite. Ces temps-ci, personne ne voyageait plus pour le plaisir. Les rares passagers qu'on voyait sur le quai n'avaient pas l'air joyeux. Parmi eux, un groupe de jeunes ingénieurs britanniques du téléphone. S'approchant pour leur parler, Guy apprit qu'ils avaient été sommés, quelques heures auparavant, de quitter le pays. Ils avaient aussitôt fait appel à la légation, qui leur avait conseillé d'obéir.

Inchcape, son wagon-lit obtenu et ses bagages placés dans le filet, se tenait dans le couloir, devant la vitre baissée. Il souriait aux Pringle, plantés sur le quai, qui, après lui avoir souhaité bon voyage, ne savaient plus quoi dire — et surtout, ne savaient plus s'ils devaient rester ou partir. Peut-être perçut-il quelque chose d'un peu pathétique chez le jeune couple, car il leur dit, comme pour justifier son abandon :

« Tout ira bien pour vous. Vous êtes jeunes.

— Cela fait une différence ? demanda Harriet.

— Une énorme différence. Avant quarante ans, on ne pense jamais à la mort. Après, on ne pense à rien d'autre. »

Il rit, mais dans la lumière sinistre de la gare, il sembla à Harriet vieux et pitoyable. Il ajouta :

« D'ailleurs, votre situation serait pire en Angleterre.

— Je préférerais subir les bombardements au milieu de mes compatriotes plutôt que de me sentir isolée comme je le suis, dit Harriet.

— C'est ce que vous croyez ! »

Ils étaient de nouveau à court de conversation. Inchcape, voyant qu'on avait préparé sa couchette, les libéra : « Écoutez, inutile de vous attarder. Dieu seul sait quand ce train va partir. Tout va à la dérive, ces temps-ci. Je me sens mal fichu ; je vais vous dire au revoir et m'allonger. » Passant les bras par la fenêtre, il tendit une main à Harriet et une autre à Guy. Il souriait, mais une larme coulait sur son visage meurtri. « Au revoir ! Au revoir ! Je serai de retour avant que vous ayez le temps de découvrir que je vous manque. » Lâchant leurs mains, il entra dans son wagon-lit et ferma la porte.

Harriet mis sa main dans celle de Guy. Comme ils quittaient la gare mal éclairée encore assombrie par une ambiance d'adieux, elle se dit que, dans un jour ou deux, c'était elle qui partirait et que Guy resterait seul.

27

Guy avait tous les loisirs du monde depuis qu'il avait perdu son emploi. Pourtant, il n'était pas pressé d'aller mentir à Pinkrose. Il avait décidé d'aller le trouver à l'Athénée-Palace le lundi matin mais, à l'heure du déjeuner, il ne l'avait toujours pas fait, remettant sa visite au soir.

Comme ils allaient passer à table, le téléphone sonna. C'était Dobson. Pinkrose sortait à l'instant même de son bureau. Galpin avait mangé le morceau, provoquant des catastrophes en chaîne : Pinkrose s'était d'abord précipité au domicile d'Inchcape, dont Pauli lui avait confirmé le départ. Puis, hors de lui, il avait couru à la légation, exigeant qu'on lui affrète un avion pour le ramener en Angleterre.

« Au fait, Inchcape a-t-il vraiment quitté la Roumanie ?

— Oui.

— Pourquoi tous ces mystères ? s'enquit Dobson d'un ton léger où Guy perçut cependant une légère irritation. Écoutez, mon vieux, poursuivit le diplomate sans attendre la réponse, je vous refile le bébé — en l'occurrence ce cher "lord". Il nous a fait perdre une bonne heure, exigeant des prérogatives ridicules, des vols spéciaux, etc. Son Excellence lui a suggéré d'acheter un billet d'avion pour la Perse ou l'Inde, mais il objecte ne pas avoir d'argent. Je lui ai personnellement conseillé d'aller à Athènes, où il serait hors de danger et où il rencontrerait probablement une bonne âme susceptible de l'aider. De toute façon, nous lui avons obtenu un visa de sortie. Il est libre d'aller où il veut. En attendant, soyez un bon garçon : débarrassez-nous de lui. Essayez de le persuader que, contrairement à ce qu'il semble croire, l'ensemble de la Garde de Fer ne s'intéresse pas à sa personne. »

Dobson rit, mais il raccrocha assez abruptement.

« J'irai le voir tout de suite après le déjeuner », dit Guy en s'asseyant à table. Mais après le déjeuner, il était toujours là. Harriet, qui était allée dans sa chambre faire ses bagages, n'eut pas le cœur de le bousculer. Elle partait le lendemain.

« Tu ne veux pas venir avec moi ? vint-il lui demander. Ta présence le rassurerait peut-être.

— D'accord. Mais d'abord, laisse-moi dire un mot à Sacha. »

Elle avait acheté à celui-ci une valise bon marché susceptible de contenir les vêtements que Guy lui avait donnés. Il voulait emporter certains de ses dessins, que Harriet comptait mettre à plat au fond de sa propre valise. Entrant dans sa chambre pour lui demander s'il les avait choisis, elle le trouva sur son lit, roulé en boule comme un chaton. Son harmonica au creux de ses mains, il en jouait presque sans un son, sachant qu'il agaçait Harriet avec le bruit de cet instrument.

Ses possessions étaient soigneusement rangées sur la table, et ses dessins prêts à être empaquetés.

« Tu sais qu'une fois à Athènes, il faudra te remettre sérieusement à tes études ? » lui dit-elle d'un ton qu'elle tenta de rendre sévère.

Il lui sourit et porta de nouveau l'harmonica à sa bouche.

À l'Athénée-Palace, bien que ce fût l'heure de la sieste, le hall était bondé. Comme le jour de l'arrivée de la mission militaire, les serveurs s'efforçaient vainement de faire asseoir ceux, trop nombreux, qui s'y pressaient pour boire leur café.

Galpin apprit aux Pringle qu'on attendait incessamment l'arrivée d'un officier allemand nommé Speidel. « Il est, paraît-il, jeune et beau. Regardez-moi ces femmes ! Excitées comme des chattes de gouttière ! Et celle-ci (il désigna la princesse Teodorescu) : une chienne en chaleur, comme d'habitude... »

La princesse était rentrée à Bucarest, comptant, comme tous ceux de sa classe, sur l'influence allemande pour la protéger de la Garde de Fer. On disait qu'elle avait déjà trouvé un amant parmi les officiers de la Wehrmacht. Entourée par tout un groupe d'entre eux, elle pérorait, pécore véhémente et agitée.

Elle portait un coûteux manteau de léopard. « Y a-t-il spectacle plus répugnant qu'une idiote avide et narcissique vêtue de la peau d'une bête tellement plus belle qu'elle ? » se demandait Harriet, révulsée.

Hadjimoscos se tenait également dans ce groupe. Glissant silencieusement sur ses petits pieds chaussés de chevreau, il allait d'un officier à l'autre, auquel il disait un mot aimable en levant vers lui, extatique, son vilain petit visage de Tatar, et en posant à l'occasion sur sa manche sa petite main blanche et potelée. Ils furent rejoints par un gros homme qui marchait en se dandinant comme un faucon pèlerin — un célèbre financier allemand aux pieds plats venu aider à redresser une économie roumaine en voie de désintégration.

« Mais vous n'avez encore rien vu, les prévint Galpin. Regardez là-bas, près du bureau de la réception. » D'un geste du menton, il désignait deux types, au visage maigre de chien d'arrêt, qui jetaient autour d'eux des regards de limiers. Gestapo, cela sautait aux yeux.

« Quand sont-ils arrivés ? demanda Guy, le visage impassible.

— On n'en sait rien. Mais il y en a d'autres. Beaucoup d'autres. Vous êtes au courant pour Wanda ?

— Non.

— Ces saligauds l'ont expulsée », dit-il.

Un air de fausse commisération allongeait encore son long visage malhonnête.

Décidément, le cercle se rétrécissait.

Les Pringle montèrent jusqu'à la chambre de Pinkrose. Guy frappa à la porte. « *Entrez, entrez* * », glapit-il.

Ils le trouvèrent à genoux, occupé à remplir un sac de vêtements. Il était affublé d'un kimono à fleurs semblable à ceux que portent au Japon les serveuses des salons de thé. Il tourna brusquement la tête. En voyant les Pringle, il s'apprêta à les châtier verbalement pour leur témérité mais, ne trouvant rien à dire, referma la bouche et continua à bourrer son sac.

Guy tenta de s'expliquer : « Inchcape espère revenir au plus tôt. »

Pinkrose ne semblait pas l'avoir entendu. Se relevant péniblement, il enleva le kimono et le fourra dans le sac avec le reste. Dessous, il portait pantalon, chemise et trois cardigans. Il enfila en hâte son veston en déclarant : « Je dois attraper le train qui assure la liaison avec le ferry de Constanta. » Il fit le tour de la pièce pour rassembler le reste de ses affaires en se tenant à distance des Pringle, comme si ceux-ci pouvaient tenter de l'intercepter, et lança soudain à Guy : « Je suis scandalisé de votre attitude, Pringle. Croyez-moi, je m'en souviendrai. Quant à Inchcape, il n'a pas fini de m'entendre. Son domestique m'a *menti*. Il m'a dit à plusieurs reprises qu'Inchcape était malade et ne pouvait pas me parler. Alors qu'il complotait tout simplement de m'abandonner — moi, son invité —, dans une ville étrangère où je risque à tout moment d'être attaqué par des brutes. C'est impardonnable. Il m'a fait faire plusieurs milliers de kilomètres pour que je donne une conférence et... »

Tout en exposant ses griefs, Pinkrose remplissait une trousse à pharmacie d'une invraisemblable quantité de fioles et de pilules. Il s'interrompit un instant pour lancer un regard méchant à Guy : « Et vous, Pringle, vous avez joué les compères dans cette affaire. Je vous ai vu plus d'une fois à l'hôtel, mais vous avez choisi de ne pas me tenir au courant. Il a fallu que ce soit un parfait étranger qui le fasse. »

Guy, l'air abattu, ne faisait aucune tentative pour se défendre. Harriet intervint : « Le professeur Inchcape ne voulait pas vous inquiéter. Il a donné des ordres précis pour qu'on ne vous dise rien jusqu'après son départ. »

Pinkrose, enroulant ses écharpes autour de son cou, siffla entre ses dents sans faire de commentaire. Puis, avec un petit sourire menaçant, il déclara : « Je vais faire un rapport sur toute cette histoire et l'envoyer au bureau principal. La commission jugera. En attendant, je suis forcé de payer moi-même mon billet pour la Grèce. J'entends bien être remboursé. J'espère seulement que le bureau d'Athènes m'accordera la considération qui m'a cruellement fait défaut ici. »

Le train pour Constanta partait à quinze heures trente. Pinkrose avait tout juste le temps de l'attraper. Guy, se disant que la mer Noire pouvait être extrêmement mauvaise à cette époque de l'année, retrouva soudain sa langue :

« Pourquoi ne pas attendre jusqu'à demain ? Ma femme prend l'avion pour Athènes. Dobson aussi p...

— Non, non ! l'interrompit impatiemment Pinkrose. Le voyage en bateau me fera du bien. »

Il décrocha son pardessus du portemanteau. Guy s'avança vers lui pour l'aider à l'endosser, mais Pinkrose se détourna avec brusquerie, son regard suggérant que la gentillesse spontanée du jeune homme n'était qu'une preuve supplémentaire de sa duplicité.

Un employé vint prendre les bagages. Le taxi commandé était là.

« Au revoir », lui dit Harriet. Apparemment, Pinkrose ne la tenait pas pour responsable puisqu'il s'avança vers elle. S'il avait eu du temps à perdre, il lui aurait même serré la main. Il sortit sans un mot pour Guy.

Harriet mit ses bras autour de la taille de son mari :

« Chéri, comment pourrais-je partir demain et te laisser seul ici ?

— N'oublie pas que tu es chargée de me trouver du travail. »

Du palier, au tournant de l'escalier, ils virent David occupé à remplir une fiche à l'accueil. Harriet se sentit aussitôt mieux. Quand les Pringle étaient à Predeal, Boyd était « dans le Delta », expression dont Harriet n'était toujours pas arrivée à dissiper l'ambiguïté. Depuis, ils ne l'avaient pas vu. Elle s'était dit qu'ils ne le reverraient plus — soit qu'il eût été arrêté, soit qu'il eût décidé de passer clandestinement la frontière. Mais il était là, calme et plein de confiance en lui, et elle en fut immensément réconfortée. Guy se précipita vers lui pour l'embrasser. David, son petit sourire en coin trahissant son amusement devant l'exubérance de son ami, lui expliqua :

« J'ai constaté ce matin à mon retour que le Minerva me considère comme disparu : on a donné ma chambre à un membre de la race des seigneurs, et descendu ma valise à la cave. Heureusement qu'ici, une chambre vient juste de se libérer.

— Celle de Pinkrose, probablement », dit Guy.

Et il entreprit de raconter à son ami l'agression dont Inchcape avait été victime, son départ et celui de Pinkrose, regroupés, selon ses propres termes, sous le vocable commun de « fuite des professeurs ».

L'épisode du kimono à fleurs ravit tout particulièrement David. « J'en connais beaucoup qui auraient payé pour voir ça. Quant au numéro consistant à pleurer misère, sais-tu que Pinkrose possède une des plus belles demeures de Cambridge ? Personne cependant n'y a jamais mis les pieds. Il vit comme un reclus. Le plus triste, dans cette histoire, c'est qu'Inchcape est probablement son seul ami. »

Apprenant aussi le départ de Clarence, David sourit avec indulgence. « Tout compte fait, je l'aimais bien, dit-il. De toute façon, aucun d'entre nous n'est ici pour très longtemps. »

Les Pringle, sachant qu'ils n'en tireraient rien de plus, ne lui posèrent aucune question.

Comme tous trois se dirigeaient vers la sortie, Boyd remarqua soudain les types de la Gestapo. Il regarda Guy, le sourcil levé, mais aucun des deux ne fit de commentaire. Une fois sur le trottoir de l'Athénée-Palace, ils décidèrent qu'ils n'avaient pas envie de se séparer.

David devait passer à la légation. Il demanda aux Pringle de l'y accompagner.

Tandis qu'ils attendaient une *tràsurà* devant l'hôtel, ils virent déboucher d'un boulevard un escadron de motards gardistes, équipés à neuf de blousons de cuir et de casques de cuir doublés de fourrure. Croyant qu'ils étaient en route pour quelque expédition punitive, les trois Anglais retinrent leur souffle. Mais ils se contentèrent de faire trois fois le tour de la place sur les chapeaux de roues, en terrifiant les piétons et en forçant les voitures à se ranger le long du trottoir. Puis ils disparurent comme ils étaient venus.

« Voilà ce que j'appelle s'occuper utilement ! commenta Harriet. En tout cas, ils ont l'air de bien s'amuser. »

Tandis que Boyd faisait une courte visite à la légation pour y déclarer son retour, les Pringle l'attendirent dans la *tràsurà*. Puis ils acceptèrent sa suggestion d'une promenade en calèche jusqu'en haut de la Chaussée.

Le soleil déclinait. Dans la voiture décapotée, une petite brise fraîche leur piquait le visage. Ils savaient que, dans les semaines à venir, elle se transformerait en un vent glacial annonciateur de neige. La Chaussée avait déjà une allure hivernale. Les arbres étaient complètement nus et les restaurants avec jardins étaient fermés.

« Les Roumains croient encore que l'Allemagne les aidera à retrouver leur grandeur, dit David avec un reniflement méprisant.

— Et toi, qu'en penses-tu ? demanda Guy.

— Que les Allemands, après les avoir affamés, vont en faire de la chair à canon. Maintenant, ils exigent des conscrits. Les journaux n'en soufflent mot, bien sûr. Mais je sais qu'on entasse des paysans roumains dans des camions à bétail et qu'on les envoie en Allemagne. Les pauvres bougres se laissent faire parce qu'on leur dit qu'ils vont se battre pour l'Angleterre. Ils disent : "Parlez-nous de ces Anglais. Dites-nous comment les reconnaître."

— Pensent-ils que les Allemands, qu'ils commencent à avoir l'habitude de voir, sont des Anglais ?

— Ils ne pensent pas. Ils obéissent. Le temps venu, on leur dira : "Voilà l'ennemi. Battez-vous." Ils se battront, et ils mourront. »

Ils étaient arrivés en pleine campagne. Les bois de Snagov, enveloppés de brume, formaient au loin une tache pourpre indistincte. Le lac reflétait un ciel cuivré. Çà et là, une fenêtre s'embrasait, mais les champs vides et plats offraient un spectacle désolé dans cette riche lumière automnale.

« Je dois maintenant aller rencontrer quelqu'un au Golf-Club, dit soudain David.

— Au Golf-Club ! » s'exclama Guy.

David rit :

« Une rencontre plus ou moins secrète. D'où le choix de ce lieu.

— Je n'y ai jamais mis les pieds, avoua Harriet.

— Alors venez. Vous n'aurez pas une seconde chance de le visiter. »

Le club avait été construit dans les années vingt par de prospères hommes d'affaires britanniques. Quelque idiosyncrasie — ou un manque total d'imagination — les avait poussés à reproduire, dans ce climat caractérisé par ses extrêmes, la brique sombre, les pelouses verdoyantes et les allées humides d'un manoir anglais de la fin du dix-neuvième siècle. La porte du club-house était ouverte ; il semblait vide. Guy, Boyd et Harriet traversèrent le salon dont les deux vastes portes-fenêtres donnaient, à l'arrière, sur le terrain de golf. La pièce était meublée de fauteuils recouverts de chintz fané et de petites tables encombrées de vieux magazines anglais aux couvertures fatiguées.

Dehors, la lumière avait changé. Le soleil avait plongé derrière les arbres et le *green* était dans l'ombre. Une odeur de terre mouillée entrait par les fenêtres ouvertes. De l'étage, leur parvint la sonnerie d'un téléphone que personne ne décrochait.

Les Pringle ne demandèrent pas à David qui il devait rencontrer. Il le leur dit spontanément : « Inutile de faire des

cachotteries. La personne que je dois rencontrer est le président
d'un nouveau comité consultatif mis en place au Caire. Il a pris
l'avion et il est venu, sans doute rempli d'un zèle naïf, en
croyant qu'il n'est pas trop tard pour remédier aux désastres
occasionnés par notre politique. La diplomatie est à ce point
coupée de la réalité que Son Excellence n'a toujours pas
compris le comment et le pourquoi de notre échec dans ce pays.
Elle m'a donc chargé d'expliquer la situation à notre visiteur. »

Deux hommes s'approchaient de la maison. « Les voilà »,
fit David en sortant pour aller à leur rencontre.

L'un des deux était Wheeler, un haut fonctionnaire de la
légation que les Pringle avaient rencontré à des réceptions.
L'autre était inconnu : la quarantaine, plutôt bel homme, taille
moyenne, pardessus sombre, chapeau melon et parapluie.

Les deux hommes s'arrêtèrent en voyant David s'approcher. Quand il les rejoignit, tous trois commencèrent à parler
tout en marchant ; ils faisaient cinquante mètres dans une direction, revenaient sur leurs pas, puis repartaient. L'herbe, très
verte après la première pluie, brillait dans la lumière incertaine,
exsudant une vapeur qui s'enroulait en rubans autour de leurs
jambes.

Harriet était déprimée. Ce club-house désert lui parut une
image du monde dans lequel ils vivaient — un monde vide. Guy
et elle auraient aussi bien pu être deux survivants : tout était à
leur disposition, mais ils ne pouvaient rien en faire. Elle circulait
dans la pièce, désœuvrée, ramassant tel ou tel magazine et le
reposant aussitôt. À l'autre bout, il y avait un bar, fermé et
cadenassé. Aux murs étaient accrochés des bois de cerfs, des
cornes et autres répugnants trophées de chasse. Il y avait aussi
des lances et des boucliers volés à quelque tribu africaine.

« Se croient-ils vraiment chez eux dans un décor pareil ?
demanda-t-elle.

— Allons plutôt dehors », proposa Guy en prenant un
club de golf posé dans un coin.

Restant à une distance discrète des trois hommes, il se mit à
frapper une balle imaginaire. Harriet, sans autre occupation, le
regardait faire.

L'air était bruissant de la stridulation des criquets. Le soleil
était couché. Dans la pénombre, les Pringle virent le président
s'avancer vers eux, David et Wheeler sur ses talons. L'air
amusé, il lança à Guy, sans attendre qu'on le lui présentât : « Je
vous croyais occupé à tuer des serpents. »

Guy, rougissant légèrement, répondit en riant :

« Non. Je me contente de tuer le temps.

— Je vous présente Guy Pringle. Il était professeur à l'université de Bucarest », dit Wheeler à l'« homme important », laissant ce « était » parler de lui-même.

Puis il lui présenta Harriet.

Le président, qui s'appelait Sir Brian Love, planta son parapluie derrière lui et, s'appuyant dessus, regarda la jeune femme. Son visage, magnifiquement rasé, était frais et rose. Il respirait la santé, la bonne humeur et le bien-être. Il huma l'air humide chargé de l'odeur de la terre et des arbres. « Très agréable, cet endroit », apprécia-t-il. Wheeler, un homme sec doté d'une bouche au pli amer et de bajoues, attendait en jouant avec sa clé de voiture.

Les trois jeunes gens attendaient aussi, pensant être congédiés, mais Sir Brian ne semblait nullement pressé de quitter le club. « Une odeur d'Angleterre, poursuivit-il. Pas comme au Caire, ce lieu infernal où on chercherait vainement l'automne. Je doute même qu'il y en ait un. (Il se retourna vers Wheeler.) N'y a-t-il pas un endroit où nous pourrions boire un verre ? »

L'autre, tout d'abord interloqué, puis inquiet de cette suggestion, lui dit : « Vous n'avez pas le temps, monsieur. Son Excellence dîne à sept heures tapantes ; et puisque vous repartez cette nuit... »

Sir Brian opina mais il ne semblait pas enclin à bouger.

« Après le Moyen-Orient, c'est merveilleux d'être ici.

— Étiez-vous récemment en Angleterre, monsieur ? demanda Guy.

— Il y a moins d'un mois. Vous trouveriez notre pays très changé. Pour le mieux, j'entends. Nous sommes en train d'acquérir un sens de la solidarité, nouveau pour nous, qui brise les barrières de classe. Ma secrétaire m'appelle "Brian" et le liftier me dit : "Nous sommes tous sur le même bateau." Voilà qui me plaît. Beaucoup, même. »

Wheeler donnait des signes d'impatience. Il jouait furieusement avec son porte-clés. Sir Brian lui coula un regard de côté plutôt espiègle qui le rendit aussitôt sympathique aux trois jeunes gens. Un regard signifiant qu'il était de leur côté, qu'il ne partageait pas les préjugés de la légation. Il poursuivit : « Après la guerre, nous verrons émerger un monde nouveau. Un monde sans classes, me plais-je à penser. »

Harriet trouvait la situation surréaliste : ils avaient devant eux un homme important qui repartirait après n'avoir passé que quelques heures sur place. Lui ne risquait rien, tandis qu'eux auraient peut-être à affronter la prison, la torture et, au pire, la mort.

« Alors, c'est la fin ici ? reprit Sir Brian. Je crains que nous ayons été victimes d'une fatalité géographique. Les dés étaient pipés dès le départ. Ce n'est la faute de personne.

— Ce n'est pas mon avis, monsieur, protesta Boyd. Nous avons perdu ce pays du fait d'une politique inepte consistant à soutenir Carol au détriment du reste de la communauté. Les meilleurs éléments ont bien évidemment refusé de servir ce régime. Maniu et les autres libéraux auraient été de notre côté, mais nous n'avons pas voulu les utiliser. Au lieu de quoi, nous avons maintenant au pouvoir une bande de crapules. Pas étonnant qu'on soit arrivés au bord de la guerre civile !

— Ah ! dit Sir Brian, l'air intéressé. (Il était manifestement prêt à tout entendre.) Et comment aurions-nous dû nous y prendre, à votre avis ?

— Nous aurions dû souhaiter une Roumanie unie, une Roumanie qui aurait gagné la loyauté de ses minorités en les traitant convenablement ; qui aurait ainsi pu faire échec aux exigences hongroises. Et même tenir tête aux Russes. Et qui aurait pu rallier à sa cause la Yougoslavie et la Grèce ; et peut-être même la Bulgarie. Une *entente* * balkanique ! L'inimaginable réalisé. Dans un pays solide, doté d'une politique intérieure raisonnable, la Garde de Fer n'aurait jamais pu se reconstituer et arriver au pouvoir. »

Sir Brian, les mains serrées sur le manche de son parapluie comme sur la crosse d'un fusil, se tenait très droit, la tête baissée et l'air lugubre.

Wheeler se racla la gorge, prêt à interrompre cette mise en accusation, mais Boyd n'était pas de ceux qu'on pouvait interrompre.

« De plus, poursuivit-il, il y avait les paysans : une force formidable si nous les avions aidés à s'organiser. On aurait pu les entraîner à la révolte à la première suggestion d'une infiltration allemande. Et, croyez-moi, les Allemands ne souhaitent aucun trouble sur le front de l'est. Même si la Roumanie n'avait pas été disposée à leur céder, ils n'auraient même pas essayé de la mettre au pas. Au lieu de quoi, nous avons fait le jeu de l'ennemi, avec les résultats que l'on sait : ce pays s'est désagrégé, la Garde de Fer est au pouvoir et on a livré ledit pays aux nazis. On le leur a tendu sur un plateau.

— Et maintenant ? Pensez-vous qu'il soit trop tard ?

— Oui. »

Le président regarda de nouveau Wheeler. Cette fois, le regard n'était plus espiègle, mais complice. Il voulait la vérité, il l'avait eue. Une potion dure à avaler. « Bon, vous avez raison, il faut y aller », dit-il au diplomate. Il serra la main de David, de Guy et de Harriet. « Tout cela était intéressant. Très intéressant », ajouta-t-il en s'éloignant, sans plus se soucier d'eux qui l'escortaient pourtant jusqu'à sa voiture. Une fois assis, il les salua sans un sourire, se contentant de porter le manche de son parapluie à son chapeau. Wheeler ne leur dit même pas au revoir ; il claqua furieusement la portière et démarra. Guy regardait s'éloigner les feux arrière de l'auto. « Nous sommes tous dans le même bateau, hein, salaud ? » dit-il.

Ils rentrèrent en ville. Comme ils arrivaient à l'intersection du boulevard Bràtianu et de la grand-place, Harriet remarqua que l'Hispano de Yakimov, qui était exposée là depuis deux bons mois, n'était plus en vitrine. Guy ordonna à la *tràsurà* de s'arrêter et entra dans le magasin. Il apprit que l'auto avait été vendue à un officier allemand qui avait payé sans discuter les six mille *lei* demandés. Au cours actuel du Reichmark, il l'avait payée à peu près ce qu'il aurait payé un jouet d'enfant. Guy demanda au vendeur d'envoyer cet argent à Mr Dobson, de la légation britannique.

« Où allons-nous dîner ? » demanda David. Harriet voulait faire son dîner d'adieux chez *Capsa*. Ils s'y rendirent donc.

Après le vide, la tristesse et le froid des rues, l'intérieur du restaurant, tissu rouge et lustres de cristal, leur parut un havre de confort et de luxe.

Alors qu'il n'y avait ailleurs pratiquement plus rien à manger, *Capsa*, fréquenté principalement par la clientèle allemande, avait réussi à maintenir une certaine abondance et une certaine qualité. Les viandes « nobles » étaient bien entendu réservées aux Allemands importants et à leurs hôtes ; mais ceux qui devaient se contenter du menu du jour y trouvaient encore du poulet, ou du lapin, ou — en saison —, du lièvre, et même un faux caviar très mangeable. Plus tard, le restaurant serait plein. Mais il y avait encore nombre de tables libres.

Les princesses Mimi et Lulie étaient assises près de la porte avec deux officiers allemands de la mission. Leur visage se ferma en voyant entrer les Anglais. Comme ceux-ci avançaient, ils perçurent un frémissement dans la salle. Le maître d'hôtel les intercepta avec un regard de surprise interrogative, comme s'ils étaient venus là dans une autre intention que de dîner.

David, en roumain, demanda une table. Le maître d'hôtel lui répondit :

« *Es tut mir leid. Wir haben keinen Platz.*

— Mais il y a plein de tables libres... protesta Boyd, en anglais, cette fois.

— Elles sont toutes réservées. Maintenant, c'est obligatoire de réserver pour dîner ici », répondit automatiquement l'autre en anglais, cédant sans doute à une vieille habitude.

David allait discuter mais Harriet intervint : « De toute façon, la nourriture ici est déplorable. Allons plutôt chez *Cina*. » Faisant demi-tour avec le culot des faibles et des rabroués, elle repassa devant la table des princesses et surprit un des deux Allemands qui l'observait avec un amusement teinté de sympathie.

« Bon, allons chez *Cina*, dit David, une fois sur le trottoir.

— Non, répondit Harriet, au bord des larmes. Ce sera pareil. Allons plutôt quelque part où on ne nous connaît pas. »

Ils se décidèrent pour *Le Polichinelle*, un restaurant jadis très à la mode, datant de l'époque des boyards. Guy, quand il était célibataire, l'avait souvent fréquenté avec David. Tous trois prirent une autre *tràsurà* pour descendre à la Dîmbovita.

Le restaurant, en un temps où les terrains étaient encore bon marché, avait été construit autour d'un vaste jardin intérieur. Ils entrèrent dans la salle à manger principale, très mal éclairée, et virent que seul le propriétaire y dînait avec sa famille. Il se leva prestement, ravi et honoré de la visite de clients étrangers, et hurla pour appeler un garçon. Il les croyait probablement allemands, mais les trois Anglais, soulagés de pouvoir se poser, s'accommodèrent du malentendu.

Le vieux serveur les plaça à une table avec vue sur le jardin et se hâta de donner plus de lumière. Il revint avec un énorme menu taché de graisse et leur souffla : « *Fripturà*, hein ? » Ce n'était pas un jour sans viande, mais ils acceptèrent la *fripturà* avec reconnaissance.

Le patron hurla un ordre, et un orchestre tzigane entra. Il

était composé de musiciens décatis qui vinrent se placer autour d'eux en traînant les pieds. Mais voyant — ou croyant voir — à qui ils avaient affaire, ils se réveillèrent et se mirent à jouer sur un rythme endiablé.

« Oh non! souffla David. Ils nous croient riches.

— Nous le sommes, par comparaison », dit Guy.

Boyd, tournant sa chaise de façon à leur présenter son dos, tentait de parler en criant pour se faire entendre. « Vous connaissez la dernière blague qu'on raconte? Horia Sima et ses "boys" vont au saint-synode pour demander qu'on sanctifie Codreanu. Le chef du synode lui dit : "Mon fils, il faut deux cents ans pour faire un saint. Reviens dans deux cents ans, et nous en reparlerons." »

Les deux hommes abordèrent ensuite leur sujet de prédilection : la Russie. Aucun d'eux n'avait mis les pieds dans ce pays susceptible à leurs yeux de régénérer le monde ; David était tout au plus allé jusqu'à la frontière, au printemps précédent, quand les rumeurs d'invasion de la Bessarabie commençaient à courir. De la rive roumaine du Dniepr, il avait vu sur l'autre rive quelques masures et une vieille paysanne qui jardinait.

C'était la première fois qu'il leur parlait de ses « voyages », preuve que c'en était fini non seulement de ceux-ci, mais de leur vie à tous dans ce pays.

« Auriez-vous pu traverser le fleuve et pénétrer en territoire soviétique? demanda Harriet.

— Non. Il n'y avait pas de pont, pas de bateau, rien. Il n'y avait que l'eau, grise et glaciale, ridée par un vent mauvais ; et au-delà, des lieues et des lieues de terre jaune semée de plaques de neige s'étirant à l'infini. »

Harriet leur parla du village juif frontalier mentionné par Sacha.

« Tous les Bessarabiens sont-ils aussi misérables? demanda-t-elle.

— Peut-être pas, dit David. Mais la majorité certainement. La plupart ont reçu les Russes à bras ouverts. Les Roumains n'ont jamais appris à diriger en utilisant la persuasion plutôt que la force. Ils ont mérité de perdre leurs minorités ; non qu'ils aient mieux traité leurs concitoyens. Regardez les paysans : ils les ont toujours volés. Pourquoi travailleraient-ils si on leur prend tout ce qu'ils produisent? Ils ont toujours été escroqués par les collecteurs d'impôts et les prêteurs sur gages, par leur

propre armée ou par les armées ennemies. Maintenant, ils nour-
rissent les Allemands. On les a traités, on les traite comme des
serfs. Si on leur en avait offert l'occasion, je suis sûr qu'ils se
seraient révélés intelligents, créatifs, travailleurs. À mon avis, ce
qui pourrait arriver de mieux à ce pays, c'est de tomber aux
mains des Russes et d'être forcé d'adopter la structure sociale et
économique soviétique. »

Guy sourit à cette perspective, qu'il trouvait trop belle
pour être vraie.

« Ce jour viendra-t-il jamais ? demanda-t-il.

— Peut-être plus tôt que tu ne le crois. Les Roumains
s'imaginent qu'avec l'aide des Allemands, ils pourront récupérer la Bessarabie. Mais s'ils essaient, tout leur pays risque fort
de tomber entre les mains des Russes, comme probablement
toute l'Europe de l'Est. »

Une petite marchande de fleurs était entrée. Elle s'avança
vers eux et sortit de son panier de modestes bouquets de soucis
et de dahlias qu'elle posa sur leur table. Elle alla se placer
ensuite à une distance respectueuse, attendant qu'ils se décident
à acheter ou pas. Guy lui tendit une pièce représentant le prix
demandé. Elle eut l'air surprise, le prix demandé n'étant à ses
yeux qu'une base de négociation.

Humant l'odeur fraîche et âcre des soucis, Harriet laissait
parler ses deux compagnons. Elle regardait, de l'autre côté du
jardin, les petits pavillons qui étaient autrefois des *salons parti-
culiers* *. Toutes les lumières étaient allumées. Dans certains, les
rideaux étaient tirés, évoquant quelque improbable occupation.
Dans d'autres, ils étaient retenus par de lourds cordons, de sorte
qu'on pouvait voir des murs blanc et or et des lustres de cristal
amputés de la plupart de leurs guirlandes de perles. Dans l'un,
on voyait même une table mise, avec un couvert dressé pour
deux et un sofa recouvert de satin dont le jaune était aussi pâle
et délicat que celui d'un nénuphar. On n'avait pas touché à ces
salons depuis cinquante ans, et certains disaient qu'on ne les
avait pas non plus nettoyés. Harriet était émue de voir que tout
se fêlait autour d'eux mais que cette grandeur passée, désormais
pitoyable, réussissait tant bien que mal à subsister.

Guy remarqua qu'elle ne les écoutait pas.

« Le cours des événements politiques ne l'intéresse pas,
déplora-t-il.

— Une fois qu'ils ont suivi leur cours, ils n'ont plus d'intérêt, répondit-elle en riant.

— Si vous n'êtes pas engloutie avec eux, vous pourrez toujours vous payer le luxe de philosopher », dit David avec un sourire ironique.

Le service était très lent. Ils avaient fini le potage depuis déjà vingt minutes quand on vint poser devant eux des fourchettes et des couteaux. Ils attendirent encore un bon moment la *fripturà*.

« Jadis, ce restaurant servait les meilleurs steaks d'Europe, dit David.

— À ton avis, qu'avons-nous maintenant dans nos assiettes ? demanda Guy.

— Sans doute le cheval qu'un cocher de *tràsurà* doit être en train de chercher partout », ricana David.

Les deux hommes évoquèrent alors les soirées d'été passées dans ce restaurant, « avant la guerre », quand celle-ci n'était encore qu'une menace, hélas de plus en plus précise. Les clients arrivaient à minuit, et ils y étaient encore quand une aube laiteuse pointait entre les arbres du jardin. Tant qu'un seul d'entre eux était là, les musiciens jouaient de petits airs, guillerets ou larmoyants, mais ils les jouaient de plus en plus doucement au fur et à mesure que l'heure avançait, comme par respect pour le jour qui s'annonçait ; parfois, ils s'arrêtaient même au milieu d'une phrase musicale, ou se contentaient de pincer trois notes, pour la forme, en attendant leur récompense.

« Combien allons-nous leur donner ce soir ? » demanda Guy. Sans attendre de réponse il sortit un billet de mille *lei*, prodigalité qui lui valut de la part des deux autres un regard réprobateur. « En souvenir de plaisirs passés », dit-il, imperturbable.

Il était un peu plus de onze heures quand ils arrivèrent à l'appartement des Pringle. David avait accepté de venir prendre un dernier verre. Le hall de l'immeuble était obscur ; le concierge, mobilisé maintenant depuis des mois, n'avait jamais été remplacé. L'ascenseur était en panne.

Quelque chose semblait anormal à Harriet. Le silence, se dit-elle. Les Roumains, en général, se couchaient tard. D'habitude, à cette heure, on entendait de la musique et des bruits de voix, et cela jusqu'à l'aube. Tous trois entreprirent de monter à pied. Au huitième étage, ils virent un rayon de lumière éclairer obliquement l'escalier.

« Ça vient de chez nous, dit Harriet. La porte est ouverte. »

Ils se figèrent pour écouter : rien. Guy et David reprirent

leur ascension jusqu'au neuvième sans faire aucun bruit. Harriet se contenta de monter quelques marches, assez pour voir la porte de leur appartement grande ouverte, la porte du salon entrebâillée et toutes les lumières allumées.

« Reste ici », lui chuchota Guy. Il poussa brusquement la porte du salon : personne.

« On a été cambriolés, revint-il dire à Harriet.

Où sont Sacha et Despina ?

Cachés quelque part, sans doute. »

Ils firent le tour de l'appartement, dont le sol était jonché de papiers, de livres, de vêtements et de verre brisé. On avait vidé les tiroirs, défait les lits, éventré les matelas, jeté les livres à bas des étagères, brisé les tableaux et décloué les moquettes. Ils comprirent que les lieux avaient été l'objet d'une fouille systématique, et non d'une frénésie destructrice. Les dégâts et le désordre n'étaient qu'accessoires. Que pouvait-on bien chercher ? Pas quelqu'un, mais plutôt quelque chose susceptible d'avoir été dissimulé dans un tiroir ou sous un matelas. Ce n'était donc pas Sacha qu'ils cherchaient. Mais peut-être était-ce Sacha qu'ils avaient trouvé, car il n'était nulle part.

Sa chambre avait subi le même traitement que le reste de l'appartement.

Dans la cuisine, pareillement bouleversée, la porte menant à l'escalier de secours était ouverte. La « chambre » – ou plutôt le réduit où dormait Despina – était vide, et ses affaires personnelles avaient disparu.

Montant l'escalier d'incendie, ils constatèrent que toutes les cuisines qui donnaient sur lui étaient sombres et silencieuses, comme si l'immeuble était désert.

Harriet grimpa à l'échelle menant au toit. Les portes des huttes des domestiques étaient toutes closes. Poussant la porte de celle où avait dormi Sacha, elle cria : « Sacha ! Despina ! » Pas de réponse.

Redescendus à l'appartement, ils examinèrent de nouveau la chambre de Sacha. Harriet, en ramassant les couvertures qui étaient à terre, trouva dans leurs plis l'harmonica. Elle le tendit à Guy. Ils avaient maintenant la preuve qu'on avait emmené le jeune homme de force. Sous le matelas, ils trouvèrent le faux passeport, déchiré comme par dérision.

« Ils vont le tuer, dit-elle.

— Non, dit Guy. Pourquoi le feraient-ils ? Demain, à la

première heure, j'irai à la légation. Ils feront une enquête. Ne t'inquiète pas, nous allons nous agiter. »

Harriet secoua la tête, incapable de parler. Elle savait qu'il n'y avait rien à faire. Les autorités roumaines n'avaient déjà que peu de pouvoir sur la Garde de Fer. La légation britannique n'en avait aucun. D'ailleurs Sacha était un déserteur. Son arrestation était légale. Il n'avait aucun droit.

« Ne restons pas ici, dit David. Ils pourraient revenir. » Il fit le guet sur le palier tandis que Harriet remplissait hâtivement une valise. Guy, après avoir fourré quelques chemises et sous-vêtements dans son sac à dos, alla au salon et commença à ramasser ses livres. Le dos de certains était cassé, et leurs pages portaient des traces de talons. Devant ces marques d'une barbarie qu'il s'était juré de combattre, il se dit : « La bête est lâchée. » Il était soulagé que Harriet partît le lendemain. Après, le pire pouvait arriver.

Il réussit à mettre une douzaine de livres dans le sac, et six de plus dans ses poches. Il en ramassa un dernier — les sonnets de Shakespeare —, qu'il mit sous son bras.

Avant de quitter l'appartement, ils éteignirent toutes les lumières et fermèrent à clé la porte de service. Ils n'avaient pas le temps de mettre de l'ordre. Le propriétaire découvrirait l'appartement tel qu'eux-mêmes venaient de le trouver ; mais une fois dans la rue, ils eurent l'étrange sentiment de partir comme des voleurs.

« Je me sentais plutôt nerveux, là-haut, dit David.

— Et moi, je n'ai jamais eu si peur de ma vie », avoua Guy.

Harriet ne dit rien, mais quand ils eurent traversé la grand-place elle déclara :

« Je ne pars pas demain. Maintenant, je n'ai plus de raison de le faire.

— Si, tu en as une : me trouver du travail. Ici, tu ne ferais rien de plus. Et tu ne peux pas poser un lapin à Dosbson. »

Ils décidèrent de passer la nuit à l'Athénée-Palace, où David avait une chambre à deux lits. Harriet se jeta sur l'un d'eux et s'endormit aussitôt. Les deux hommes, trop énervés pour faire de même, passèrent toute la nuit à parler, à boire et à jouer aux échecs.

28

En se réveillant le lendemain matin et en se rappelant ce qui
était arrivé, Harriet fut surprise de constater qu'elle ne ressentait rien. Elle fit ses derniers préparatifs de départ avec indifférence. Partir, rester — ça lui était égal.

David, qui devait aller à la légation, lui fit ses adieux dans
le vestibule. Guy et elle, en quittant l'hôtel, virent Galpin char-
ger ses bagages dans le coffre de sa voiture. Guy lui demanda s'il
partait.

« Non. Mais je me tiens prêt. Quelque chose se prépare.

— Pensez-vous que ce ne soit plus qu'une question de
jours?

— Une question d'heures, plus probablement. Quoi qu'il
en soit, je suis prêt. Je peux vous emmener, si vous le souhaitez.

— Harriet part pour Athènes ce matin même. Moi, je dois
rester.

— Rester? Pour quoi faire? Pour qu'on vous colle une
balle dans la nuque?

— J'ai un travail à finir, dit Guy, une expression de rare
détermination inscrite sur le visage.

— Libre à vous. Votre humble serviteur, lui, ne prend
aucun risque. »

Quand les Pringle arrivèrent à l'aéroport, Dobson y était
déjà. Il faisait froid, et il portait un pardessus à col d'astrakan.
On lui avait dit que Harriet serait accompagnée d'un étudiant
de Guy. « Où est votre jeune ami? » demanda-t-il.

Guy lui raconta ce qui s'était passé. L'étudiant était Sacha
Drucker — inutile maintenant de le cacher —, et Guy allait de ce
pas à la légation pour demander son aide à Fitzsimon.

Dobson l'écoutait avec une sympathie un peu narquoise, comme s'il se demandait ce qu'une légation britannique devenue impuissante à protéger ses ressortissants pourrait faire pour un jeune juif discrédité disparu dans le chaos. « Il y a des milliers de personnes comme Sacha Drucker à travers l'Europe... », dit-il, avec un geste d'impuissance signifiant qu'à l'époque où ils vivaient, la souffrance était devenue banale.

« Je suis sûr que Fitzsimon m'aidera », insista Guy, quêtant dans le regard d'une Harriet qui détournait les yeux une approbation qu'elle lui refusa.

Pour elle, Sacha était perdu. Elle ne voulait plus entendre mentionner son nom. « Nous devrions monter dans l'avion », dit-elle.

Guy, troublé par cette soudaine insensibilité, lui recommanda :

« Envoie-moi un télégramme dès ton arrivée.

— Bien sûr. »

Au guichet de contrôle des passeports, on ne lui rendit pas le sien. Comme elle protestait, on lui dit qu'elle le récupérerait dans l'avion. Quand Guy l'enlaça pour l'embrasser, elle ne pensait plus qu'à une chose : en finir le plus vite possible avec les adieux. Dobson lui prit le bras et l'entraîna, faisant son possible pour lui rendre plus léger ce moment pénible. « J'adore ces petits sauts de puce au-dessus des Balkans », lui dit-il.

Les moteurs tournaient déjà quand un fonctionnaire entra et lui rendit son passeport. On ferma les portes et l'avion prit son élan. Après le décollage, elle vit en bas la silhouette solitaire de Guy, le visage levé vers l'avion qui l'emportait. Elle eut un coup au cœur. « Je ne le verrai peut-être plus jamais », se dit-elle. Elle eut une furieuse envie de retourner vers lui et de se jeter dans ses bras. Au lieu de quoi, elle ouvrit son passeport et vit le mot « *anulat* » inscrit sur son visa de retour. « Ils ont annulé mon visa », dit-elle, consternée, à Dobson. Soudain prise de panique, elle s'écria : « Mais il *faut* que je revienne. Ils ne peuvent pas me séparer de mon mari... »

Dobson fut rassurant. « Vous pouvez en demander un à Athènes. Le consul de Roumanie en Grèce est un charmant vieux monsieur. Il ferait n'importe quoi pour une jolie femme. » Pour la distraire, il se mit à lui parler du Danube, qu'ils étaient en train de survoler — un large ruban argenté moucheté de petites embarcations et de pétroliers noirs.

« Saviez-vous qu'on a retrouvé des cartes remontant à 400 avant Jésus-Christ ? Elles montrent le Danube prenant sa source dans les Pyrénées.

— Mais il ne prend sûrement pas sa source dans les Pyrénées ? »

Dobson rit, charmé par sa naïveté. Elle lui était reconnaissante de sa compagnie. Avant la guerre, elle avait pas mal voyagé. Seule, et ravie de l'être. Maintenant, elle avait plutôt envie de s'accrocher à Dobson, qui représentait un vestige de sa vie avec Guy. Elle tâcha de se ressaisir en se disant qu'elle était en mission : elle devait trouver du travail à son mari et un logement pour eux deux. Elle pensait à Bella, seule Anglaise restée à Bucarest après le départ de ses compatriotes. Elle fit part de son inquiétude pour son amie à Dobson qui la rassura :

« Je lui ai dit que la légation pourrait la rapatrier si nous étions obligés de partir. Mais cela n'a pas eu l'air de l'intéresser.

— Comment pourrait-elle envisager de quitter Nikko ?

— Oh, nous aurions aussi pris Nikko. Tous deux parlant plusieurs langues, nous aurions pu les utiliser. Mais en vérité, elle juge plus confortable de rester où elle est », conclut-il avec un rire teinté de réprobation.

Quand ils arrivèrent en vue de Sofia, une petite ville grise blottie au pied des montagnes sous un ciel gris, il sembla à Harriet que la plupart des passagers arrivaient à destination.

« Maintenant, je regrette de ne pas aller à Sofia avec vous, dit-elle.

— Vous verrez, Athènes est une ville agréable. Vous y rencontrerez des gens charmants. »

Après l'atterrissage, Harriet marcha avec Dobson jusqu'à la barrière du terrain d'aviation. Une voiture et un chauffeur l'attendaient. Le chauffeur chargea le sac de Dobson dans le coffre. Harriet, en se retournant, vit que sa propre valise était par terre sur l'herbe. L'avion qu'elle venait de quitter et qu'elle était censée reprendre roulait lentement le long de la piste.

« Il part sans moi ! s'écria-t-elle.

— Mais non, voyons », la rassura Dobson.

Mais l'avion décolla bel et bien. Dobson dit un mot à son chauffeur bulgare qui se dirigea vers l'abri qui servait de bâtiment de douanes. Il revint en disant que l'avion roumain, refusant de poursuivre, avait rebroussé chemin. Les passagers pour Athènes voyageraient sur un appareil de la Lufthansa.

« Mais il n'est pas question que je monte dans un avion allemand ! » s'écria Harriet, frénétique. On racontait à Bucarest que plusieurs hommes d'affaires britanniques qui avaient pris un vol Lufthansa Ankara-Sofia avaient, contrairement à toutes les lois de la guerre, été détournés sur Vienne, arrêtés et internés dans des camps.

Dobson sourit de ses terreurs.

« Personnellement, je me sentirais plus en sécurité dans un avion allemand que dans un avion roumain.

— Mais c'est défendu !

— En principe. Mais comme vous n'avez pas de visa d'entrée en Bulgarie et que vous ne pouvez pas retourner à Bucarest, vous n'avez pas d'autre choix que de continuer en empruntant le seul moyen de transport disponible. »

L'énorme avion de la Lufthansa attendait sur le terrain d'aviation, un fonctionnaire allemand en uniforme posté au bas de la passerelle. Harriet se sentit défaillir en le regardant. Perdant toute réserve — et surprise de son comportement —, elle supplia Dobson :

« S'il vous plaît, restez au moins avec moi jusqu'à ce que j'embarque.

— J'ai bien peur que ce ne soit pas possible. Le ministre plénipotentiaire m'attend pour déjeuner.

— Seulement vingt minutes, insista-t-elle, au bord des larmes.

— Désolé. Je ne peux pas faire attendre le ministre », répondit Dobson poliment, mais avec une fermeté qui la surprit. Elle comprit qu'il ne badinait plus.

Quand il fut parti, elle s'assit sur un banc près du bâtiment des douanes en contemplant l'avion qui devait l'emporter. Les passagers commençaient à embarquer. Elle se rendit compte qu'il était inutile de temporiser. Dobson avait raison, elle n'avait pas le choix. Maintenant, elle comprenait le sens de l'expression : « personne déplacée ».

Elle se joignit aux passagers qui faisaient la queue pour monter à bord. Devant elle, cinq hommes qui lui parurent tous hostiles. Et, juste devant elle, un petit vieux tenant en laisse un jouet mécanique — un chien, ou, plus précisément, une sorte de tirelire sur roues en forme de chien, pensa-t-elle. Il se retourna pour lui sourire. Il avait un visage poupin, des cheveux filasses, des yeux bleus chassieux, et elle le trouva aussi sinistre que les autres. Pourtant, quand son tour arriva, elle le vit présenter au responsable allemand un passeport britannique. Lisant par-dessus son épaule, elle vit qu'il s'appelait Liversage, qu'il était consul à la retraite, né en 1865, résidant à Sofia. Les Allemands traitèrent les deux Anglais avec une courtoisie glaciale. Harriet, changeant d'avis sur le vieil excentrique, se sentait maintenant réconfortée par sa présence.

En entrant dans la carlingue, il s'effaça pour la laisser pas-ser et choisir son siège. Puis il s'assit à côté d'elle. Il prit sur ses genoux l'invraisemblable chien-jouet, dont il caressa le pelage mité. « Je fais la quête pour les hôpitaux, lui expliqua-t-il. Je fais cela depuis plus de cinquante ans. J'ai déjà réuni des centaines, des milliers de livres. »

Harriet se détendit. Détourner un avion pour capturer une jeune femme et un homme de soixante-cinq ans, fussent-ils Anglais, lui sembla soudain une hypothèse absurde.

Comme ils survolaient les montagnes, Mr Liversage lui posa une multitude de questions : D'où venait-elle ? Où allait-elle ? Que faisait-elle dans cette partie du monde ? Elle fit de son mieux pour satisfaire sa curiosité. « Votre mari est-il un ancien d' "Oxbridge" ? » s'enquit-il. Guy ne sortait ni d'Oxford ni de Cambridge mais d'une université moins prestigieuse. Sentant l'importance qu'il attachait à sa réponse, elle choisit de lui faire plaisir. « Oui », répondit-elle. Mr Liversage sembla content.

Passé la frontière bulgare, le ciel s'éclaircit. Tandis qu'il survolait la Macédoine, l'avion surgit dans la splendeur bleu et vert paon d'une mer Égée déferlant sur les rives dorées de Thrace. Il passa étonnamment près d'une curieuse montagne en forme de seau renversé. Harriet aurait voulu savoir son nom, mais le vieil homme était tellement bavard qu'il ne lui laissa pas la chance de poser la question. Puis apparurent les Sporades, avec ses hauts-fonds de jade et ses bas-fonds de turquoise fran-gés du pourpre des algues. Mr Liversage parlait toujours, décri-vant sa vie à Sofia. *Grosso modo*, à en juger d'après un adjectif qu'il semblait affectionner, il s'agissait d'une gentille petite vie dans une gentille petite maison avec un gentil petit jardin. Hélas, il avait dû y renoncer, la Bulgarie, comme tant d'autres pays, étant menacée par « cette guerre qui gagnait l'Est comme une lave grise » prête à les engloutir tous. Il tapota la tête de son chien : « Alors, nous voici en route pour Athènes. Nous allons probablement nous y installer, hein ? » dit-il à l'objet.

Harriet sourit pour la première fois depuis le raid. Le souvenir de l'appartement dévasté s'estompait grâce à l'intensité de la lumière et des couleurs d'un été retrouvé. Le soleil qui frappait le hublot était de plus en plus chaud, une sensation dont elle avait oublié à quel point elle pouvait être euphorisante.

Durant tout le voyage, Mr Liversage garda son chien sur ses genoux. Il ne le posa même pas quand il partagea avec Harriet les sandwiches qu'il avait apportés. Elle voyait parfois ses mains se crisper sur le corps de l'« animal », le seul signe apparent d'émotion qu'elle perçut. Il restait enjoué et ne se plaignait jamais, comme si être déraciné à son âge était une chose normale. L'avion maintint sa trajectoire vers le sud, ne montrant aucune intention de les kidnapper. Ils étaient presque arrivés à Athènes.

« Nous nous reverrons certainement », lui dit Mr Liversage sur la passerelle.

Voyant les façades de marbre et les collines lumineuses dans le rose-mauve de la fin de l'après-midi, Harriet était heureuse de cette pause dans un si bel endroit.

29

Le lendemain après déjeuner, quand Harriet tomba sur Yakimov, elle eut le choc de sa vie.

Elle avait passé la matinée à se promener dans les rues d'Athènes, remplie d'une impression de liberté qu'elle n'avait pas éprouvée depuis longtemps. La veille au soir elle était allée au cinéma, où les actualités montraient non la puissance inexorable des panzerdivisions nazies, mais une poignée d'hommes du génie britannique occupés à poser des mines derrière de maigres broussailles quelque part en Afrique du Nord. Bien que toujours animée de la ferme intention de retourner à Bucarest, elle trouvait gratifiant de passer quelque temps dans un pays où on aimait les Anglais.

Elle crut rêver en voyant Yakimov, perché comme une sauterelle sur une vieille bicyclette. En la reconnaissant, il sauta de sa machine pour venir vers elle.

« Chère fille ! Quelle magnifique surprise ! Alors, et l'Hispano ?

— Elle a été vendue.

— Non ! (Fouillant ses poches, il en sortit un mouchoir sale avec lequel il s'essuya le front.) Juste quand votre pauvre Yaki se demandait comment sortir de la panade ! Combien ?

— Soixante mille.

— *Chère fille !* »

Ses grands yeux pâles menaçant de sortir de leurs orbites, elle n'eut pas le cœur de lui dire que soixante mille *lei* représentaient tout au plus dix livres sterling.

Il portait son costume de tussor et sa chemise de soie jaune paille. Les auréoles aux aisselles s'étaient encore assombries, et elles étaient maintenant ourlées de cristaux de sel. Il portait en bandoulière une sacoche de cuir remplie de feuilles ronéotypées. Elle lui demanda quelle activité l'obligeait à faire de la bicyclette au plus fort de la chaleur.

« Il faut que je distribue ceci, dit-il. Ce sont des feuilles d'information du bureau de renseignements. Un boulot important. Ils ont dû entendre dire que j'étais correspondant de guerre car, pas plus tôt arrivé, ils m'ont embringué là-dedans. Pas pu refuser. Ma participation à l'effort de guerre, voyez-vous. Bon, il faut que j'y aille, conclut-t-il en se préparant à chevaucher un engin qu'il tenait à bout de bras, comme il l'aurait fait d'un cheval vicieux. Je dois dire que vous êtes arrivée juste à temps, ajouta-t-il.

— Pourquoi ? Qu'avez-vous appris ? demanda-t-elle en lui prenant le bras.

— Eh bien, les rumeurs d'une occupation allemande de la Roumanie se précisent.

— Mais Guy est toujours à Bucarest... »

Yakimov, un pied sur la pédale, cligna des yeux, déconcerté. « Ne vous tracassez pas trop, chère fille. Vous savez, ce ne sont que des rumeurs. » Posant son derrière sur la selle, il s'élança, parcourant quelques mètres en zigzag tout en lui faisant de la main son habituel au revoir de bébé. « À bientôt. Je suis toujours chez *Zonar* », lui dit-il.

Harriet, plantée sur la chaussée, le regardait s'éloigner. Toutes ses angoisses l'avaient reprise. Comment, dans ce pays étranger dont elle ne connaissait même pas l'alphabet, allait-elle faire pour découvrir ce qui s'était passé ? Son hôtel, modeste mais assez collet monté, était peuplé de résidents anglais. Elle se dit qu'elle finirait bien par y apprendre quelque chose.

Quatre femmes étaient assises dans le salon, chacune dans un coin. La plus émaciée, celle qui buvait du thé, ne pouvait être qu'Anglaise, décida-t-elle. Oubliant sa timidité, elle lui demanda sans se soucier des formules de politesse : « Savez-vous ce qui se passe en Roumanie ? »

La femme sursauta, visiblement choquée par cette question abrupte. « Les Allemands viennent d'occuper la Roumanie. Nous venons tout juste de l'apprendre par la radio », finit-elle par répondre avec un détachement indiquant qu'elle se fichait complètement de ce qui se passait en Roumanie.

« Mais mon mari est resté là-bas ! s'écria Harriet.

— On le mettra dans un camp de prisonniers. On vous le rendra après la guerre. Moi, je n'ai plus de mari. Il est mort. »

Une fois administré ce rude réconfort, elle se versa une autre tasse de thé.

Harriet courut demander à l'employé de l'hôtel le chemin de la légation britannique. Empruntant des rues désertes bordées de façades blanches comme du sel, elle courut jusqu'à la légation dans la lumière aveuglante de l'après-midi. Il n'y avait personne à part le concierge maltais. « Mon mari est en danger. Son nom est sur la liste des gens recherchés par la Gestapo », lui dit-elle d'un ton haletant.

Désireux de l'aider, l'homme lui dit gentiment :

« L'information donnée par la radio est peut-être fausse. Vous savez ce que je vais faire ? Je vais appeler la légation de Bucarest et m'enquérir tout spécialement de votre mari.

— Combien de temps cela prendra-t-il ?

— Une heure. Peut-être deux. Allez vous installer à une terrasse en attendant et buvez une tasse de thé. Promenez-vous. Quand vous reviendrez, j'espère avoir des nouvelles rassurantes à vous donner. »

Mais quand elle revint, il n'y avait aucune nouvelle. Le concierge n'avait pas réussi à avoir Bucarest. « Ils ont mis la "couverture" », dit-il avec un optimisme feint. Or Harriet savait parfaitement à quoi s'en tenir concernant la "couverture". Cela signifiait qu'un événement grave s'était produit, ou allait se produire. L'homme lui dit qu'il allait encore essayer. Elle repartit donc marcher au hasard dans la ville.

Quand elle revint à la légation en fin d'après-midi, on lui fit la même réponse : « Toujours rien. Revenez plus tard. »

Trop fatiguée pour marcher encore, Harriet s'assit sur un banc dans le hall de la chancellerie et observa les allées et venues. Les employés avaient repris leur travail et le concierge dut s'occuper d'autre chose que d'essayer d'obtenir Bucarest. Personne ne lui parlait et elle n'avait envie de parler à personne. Elle décida qu'elle n'obtiendrait rien en harcelant des responsables débordés. Mieux valait faire confiance au concierge pour s'occuper d'elle. La nuit était tombée. Il vint vers elle et, embarrassé de ne pouvoir lui donner satisfaction, lui dit :

« Le mieux, c'est de rentrer chez vous et de revenir demain matin. Plus tard dans la soirée, nous arriverons peut-être à obtenir la communication.

— Il y a quelqu'un ici la nuit ?

— Oui. Il y a une permanence.

— Alors je peux revenir plus tard ?

— Si vous voulez. Revenez vers onze heures. »

Harriet se retrouva de nouveau dans la rue, sans personne à qui confier son désespoir. Il n'y avait que Yakimov. Elle le vit soudain comme un ami. Un vieil ami. Mais où le trouver ? Elle ne se rappelait plus le nom qu'il lui avait donné. Dans la rue principale, elle entra dans tous les cafés et inspecta toutes les terrasses, désormais vides car il faisait froid. Quand elle trouva enfin Yakimov, elle était livide et tremblait de détresse.

Consterné de la voir dans cet état, il lui demanda : « Que se passe-t-il, chère fille ? »

Elle voulait parler mais elle avait peur d'éclater en sanglots. Elle ne put que secouer désespérément la tête.

« Asseyez-vous, dit-il. Buvez quelque chose. »

Le prince était avec un homme âgé solidement bâti dont la chevelure blanche formait un contraste saisissant avec la peau sombre. Pour donner à Harriet le temps de se ressaisir, Yakimov, gentiment, lui présenta son compagnon. « Moustapha Bey. Mon cher Mous, je te présente Mrs Pringle, de Bucarest. Elle n'approuve pas vraiment le pauvre Yaki, ajouta-t-il en souriant. Que voulez-vous boire ? Nous buvons du cognac mais vous pouvez commander autre chose : whisky, gin, *ouzo*, tout ce qui vous fait envie. C'est Mous qui invite. »

Elle commanda un cognac. Après quelques gorgées, elle se sentit en état de parler.

« La nouvelle de l'occupation de la Roumanie doit être vraie. Ils ont mis la "couverture". Tout le monde sait ce que cela veut dire.

— La nouvelle est exacte », confirma Moustapha Bey en hochant la tête.

Harriet retint son souffle.

« Que va-t-il arriver à Guy ? demanda-t-elle.

— Guy n'est pas un imbécile. Il est capable de veiller sur lui-même, vous savez, dit Yakimov.

— Ils ont fait un raid dans notre appartement la veille de mon départ. »

Harriet vit un frémissement passer sur le visage de Yakimov. Elle se souvint aussitôt du plan de sabotage du puits de pétrole. Le frémissement l'avait trahi : c'était lui qui avait volé le plan, elle en était sûre. Mais au point où ils en étaient, quelle importance ?

« La légation veillera sur le cher garçon. Elle en a fait sortir plein d'autres de France et d'Italie. Dobbie aime bien Guy, et Dobbie est un chic type. Il n'abandonnerait jamais un ami.

— Dobson est en Bulgarie, dit Harriet.

— Non ! Mais c'est un désastre ! s'écria Yakimov en pensant probablement à ses six mille *lei*. Je prendrais bien un autre cognac, cher garçon », dit-il à Moustapha Bey.

Son désir fut aussitôt exaucé.

Harriet, son agitation calmée, ne ressentait plus qu'une immense fatigue. Les yeux fixés sur la pendule du café, elle entendait sans l'écouter vraiment Yakimov parler des plaisirs d'Athènes, dont l'abondance de la nourriture n'était pas le moindre.

« Et nombre de nos amis sont ici. Toby Lush, par exemple.

— Toby Lush est ici ! s'exclama Harriet.

— Oui. Et il a une situation importante, m'a-t-on dit. Son ami Dubedat aussi. Et un certain Lord Pinkrose vient tout juste d'arriver de Bucarest. Vous vous sentirez tout à fait chez vous une fois installée. »

Harriet hocha poliment la tête. Elle ne pensait qu'à Guy et a Sacha. Comment pourrait-elle se sentir chez elle sans eux ? Elle demanda à Yakimov depuis combien de temps il était à Athènes. « Une semaine », répondit-il.

Pas assez longtemps, pensa-t-elle, pour avoir épuisé son crédit en ce lieu. Ses manières aristocratiques faisaient encore illusion, comme à Bucarest au début.

Quand l'aiguille de la pendule fut presque sur onze heures, elle se leva d'un bond : « Il faut que je retourne à la légation.

— Je vous accompagne, dit Yakimov, à la surprise de Harriet.

— Ne vous donnez pas cette peine. Vous avez été très gentil, mais...

— Je viens avec vous, chère fille. Le pauvre Yaki n'est pas aussi mauvais que vous le pensez. Vous pouvez l'accuser de tout, mais pas d'incivilité. Pas d'incivilité. »

Sa pelisse doublée de zibeline pendait sur le dossier de sa chaise. Il la mit sur ses épaules avec une désinvolture élégante. « Je serai vite de retour », dit-il à Moustapha Bey.

Celui-ci s'inclina devant Harriet avec une raideur cérémonieuse.

Quand ils furent dans la rue, Yakimov expliqua à Harriet :
« Une ville de rêve. Des gens merveilleux. Moustapha est un
vieil ami. Dollie et moi avons séjourné chez lui quand il avait
une maison à Smyrne. Il était millionnaire. Maintenant, il est
fauché, tout comme votre pauvre Yaki. »

Ils gravirent la colline en haut de laquelle était située la
légation. À la porte de celle-ci, Harriet, pensant que le choc
qu'elle risquait de recevoir serait moindre si Yakimov faisait
tampon, lui dit : « Je préfère que ce soit vous qui y alliez. Je vous
attends ici. »

Il s'exécuta de bonne grâce. Elle s'appuya contre un réverbère. La rue était déserte, et, à part la lumière sortant de la
chancellerie, sans aucun autre signe de vie. Elle fixait la porte
par laquelle était entré Yakimov. Il ressortit presque aussitôt, le
visage radieux. « Exactement ce que je pensais, chère fille. Tout
va bien. Le calme règne à Bucarest. Il est exact qu'on y attend
une armée d'occupation, mais elle n'est pas encore arrivée. La
légation ne bronche pas. Elle affirme que les sujets britanniques
ne seront pas molestés. Je parie que vous récupérerez le cher
garçon en moins de deux. »

Harriet se mit à pleurer. Elle se sentait vidée. Elle pleurait
sur Sacha, sur Guy qu'elle imaginait tout seul à l'aéroport, sur
son chaton roux, sur l'appartement dévasté, sur les livres piéti-
nés, sur l'infinité des souffrances du monde.

Yakimov, sans un mot, lui prit le bras et ils redescendirent
la colline. Quand elle se moucha, il lui demanda le nom de son
hôtel. Il la reconduisit jusqu'à la porte.

« Une bonne nuit de sommeil fera toute la différence, la
rassura-t-il.

— Vous avez été si gentil... J'aimerais à mon tour pouvoir
faire quelque chose pour vous. »

Il eut un petit rire modeste et stupéfait :

« Mais, chère fille, c'est moi qui vous suis redevable pour
tout ce que vous avez fait : vous avez recueilli le pauvre Yaki.
Que pourriez-vous faire de plus ?

— Ce n'était pas mon idée. C'était celle de Guy.

— Mais vous l'avez laissé faire. Vous m'avez nourri. »

Maintenant, elle avait honte de l'avoir fait aussi peu volontiers.

« Je vois que vous avez toujours votre magnifique pelisse,
dit-elle.

— Oui, répondit-il en relevant l'ourlet pour lui montrer la doublure de zibeline. Vous ai-je dit que c'est un cadeau du tzar à mon pauvre papa ?

— Je crois vous l'avoir entendu mentionner. »

Il lui prit la main et la baisa.

« Si vous avez besoin de moi, vous me trouverez toujours chez *Zonar*. (Il lui tapota la main.) Bonne nuit, chère fille.

— Bonne nuit. »

Il lui fit un grand geste d'adieu. Comme il s'éloignait, elle vit l'ourlet décousu de sa pelisse traîner derrière lui sur le trottoir.

Table

Livre I
LA TERRE PRODIGUE

Livre II
LES DÉPOUILLES

Cet ouvrage a été réalisé par la
SOCIÉTÉ NOUVELLE FIRMIN-DIDOT
Mesnil-sur-l'Estrée
pour le compte de NiL éditions
en septembre 2000

Imprimé en France
Dépôt légal : octobre 2000
N° d'édition : 3441/01 – N° d'impression : 51536